346/ he said aloud "having n-- what she said,
 ~~~~~ it was Tevildo thought; and may
 ~~~~~ discovering whether Beren were there, she had
 no other use and knew not what would become ~~~~
 indeed had she been will she would have fled. If t was
 so he cats began to ascend his terraces towards her
 castle, and the leap does Ulmayan make bearing
 Tevildo upward, and then another, and at the third
 he stumbled so that Tevildo ~~~~ cried out in [fear?]
 and Tevildo said "What ails thee Umuiyan
 thou clumsy-[foot?]. It is time thou left my employ
 if age creeps on thee so swiftly [* see back of page 15
 * 15 *]
 The harsh voice of Tevildo sounded suddenly within
 that circle — "Nay where hear is Melko's name
 hast thou made thyself hid and Tinuviel leaning
 shrinking against the wall, but Tevildo caught sight
 of her where she was perched and said "Then has
 the bird [sing?] not any more ; come down
 or I must fetch thee, for behold I will not
 encourage ~~~~~~ ~~~~ ~~~~ indeed, as in my [ ]
 Then partly in fear, and partly in hope that ever clear voice
 might carry even to Beren, Tinuviel began suddenly to
 sing very loud and to tell her tale so that her [chambers rang?]
 But "Hush my dear maiden" said Tevildo "if thy [smells?]
 were sweet without it is not one for bawling within."
 Then said Tinuviel "~~~~ not [trust?] me O cat
 mighty ~~~ kind of cats for rough he be for am I not
 Tinuviel Princess ~~~~ fairies that have helped ~~~ ~~~~ ~~~
 we take their pleasure" — now at these words
 and she had shouted them even [louder?] [than?] ~~~~ a great
 crash was heard in his kitchen as of [some?] [one?] ~~~~~
 ~~~~~ ~~~~~ and [when?] ~~~ let [to dust?] all, Cat Tevildo

A HISTÓRIA
DA TERRA-MÉDIA
—— II ——
O LIVRO DOS
CONTOS PERDIDOS 2

J.R.R. TOLKIEN

A HISTÓRIA
DA TERRA-MÉDIA
II
O LIVRO DOS
CONTOS PERDIDOS 2

Editado por CHRISTOPHER TOLKIEN

Tradução de
EDUARDO BOHEME
REINALDO JOSÉ LOPES
RONALD KYRMSE

Rio de Janeiro, 2023

Título original: *The Book of Lost Tales part two*
Copyright© The Tolkien Estate Limited e C.R. Tolkien, 1984, 1986
Edição original por George Allen & Unwin, 1984
Todos os direitos reservados à HarperCollins Publishers.
Copyright de tradução© Casa dos Livros Editora LTDA., 2022

Esta edição é baseada na edição revisada publicada pela primeira vez em 2015.

Os pontos de vista desta obra são de responsabilidade de seus autores, não refletindo necessariamente a posição da HarperCollins Brasil, da HarperCollins *Publishers* ou de sua equipe editorial.

e TOLKIEN® são marcas registradas da The Tolkien Estate Limited.

Publisher	*Samuel Coto*
Editora	*Brunna Prado*
Estagiárias editoriais	*Camila Reis, Giovanna Staggmeier e Renata Litz*
Produção gráfica	*Lúcio Nöthlich Pimentel*
Preparação de texto	*Jaqueline Lopes*
Revisão	*Leticia Castanho e Gabriel Oliva Brum*
Diagramação	*Sonia Peticov*
Capa	*Alexandre Azevedo*

Catalogação na Publicação (CIP)
(BENITEZ Catalogação Ass. Editorial, MS, Brasil)

T589q   Tolkien, J.R.R., 1892-1973
1. ed.   O livro dos contos perdidos 2 / J.R.R. Tolkien; tradução Eduardo Kumamoto, Reinaldo José Lopes, Ronald Kyrmse; [edição Christopher Tolkien]. – 1 ed. – São Paulo: HarperCollins Brasil, 2022.
            464 p.; il.; 13,5 x 20,8 cm.

            Título original: *The book of lost tales – part 2*
            ISBN: 978-65-55114-47-8

            1. Ficção inglesa. I. Kumamoto, Eduardo. II. Lopes, Reinaldo José.
        III. Kyrmse, Ronald. IV. Tolkien, Christopher. V. Série.

09-2022/93   CDD: 823

Índice para catálogo sistemático:
1. Ficção: Literatura inglesa 823

Bibliotecária: Aline Graziele Benitez CRB-1/3129

HarperCollins Brasil é uma marca licenciada à Casa dos Livros Editora LTDA.
Todos os direitos reservados à Casa dos Livros Editora LTDA.
Rua da Quitanda, 86, sala 218 — Centro
Rio de Janeiro — RJ — CEP 20091-005
Tel.: (21) 3175-1030
www.harpercollins.com.br

Sumário

Prefácio   7

1. O conto de Tinúviel   13
   Notas   65
2. Turambar e o Foalókë   90
   Notas   142
3. A queda de Gondolin   177
   Notas   238
4. O Nauglafring   267
   Notas   290
5. O Conto de Eärendel   302
   Notas   332
6. A história de Eriol ou Ælfwine e o Fim dos Contos   334
   Notas   395

Apêndice: Nomes em *Os Contos Perdidos 2*   403
Pequeno Glossário de Palavras Obsoletas, Arcaicas e Raras   421
Índice Remissivo   423
Poemas originais   451

Prefácio

Esta segunda parte de *O Livro dos Contos Perdidos* está organizada da mesma forma e com as mesmas intenções da primeira, conforme descritas no Prefácio a ela, páginas 20–1. Referências à primeira parte são incluídas no formato "I. 240", e à segunda parte como "p. 240", exceto nos lugares em que se faz menção a ambas, por exemplo "I. 222, II. 292".

Como anteriormente, adotei um sistema consistente (ainda que não necessariamente "correto") de acentuação dos nomes; e, nos casos de *Mim* e *Niniel*, que são sempre escritos assim, adotei *Mîm* e *Níniel*.

As duas páginas dos manuscritos originais foram reproduzidas com permissão da Biblioteca Bodleiana, Oxford, e gostaria de expressar minha gratidão à equipe do Departamento de Manuscritos Ocidentais da Bodleiana por sua assistência. Essas páginas originais correspondem às seguintes do texto impresso neste livro:

1. A página manuscrita de *O Conto de Tinúviel*. Parte superior: texto impresso, página 37 (nona linha *the sorest dread* [muito temerosa]) até a linha 18 (*so swiftly* [tão depressa]) da mesma página. Parte inferior: texto impresso, página 38 (nona linha, *the harsh voice* [a voz áspera]) até a décima quinta linha de baixo pra cima, *but Tevildo* [mas Tevildo]).
2. A página manuscrita de *A Queda de Gondolin*. Parte superior: texto impresso, página 228 (décima linha de baixo pra cima *"Now," therefore said Galdor* ["Agora," disse portanto Galdor] até a última linha, *if no further."* [ainda que não mais adiante."]). Parte inferior: texto impresso, página 229 (linha 8, *But the others, led by one Legolas Greenleaf* [Mas os outros, liderados por Legolas Verdefolha] até a terceira linha de baixo pra cima (*leaving the main company to follow he* [deixando a companhia principal a segui-lo]).

Para diferenças entre o texto impresso de *A Queda de Gondolin* e o manuscrito reproduzido, ver p. 241, notas 34–36, e p. 244, *Bad Uthwen*; outras pequenas diferenças não mencionadas nas notas também se devem a alterações posteriores feitas ao texto B do Conto (ver pp. 179–80).

Essas páginas ilustram o complicado "quebra-cabeças" dos manuscritos de *Os Contos Perdidos* descrito na p. 20 do Prefácio à Parte I.

O terceiro volume nesta "História" incluirá a aliterante *Balada dos Filhos de Húrin* (*c.* 1918–1925) e a *Balada de Leithian* (1925–1931), juntamente com o comentário a uma parte dessa última feito por C.S. Lewis, e a reescrita do poema que meu pai empreendeu após a conclusão de *O Senhor dos Anéis*.

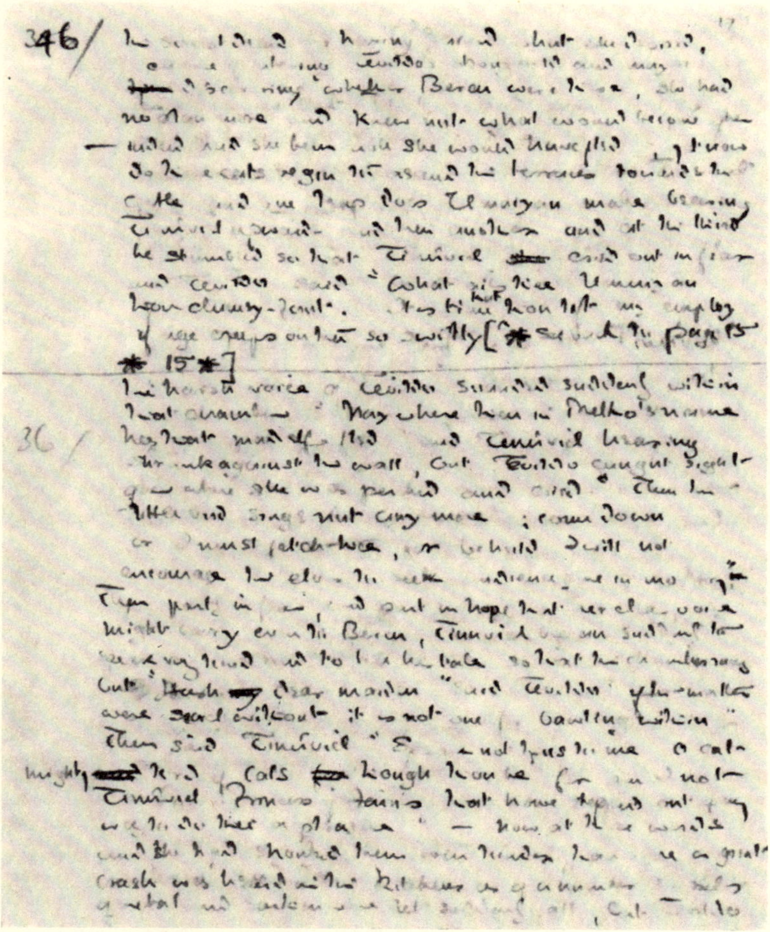

Página manuscrita de “O Conto de Tinúvel”

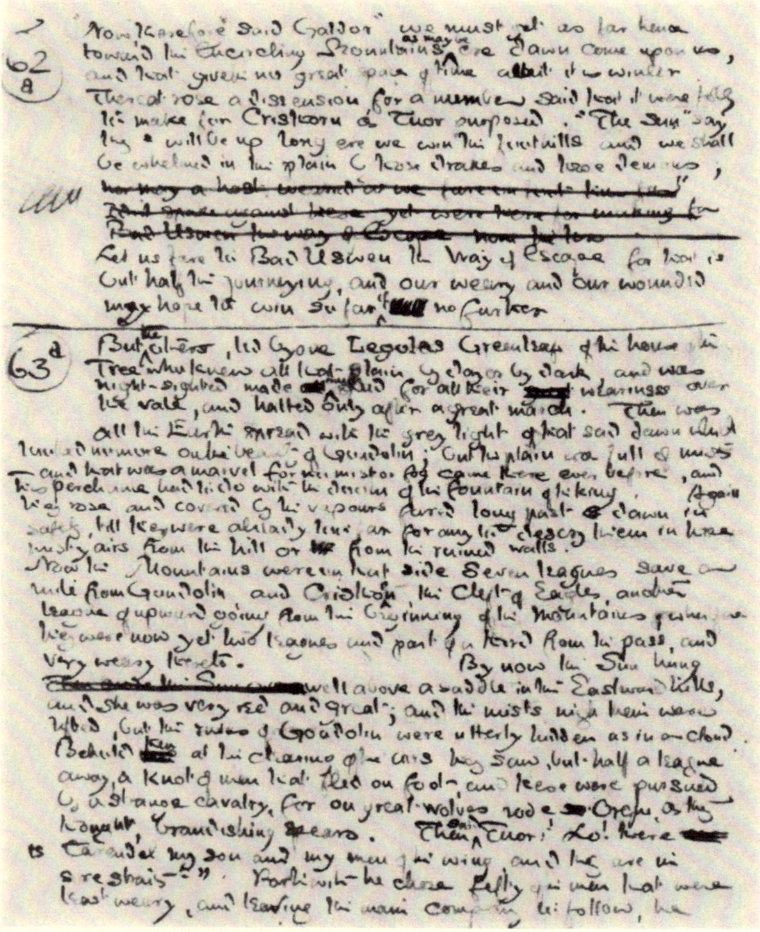

Página manuscrita do conto "A Queda de Gondolin"

1

O CONTO DE TINÚVIEL

O *Conto de Tinúviel* foi escrito em 1917, mas o texto mais antigo que sobreviveu é posterior, sendo um manuscrito a tinta sobre um original a lápis que foi apagado; de fato, a reescrita desse conto parece ter sido um dos últimos elementos que meu pai completou nos *Contos Perdidos* (ver I. 244-45).

Há também uma versão datilografada do *Conto de Tinúviel*, posterior ao manuscrito, mas pertencente à mesma "fase" da mitologia: meu pai tinha o manuscrito diante de si e alterou o texto conforme prosseguia. Diferenças significativas entre as duas versões do conto são incluídas a partir da p. 55.

No manuscrito, o conto foi intitulado "Ligação ao Conto de Tinúviel, e também o Conto de Tinúviel". A *Ligação* começa com a seguinte passagem:

"Grande era o poder de Melko para o mal," diz Eriol, "se ele pôde mesmo destruir, com seus ardis, a felicidade e glória dos Deuses e dos Elfos, obscurecendo a luz de sua habitação, e reduzindo a nada todo o amor deles! Esse seguramente deve ser o pior feito que jamais cometeu."

"De fato nunca tamanho mal foi levado a cabo novamente em Valinor," disse Lindo, "mas a mão de Melko laborou em coisas piores no mundo, e as sementes do seu mal cresceram desde aqueles dias a um tamanho grande e terrível."

"Não," disse Eriol, "meu coração ainda não consegue pensar em outros infortúnios, pelo pesar da destruição das mais belas Árvores e a escuridão do mundo."

Esse trecho foi riscado, e não se encontra no texto datilografado, mas reaparece de forma praticamente idêntica no final de *A Fuga dos Noldoli* (I. 206). A razão para isso é que meu pai decidiu que o

Conto do Sol e da Lua, e não *Tinúviel*, haveria de seguir *O Obscurecer de Valinor* e *A Fuga dos Noldoli* (ver I. 245–46, onde se discute a complexa questão do reordenamento dos *Contos* neste ponto). As palavras de abertura na parte seguinte da *Ligação* — "Ora, logo nos dias que seguiram o contar deste conto" — referiam-se, quando foram escritas, ao conto *O Obscurecer de Valinor* e *A Fuga dos Noldoli*; mas nunca ficou claro a que conto elas deveriam se referir quando *Tinúviel* foi deslocada de sua posição anterior.

As duas versões da *Ligação* começam muito parecidas, mas, quando Eriol fala de sua própria história pregressa, elas divergem. Para o início, incluo somente o texto datilografado e, no momento em que divergem, incluo ambos em sequência. Toda a discussão da história da vida de Eriol será adiada para o Capítulo VI.

Ora, logo nos dias que seguiram o contar deste conto, vede, o inverno aproximou-se da terra de Tol Eressëa, e agora Eriol, esquecido de seu humor errante, havia morado por um tempo na velha Kortirion. Nesses meses, nunca viajara além da boa lavoura que ficava fora das muralhas cinzentas daquela cidade, mas fora recebido em muitos paços dos clãs dos Inwir e dos Teleri como hóspede benquisto, e cada vez mais hábil nos idiomas dos Elfos ele se tornou, e mais profundo no conhecimento de seus costumes, de seus contos e canções.

Então o inverno abateu-se de súbito sobre a Ilha Solitária, e os relvados e jardins cobriram-se com um cintilante manto de brancas neves; suas fontes estavam paradas e todas as árvores estavam desnudas, silenciosas, e o longínquo sol faiscava palidamente em meio à névoa ou estilhaçava-se nas facetas de longos gelos pendentes. Ainda assim, Eriol não partia, mas fitava a lua fria olhando desde os gélidos céus para Mar Vanwa Tyaliéva, e quando acima dos telhados as estrelas chamejavam azuis, ele prestava atenção, mas nenhum som das flautas de Timpinen escutava agora; pois aquele espírito é o alento do verão, e antes mesmo de a secreta presença do outono encher o ar, ele toma seu mágico barco cinzento e as andorinhas o levam para longe.

Mesmo assim, Eriol tinha riso e alegria e músicas também, e canção nas moradas de Kortirion — o próprio Eriol, o viandante cujo coração não conhecera antes repouso algum. Veio agora um dia cinzento, e uma tarde lívida, mas do lado de dentro havia luz do fogo e calor benfazejo, e o ruído de crianças dançantes e alegres, pois Eriol estava brincando muito com as meninas e meninos no Salão do Brincar Recuperado. Lá, afinal, cansados em seu contentamento, jogaram-se nas alfombras diante da lareira, e uma criança entre elas, uma menininha, disse: "Conta-me, ó Eriol, um conto!"

"O que devo então contar, ó Vëannë?", disse ele, e ela, subindo em seus joelhos, falou: "Um conto dos Homens e de crianças nas Grandes Terras, ou do teu lar — tinhas lá um jardim tal como nós, onde cresciam papoulas e amores-perfeitos como as que crescem no meu canto junto à Pérgula dos Tordos?"

Incluo agora a versão manuscrita do restante do trecho de *Ligação*:

Então, Eriol contou-lhe de seu lar, que ficava em uma velha cidade dos Homens, cercada por uma muralha agora esfacelada e rompida, e um rio corria por lá, sobre o qual erguia-se um castelo com uma grande torre. "Uma torre altíssima, de fato", disse ele, "e a lua escalava muito antes de dar as caras acima dela." "Então ela era tão alta quanto a Tirin de Ingil?", perguntou Vëannë, mas Eriol disse que não seria capaz de calcular, pois fazia muitos, muitos anos desde que vira aquele castelo ou a torre, pois "Ó Vëannë", disse ele, "vivi lá por pouco tempo, e não depois de ter crescido e me tornado menino. Meu pai vinha dum povo costeiro, e o amor pelo mar, o qual eu jamais vira, estava em meus ossos, e meu pai aguçava meu desejo ao contar-me contos que seu pai lhe contara antes. Ora, minha mãe morreu em um cerco cruel e voraz àquela velha cidade, e meu pai foi morto numa luta implacável junto às muralhas e no fim eu, Eriol, escapei para a costa do Mar do Oeste e vivi mormente no seio das ondas ou pela orla desde aqueles dias longínquos".

Ora, as crianças no entorno encheram-se de tristeza pelas aflições que se abatiam sobre os habitantes das Grandes Terras, e pelas guerras e pela morte, e Vëannë agarrou-se a Eriol, dizendo: "Ó Melinon, não vás jamais para a guerra — ou será que já foste?"

"Sim, o bastante," disse Eriol, "mas não para as grandes guerras dos reis terreais e poderosas nações, as quais são cruéis e amargas, e muitas belas terras e coisas amáveis, e mesmo mulheres e doces donzelas como tu, Vëannë Melinir, são soterradas por elas em ruínas; e, no entanto, já vi galantes contendas em que pequenos grupos de homens valentes às vezes se reúnem, e golpes ligeiros são desferidos. Mas ora, por que falamos dessas coisas, pequenina; não querias, antes, escutar de minhas primeiras aventuras no mar?"

Houve então grande avidez, e Eriol contou-lhes de suas errâncias pelos portos ocidentais, dos camaradas que fez e dos ancoradouros que conheceu, de como veio a pique em distantes ilhas ocidentais até que, afinal, em uma ilha solitária deparou-se com um velho marujo que lhe deu abrigo e, ao pé do fogo em sua cabana solitária, contou-lhe contos estranhos de coisas para lá dos Mares do Oeste, das Ilhas Mágicas e da mais solitária que ficava além. Muito tempo antes ele certa vez a vislumbrara cintilando ao longe, e depois disso a buscou por muitos dias, em vão.

"Desde então", disse Eriol, "naveguei com mais curiosidade pelas ilhas ocidentais, procurando outras estórias do tipo, e assim foi que, de fato, após muitas grandes viagens, acabei chegando, por benção dos Deuses, a Tol Eressëa — razão pela qual estou aqui sentado falando contigo, Vëannë, até que minhas palavras tenham secado".

Contudo, um menino, Ausir, pediu-lhe então que contasse mais de navios e do mar, mas Eriol disse: "Não — ainda há tempo até que Ilfiniol soe o gongo para a refeição da noite: vamos, uma de vós, crianças, conta-me um conto que tenhas ouvido!" Então Vëannë aprumou-se e bateu palmas, dizendo: "Contar-te-ei o Conto de Tinúviel".

A versão datilografada desse trecho é a seguinte:

Então, Eriol contou de seu lar há muito tempo, que ficava em uma antiga cidade dos Homens, cercada por uma muralha agora esfacelada e rompida, pois o povo que ali habitava há muito experimentava dias de abastança e suave paz. Um rio corria por lá, sobre o qual erguia-se um castelo com uma grande torre. "Lá habitava um poderoso duque", disse ele, "e, caso observasse das mais altas ameias, nunca conseguiria ver as fronteiras de seu vasto domínio, exceto no lugar em que, muito para o leste, estavam os contornos azulados das grandes montanhas — e, ainda assim, aquela torre era tida como a mais alta que se erguia nas terras dos Homens." "Era tão alta quanto a grande Tirin de Ingil?", perguntou Vëannë, mas Eriol disse: "Era uma torre altíssima, de fato, e a lua escalava muito antes de dar as caras acima dela, mas não sou capaz de calcular quão alta, ó Vëannë, pois faz muitos anos desde que vi pela última vez aquele castelo ou sua torre altaneira. A guerra abateu-se de súbito naquela cidade em meio à sua paz soporífera, e suas muralhas esfaceladas não foram capazes de conter o ímpeto dos homens selvagens vindos das Montanhas do Leste. Lá pereceu minha mãe, naquele cerco cruel e voraz, e meu pai foi morto lutando implacavelmente junto às muralhas no último saque. Naqueles dias distantes, eu ainda não tinha altura para guerrear, e fui feito escravo.

"Sabe, pois, que meu pai vinha dum povo costeiro antes de vagar até aquele local, e o anseio pelo mar, o qual eu jamais vira, estava em meus ossos; anseio que meu pai amiúde aguçara, contando-me contos das vastas águas e rememorando o saber que havia aprendido de seu pai outrora. Há pouco mister de falar de minha labuta depois como escravo, pois no fim rompi os grilhões e fiz-me à costa do Mar do Oeste — e vivi mormente no seio de suas ondas ou pela orla desde aqueles dias antigos."

Ora, ouvindo das aflições que se abatiam sobre os habitantes das Grandes Terras, das guerras e morte, as crianças encheram-se de tristeza, e Vëannë agarrou-se a Eriol, dizendo: "Ó Melinon, não vás jamais para a guerra — ou será que já foste?"

"Sim, o bastante," disse Eriol, "mas não para as grandes guerras dos reis terreais e poderosas nações, as quais são cruéis e amargas, soterrando em suas ruínas toda a beleza tanto da terra quanto daquelas formosas coisas que os homens fazem com as mãos em tempos de paz — não, elas não poupam doces mulheres e ternas donzelas como tu, Vëannë Melinir, pois aí estão os homens embriagados de ira e sede de sangue, e Melko corre à solta. Mas já vi galantes contendas em que homens valentes às vezes se reuniam, e golpes ligeiros eram desferidos, e a força do corpo e do coração era posta à prova — mas ora, por que falamos dessas coisas, pequenina? Não querias, antes, escutar de minhas aventuras no mar?"

Houve então grande avidez, e Eriol contou-lhes de suas primeiras errâncias pelos portos ocidentais, dos camaradas que fez e dos ancoradouros que conheceu; de como veio certa vez a pique em distantes ilhas ocidentais e lá, em uma ilhota solitária, encontrou um velho marujo que habitava sozinho em uma cabana na praia que construíra da madeira de seu barco. "Era mais sábio", disse Eriol, "em todos os assuntos do mar do que qualquer outro que jamais conheci e muita magia havia em seu saber. Coisas estranhas contou-me das regiões muito além do Mar do Oeste, das Ilhas Mágicas e da mais solitária que fica detrás. Uma vez, muito tempo antes, disse, ele havia vislumbrado sua cintilação ao longe, e depois disso a buscou por muitos dias, em vão. Muito saber me ensinou dos mares ocultos, e das águas escuras e sem rotas, e sem isso eu jamais teria encontrado esta dulcíssima terra, ou esta cara cidade, ou o Chalé do Brincar Perdido — mas não foi sem busca longa e gravosa depois, e muitas viagens exaustivas, que me vi, afinal, por benção dos Deuses, em Tol Eressëa — razão pela qual estou aqui sentado falando contigo, Vëannë, até que minhas palavras tenham secado."

Contudo, um menino, Ausir, pediu-lhe então que contasse mais de navios e do mar, dizendo: "Pois não sabes, ó Eriol, que aquele velho marujo perto do mar solitário não era ninguém menos que o próprio Ulmo, que não raro aparece assim aos navegantes que ama — e, no entanto, aquele que fala com Ulmo deve ter muitos contos para contar que não soarão fanados aos ouvidos mesmo daqueles que habitam aqui em Kortirion." Mas, naquele momento, Eriol não acreditou no que Ausir dizia, e falou: "Não, pagai-me vossa dívida antes que Ilfrin soe o gongo para a refeição da noite — vamos, um de vós haveis de contar-me um conto que ouvistes."

Então Vëannë aprumou-se e bateu palmas, exclamando: "Contar-te-ei o Conto de Tinúviel".

*

O Conto de Tinúviel

> Incluo agora o texto do *Conto de Tinúviel* conforme aparece no manuscrito. A *Ligação* não é, na verdade, diferenciada ou separada de qualquer maneira do conto em si, e Vëannë não faz nenhuma abertura formal a ele.

"Quem era, então, Tinúviel?", perguntou Eriol. "Não sabes?", disse Ausir; "Tinúviel era filha de Tinwë Linto." "Tinwelint", disse Vëannë, mas o outro replicou: "Dá igual, mas os Elfos desta casa que amam o conto dizem mesmo Tinwë Linto, embora Vairë tenha falado que apenas Tinwë era seu nome correto antes de viandar nos bosques."

"Quieto, Ausir", disse Vëannë, "pois este é meu conto e vou contá-lo a Eriol. Não vi Gwendeling e Tinúviel certa vez com meus próprios olhos quando seguia pelo Caminho dos Sonhos em dias há muito passados?"[1]

"Como era a Rainha Wendelin (pois assim os Elfos a chamam),[2] ó Vëannë, se tu a viste?", perguntou Ausir.

"Esbelta e de cabelos muito escuros", disse Vëannë, "e sua pele era branca e pálida, mas seus olhos brilhavam e pareciam profundos, e ela se trajava em vestimentas translúcidas mui adoráveis de negro salpicadas de azeviche e cingidas de prata. Se cantava ou se dançava, sonhos e sonos passavam por sobre a tua cabeça e a deixavam pesada. Deveras ela era um espírito que escapou dos jardins de Lórien antes mesmo de Kôr ser construída, e ela vagava nos lugares arvorados do mundo, e rouxinóis iam junto dela e amiúde cantavam à sua volta. Foi a canção desses pássaros que alcançou os ouvidos de Tinwelint, líder daquela tribo dos Eldar que depois se tornaram os Solosimpi, os flautistas da costa, conforme ele ia com seus companheiros seguindo o cavalo de Oromë desde Palisor. Ilúvatar havia posto a semente da música nos corações de todo aquele clã, ou pelo menos é o que diz Vairë, e ela é dessa gente, e essa semente brotou depois mui maravilhosa, mas eis que a canção dos rouxinóis de Gwendeling era a música mais bela que Tinwelint jamais ouvira, e ele se afastou só por um momento, como pensava, buscando nas árvores escuras donde poderia estar vindo.

"E conta-se que não foi por um momento que ele ouviu, mas por muitos anos, e em vão seu povo procurou por ele, até que afinal seguiram Oromë e foram levados para longe em Tol Eressëa, e ele nunca mais os viu. Mas, depois de um tempo, conforme lhe pareceu, deparou-se com Gwendeling deitada num leito de folhas, observando as estrelas acima dela e ouvindo também seus pássaros. Ora, Tinwelint, pisando macio, abaixou-se e olhou para ela, pensando 'Eis aqui um ser mais belo do que os mais belos de meu próprio povo' — pois de fato Gwendeling não era Elfa ou Mulher, mas uma dentre os filhos dos Deuses; e, curvando-se ainda mais para tocar uma trança de seus cabelos, ele estalou um galho com o pé. Então Gwendeling ergueu-se e partiu, rindo suavemente, ora cantando na distância, ora dançando bem diante dele, até que um desfalecer de sopores fragrantes o acometeu e ele caiu com o rosto no chão sob as árvores e dormiu por muito tempo.

"Ora, quando despertou, não pensou mais em seu povo (e de fato teria sido em vão, pois eles agora há muito haviam chegado a Valinor), desejando apenas ver a senhora-do-crepúsculo; mas ela não estava longe, pois permaneceu por perto e o observava.

Mais da estória deles eu não sei, ó Eriol, exceto que, por fim, ela se tornou sua esposa, pois Tinwelint e Gwendeling de fato foram por muito tempo rei e rainha dos Elfos Perdidos de Artanor, ou a Terra Além, ou assim dizem aqui.

"Muito, muito tempo depois, como tu sabes, Melko irrompeu novamente no mundo vindo de Valinor, e todos os Eldar, tanto os que permaneceram na escuridão como os que foram perdidos na marcha desde Palisor, e também aqueles Noldoli que voltaram ao mundo perseguindo-o em busca de seu tesouro roubado, caíram sob seu poder, tornando-se escravos. E, no entanto, conta-se que muitos fugiram e vagaram pelas matas e lugares ermos e, desses, muitos clãs selváticos e florestais reuniram-se sob o Rei Tinwelint. A maioria deles era Ilkorin — ou seja, os Eldar que jamais haviam contemplado Valinor ou as Duas Árvores, ou habitado em Kôr — e eram seres misteriosos e estranhos, que pouco conheciam de luz, ou de beleza, ou de músicas, a não ser que fossem sombrias canções e toadas de um maravilhamento rude e que se desvaneciam em lugares florestados ou ecoavam em cavernas fundas. De fato, mudaram quando o Sol se ergueu e, realmente, antes disso eles já se misturavam com muitos Gnomos vagantes, e também havia espíritos errantes da hoste de Lórien habitando nas cortes de Tinwelint, seguidores de Gwendeling, e esses não eram dos clãs dos Eldalië.

"Ora, nos dias de luz Solar e Lunar, Tinwelint ainda habitava em Artanor, e nem ele nem a maioria de seu povo foram para a Batalha das Lágrimas Inumeráveis, embora essa estória não diga respeito a este conto. E, no entanto, seu senhorio aumentou muito depois daquela batalha infeliz em virtude dos fugitivos que vieram se proteger com ele. Sua habitação estava oculta da visão e do conhecimento de Melko graças às magias de Gwendeling, a fata, e ela tecia encantamentos em torno das veredas que para lá levavam, de modo que ninguém além dos Eldar as pudesse trilhar facilmente, e, assim, o rei ficou a salvo de todos os perigos, exceto apenas da traição. Ora, seus paços estavam construídos em uma funda caverna de grande extensão e eram apesar disso uma moradia régia e bela. Essa caverna estava no coração da poderosa floresta de Artanor, que é a mais poderosa das florestas, e um rio corria diante de suas portas, mas ninguém podia entrar naquele portal se não fosse através do rio, e uma ponte o transpunha, estreita e bem guardada. Esses locais não eram malignos, apesar de as Montanhas de

Ferro não estarem muito distantes, além das quais estava Hisilómë onde habitavam Homens e onde Noldoli escravizados laboravam, e aonde poucos Eldar livres iam.

"Eis que agora vou te contar de coisas que ocorreram nos paços de Tinwelint, depois do erguer do Sol, é verdade, mas muito antes da inolvidável Batalha das Lágrimas Inumeráveis. E Melko não havia concluído seus desígnios, nem desvelado todo o seu poder e crueldade."

"Dois filhos tinha então Tinwelint: Dairon e Tinúviel, e Tinúviel era uma donzela e a mais linda de todas as donzelas dos Elfos ocultos; e, de fato, poucas foram tão belas, pois sua mãe era uma fata, filha dos Deuses, mas Dairon era então um menino forte e alegre e, acima de tudo, deleitava-se em tocar uma flauta de caniços ou outros instrumentos do bosque e agora ele é mencionado entre os três músicos mais mágicos dos Elfos, e os outros são Tinfang Trinado e Ivárë, que toca junto ao mar. Mas a alegria de Tinúviel estava mais voltada à dança, e nenhum nome rivaliza com o seu pela beleza e sutileza de seus pés cintilantes.

"Ora, era o prazer de Dairon e Tinúviel afastarem-se do cavernoso palácio de seu pai, Tinwelint, e passarem longo tempo juntos em meio às árvores. Ali, muitas vezes Dairon assentava-se em uma moita ou raiz de árvore e tocava música, enquanto Tinúviel dançava ao som dela, e quando dançava ao tocar de Dairon, mais ágil era ela que Gwendeling, mais mágica que Tinfang Trinado sob a lua, e jamais alguém pôde ver tal meneio, exceto nos roseirais de Valinor, onde Nessa dança nos gramados de verde que nunca se extingue.

"Mesmo à noite, quando a lua brilhava pálida, ainda tocavam e dançavam e não temiam como eu haveria de temer, pois o reinado de Tinwelint e de Gwendeling afastava o mal do bosque, e Melko ainda não os perturbava, e os Homens estavam cercados além das colinas.

"Ora, o lugar que mais apreciavam era um ponto sombreado, e ali cresciam olmos e faias também, mas estas não eram muito altas, e algumas castanheiras que tinham flores brancas, mas o chão era úmido e uma grande vegetação nebulosa de cicuta erguia-se sob as árvores. Certa vez, em junho, brincavam ali e as umbelas brancas das cicutas eram como uma nuvem em torno dos troncos das árvores, e ali Tinúviel dançou até a tardinha desvanecer-se tarde e havia muitas mariposas brancas em volta. Como Tinúviel era uma fada, não se importava com elas, como fazem muitos filhos dos Homens, apesar de não gostar de besouros, e em aranhas nenhum dos Eldar toca por causa de Ungweliantë —, mas as mariposas brancas volitavam então em torno de sua cabeça, e Dairon trinava uma estranha melodia, quando subitamente aconteceu algo estranho.

"Nunca ouvi dizer como Beren chegou até ali por sobre as colinas, porém ele era mais bravo que a maioria, como hás de ouvir, e quem sabe tenha sido apenas o amor pelas caminhadas que o impelira, em meio aos terrores das Montanhas de Ferro, até ele alcançar as Terras Além.

"Ora, Beren era um Gnomo, filho de Egnor, o couteiro, que caçava nos lugares mais obscuros[3] no norte de Hisilómë. Havia temor e suspeita entre os Eldar e aqueles de sua gente que haviam provado a escravidão de Melko, e nisto vingaram-se os feitos malignos dos Gnomos no Porto dos Cisnes. Ora, as mentiras de Melko corriam entre a gente de Beren, de modo que acreditavam em fatos perversos sobre os Elfos secretos, porém agora ele via Tinúviel dançando no crepúsculo, e Tinúviel trajava uma veste de prata nacarada, e seus brancos pés desnudos cintilavam entre as hastes da cicuta. Então Beren não se importou se ela era Vala ou Elfa ou filha dos Homens e esgueirou-se, aproximando-se para vê-la; e apoiou-se em um jovem olmo que crescia num montículo, para poder olhar para baixo, para a pequena clareira onde ela dançava, pois o encantamento o fazia fraquejar. Tão esbelta ela era e tão bela que, por fim, ele se pôs de pé abertamente, sem cuidados, para contemplá-la melhor, e naquele momento a lua cheia irrompeu brilhante entre os ramos, e Dairon vislumbrou o rosto de Beren. De imediato percebeu que não pertencia à sua gente, e todos os Elfos das florestas acreditavam ser os Gnomos de Dor Lómin criaturas traiçoeiras, cruéis e desleais, portanto Dairon deixou cair sua flauta e, exclamando 'Foge, foge, ó Tinúviel, um inimigo caminha neste bosque', desapareceu depressa entre as árvores. Então Tinúviel, em seu espanto, não o seguiu de imediato, pois não compreendeu no instante as suas palavras e, sabendo-se incapaz de correr e saltar com o mesmo vigor do irmão, subitamente abaixou-se entre as cicutas brancas e se escondeu sob uma flor muito alta, com muitas folhas espalhadas, e ali parecia, em sua veste branca, um salpico de luar luzindo através das folhas no chão.

"Então Beren entristeceu-se, pois estava solitário e desolado pelo medo deles, e buscou Tinúviel em toda a parte, pensando que ela não fugira. Assim, de repente, pousou a mão em seu esbelto braço sob as folhas, e ela, com um grito, saltou para longe dele e voou o mais depressa que pôde à luz pálida, entrando e saindo pelos troncos das árvores e hastes de cicuta. O suave toque de seu braço deixou Beren ainda mais ansioso por encontrá-la do que antes e ele seguiu depressa e, no entanto, não depressa o bastante, pois, ao fim, ela lhe escapou e chegou temerosa à morada de seu pai, nem dançou sozinha na floresta durante muitos dias após.

"Isso foi uma grande mágoa para Beren, que não queria deixar aqueles lugares, esperando mais uma vez ver dançar aquela bela donzela élfica, e vagueou na floresta por muitos dias, tornando-se selvagem e solitário e buscando por Tinúviel. Na aurora e no crepúsculo ele a buscava, mas sempre com maior esperança quando a lua brilhava intensa. Finalmente, certa noite, vislumbrou uma cintilação ao longe, e eis que lá estava ela, dançando a sós em um montículo despido de árvores, e Dairon não estava lá. Muitas e muitas vezes depois ela foi ali e dançava e cantava consigo mesma, e às vezes Dairon estava próximo, e então Beren vigiava da borda do bosque ao longe, e às vezes ele não estava, e Beren esgueirava-se mais para perto. Na verdade, por muito tempo Tinúviel sabia que ele chegara e fingia não saber, e há muito tempo seu temor se fora por causa do ansioso desejo no rosto dele, iluminado pelo luar, e viu que ele era bondoso e apaixonado por sua linda dança.

"Então Beren se pôs a seguir Tinúviel em segredo através do bosque, bem até a entrada da caverna e da cabeceira da ponte, e quando ela havia entrado ele exclamava da outra margem do rio, dizendo baixinho 'Tinúviel', pois escutara o nome dos lábios de Dairon, e, apesar de ele não o saber, muitas vezes Tinúviel escutava do interior das sombras dos cavernosos portões e ria ou sorria suavemente. Por fim, certo dia, enquanto ela dançava a sós, ele deu um passo mais ousado e lhe disse: 'Tinúviel, ensina-me a dançar.' 'Quem és tu?', disse ela. 'Beren. Venho de além dos Morros Amargos.' 'Então, se queres dançar, segue-me', disse a donzela e dançou diante de Beren, afastando-se mais e mais para dentro do bosque, ágil, mas não tão depressa que ele não pudesse seguir, e várias e várias vezes olhou para trás e riu-se dele tropeçando em seu encalço, dizendo: 'Dança, Beren, dança! Assim como dançam além dos Morros Amargos!' Desse modo chegaram, por sendas tortuosas, à morada de Tinwelint, e Tinúviel fez sinal a Beren que atravessasse o rio, e ele a seguiu assombrado, descendo à caverna e aos profundos paços de seu lar."

"No entanto, quando Beren se viu diante do rei, ficou envergonhado e muito assombrado perante a imponência da Rainha Gwendeling, e eis que, quando o rei disse: 'Quem és tu, que tropeças até meus paços sem seres convidado?', ele nada tinha a dizer. Portanto, Tinúviel respondeu por ele, dizendo: 'Este, meu pai, é Beren, um caminhante de além das colinas, e deseja aprender a dançar como sabem dançar os Elfos de Artanor', e riu-se, mas o rei franziu a testa quando ouviu de onde Beren vinha e disse: 'Guarda tuas palavras levianas, minha filha, e diz: este selvagem Elfo das sombras tentou fazer-te algum mal?'

"'Não, pai,' disse ela, 'e creio que não há mal nenhum em seu coração, e não sejas rude com ele, a não ser que queiras ver chorar tua filha Tinúviel, pois ele mais se assombra com minha dança do que qualquer um que eu tenha conhecido.' Assim, Tinwelint disse então: 'Ó, Beren, filho dos Noldoli, o que desejas dos Elfos da floresta antes de retornares ao lugar de onde vieste?'

"Tão grande era a pasmada alegria do coração de Beren, quando Tinúviel assim falou por ele ao pai dela, que a coragem cresceu dentro dele, e seu espírito aventureiro que o trouxera de Hisilómë e sobre as Montanhas de Ferro despertou outra vez e, fitando Tinwelint com arrojo, ele disse: 'Ora, ó rei, desejo vossa filha Tinúviel, pois é a mais bela e mais doce de todas as donzelas que vi ou com quem sonhei.'

"Fez-se então silêncio no paço, exceto que Dairon riu, e todos os que ouviram assombraram-se, mas Tinúviel baixou os olhos, e o rei, lançando um olhar ao aspecto selvagem e rude de Beren, também irrompeu em riso, o que fez Beren enrubescer de vergonha, e o coração de Tinúviel magoou-se por ele. 'Ora! Desposar minha Tinúviel, a mais bela das donzelas do mundo, e tornar-se príncipe dos Elfos da floresta é só uma pequena mercê para um estranho pedir', disse Tinwelint. 'Quem sabe eu possa, com todo o direito, pedir algo em troca. Não há de ser nada grande, apenas um testemunho de tua estima. Traze-me uma Silmaril da Coroa de Melko, e nesse dia Tinúviel te desposará se quiser.'

"Então todos naquele lugar souberam que o rei tratara o assunto como pilhéria grosseira, compadecendo-se do Gnomo, e sorriram, pois a fama das Silmarils de Fëanor já era grande por todo o mundo, e os Noldoli haviam contado histórias sobre elas, e muitos que tinham escapado de Angamandi haviam-nas visto, agora brilhando lustrosas na coroa de ferro de Melko. Jamais essa coroa deixava sua cabeça, e ele tinha aquelas joias em grande conta, como seus próprios olhos, e ninguém no mundo, ou fata, ou elfo, ou homem, jamais podia esperar pôr nelas um só dedo e viver. Isso de fato Beren sabia e compreendeu o significado de seus sorrisos zombeteiros e, inflamado de ira, exclamou: 'Não, mas é presente demasiado pequeno para o pai de tão doce noiva. Ainda assim, parecem-me estranhos os costumes dos Elfos da floresta, semelhantes às rudes leis da gente dos Homens, para mencionardes o presente que não foi oferecido, porém eis que eu, Beren, caçador dos Noldoli,[4] satisfarei vosso pequeno desejo', e com essas palavras arremeteu para fora do paço enquanto todos se quedaram admirados, mas Tinúviel chorou de repente. 'Foi um mau feito, ó pai,' exclamou, 'mandar alguém à morte com tua pilhéria lamentável, pois agora creio que ele tentará o feito, enlouquecido por teu desprezo, e Melko o matará, e ninguém mais olhará com tanto amor a minha dança!'

"Então disse o rei: 'Não será o primeiro dos Gnomos que Melko matará, e por menores razões. É sorte dele não jazer aqui, atado por encantos penosos, por sua invasão de meus paços e por sua fala insolente'; porém Gwendeling nada disse, nem repreendeu Tinúviel ou questionou seu choro repentino por aquele caminhante desconhecido.

"Beren, no entanto, afastando-se da face de Tinwelint, foi levado por sua ira longe, através da floresta, até se aproximar das colinas mais baixas e das terras desprovidas de árvores que alertavam sobre a aproximação das ermas Montanhas de Ferro. Só então sentiu o cansaço e deteve a marcha, e nesse ponto começaram suas grandes labutas. Suas noites eram de grande desalento e não via nenhuma esperança em sua demanda e, na verdade, bem pouca havia e logo, ao seguir as Montanhas de Ferro até se aproximar das terríveis regiões da morada de Melko, os maiores temores o assaltaram. Muitas serpentes venenosas havia naquelas plagas, e lobos vagavam por ali, e ainda mais pavorosos eram os bandos errantes dos gobelins e dos Orques — imundas crias de Melko, que perambulavam fazendo seu trabalho maligno, apanhando e capturando animais, e Homens e Elfos, e arrastando-os até seu senhor.

"Muitas vezes Beren chegou perto de ser capturado pelos Orques e uma vez escapou das mandíbulas de um grande lobo só após um combate onde estava armado apenas com uma clava de freixo, e outros perigos e aventuras conheceu a cada dia de sua caminhada rumo a Angamandi. Também fome e sede o torturaram com frequência e muitas vezes teria voltado atrás, não fosse isso quase tão perigoso quanto prosseguir; mas a voz de Tinúviel pleiteando com Tinwelint ecoava em seu coração, e à noite lhe parecia que o coração às vezes a ouvia, chorando baixinho por ele, muito longe na floresta de seu lar: e isso era verdade de fato.

"Certo dia foi impelido por grande fome a procurar restos de comida em um acampamento deserto de Orques, mas alguns deles voltaram inesperadamente, levaram-no prisioneiro e o atormentaram, mas não mataram, pois seu capitão, vendo a força dele apesar de estar exausto das privações, pensou que talvez Melko ficasse contente se o trouxessem até ele, e poderia pô-lo a fazer pesado trabalho escravo em suas minas ou forjas. Assim aconteceu que Beren foi arrastado diante de Melko, e não obstante seu coração estava impávido dentro dele, pois era crença entre a gente de seu pai que o poder de Melko não duraria para sempre, mas que os Valar escutariam finalmente as lágrimas dos Noldoli, erguer-se-iam, atariam Melko e abririam Valinor outra vez aos Elfos fatigados, e grande alegria retornaria sobre a Terra.

"No entanto, Melko, olhando-o, ficou irado, perguntando como um Gnomo, um servo seu por nascimento, ousara escapar para as florestas sem permissão, mas Beren respondeu que não era fugitivo, mas vinha de uma linhagem de Gnomos que habitavam em Aryador e ali se misturavam muito com a gente dos Homens. Então Melko enfureceu-se mais ainda, pois buscava sempre destruir a amizade e as relações entre Elfos e Homens, e disse que ali evidentemente estava um conspirador de profundas traições contra o senhorio de Melko e merecedor das torturas dos Balrogs; mas Beren, percebendo seu perigo, respondeu: 'Não penseis, ó mais poderoso Ainu Melko, Senhor do Mundo, que isso possa ser verdade, pois se assim fosse eu não estaria aqui sem ajuda e sozinho. Nenhuma amizade Beren, filho de Egnor, tem pela gente dos Homens, bem ao contrário, cansando-se por completo das terras infestadas por esse povo ele vagou para fora de Aryador. Muitas grandes histórias meu pai me contou outrora sobre vosso esplendor e glória e, por isso, apesar de não ser servo renegado, nada desejo mais do que vos servir do pequeno modo que puder', e Beren disse então que era excelente caçador de pequenos animais e que laçava pássaros e que se perdera nas colinas durante esses afazeres até que, depois de muito vagar, chegara a terras estranhas, e mesmo que os Orques não o tivessem apanhado ele de fato não teria outro conselho de segurança senão abordar a majestade do Ainu Melko e implorar que este lhe concedesse algum humilde mister — talvez como provedor de carne para sua mesa.

"Ora, os Valar devem ter inspirado essa fala, ou quem sabe fosse um encantamento de palavras astuciosas que Gwendeling lhe tivesse posto por compaixão, pois de fato lhe salvou a vida, e Melko, notando sua constituição robusta, acreditou nele e se dispôs a aceitá-lo como servo em suas cozinhas. A lisonja sempre teve aroma doce nas narinas desse Ainu e, a despeito de toda a sua insondável sabedoria, muitas mentiras dos que desprezava o enganavam se estivessem vestidas graciosamente em palavras elogiosas; portanto deu então ordens para que Beren fosse feito servo de Tevildo, Príncipe dos Gatos.* Ora, Tevildo era um gato enorme — o mais poderoso de todos — e possuído por um espírito maligno, como dizem alguns, e estava constantemente seguindo Melko, e esse gato tinha todos os gatos sujeitos a ele, e ele e seus subordinados eram os caçadores e provedores de carne para a mesa de Melko e seus frequentes banquetes. Por esse motivo ainda existe ódio entre os Elfos e todos os gatos, mesmo agora, quando Melko não reina mais e seus animais tornaram-se de pouca importância.

"Quando Beren foi levado embora, por causa disso, aos paços de Tevildo, que não eram demasiado distantes do lugar do trono de Melko, teve muito medo, pois não esperara tal reviravolta, e aqueles paços eram mal iluminados e estavam repletos de grunhidos e monstruosos rom-rons no escuro. Em toda a volta brilhavam olhos de gatos, luzindo como lanternas verdes, ou vermelhas, ou amarelas, onde os capitães de Tevildo se assentavam, balançando e açoitando suas belas caudas, mas o próprio Tevildo estava sentado diante deles e era um gato enorme e negro como carvão e de aspecto malévolo. Seus olhos eram compridos e muito estreitos e inclinados

---

* Nota de rodapé no manuscrito: *Tifil (Bridhon) Miaugion ou Tevildo (Vardo) Meoita.*

e rebrilhavam em vermelho e em verde, mas seus grandes bigodes cinzentos eram rijos e afiados como agulhas. Seu ronronar era como rufar de tambores e seu grunhido como trovão, mas quando gritava de raiva fazia o sangue gelar, e de fato pequenos animais e aves ficavam congelados como se fossem pedra, ou tombavam sem vida, muitas vezes ao simples som. Agora Tevildo, vendo Beren, apertou os olhos até que parecessem fechados e disse: 'Sinto cheiro de cão' e tomou antipatia por Beren a partir daquele momento. Ora, Beren fora apreciador de cães em seu próprio lar selvagem.

"'Por que', disse Tevildo, 'ousais trazer tal criatura diante de mim, a não ser que seja para transformá-lo em carne?' Mas os que conduziam Beren responderam: 'Não, foi a palavra de Melko que este Elfo infeliz consumisse a vida como caçador de animais e aves no emprego de Tevildo.' Então, de fato, Tevildo guinchou de desdém e disse: 'Então na verdade meu senhor estava adormecido, ou seus pensamentos pousavam em outro lugar, pois do que pensais que adianta um filho dos Eldar para ajudar o Príncipe dos Gatos ou seus capitães a caçarem aves ou animais? Poderíeis muito bem ter trazido algum Homem de pés desajeitados, pois não há entre Elfos ou Homens quem possa rivalizar conosco na perseguição.' Ainda assim pôs Beren à prova e mandou-o apanhar três camundongos, 'pois meu paço está infestado deles', disse. Na verdade, não era assim, como se pode imaginar, no entanto alguns poucos havia ali — uma espécie muito selvagem, maligna e mágica que ousava habitar lá em buracos escuros, mas eles eram maiores que ratos e muito ferozes, e Tevildo abrigava-os para sua própria diversão privada e não permitia que seu número minguasse.

"Por três dias Beren os caçou, mas, como nada tinha com que construir uma armadilha (e de fato não mentira a Melko ao dizer que tinha habilidade em tais dispositivos), caçou em vão, não obtendo por todos os seus esforços nada melhor que um dedo mordido. Então Tevildo ficou furioso e com grande ira, mas exceto por alguns arranhões Beren nenhum dano sofreu nessa ocasião, nem dele nem de seus capitães, por causa da ordem de Melko. Porém penosos foram seus dias depois disso nas moradas de Tevildo. Fizeram dele um ajudante de cozinha, e seus dias passavam-se tristemente lavando pisos e panelas, esfregando mesas, cortando lenha e tirando água. Muitas vezes, também, faziam-no girar espetos em que aves e camundongos gordos eram delicadamente assados para os gatos, porém raramente ele próprio tinha comida ou sono, e tornou-se abatido e desgrenhado, e muitas vezes desejou que jamais, vagando para fora de Hisilómë, tivesse ao menos vislumbrado a visão de Tinúviel."

"Ora, essa bela donzela chorou durante longo tempo após a partida de Beren e não dançava mais nos bosques, e Dairon enfureceu-se e não conseguia compreendê-la, mas ela passara a amar o rosto de Beren espiando através dos ramos e o estalido de seus pés quando estes a seguiam pela floresta e desejava ouvir outra vez sua voz que chamava saudosa 'Tinúviel, Tinúviel' na outra margem do rio, diante dos portões de seu pai, e já não queria dançar quando Beren fugira para os paços malignos de Melko, e quem sabe já tivesse perecido. Por fim esse pensamento se tornou tão amargo que essa mui suave donzela foi ter com sua mãe, pois ao pai não ousava ir, nem permitir que ele a visse chorar.

"'Ó Gwendeling, minha mãe,' disse ela, 'conta-me por tua magia, se puderes, como passa Beren. Ainda está tudo bem com ele?' 'Não', disse Gwendeling. 'Ele vive de fato, mas em maligno cativeiro, e a esperança está morta em seu coração, pois eis que ele é escravo em poder de Tevildo, Príncipe dos Gatos.'

"'Então,' disse Tinúviel, 'preciso ir em seu socorro, pois não conheço ninguém mais que o fará.'

"Ora, Gwendeling não riu, pois em muitos assuntos era sábia, e presciente, mas era coisa não imaginada em sonho insano que uma Elfa, ainda mais sendo donzela, filha do rei, viajasse desassistida aos paços de Melko, mesmo naqueles dias primordiais antes da Batalha das Lágrimas, quando o poderio de Melko não crescera e ele velava seus desígnios e expandia sua rede de mentiras. Por isso Gwendeling gentilmente lhe pediu que não dissesse tais tolices, mas Tinúviel disse: 'Então precisas demandar auxílio a meu pai, que envie guerreiros a Angamandi e exija a liberdade de Beren ao Ainu Melko.'

"De fato, Gwendeling o fez, por amor da filha, e Tinwelint enfureceu-se tanto que Tinúviel desejou que nunca seu anseio tivesse sido revelado; e Tinwelint mandou que ela não falasse nem pensasse mais de Beren e jurou que o mataria se pisasse de novo naqueles paços. Então Tinúviel ponderou muito o que poderia fazer e indo ter com Dairon implorou-lhe que a auxiliasse, ou até viajasse com ela até Angamandi, caso quisesse, mas Dairon lembrou-se de Beren com pouco apreço e disse: 'Por que eu haveria de entrar no mais medonho perigo que há no mundo por causa de um Gnomo errante dos bosques? Em verdade não tenho apreço por ele, pois ele destruiu nossa brincadeira juntos, nossa música e nossa dança.' Mas Dairon, ademais, contou ao rei o que Tinúviel lhe pedira — e isso não por má intenção, mas temendo que Tinúviel partisse rumo à morte no desvario de seu coração.

"Ora,⁵ quando Tinwelint ouviu isso, chamou Tinúviel e disse: 'Por que, ó donzela minha, não afastas de ti essa loucura e buscas fazer o que ordenei?' Mas Tinúviel não respondeu, e o rei ordenou-lhe que prometesse a ele que nem pensasse mais em Beren, nem tentasse em sua loucura segui-lo às malignas terras, quer sozinha, quer tentando alguém da sua gente a acompanhá-la. Mas Tinúviel disse que a primeira coisa ela não prometeria e a segunda apenas em parte, pois não tentaria ninguém da gente da floresta a ir com ela.

"Então seu pai irou-se deveras e sob sua ira estava não pouco espantado e temeroso, pois amava Tinúviel; mas foi este o plano que engendrou, pois não podia encerrar a filha para sempre nas cavernas aonde só chegava uma luz fraca e bruxuleante. Ora, acima dos portais de seu cavernoso paço havia uma encosta íngreme que descia em direção ao rio, e ali cresciam enormes faias; e havia uma que se chamava Hirilorn, a Rainha das Árvores, pois era imensa, e o tronco era tão profundamente fendido que parecia que três caules emanavam juntos do chão e tinham o mesmo tamanho, redondos e retos, e sua casca cinzenta era lisa como seda, ininterrupta por ramo ou rebento por grande altura acima das cabeças dos homens.

"Ora, Tinwelint mandou construir, bem alto nessa estranha árvore, tão alto quanto os homens podiam construir as mais longas escadas para alcançá-la, uma casinha de madeira, e estava acima dos primeiros galhos e suavemente velada por folhas. Ora, essa casa tinha três cantos e três janelas em cada parede, e em cada canto estava um dos caules de Hirilorn. Ali, então, Tinwelint mandou Tinúviel morar até que concordasse em ser sábia, e quando ela subiu pelas escadas de alto pinho elas foram retiradas por baixo, e não havia meios de ela descer novamente. Tudo de que necessitava lhe era trazido, e a gente escalava pelas escadas e lhe dava comida ou qualquer outra coisa que desejasse e depois, ao descer, voltava a tirar as escadas, e o rei prometeu a morte a quem deixasse uma encostada à árvore ou tentasse sorrateiramente colocar uma à noite. Portanto, uma guarda foi colocada junto ao pé da árvore, e ainda assim Dairon costumava ir ali, pesaroso pelo que fizera acontecer, pois estava solitário sem Tinúviel; mas inicialmente Tinúviel teve muito prazer em sua casa entre as folhas e espiava pela janelinha enquanto Dairon tocava suas mais doces melodias lá embaixo.

"Mas certa noite veio um sonho dos Valar a Tinúviel, e ela sonhou com Beren, e seu coração disse: 'Que eu parta para buscar aquele que todos os outros esqueceram'; e ao despertar a lua brilhava através das árvores, e ela ponderou mui profundamente como haveria de escapar. Ora, Tinúviel, filha de Gwendeling, não ignorava magias nem encantos, como se pode bem imaginar, e após muito pensar concebeu um plano. No dia seguinte pediu aos que vieram até ela que trouxessem, como favor, um tanto da água mais clara do rio lá embaixo, 'mas essa', disse, 'tem de ser tirada à meia-noite numa bacia de prata, e trazida à minha mão sem que seja dita uma palavra sequer'. E depois pediu que trouxessem vinho, 'mas esse', disse, 'tem de ser trazido num frasco de ouro ao meio-dia, e quem o trouxer deve cantar durante o caminho' e fizeram o que lhes fora pedido, mas ninguém contou a Tinwelint.

"Então Tinúviel disse: 'Ide agora até minha mãe, e dizei-lhe que sua filha deseja uma roda de fiar para passar as horas enfadonhas', mas secretamente pediu a Dairon que lhe fizesse um minúsculo tear, e ele o fez na própria casinha de Tinúviel na árvore. 'Mas com que fiarás e com que tecerás?', perguntou ele, e Tinúviel respondeu: 'Com encantos e mágicas', mas Dairon não sabia seu desígnio, nem disse nada mais ao rei ou a Gwendeling.

"Ora, Tinúviel tomou o vinho e a água quando estava a sós e, enquanto cantava uma canção de grande magia, misturou-os, e quando estavam na bacia de ouro cantou uma canção de crescimento, e quando estavam na bacia de prata cantou outra canção, e os nomes de todas as coisas mais altas e mais longas da Terra estavam postos nessa canção: as barbas dos Indravangs, a cauda de Karkaras, o corpo de Glorund, o tronco de Hirilorn, e a espada de Nan ela nomeou, nem esqueceu a corrente Angainu que Aulë e Tulkas fizeram, nem o pescoço de Gilim, o gigante, e por último, por mais longo tempo, falou dos cabelos de Uinen, senhora do mar, que se espalha por todas as águas. Então banhou a cabeça com a água e o vinho misturados, e assim fazendo cantou uma

terceira canção, uma canção de profundo sono, e os cabelos de
Tinúviel, que eram escuros e mais finos que os mais delicados filamentos do crepúsculo, repentinamente começaram de fato a crescer muito rápido, e depois que se passaram doze horas eles quase
preenchiam o pequeno recinto, e então Tinúviel ficou muito
contente e deitou-se para repousar, e quando despertou o recinto
estava como que repleto de uma névoa negra, e ela estava oculta
bem fundo abaixo dela, e eis que seus cabelos pendiam para fora
da janela e esvoaçavam em torno dos troncos da árvore na manhã.
Então, com dificuldade, encontrou sua tesourinha e cortou os fios
daquele cultivo rente à cabeça, e depois disso seus cabelos só cresciam como costumavam crescer antes.

"Começou então a labuta de Tinúviel, e apesar de ela trabalhar
com a destreza de uma Elfa foi longo o fiar e mais longo ainda o
tecer, e caso alguém viesse chamá-la lá embaixo ela lhe pedia que
se fosse, dizendo: 'Estou acamada e só desejo dormir', e Dairon
admirou-se muito e muitas vezes a chamou lá em cima, mas ela
não respondia.

"Ora, com aqueles cabelos nebulosos Tinúviel teceu uma capa
de negro nublado, embebida de uma sonolência ainda muito mais
mágica que aquela que sua mãe envergara, e dançara nela, muito
tempo atrás, e com ela cobriu suas vestes de branco reluzente, e
sonos mágicos preencheram o ar à sua volta, mas com o que restou
ela torceu um grande cordão e o prendeu ao tronco da árvore no
interior de sua casa, e assim terminou sua labuta, e ela olhou pela
janela para o oeste, na direção do rio. A luz do sol já se apagava
nas árvores, e à medida que o crepúsculo preenchia a floresta, ela
começou a cantar, muito de leve e em voz baixa, e enquanto cantava lançou os longos cabelos pela janela de forma que a névoa
sonolenta tocasse as cabeças e os rostos dos guardas lá embaixo,
e eles, escutando sua voz, caíram de repente em sono incomensurável. Então Tinúviel, envergando suas vestes de treva, deslizou
pela corda de cabelos leve como um esquilo e afastou-se dançando
rumo à ponte, e antes que os vigias da ponte pudessem gritar ela
estava entre eles, a dançar, e quando a bainha de sua capa negra
os tocava eles adormeciam, e Tinúviel fugiu para muito longe tão
depressa quanto voavam seus pés dançantes.

"Ora, quando a fuga de Tinúviel chegou aos ouvidos de
Tinwelint foi grande seu pesar mesclado com ira, e toda a sua corte

estava em polvorosa, e todos os bosques ressoavam com a busca, mas Tinúviel já estava bem longe, aproximando-se dos obscuros contrafortes onde começam as Montanhas da Noite; e dizem que Dairon, seguindo-a, perdeu-se por completo, e jamais retornou a Elfinesse, mas voltou-se na direção de Palisor e ali ainda toca[6] sutis músicas mágicas, saudoso e solitário nos bosques e florestas do sul.

"Porém, enquanto Tinúviel avançava, um súbito temor se apossou dela quando pensou no que ousara fazer e no que estava à frente, então voltou atrás por um momento e chorou, desejando que Dairon estivesse com ela, e dizem que de fato ele não estava longe, mas vagava perdido entre os grandes pinheiros, a Floresta da Noite, onde mais tarde Túrin matou Beleg por infortúnio.[7] Próxima já estava Tinúviel desses lugares, mas não penetrou naquela região escura e, recobrando a coragem, seguiu avante e, em virtude da maior magia de seu ser e por causa do encantamento de assombro e sono que a rodeava, não a assaltou nenhum dos perigos que haviam ameaçado Beren antes dela; porém foi uma jornada longa, maligna e cansativa para ser trilhada por uma donzela."

"Ora, é preciso ser dito a ti, Eriol, que naqueles dias Tevildo tinha apenas uma preocupação no mundo, que era a gente dos Cães. De fato, muitos deles não eram amigos nem inimigos dos Gatos, pois haviam sido sujeitados a Melko e eram tão selvagens e cruéis como seus outros animais; na verdade, dos mais cruéis e selvagens ele gerou a raça dos lobos e eles lhe eram muito caros de fato. Não era o grande lobo cinzento Karkaras Presa-de-Punhal, pai dos lobos, que guardava os portões de Angamandi naqueles dias e o fizera por muito tempo antes? No entanto, havia muitos que nem se curvavam diante de Melko, nem viviam em total temor dele, mas habitavam nas moradas dos Homens, protegendo-os de muitos males que de outra forma os acometeriam, ou perambulavam pelos bosques de Hisilómë ou, passando pelos lugares montanhosos, às vezes chegavam até à região de Artanor e às terras além e para o sul.

"Caso algum desses avistasse Tevildo ou algum de seus capitães ou súditos, havia grandes latidos e intensa perseguição, e, apesar de raramente um gato ser morto, em virtude de sua habilidade em escalar e esconder-se, e por causa do poder protetor de Melko, ainda assim havia grande inimizade entre eles, e alguns desses cachorros eram temidos entre os gatos. Tevildo, porém, não temia nenhum, pois era tão forte quanto qualquer um deles e mais ágil e mais rápido, exceto por Huan, Capitão dos Cães. Tão rápido era Huan que certa feita sentira o gosto do pelo de Tevildo, e, apesar de Tevildo lhe ter cobrado com um talho das grandes garras, ainda assim o orgulho do Príncipe dos Gatos não ficou apaziguado, e ele ansiava por fazer grande mal a Huan dos Cães.

"Grande foi, portanto, a sorte que ocorreu a Tinúviel ao se encontrar com Huan no bosque, apesar de no começo ela sentir temor mortal e fugir. Mas Huan a alcançou em dois saltos e falando com voz suave e profunda a língua dos Elfos Perdidos, ele lhe pediu que não temesse. 'Por que', disse ele, 'vejo uma donzela élfica, e belíssima, vagando a sós tão perto das moradas do Ainu do Mal? Não sabes que estes são lugares muito maus para se estar, pequena, mesmo com um companheiro, e são a morte dos solitários?'

"'Isso eu sei,' disse ela, 'e não estou aqui pelo amor à jornada, mas busco somente Beren.'

"'O que sabes então', disse Huan, 'de Beren? Ou de fato te referes a Beren, filho do caçador dos Elfos, Egnor bo-Rimion, meu amigo desde dias muito antigos?'

"'Não, nem mesmo sei se meu Beren é teu amigo, pois busco apenas Beren de além dos Morros Amargos, que conheci no bosque perto do lar de meu pai. Agora ele se foi, e minha mãe Gwendeling diz em sua sabedoria que ele é servo na cruel casa de Tevildo, Príncipe dos Gatos; e não sei se isso é verdade ou se coisa pior lhe aconteceu agora e vou descobri-lo, mas não tenho plano nenhum.'

"'Então farei um para ti,' disse Huan, 'mas confia em mim, pois sou Huan dos Cães, principal inimigo de Tevildo. Agora repousa comigo um pouco nas sombras do bosque, e pensarei profundamente.'

"Então Tinúviel fez o que ele dissera, e de fato dormiu por muito tempo enquanto Huan vigiava, pois ela estava muito fatigada. Mas algum tempo depois, despertando, ela disse: 'Eis que me demorei demais. Ora, qual é teu pensamento, ó Huan?'

"E Huan disse: 'Este assunto é obscuro e difícil, e não posso dar outro conselho que não este. Esgueira-te agora, se tiveres coragem, ao lugar de morada desse Príncipe, enquanto o sol está alto, e Tevildo e a maioria de sua casa cochilam nos terraços diante de seus portões. Ali descobre, do modo que puderes, se Beren realmente está lá dentro, como te disse tua mãe. Mas eu estarei a postos não longe dali, na floresta, e me darás prazer e auxiliarás teus próprios desejos se, chegando diante de Tevildo, quer Beren esteja lá ou não, tu lhe contares como topaste com Huan dos Cães jazendo doente no bosque aqui neste lugar. Mas não lhe indiques o caminho para cá, pois deves guiá-lo tu mesma, se possível. Então verás o que pretendo para ti e para Tevildo. Creio que, trazendo tais notícias, Tevildo não te tratará mal em seus paços, nem procurará manter-te lá.'

"Deste modo Huan pretendia ao mesmo tempo causar mal a Tevildo, ou quem sabe matá-lo se fosse possível, e auxiliar Beren, que ele supunha corretamente ser aquele Beren, filho de Egnor, que os cães de Hisilómë amavam. De fato, ouvindo o nome de Gwendeling e assim sabendo que aquela donzela era princesa das fadas do bosque, estava ansioso por ajudá-la, e seu coração se aqueceu com a doçura dela.

"Então Tinúviel, enchendo-se de coragem, esgueirou-se para perto dos paços de Tevildo, e Huan muito se admirou com sua coragem, seguindo-a em segredo até onde podia pelo êxito de seu plano. Por fim, no entanto, ela desapareceu de sua vista e, deixando o abrigo das árvores, chegou a uma região de capim longo salpicado de arbustos que se erguia cada vez mais rumo a uma encosta das colinas. Agora o sol brilhava naquela crista rochosa, mas sobre todas as colinas e montanhas por trás dela jazia uma nuvem negra, pois ali estava Angamandi; e Tinúviel seguiu em frente sem ousar erguer os olhos para aquela treva, pois o medo a oprimia, e à medida que andava o chão subia e o capim escasseava e ficava salpicado de rochas, até que chegou junto a um penhasco, íngreme de um lado, e ali, sobre uma plataforma de pedra, estava o castelo de Tevildo. Nenhuma trilha conduzia até lá, e o lugar onde se erguia desandava rumo à floresta, um terraço após o outro, de forma que ninguém seria capaz de alcançar seus portões a não ser com muitos grandes saltos, e se tornava cada vez mais íngreme à medida que o castelo se aproximava. Poucas eram as janelas daquela casa, e no térreo não havia nenhuma — na verdade, o próprio portão era no ar, onde nas moradas dos Homens costumam ficar as janelas do piso superior, mas o telhado tinha muitos espaços amplos e planos, abertos ao sol.

"Tinúviel então perambulava desconsolada no terraço inferior e contemplava com pavor a casa escura sobre a colina, quando eis que, numa dobra da rocha, topou com um gato a sós, deitado ao sol e aparentemente adormecido. Quando se aproximou, ele abriu um olho amarelo e piscou para ela, e em seguida, erguendo-se e espreguiçando-se, deu alguns passos em sua direção e disse: 'Aonde vais, donzelinha? Não sabes que invades a área do banho de sol de sua alteza Tevildo e de seus capitães?'

"Então Tinúviel assustou-se muito, mas deu a resposta mais atrevida de que foi capaz, dizendo: 'Isso sei, meu senhor,' o que muito agradou ao velho gato, pois em verdade ele era apenas o porteiro de Tevildo, 'mas de fato, por tua bondade, gostaria de ser levada agora à presença de Tevildo, mesmo que esteja dormindo', disse ela, então o porteiro agitou a cauda em admirada recusa. 'Tenho palavras de importância imediata para seu ouvido em particular. Conduz-me até ele, meu senhor', implorou, e diante disso o gato ronronou tão alto que ela ousou afagar-lhe a feia cabeça, que era muito maior que a dela e maior que a de qualquer cão que existe hoje sobre a Terra. Com esse rogo Umuiyan, pois era esse seu nome, disse: 'Vem comigo então' e, subitamente agarrando Tinúviel pelo ombro das vestes, para seu grande terror lançou-a sobre o lombo e saltou para o segundo terraço. Ali se detém e, quando Tinúviel desceu com dificuldade de seu lombo, disse: 'Tens sorte de esta tarde meu senhor Tevildo estar deitado neste modesto terraço longe de casa, pois um grande cansaço e desejo de dormir me acometeu, de modo que temo não ser capaz de te carregar muito mais longe' e Tinúviel estava agora envolta em sua veste de névoa negra.

"Dizendo isso, Umuiyan* bocejou alto e se alongou antes de a conduzir ao longo daquele terraço, até um espaço vazio onde, sobre um amplo leito de pedras cozidas, jazia o horrível vulto do próprio Tevildo, que tinha ambos os olhos malévolos fechados. Aproximando-se dele, o gato-porteiro Umuiyan falou baixinho em seu ouvido, dizendo: 'Uma donzela espera vosso favor, meu senhor, que tem importante notícia para vos comunicar e não aceitou minha recusa.' Então Tevildo agitou a cauda raivoso, abrindo um olho pela metade. 'O que é? Sê rápida,' disse, 'pois esta não é hora para chegar desejando audiência com Tevildo, Príncipe dos Gatos.'

"'Não, senhor,' disse Tinúviel trêmula, 'não vos enfureçais; nem penso que vos enfurecereis quando ouvirdes, porém o assunto é tal que seria melhor nem o sussurrar aqui, onde sopram as brisas', e Tinúviel lançou à floresta um olhar como de apreensão.

---

* Escrito aqui, acima de *Umuiyan*, está o nome *Gumniow* entre colchetes.

"'Não, vai embora,' disse Tevildo, 'cheiras a cão, e que boa notícia veio alguma vez a um gato de uma fada que lidou com cães?'

"'Ora, senhor, eu cheirar a cão não é motivo para espanto, pois acabo de escapar de um, e é de fato sobre certo cão poderosíssimo, cujo nome conheceis, que desejo falar.' Então Tevildo sentou-se e abriu os olhos, olhou em toda a volta e espreguiçou-se três vezes e por fim mandou o gato-porteiro trazer Tinúviel para dentro; e Umuiyan a pegou no lombo como antes. Agora Tinúviel estava muito temerosa, pois, tendo obtido o que desejava, uma oportunidade de penetrar no baluarte de Tevildo e talvez descobrir se Beren estava ali, não tinha mais nenhum plano e não sabia o que lhe iria acontecer — na verdade, teria fugido se pudesse; porém então aqueles gatos começaram a subir pelos terraços rumo ao castelo, e Umuiyan deu um salto levando Tinúviel para cima, e depois outro, e no terceiro tropeçou de modo que Tinúviel deu um grito de pavor, e Tevildo disse: 'O que te aflige, Umuiyan de pés desajeitados? É hora de deixares meu emprego se a idade se insinua em ti tão depressa.' Mas Umuiyan disse: 'Não, senhor, não sei o que seja, mas há uma névoa diante de meus olhos e minha cabeça pesa', e cambaleou como um ébrio, de modo que Tinúviel deslizou do seu lombo, e com isso ele se deitou como em sono profundo; mas Tevildo enfureceu-se e agarrou Tinúviel, não com muito cuidado, e levou-a ele mesmo até os portões. Então, com salto enorme, pulou para dentro e, mandando a donzela apear, soltou um berro que ecoou horrendamente nos escuros caminhos e corredores. Imediatamente vieram correndo até ele, lá de dentro, e alguns ele mandou descerem até Umuiyan, amarrarem-no e lançarem-no das rochas 'do lado norte onde caem mais íngremes, pois não tenho mais uso para ele,' disse, 'pois sua idade lhe roubou a firmeza dos passos'; e Tinúviel estremeceu ao ouvir a crueldade daquele animal. Mas, mesmo enquanto falava, ele próprio bocejou e tropeçou como que tomado por súbita sonolência e mandou que os outros levassem Tinúviel a uma certa sala lá dentro, e era ali que Tevildo costumava sentar-se para comer carne com seus maiores capitães. Estava repleta de ossos e fedia atrozmente; não tinha janelas, apenas uma porta, mas uma portinhola se abria dela para as grandes cozinhas, e uma luz vermelha emanava dali e iluminava fracamente o lugar.

"Ora, tão temerosa estava Tinúviel quando a gataria a deixou ali que ficou imóvel por um momento, incapaz de se mexer, mas logo, acostumando-se à escuridão, olhou em torno e, avistando a portinhola que tinha um peitoril largo, saltou sobre este, pois não era demasiado alto, e ela era uma Elfa ágil. Então, olhando através dela, já que estava entreaberta, viu as amplas cozinhas abobadadas e os grandes fogos que lá ardiam e os que sempre labutavam no interior, e a maioria era de gatos — mas eis que ali, junto a um grande fogo, estava Beren abaixado e estava encardido de trabalhar, e Tinúviel sentou-se e chorou, mas nada ousou ainda. Na verdade, assim que se sentou a voz áspera de Tevildo soou de repente dentro daquela sala: 'Não, para onde em nome de Melko fugiu essa Elfa louca?', e Tinúviel, ouvindo-o, espremeu-se contra a parede, mas Tevildo a enxergou onde se empoleirara e exclamou: 'Então a avezinha não canta mais; desce ou terei de te buscar, pois eis que não encorajarei os Elfos a me pedirem audiência com zombaria.'

"Então, parte por medo, parte esperando que sua clara voz chegasse mesmo até Beren, Tinúviel subitamente começou a falar muito alto e a contar sua história ecoando nos paços; mas 'Quieta, cara donzela,' disse Tevildo, 'se o assunto era secreto lá fora não deve ser gritado aqui dentro.' Então disse Tinúviel: 'Não fales assim comigo, ó gato, por muito que sejas o poderoso Senhor dos Gatos, pois não sou eu Tinúviel, Princesa das Fadas, que me desviei de meu caminho para te fazer um favor?' Ora, a estas palavras, e ela as gritara ainda mais alto do que antes, ouviu-se um grande estrondo nas cozinhas, como se muitos recipientes de metal e louça tivessem sido derrubados de súbito, mas Tevildo rosnou: 'Ali tropeça esse tolo, Beren, o Elfo. Que Melko me livre dessa gente.' Porém Tinúviel, adivinhando que Beren a ouvira e fora tomado de espanto, deixou seus temores de lado e não se arrependeu mais de sua ousadia. Ainda assim, Tevildo ficou muito irado com suas palavras altivas e se ele não tivesse decidido primeiro descobrir que vantagem obteria da história dela, Tinúviel ter-se-ia dado mal de imediato. De fato, a partir desse momento estava em grande perigo, pois Melko e todos os seus vassalos consideravam Tinwelint e sua gente como proscritos, e era grande sua alegria em aprisioná-los e tratá-los com crueldade, de modo que Tevildo teria conquistado grande favor se levasse Tinúviel diante de seu senhor. De fato, assim que ela declarou seu nome ele resolveu fazê-lo quando tivesse resolvido seus próprios afazeres, mas em verdade seu juízo estava adormecido naquele dia, e esqueceu-se de mais admirar por que Tinúviel estava empoleirada no peitoril da portinhola; nem pensou mais em Beren, pois sua mente estava atenta somente à história que Tinúviel lhe trazia. Por isso disse, disfarçando o mau humor: 'Não, Senhora, não te zangues, mas vê que a demora aguça meu desejo; o que é isso que tens para meus ouvidos, pois eles já se contorcem?'

"Mas Tinúviel disse: 'Há um grande animal, rude e violento, e seu nome é Huan', e com esse nome o lombo de Tevildo se arqueou, e seu pelo eriçou-se e crepitou, e era vermelha a luz de seus olhos e prosseguiu ela: 'Parece-me lamentável que a tal besta seja tolerado infectar os bosques tão perto da habitação do poderoso Príncipe dos Gatos, meu senhor Tevildo', mas Tevildo disse: 'Nem o toleramos, nem ele jamais vem aqui exceto furtivamente.'

"'Seja como for,' disse Tinúviel, 'lá está ele agora, mas me parece que afinal sua [vida] poderá terminar de todo, pois vede, quando atravessei a floresta, vi onde um grande animal jazia ao solo, gemendo como que doente; e eis que era Huan, e algum encanto mau ou doença o tem nas garras, e ainda jaz desamparado num vale da floresta, a nem uma milha a oeste deste paço. Ora, quem sabe eu não vos tivesse perturbado os ouvidos por causa disso, se a besta, quando me aproximei para socorrê-lo, não tivesse grunhido e tentado morder-me, e julgo que tal criatura merece o que lhe acontecer.'

"Ora, tudo isto que Tinúviel dizia era uma grande mentira em cuja criação Huan a guiara, e as donzelas dos Eldar não costumam inventar mentiras; porém nunca ouvi dizer que algum dos Eldar a tivesse culpado nisso, nem Beren depois, nem a culpo eu, pois Tevildo era um gato maligno, e Melko, o mais perverso de todos os seres, e Tinúviel corria grave perigo nas mãos deles. Porém Tevildo, ele próprio grande e hábil mentiroso, estava tão profundamente enfronhado nas mentiras e sutilezas de todos os animais e criaturas que raramente sabia se devia ou não crer no que lhe era dito e costumava duvidar de tudo, menos do que queria acreditar que fosse verdade, e assim era muitas vezes enganado pelos mais honestos. Ora, a estória de Huan e seu desamparo tanto lhe agradou que tendia a crer que fosse verdadeira e decidiu-se a pelo menos testá-la; porém de início fingiu indiferença, dizendo que era um assunto pequeno para tal segredo e poderia ter sido dito do lado de fora sem mais cerimônia. Mas Tinúviel disse que não pensara que Tevildo, Príncipe dos Gatos, precisasse ser informado de que os ouvidos de

Huan ouviam os sons mais tênues a uma légua de distância e a voz de um gato de mais longe que qualquer outro som.

"Assim, portanto, Tevildo buscou descobrir de Tinúviel, fingindo desconfiar do seu relato, onde exatamente Huan poderia ser encontrado, mas ela apenas deu respostas vagas, vendo nisso sua única esperança de escapar do castelo, e por fim Tevildo, dominado pela curiosidade e ameaçando coisas malévolas caso ela revelasse ser falsa, convocou a si dois de seus capitães, e um deles era Oikeroi, um gato feroz e belicoso. Então os três partiram dali com Tinúviel, mas Tinúviel removeu sua veste mágica negra e a dobrou, de forma que apesar de todo o seu tamanho e densidade não parecia maior que o mais miúdo lenço (pois disso ela era capaz) e assim ela desceu dos terraços sem contratempos, carregada no lombo de Oikeroi, e nenhuma sonolência acometeu o que a levava. Então esgueiraram-se pela floresta na direção que ela mencionara, e logo Tevildo farejou o cão e eriçou e balançou sua grande cauda, mas depois escalou uma árvore grandiosa e de lá observou o vale que Tinúviel lhes mostrara. Ali viu de fato o grande vulto de Huan, jazendo prostrado, grunhindo e gemendo, e desceu muito contente e apressado e, de fato, no seu afã esquece-se de Tinúviel, que agora, temendo muito por Huan, se esconde em uma moita de samambaias. O propósito de Tevildo e seus dois companheiros era penetrarem naquele vale em silêncio, vindos de diferentes direções, e assim acometerem Huan de súbito, inesperadamente, e o matar ou, caso estivesse ferido demais, brigar para zombar dele e atormentá-lo. Foi o que fizeram então, mas no momento em que saltavam sobre ele Huan lançou-se no ar com imenso latido, e suas mandíbulas se fecharam nas costas do gato Oikeroi, próximo ao pescoço, e Oikeroi morreu, mas o outro capitão fugiu uivando para cima de uma grande árvore, e assim Tevildo ficou só em face de Huan, e tal encontro não fora bem sua intenção, e contudo Huan o acometeu muito depressa para que pudesse fugir, e combateram ferozmente naquela clareira, e o barulho que Tevildo fazia era muito medonho, mas por fim Huan o tomou pela garganta, e o gato haveria de perecer, não fosse suas garras, ao atacar às cegas, perfurarem o olho de Huan. Então Huan começou a ladrar, e Tevildo, com tremendo guincho, soltou-se com grande puxão e subiu de um salto numa árvore alta e lisa ali perto, assim como fizera seu companheiro. A despeito de seu grave ferimento Huan então saltou para baixo dessa árvore, dando grandes latidos, e Tevildo o amaldiçoou e lançou sobre ele, lá de cima, palavras malignas.

"Então disse Huan: 'Vê, Tevildo, estas são as palavras de Huan, a quem pretendias apanhar e matar indefeso como os miseráveis camundongos que costumas caçar; fica para sempre no alto de tua árvore solitária e morre do sangramento de tuas feridas, ou desce e prova meus dentes outra vez. Mas, se nada disso for de teu agrado, então conta-me onde estão Tinúviel, Princesa das Fadas, e Beren, filho de Egnor, pois eles são meus amigos. Eles então hão de ser postos como resgate por ti, por muito que isso seja dar-te muito mais valor do que tens.'

"'Quanto àquela Elfa maldita, ela jaz soluçando nas samambaias adiante, se meus ouvidos não me enganam', disse Tevildo. 'E Beren, creio, está sendo justamente arranhado por meu cozinheiro Miaulë, nas cozinhas de meu castelo, por ter sido desajeitado ali uma hora atrás.'

"'Então faz com que me sejam entregues em segurança', disse Huan, 'e tu mesmo poderás voltar a teus paços e lamber-te ileso.'

"'Com certeza meu capitão, que está aqui comigo, há de buscá-los para ti', disse Tevildo, mas Huan grunhiu: 'Sim, e buscará também toda a tua tribo e hostes dos Orques e as pragas de Melko. Não, não sou tolo; és tu que darás a Tinúviel um sinal, e ela há de buscar Beren, ou ficarás aqui se não te agradar o outro modo.' Então Tevildo foi obrigado a lançar para baixo seu colar dourado — um sinal que nenhum gato ousava desonrar —, mas Huan disse: 'Não, ainda é preciso mais, pois isso provocará toda a tua gente a te buscar', e isso Tevildo sabia e esperara. Assim foi que, no final, o cansaço e a fome e o medo forçaram aquele gato altivo, príncipe a serviço de Melko, a revelar o segredo dos gatos e o feitiço que Melko lhe havia confiado; e essas eram palavras de magia que mantinham unidas as pedras de sua casa maligna e com as quais ele mantinha sob seu domínio todos os animais da gataria, enchendo-os com um poder do mal além de sua natureza, pois por muito tempo foi dito que Tevildo era um fata maligno em forma de animal. Assim, quando ele o havia dito, Huan riu até a floresta ressoar, pois ele sabia que os dias do poderio dos gatos haviam terminado.

"Então Tinúviel, com o colar dourado de Tevildo, correu de volta ao terraço inferior diante dos portões e parou dizendo o feitiço em sua voz clara. Então eis que o ar ficou repleto das vozes dos gatos, e a casa de Tevildo estremeceu; e veio de dentro dela uma hoste de habitantes e estavam minguados a um tamanho insignificante e temiam Tinúviel, que, balançando o colar de Tevildo, falou diante deles certas palavras que Tevildo dissera a Huan na sua presença, e eles se encolheram diante dela. Mas ela disse: 'Vede, que sejam trazidos todos os da gente dos Elfos ou dos filhos dos Homens que estão atados dentro destes paços', e eis que Beren foi trazido, mas outros servos não havia, exceto Gimli, um Gnomo idoso, curvado pela servidão e já sem conseguir enxergar, mas cuja audição era a mais aguçada que houve no mundo, como dizem todas as canções. Gimli veio apoiado num bastão, e Beren o ajudou, mas Beren estava vestido de trapos e desfigurado e tinha na mão uma grande faca que apanhara na cozinha, temendo novo mal quando a casa estremeceu e se ouviram todas as vozes dos gatos; mas, quando contemplou Tinúviel de pé em meio à hoste dos gatos que retrocediam diante dela, e viu o grande colar de Tevildo, então[8] admirou-se imensamente e não sabia o que pensar. Mas Tinúviel estava muito contente e falou dizendo: 'Ó Beren de além dos Morros Amargos, agora dançarás comigo, mas que não seja aqui.' E conduziu Beren para bem longe, e todos os gatos começaram a uivar e choramingar, de tal forma que Huan e Tevildo ouviram na floresta, mas nenhum os seguiu nem molestou, pois estavam com medo, e a magia de Melko havia se apartado deles.

"Na verdade, depois arrependeram-se disso quando Tevildo retornou à casa, seguido por seu trêmulo companheiro, pois a ira de Tevildo era terrível, e agitava a cauda e distribuía golpes a todos que estavam próximos. Então Huan dos cães, por muito que possa parecer tolice, quando Beren e Tinúviel chegaram àquela clareira, permitira que o malvado Príncipe retornasse sem mais combate, mas pusera o grande colar de ouro em torno de seu próprio pescoço, e com isso Tevildo mais se enfureceu que com outra coisa qualquer, pois grande magia de força e poder residia nele. Pouco agradou a Huan que Tevildo ainda vivesse, mas não temia mais os gatos, e essa tribo tem fugido dos cães desde então, e os cães ainda a têm em desprezo desde a humilhação de Tevildo na floresta perto de Angamandi, e nenhum feito maior fez Huan. De fato, mais tarde Melko ouviu tudo e maldisse Tevildo e sua gente e os baniu, e não tiveram desde aquele dia senhor nem mestre nem qualquer amigo, e suas vozes choram e guincham, pois têm os corações muito solitários e amargos e cheios de perda, porém dentro deles há só treva e nenhuma benevolência.

"Porém ao tempo de que fala o conto o principal desejo de Tevildo era recapturar Beren e Tinúviel e matar Huan, para poder reconquistar o feitiço e a magia que perdera, pois tinha grande temor de Melko e não ousava buscar o auxílio de seu mestre e revelar sua derrota e a denúncia de seu feitiço. Sem saber disso, Huan temia aqueles lugares e receava muito que aqueles feitos chegassem depressa aos ouvidos de Melko, como chegava a maior parte das coisas que ocorriam no mundo; por isso agora Tinúviel e Beren viajaram para bem longe com Huan e tornaram-se grandes amigos dele, e nessa vida Beren recuperou as forças, e sua servidão se apartou dele e Tinúviel o amava.

"Porém selvagens e rudes e muito solitários foram aqueles dias, pois jamais viram rosto de Elfo nem Homem, e Tinúviel, por fim, anelava intensamente por sua mãe Gwendeling e as canções de doce magia que ela costumava cantar aos filhos quando caía o crepúsculo no bosque junto a seus antigos paços. Muitas vezes quase imaginou ouvir a flauta de Dairon, seu irmão, em agradáveis clareiras[9] onde passavam algum tempo, e seu coração ficou pesado. Após algum tempo disse a Beren e a Huan: 'Preciso voltar para casa' e então foi o coração de Beren que se toldou com pesar, pois amava aquela vida na floresta com os cães (pois àquela altura muitos outros se haviam juntado a Huan), porém não se Tinúviel não estivesse lá.

"Ainda assim disse: 'Nunca poderei voltar contigo à terra de Artanor, nem jamais voltar ali para te procurar, doce Tinúviel, exceto se trouxer uma Silmaril; e agora isso não pode ser realizado, já que sou fugitivo dos próprios paços de Melko, e seus servos me espionam em perigo dos castigos mais atrozes.' Ora, isto ele disse no pesar de seu coração, ao se despedir de Tinúviel, e ela hesitou, não suportando a ideia de deixar Beren nem de viver sempre assim no exílio. Por isso passou longo tempo em tristes pensamentos e não falava, mas Beren sentou-se junto a ela e finalmente disse: 'Tinúviel, só uma coisa podemos fazer: sair em busca de uma Silmaril'; e diante disso ela procurou Huan, pedindo-lhe auxílio e conselho, mas ele foi muito grave e nada via no caso senão loucura. Porém no fim Tinúviel lhe pediu a pele de Oikeroi, que ele matara no combate da clareira; ora, Oikeroi era um gato poderosíssimo e Huan levava aquela pele consigo como troféu.

"Então Tinúviel empenhou sua habilidade e sua magia de fada e costurou Beren dentro da pele e o fez assemelhar-se a um grande gato e lhe ensinou a sentar e a se escarrapachar, a dar passos e pulos, e a trotar à semelhança de um gato, até os bigodes do próprio Huan se eriçarem à vista daquilo, e Beren e Tinúviel riram-se dele. Jamais, porém, Beren aprendeu a guinchar ou choramingar, ou a ronronar como qualquer gato que já caminhou, nem Tinúviel pôde despertar um brilho nos olhos mortos da pele de gato 'mas precisamos nos conformar com isso', disse ela, 'e tens o ar de um gato mui nobre contanto que segures tua língua'.

"Então se despediram de Huan e partiram rumo aos paços de Melko em jornadas leves, pois Beren estava muito desconfortável e quente dentro da pele de Oikeroi, e o coração de Tinúviel estava mais leve, por uns tempos, do que há muito estivera, e afagava Beren ou lhe puxava a cauda, e Beren se irritava porque não conseguia agitá-la, em resposta, tão ferozmente quanto desejava. Após algum tempo, porém, acercaram-se de Angamandi, como de fato os estrondos e ruídos graves e o som de grandes marteladas de dez mil ferreiros labutando sem cessar lhes declaravam. Estavam próximos os tristes recintos onde os Noldoli escravizados labutavam amargamente sob os Orques e Gobelins das colinas, e ali a obscuridade e treva era grande, de modo que desanimaram, mas Tinúviel mais uma vez se trajou em sua veste escura de sono profundo. Ora, os portões de Angamandi eram de ferro hediondamente trabalhado e guarnecido de facas e espetos, e diante deles estava deitado o maior lobo que o mundo já viu, o próprio Karkaras Presa-de-Punhal que jamais dormira; e Karkaras rosnou quando viu Tinúviel se aproximando, mas com o gato não se importou muito, pois tinha os gatos em pequena conta, e eles sempre passavam para dentro e para fora.

"'Não rosnes, ó Karkaras,' disse ela, 'pois vou em busca de meu senhor Melko e este capitão de Tevildo vai comigo como escolta.' Ora, a veste escura velava toda a sua beleza cintilante, e a mente de Karkaras não se perturbou muito, porém mesmo assim ele se aproximou, como costumava fazer, para farejar o seu ar, e a doce fragrância dos Eldar aquela veste não conseguia ocultar. Assim, de imediato Tinúviel iniciou uma dança mágica e lançou as mechas negras de seu escuro véu nos olhos dele, de modo que suas pernas tremeram de sonolência, e ele rolou e adormeceu. Mas foi só quando ele estava firmemente sonhando com grandes perseguições nos bosques de Hisilómë, quando ainda era filhote, que Tinúviel se deteve e então entraram os dois pelo portal negro e serpenteando, descendo por muitos caminhos de sombra, toparam finalmente com a presença do próprio Melko.

"Naquela escuridão Beren passava muito bem por verdadeiro capitão de Tevildo, e de fato antigamente Oikeroi havia frequentado muito os paços de Melko, de modo que ninguém lhe deu atenção, e ele se esgueirou sem ser visto embaixo do próprio assento do Ainu, mas as víboras e os seres malignos que lá estavam lhe deram muito medo, e assim não ousava mexer-se.

"Ora, tudo isto calhou muito afortunadamente, pois se Tevildo estivesse com Melko a fraude deles teria sido descoberta — e na verdade haviam pensado nesse perigo, sem saberem que Tevildo agora estava sentado em seus paços, sem saber o que haveria de fazer caso sua derrota fosse comentada em Angamandi, mas eis que Melko avistou Tinúviel e disse: 'Quem és tu que adejas em meus paços como um morcego? Como entraste? Pois com certeza não pertences a este lugar.'

"'Não, não pertenço ainda,' disse Tinúviel, 'mas quem sabe possa depois disto, por vossa bondade, meu senhor Melko. Não sabeis que sou Tinúviel, filha do proscrito Tinwelint, e que ele me expulsou de seus paços, pois é um Elfo imperioso e não concedo meu amor a mando dele?'

"Então Melko se admirou deveras de que a filha de Tinwelint viesse assim, de livre vontade, à sua morada, a terrível Angamandi, e suspeitando de algo inconveniente perguntou qual era seu desejo: 'Pois não sabes', disse ele, 'que aqui não há amor por teu pai ou sua gente, nem deves esperar de mim palavras suaves ou bom humor?'

"'Assim disse meu pai,' disse ela, 'mas por que devo crer nele? Vede, tenho a habilidade das danças sutis e quero dançar diante de vós agora, meu senhor, pois assim creio que prontamente podereis me conceder um humilde canto de vossos paços, onde eu habite até o momento em que chameis a pequena dançarina Tinúviel para aliviar vossas preocupações.'

"'Não,' disse Melko, 'tais coisas pouco são para minha mente, mas visto que vieste tão longe para dançar, dança, e veremos depois', e com isso a olhou maliciosamente, de modo horrível, pois sua mente obscura planejava algum mal.

Então Tinúviel iniciou uma dança tal que nem ela, nem qualquer outro espírito, ou fata, ou Elfa jamais dançara antes, nem dançou desde então, e após pouco tempo o olhar do próprio Melko estava preso pelo assombro. Em redor do salão andou ela, veloz como andorinha, silenciosa como morcego, magicamente bela como só Tinúviel foi jamais e estava já ao lado de Melko, já diante dele, já atrás, e suas nebulosas roupagens lhe tocavam a face e meneavam diante dos seus olhos, e a gente sentada ao longo dos muros ou de pé naquele lugar foi uma a uma dominada pelo sono, caindo em profundos sonhos com tudo o que seus maldosos corações desejavam.

"Sob seu assento as víboras jaziam como pedras, e os lobos diante de seus pés bocejavam e dormitavam, e Melko contemplava encantado, mas não dormiu. Então Tinúviel começou a dançar uma dança ainda mais veloz diante de seus olhos e mesmo enquanto dançava cantou em voz muito baixa e maravilhosa uma canção que Gwendeling lhe ensinara muito tempo atrás, uma canção que os jovens e as donzelas cantavam sob os ciprestes dos jardins de Lórien quando a Árvore de Ouro declinara e Silpion reluzia. As vozes dos rouxinóis estavam nela, e muitos sutis odores pareciam encher o ar daquele local fétido à medida que ela pisava o solo, leve como pluma ao vento; nem jamais se viu ali de novo alguma voz nem visão de tal beleza, e o Ainu Melko, a despeito de todo o seu poder e majestade, sucumbiu à magia daquela donzela élfica, e de fato as pálpebras do próprio Lórien teriam pesado se ele ali estivesse para a ver. Então Melko caiu para diante, sonolento, e por fim, em sono profundo, afundou de seu assento para o chão, e sua coroa de ferro rolou para longe.

"Subitamente Tinúviel cessou. No salão não se ouvia nenhum som que não fosse de respiração adormecida; até Beren dormia embaixo do próprio assento de Melko, mas Tinúviel o sacudiu, e ele finalmente despertou. Então, temeroso e tremendo, ele rasgou o disfarce e, livrando-se dele, pôs-se de pé com um salto. Sacou então aquela faca que trouxera das cozinhas de Tevildo e agarrou a enorme coroa de ferro, mas Tinúviel não a conseguiu mover e os músculos de Beren mal davam conta de virá-la. Grande foi a agitação de seu temor enquanto, naquele escuro salão do mal adormecido, Beren labutava o mais silenciosamente que podia para arrancar uma Silmaril com sua faca. Já soltou a grande joia central, e o suor lhe brotava da fronte, mas quando a forçou para soltá-la da coroa eis que a faca se partiu com um forte estalido.

"Tinúviel abafou um grito nesse momento, e Beren afastou-se de um salto com a Silmaril na mão, e os que dormiam se agitaram, e Melko gemeu, como se maus pensamentos lhe perturbassem os sonhos, e uma expressão obscura tomou conta de seu rosto adormecido. Então, contentes com aquela única gema reluzente, os dois fugiram desesperados do salão, descendo aos tropeços desordenados por muitos corredores escuros, até que, pelo bruxuleio de uma luz cinzenta, souberam que se aproximavam dos portões — e eis! Karkaras estava deitado de través na soleira, outra vez desperto e vigilante.

"Em um impulso imediato Beren pôs-se diante de Tinúviel, apesar de ela ter-lhe dito não, e no final isso demonstrou ser ruim, pois Tinúviel não teve tempo de lançar outra vez sobre o animal seu feitiço de sonolência, antes que, vendo Beren, ele arreganhasse os dentes e grunhisse furioso. 'Por que tanta rispidez, Karkaras?', disse Tinúviel. 'Por que esse Gnomo[10] que não entrou e agora, no entanto, sai às pressas?', disse Presa-de-Punhal, e com isso saltou sobre Beren, que golpeou com o punho bem entre os olhos do lobo, agarrando a garganta dele com a outra mão.

"Então Karkaras apanhou essa mão nas pavorosas mandíbulas e era a mão em que Beren apertava a resplandecente Silmaril, e tanto a mão quanto a joia foram arrancadas por Karkaras, que as tomou na goela vermelha. Foi grande a agonia de Beren, e o temor e a angústia de Tinúviel, porém nesse momento, quando esperavam sentir os dentes do lobo, ocorreu algo novo, estranho e terrível. Eis que agora a Silmaril resplandecia com um fogo branco e oculto da sua própria natureza e estava possuída por uma magia feroz e sagrada — pois não vinha ela de Valinor e dos reinos abençoados, tendo sido moldada com encantos dos Deuses e dos Gnomos antes que o mal ali chegasse? E, além disso, ela não tolera o toque da carne maligna ou da mão profana. Passou então para o interior do imundo corpo de Karkaras, e de súbito a fera foi queimada com terrível angústia e o uivo de sua dor foi pavoroso de se ouvir, ecoando naqueles caminhos rochosos, de forma que desperta toda a corte adormecida lá dentro. Então Tinúviel e Beren fugiram pelos portões como o vento, porém Karkaras estava muito adiante deles, encolerizado e louco como um animal perseguido por Balrogs; e depois, quando conseguiram recuperar o fôlego, Tinúviel chorou sobre o braço mutilado de Beren, beijando-o muitas vezes, e eis que não sangrou e a dor o deixou e foi curado pela suave cura do amor dela; porém depois disso Beren sempre foi cognominado, entre toda a gente, Ermabwed, Uma-Mão, que na língua da Ilha Solitária é Elmavoitë.

"Agora, no entanto, precisavam tratar de escapar — se fosse essa a sua sorte, e Tinúviel enrolou parte de sua capa escura em torno de Beren e assim, por algum tempo, esvoaçando no crepúsculo e na escuridão entre as colinas, não foram vistos por ninguém, apesar de Melko ter convocado todos os seus Orques de terror contra eles; e sua fúria pelo roubo daquela joia era a maior que os Elfos jamais haviam visto.

"Ainda assim, logo lhes pareceu que a rede de caçadores se fechava sobre eles cada vez mais apertada, e apesar de terem alcançado a borda das matas mais familiares e passado pelas trevas da floresta de Taurfuin, havia ainda assim muitas léguas de perigos a serem atravessadas entre eles e as cavernas do rei, e mesmo que alguma vez lá chegassem parecia que só atrairiam para lá a caçada que os seguia, e o ódio de Melko sobre toda aquela gente da floresta. Era deveras tão grande o clamor que Huan o percebeu de longe e muito se admirou com a ousadia daqueles dois, e mais ainda por eles terem escapado de Angamandi.

"Ia então com muitos cães através das matas, caçando Orques e capitães de Tevildo, e assim obteve muitos ferimentos e muitos deles matou ou pôs em temor e fuga, até que certa tarde, ao crepúsculo, os Valar o levaram a uma clareira naquela região setentrional de Artanor que depois se chamou Nan Dumgorthin, a terra dos ídolos sombrios, mas esse é um assunto que não diz respeito a este conto. Entretanto, era mesmo então uma terra escura e sombria e de mau agouro, e o temor caminhava sob suas árvores ameaçadoras, não menos que em Taurfuin; e aqueles dois Elfos, Tinúviel e Beren, lá estavam deitados exaustos e desesperançados, e Tinúviel chorava, mas Beren manuseava sua faca.

"Ora, quando Huan os viu não permitiu que falassem nem contassem parte de seu relato, mas de imediato pôs Tinúviel sobre seu lombo enorme e mandou Beren correr ao seu lado, do melhor modo que pudesse 'pois,' disse ele, 'uma grande companhia de Orques aproxima-se rapidamente daqui, e os lobos são seus rastreadores e batedores.' Então a matilha de Huan correu em torno deles e muito velozes, ao longo de trilhas rápidas e secretas, seguiram rumo aos longínquos lares da gente de Tinwelint. Assim foi que se esquivaram das hostes de seus inimigos, não obstante tiveram depois muitos embates com seres malignos vagantes, e Beren matou um Orque, que por pouco não arrastou Tinúviel consigo, e esse foi um bom feito. Vendo então que a caçada ainda os seguia de perto, mais uma vez Huan os conduziu por caminhos tortuosos e ainda não ousava levá-los direto à terra das fadas da floresta. Porém era tão astuciosa a sua condução que, por fim, depois de muitos dias, a caçada ficou longe para trás e não viram nem ouviram mais nada dos bandos de Orques; nenhum gobelim os atacou de surpresa e nem os uivos de lobos malignos vinham pelos ares à noite, e isso provavelmente era porque já haviam penetrado no círculo de magia de Gwendeling que ocultava as trilhas do mal e evitava que o dano chegasse às regiões dos Elfos da floresta.

"Então Tinúviel respirou livre outra vez, como não fizera desde que fugira dos paços de seu pai, e Beren descansou ao sol longe das trevas de Angband até que o último amargor da servidão o abandonou. Em virtude da luz que caía através das folhas verdes e do sussurro dos ventos puros e do cantar das aves, mais uma vez estiveram destemidos por completo.

"Não obstante, acabou chegando um dia em que, despertando de sono profundo, Beren deu um salto como quem deixa um sonho de coisas felizes que lhe vem à mente de chofre e disse: 'Adeus, ó Huan, mais fiel dos companheiros, e tu, pequena Tinúviel, a quem amo, adeus. Só isto te imploro, vai agora direto à segurança de teu lar e que o bom Huan te conduza. Mas eu — eis que devo me afastar para a solidão das matas, pois perdi a Silmaril que tive e nunca mais ousarei me aproximar de Angamandi e, portanto, jamais entrarei nos paços de Tinwelint.' Então chorou consigo mesmo, mas Tinúviel, que estava perto e escutara sua meditação, pôs-se junto dele e disse: 'Não, agora meu coração está mudado,[11] e se habitares na floresta, ó Beren Ermabwed, também eu habitarei, e se vagares nos lugares selvagens ali vagarei também, seja contigo ou depois de ti: porém meu pai nunca mais me verá exceto se tu me levares até ele.' Então Beren alegrou-se deveras com suas doces palavras e lhe teria agradado morar com ela como caçador nos ermos, mas seu coração o golpeou por tudo o que ela sofrera por ele e por ela ele abandonou sua altivez. De fato, ela argumentou com ele, dizendo que a obstinação seria tolice e que seu pai os saudaria tão somente com alegria, contente de ver a filha ainda viva 'e quem sabe', disse ela, 'ele se envergonhará de seu gracejo ter entregue tua bela mão às queixadas de Karkaras'. Mas também implorou a Huan que voltasse com eles durante algum espaço, pois 'meu pai te deve uma enorme recompensa, ó Huan,' disse, 'se é que ele ama a filha'.

"Assim foi que esses três partiram juntos mais uma vez e por fim retornaram aos bosques que Tinúviel conhecia e amava, perto da habitação de seu povo e dos profundos paços de seu lar. Porém, à medida que se aproximavam, encontraram medo e tumulto entre aquela gente, tal como não houvera por longa era, e perguntando a alguns que choravam diante de suas portas ficaram sabendo que desde o dia da fuga secreta de Tinúviel a má sorte os acometera. Eis que o rei ficara perturbado de pesar e negligenciara sua antiga circunspecção e astúcia; na verdade seus guerreiros haviam sido enviados para lá e para cá, às profundezas das florestas insalubres, buscando a donzela, e muitos haviam sido mortos ou perdidos para sempre, e havia guerra com os servos de Melko em todas as suas fronteiras setentrionais e orientais, de modo que a gente temia imensamente que aquele Ainu convocasse suas forças e viesse esmagá-los por completo e que a magia de Gwendeling não tivesse o poder de resistir à multidão de Orques. 'Vede,' diziam, 'agora aconteceu o pior de tudo, pois muito tempo a Rainha Gwendeling esteve indiferente, sem sorrir nem falar, como se fitasse à grande distância com olhos desvairados, e a rede de sua magia tornou-se rala em torno da floresta, e a floresta é lúgubre, pois Dairon não retorna nem sua música se ouve mais nas clareiras. Eis agora a coroa de todas as nossas más novas, pois sabei que irrompeu sobre nós, vindo irado desde os paços do Mal, um grande lobo cinzento repleto de um espírito maligno e se comporta como que açoitado por alguma loucura oculta, e ninguém está a salvo. Já matou muitos, correndo selvagem pela floresta, mordendo e berrando, de modo que as próprias margens do rio que corre diante dos paços do rei se tornaram lugares onde o perigo espreita. Ali o medonho lobo vai beber com frequência, parecendo o próprio Príncipe maligno, de olhos injetados de sangue e língua pendendo para fora, e nunca consegue saciar seu desejo de água, como se algum fogo interior o devorasse.'

"Então Tinúviel se entristeceu, pensando na infelicidade que acometera seu povo e principalmente seu coração se tornou amargo diante da história de Dairon, pois dela não ouvira nem murmúrio antes disso. No entanto, era incapaz de desejar que Beren nunca tivesse chegado às terras de Artanor, e juntos apressaram-se para irem ter com Tinwelint; e aos Elfos da floresta parecia agora que o mal estava terminando, já que Tinúviel voltara a ter com eles ilesa. Na verdade, sequer esperavam por isso.

"Encontraram o Rei Tinwelint em grande melancolia, porém de repente seu pesar se derreteu em lágrimas de contentamento e Gwendeling voltou a cantar de alegria quando Tinúviel ali entrou e, lançando longe sua veste de escura névoa, pôs-se diante deles na mesma radiância perolada de outrora. Por um instante tudo foi regozijo e assombro naquele paço, e ainda assim o rei acabou por voltar os olhos para Beren e disse: 'Então tu também retornaste — trazendo uma Silmaril, fora de dúvida, em recompensa de todo o mal que produziste em minha terra; ou, se não a trazes, não sei por que aqui estás.'

"Então Tinúviel pisou forte e exclamou, de modo que o rei e todos os que estavam à sua roda se admiraram de seu novo humor destemido: 'Que vergonha, meu pai! Vê, eis Beren, o bravo, que tua pilhéria expulsou para lugares escuros e imundo cativeiro, e que somente os Valar salvaram de morte amarga. Creio que a um rei dos Eldar melhor conviria recompensá-lo que injuriá-lo.'

"'Não,' disse Beren, 'o rei, teu pai, tem esse direito. Senhor,' disse, 'mesmo agora tenho uma Silmaril em minha mão.'

"'Mostra-me então,' disse o rei, assombrado.

"'Não posso fazê-lo,' disse Beren, 'pois minha mão não está aqui', e estendeu o braço mutilado.

"Então o coração do rei se voltou para ele, em razão de seu comportamento resoluto e cortês, e pediu que Beren e Tinúviel lhe relatassem tudo o que ocorrera a cada um e escutou com avidez, pois não compreendia plenamente o significado das palavras de Beren. Quando, porém, havia ouvido tudo seu coração voltou-se para Beren ainda mais e admirou-se do amor que despertara no coração de Tinúviel, de forma que ela praticara feitos maiores e mais ousados que qualquer guerreiro de seu povo.

"'Nunca mais,' disse, 'ó Beren, eu te peço, deixes esta corte nem a companhia de Tinúviel, pois és um grande Elfo e teu nome será sempre grande entre as gentes.' No entanto, Beren respondeu-lhe com altivez e disse: 'Não, ó Rei, mantenho minha palavra e a vossa e vos trarei essa Silmaril antes de habitar em paz nos vossos paços.'

E o rei implorou-lhe que não viajasse mais aos reinos escuros e desconhecidos, mas Beren disse: 'Não há necessidade disso, pois eis que essa joia agora mesmo está próxima de vossas cavernas', e esclareceu a Tinwelint que a fera que assolava suas terras não era outro senão Karkaras, o lobo guardião dos portões de Melko — e isto não era conhecido de todos, mas Beren o sabia por ensinamento de Huan, cuja astúcia na leitura de pegadas e rastos era a maior de todos os cães, e nenhum deles é inábil nisso. E, na verdade, Huan estava então nos paços junto com Beren e, quando aqueles dois falaram de perseguição e grande caçada, ele pediu para ser incluído no feito e isso foi concedido de bom grado. Os três, portanto, prepararam-se para assolar a fera, para que toda a gente estivesse livre do terror do lobo e Beren mantivesse a palavra, trazendo uma Silmaril para luzir outra vez em Elfinesse. O próprio Rei Tinwelint liderou essa perseguição, e Beren estava junto dele e Mablung, o mão-pesada, chefe dos capitães do rei, ergueu-se de um salto e agarrou uma lança[12] — uma arma poderosa capturada em batalha com os Orques distantes — e com esses três saiu na tocaia Huan, mais poderoso dos cães, mas não levaram outros conforme o desejo do rei, que disse: 'Quatro bastam para matar até o Lobo-infernal', mas somente os que o viram sabiam quão temível era essa fera, quase do tamanho de um cavalo entre os Homens, e era tão grande o ardor de seu hálito que chamuscava tudo o que tocasse. Pela hora do nascer do sol fizeram-se a caminho e logo depois Huan divisou um novo rasto junto ao rio, não longe das portas do rei e disse: 'Esta é a pegada de Karkaras.' Depois seguiram aquele rio por todo o dia e em muitos lugares suas margens estavam recém-pisoteadas e diaceradas, e a água das lagoas em volta estava imunda, como se animais possuídos de loucura tivessem rolado e lutado ali pouco tempo antes.

"Pôs-se então o sol e apagou-se além das árvores no Oeste, e a treva desceu rastejando de Hisilómë, fazendo morrer a luz da floresta. Ainda assim chegaram a um local onde o rasto se afastava do rio, ou talvez se perdia em suas águas, e Huan não conseguia mais segui-lo; e, portanto, acamparam ali, dormindo em turnos junto ao rio e o início da noite foi passando.

"De súbito, no turno de Beren, irrompeu ao longe um ruído de grande terror — um uivo como de setenta lobos ensandecidos — e eis que a mata estala e as árvores novas se rompem à medida que o terror se avizinha, e Beren soube que Karkaras estava sobre eles. Mal teve tempo de despertar os demais, e tinham acabado de saltar em pé e estavam semiacordados, quando um grande vulto assomou ao luar hesitante que lá se insinuava e fugia como quem está louco e sua trajetória se dirigia à água. Diante disso Huan começou a ladrar, e prontamente a fera desviou-se na direção deles e deitava espuma de sua mandíbula e nos olhos luzia uma luz vermelha e sua cara estava marcada de uma mistura de terror e fúria. Assim que saiu das árvores, Huan atirou-se sobre ele, destemido de coração, mas ele, com um grande salto, voou bem por cima do grande cão, pois toda a sua fúria acendeu-se de súbito contra Beren, a quem reconheceu de pé mais atrás, e à sua mente obscura parecia que era aquela a causa de toda a sua agonia. Então Beren o golpeou depressa, metendo-lhe uma lança na garganta por baixo, e Huan saltou de novo e o agarrou por uma perna traseira, e Karkaras caiu qual pedra, pois nesse mesmo momento a lança do rei encontrou seu coração e seu espírito maligno jorrou e despachou-se, uivando baixo enquanto sobrevoava as colinas escuras rumo a Mandos; mas Beren jazia embaixo dele, esmagado por seu peso. Então rolaram a carcaça e começaram a abri-la, e Huan lambeu o rosto de Beren do qual fluía sangue. Logo a verdade das palavras de Beren ficou esclarecida, pois as vísceras do lobo estavam semiconsumidas como se um fogo interior ali tivesse ardido por longo tempo, e subitamente a noite ficou repleta de um esplendor prodigioso, matizado de cores pálidas e secretas, quando Mablung[13] retirou a Silmaril. Então, estendendo-a, disse: 'Contemplai, ó Rei',[14] mas Tinwelint disse: 'Não, jamais lhe porei a mão a não ser que Beren a entregue.' Mas Huan disse: 'E isso parece que nunca há de acontecer, a não ser que trateis dele depressa, pois me parece que está gravemente ferido', e Mablung e o rei se envergonharam.

"Portanto ergueram Beren com cuidado e o cuidaram e lavaram, e ele respirava, mas não falou nem abriu os olhos, e quando o sol nasceu e haviam repousado um pouco, levaram-no de volta pela mata, do modo mais compassivo, numa maca de ramos; e perto do meio-dia aproximaram-se outra vez das casas da gente e estavam mortalmente exaustos, e Beren não se movera nem falara, mas três vezes gemeu.

"Toda aquela gente afluiu ao seu encontro quando sua aproximação foi divulgada entre eles e alguns lhes trouxeram carne e bebidas frescas e substâncias de cura para suas feridas, e não fosse o ferimento sofrido por Beren sua alegria teria sido deveras grande. Agora, porém, cobriram com vestes macias os ramos folhosos onde ele jazia e o levaram embora aos paços do rei, e ali estava Tinúviel aguardando-os com grande aflição; e lançou-se sobre o peito de Beren e chorou e beijou-o, e ele despertou e a reconheceu, e depois Mablung deu-lhe a Silmaril, e ele a ergueu contemplando sua beleza, antes de dizer lentamente e com dor: 'Vede, ó Rei, eu vos dou a joia maravilhosa que desejáveis, e é apenas uma coisa menor encontrada à beira do caminho, pois creio que outrora tivestes uma mais bela, além do que se possa pensar, e agora ela é minha.' Mas, enquanto falava, as sombras de Mandos se abateram sobre seu rosto, e seu espírito fugiu naquela hora até a margem do mundo, e os ternos beijos de Tinúviel não o chamaram de volta."

Então Vëannë repentinamente parou de falar, e Eriol disse, com tristeza: "É um conto de pesar para uma donzela tão doce contar"; mas eis que Vëannë chorava, e somente após algum tempo ela disse: "Não, esse não é o conto todo, mas termina aqui tudo que cheguei a saber", e outras crianças falaram, e uma disse: "Vede, ouvi dizer que a magia dos ternos beijos de Tinúviel curou Beren e recuperou seu espírito dos portões de Mandos, e por muito tempo ele morou entre os Elfos Perdidos, vagando nas clareiras apaixonado pela doce Tinúviel." Mas outro disse: "Não, não foi assim, ó Ausir, e se escutares, eu contarei a história verdadeira e espantosa; pois Beren morreu ali nos braços de Tinúviel, exatamente como Vëannë disse, e Tinúviel, esmagada pelo pesar, não encontrando consolo nem luz no mundo todo, o seguiu depressa ao longo daqueles caminhos escuros que todos precisam trilhar a sós. Ora, sua beleza e seu suave encanto tocaram o próprio coração frio de Mandos, de forma que permitiu que ela o reconduzisse ao mundo, o que jamais foi feito desde então a nenhum Homem ou Elfo, e muitas canções e histórias existem do rogo de Tinúviel diante do trono de Mandos, de que não me lembro bem. Porém, Mandos disse aos dois: 'Ó Elfos, eis que não vos dispenso a uma vida de perfeita alegria, pois tal não se pode encontrar mais em todo o mundo onde se assenta Melko do coração maligno — e sabei que vos tornareis mortais, bem como os Homens, e quando viajardes outra vez para cá será para sempre, a não ser que os Deuses de fato vos convoquem a Valinor.' Não obstante, os dois partiram de mãos dadas e viajaram juntos através dos bosques setentrionais e muitas vezes foram vistos dançando mágicas danças colina abaixo, e seu nome se fez ouvir em toda a parte."

A isso o menino cessou, e Vëannë disse: "Sim, e fizeram mais que dançar, pois seus feitos depois disso foram muito grandes e há muitos relatos a esse respeito que precisas ouvir, ó Eriol Melinon, em outra ocasião de contar histórias. Pois a esses dois as histórias chamam i·Cuilwarthon, o que quer dizer os mortos que vivem de novo, e tornaram-se fadas poderosas nas terras junto ao norte de Sirion. Vê, agora está tudo terminado; e agradou-te?" Mas Eriol disse: "Em verdade, é um conto maravilhoso, tal qual não esperava ouvir dos lábios das pequenas donzelas de Mar Vanwa Tyaliéva", mas Vëannë lhe deu resposta: "Não, mas não a moldei com minhas próprias palavras, porém ela me é cara — e, de fato, todas as crianças conhecem os feitos que ela relata — e a aprendi de cor, lendo-a nos grandes livros, e não compreendo tudo o que está posto nela."

"Nem eu", disse Eriol — mas Ausir exclamou repentinamente: "Vede, Eriol, Vëannë não te contou o que aconteceu com Huan; nem de como ele recusou tomar recompensa de Tinwelint ou habitar perto dele, e partiu novamente a vagar, lamentando-se por Tinúviel e Beren. Certa vez, juntou-se a Mablung,[15] que ajudara na perseguição e agora estava muito afeito a caçar em locais solitários; e os dois caçaram juntos, como amigos, até os dias de Glorund, o Draco, e de Túrin Turambar, quando uma vez mais Huan encontrou Beren e cumpriu seu papel nos grandes feitos do Nauglafring, o Colar dos Anãos."

"Ora, como eu poderia contar tudo isso?", disse Vëannë, "pois eis que já é hora da refeição da noite"; e logo depois o grande gongo soou.

☙

A segunda versão do Conto de Tinúviel

Como já foi mencionado (p. 13), há uma versão revisada de parte do conto em um texto datilografado (feito por meu pai). De maneira geral, ele acompanha a versão manuscrita de perto ou muito de perto, e de modo algum altera o estilo ou a atmosfera do anterior; portanto, é desnecessário incluir a segunda versão *in extenso*. Mas o texto datilografado introduz em alguns lugares alterações interessantes, as quais estão incluídas abaixo (as páginas das passagens correspondentes na versão manuscrita estão postas na margem).

O título do texto datilografado (que começa com o trecho de *Ligação* já fornecido, pp. 15–17) era, originalmente, "O Conto de Tynwfiel, Princesa de Dor Athro", alterado para "O Conto de Tinúviel, a Dançarina de Doriath".

(8) "Quem era, então, Tinúviel?", perguntou Eriol. "Não sabes," disse Ausir, "que ela era a filha de Singoldo, rei de Artanor?"
"Quieto, Ausir", disse Vëannë, "este é meu conto, e é um conto dos Gnomos, pelo que te imploro que não enchas os ouvidos de Eriol com teus nomes élficos. Vede, contarei apenas este conto, pois não vi Melian e Tinúviel certa vez muito tempo atrás com meus próprios olhos quando seguia pelo Caminho dos Sonhos?"

"Como era a Rainha Melian", perguntou Eriol, "se tu a viste, ó Vëannë?"

"Esbelta e de cabelos muito escuros", disse ela, "e sua pele era branca e pálida, mas seus olhos brilhavam como se encerrassem grandes profundezas. Trajava-se em vestimentas translúcidas mui adoráveis da cor da noite, salpicadas de azeviche e cingidas de prata. Se cantava ou se dançava, sonhos e sonos passavam por sobre as cabeças daqueles nas proximidades, deixando-as pesadas como se fosse por um forte vinho de sono. Deveras ela era um espírito que, ao escapar dos jardins de Lórien antes mesmo de Kôr ser construída, vagou nos lugares selvagens do mundo e em todas as matas solitárias. Rouxinóis iam junto dela, cantando à sua volta conforme caminhava — e foi a canção desses pássaros que alcançou os ouvidos de Thingol conforme ele marchava, encabeçando a segunda[16] tribo dos Eldalië que depois se tornaram os Flautistas das Terras Costeiras, os Solosimpi da Ilha. Ora, tinham percorrido um longo caminho desde a escura Palisor, e as companhias laboravam fatigadas seguindo o cavalo de patas ágeis de Oromë, por isso a música dos pássaros mágicos de Melian pareceram-lhe cheias de todo consolo, mais bela do que outras melodias da Terra, e ele se afastou por um momento, como pensava, buscando nas árvores escuras donde poderia estar vindo.

E conta-se que não foi por um momento que ele ouviu, mas por muitos anos, e em vão seu povo procurou por ele, até que, afinal, precisaram seguir Oromë em Tol Eressëa, sendo levados nela para longe, deixando-o a escutar os pássaros, encantado nas florestas de Aryador. Esse foi o primeiro pesar dos Solosimpi, e multiplicaram-se depois; mas Ilúvatar, em memória de Thingol, pôs uma semente de música nos corações daquele povo acima de todas as gentes da Terra, salvo apenas os Deuses, e depois, como conta toda a estória, ela floriu maravilhosa na ilha e na gloriosa Valinor.

Contudo, Thingol experimentava pequeno pesar; pois, após pouco tempo, conforme lhe pareceu, deparou-se com Melian deitada num leito de folhas [...]

* * *

(9) Muito depois, como tu sabes, Melko irrompeu uma vez mais no mundo vindo de Valinor, e quase todos os seres ali caíram sob sua imunda sujeição; e nem os Elfos Perdidos estavam livres, nem os Gnomos errantes que vagavam pelos locais montanhosos, buscando seu tesouro roubado. E, no entanto, havia uns poucos que, liderado por poderosos reis, ainda desafiavam aquele maligno em locais seguros e ocultos, e se Turgon, Rei de Gondolin, era o mais glorioso dentre eles, por um tempo o mais poderoso e o que permaneceu por mais tempo livre era Thingol das Florestas.

Ora, nos dias posteriores de luz Solar e Lunar, Thingol ainda habitava em Artanor e governava um povo numeroso e intrépido que vinha de todas as tribos da antiga Elfinesse — pois nem ele e nem seu povo foram para a pavorosa Batalha das Lágrimas Inumeráveis — um assunto que não diz respeito a este conto. E, no entanto, seu senhorio aumentou muito depois daquela amarga batalha pelos fugitivos que buscavam um líder e um lar. Sua habitação foi posteriormente oculta da visão e do conhecimento de Melko graças às magias de Melian, a fata, e ela tecia encantamentos em torno das veredas que para lá levavam, de modo que ninguém além dos filhos dos Eldalië as pudesse trilhar sem se perder. Assim, o rei ficou guardado de todos os perigos, exceto apenas a traição; seus paços estavam construídos em uma funda caverna, de incomensurável abóbada que não tinha outra entrada senão uma porta rochosa, pujante, com pedras por pilares e sombreada pelas mais altas e mais antigas árvores de todas as emaranhadas florestas de Artanor. Um grande rio havia ali, o qual corria por um curso escuro e silencioso na mata fechada, e fluía largo e rápido diante daquele umbral, de sorte que todos que desejassem adentrar aquele portal deveriam primeiro cruzar uma ponte erguida pelos Noldoli do serviço de Thingol através da água — e era estreita e fortemente guardada. De modo algum eram malignas aquelas terras florestadas, apesar de as Montanhas de Ferro não estarem muito distantes, nem a sombria Hisilómë para além delas, onde habitava a estranha raça dos Homens e onde Noldoli escravizados laboravam, e aonde poucos Eldar livres iam.

 Dois filhos tinha então Thingol, Dairon e Tinúviel [...]

* * *

(10) "sua mãe era uma fata, uma filha de Lórien", onde no manuscrito está "sua mãe era uma fata, filha dos Deuses".

* * *

(11) "Ora, Beren era um Gnomo, filho de Egnor, o couteiro", assim como no manuscrito; mas *Egnor* foi alterado para *Barahir*. Essa alteração, contudo, foi muito posterior e fortuita, por assim dizer; o pai de Beren ainda era Egnor em 1925.

* * *

(11) A frase do manuscrito "e todos os Elfos das florestas acreditavam ser os Gnomos de Dor Lómin criaturas traiçoeiras, cruéis e desleais" foi omitida no texto datilografado.

* * *

(13) *Angband* foi colocado onde o manuscrito possuía *Angamandi*, aqui e ao longo do texto.

* * *

(14) Muitos combates e fugas ele experimentou naqueles dias, e matou mais de uma vez tanto lobos quanto Orques que neles montavam, sem nada além de uma clava de freixo que carregava; e outros perigos e aventuras [...]

* * *

(15) Mas Melko, olhando-o irado, perguntou: 'Como tu, ó servo, ousaste escapar assim da terra onde teu povo habita por meu comando e vagar sem permissão pelas grandes florestas, abandonando os trabalhos que te foram incumbidos?' Então Beren respondeu que não era servo fugitivo, mas vinha de uma linhagem dos Gnomos que habitavam em Aryador, onde havia muitos da gente dos Homens. Então Melko irou-se ainda mais, dizendo: 'Temos aqui um conspirador de profundas traições contra o senhorio de Melko e merecedor das torturas dos Balrogs' — pois buscava sempre destruir a amizade e as relações entre Elfos e Homens, de modo que não se esquecessem da Batalha das Lágrimas Inumeráveis e não se erguessem novamente em fúria contra ele. Mas Beren, percebendo seu perigo, respondeu: 'Não penseis, ó mais poderoso Belcha Morgoth (pois tais eram seus nomes entre os Gnomos), que isso possa ser verdade; pois se assim fosse eu não estaria aqui sem ajuda e sozinho. Nenhuma amizade Beren, filho de Egnor, tem pela gente dos Homens, bem ao contrário, cansando-se por completo das terras infestadas por esse povo ele vagou para fora de Aryador. Aonde então ele iria senão até Angband? Pois muitas grandes histórias o pai dele contou outrora sobre vosso esplendor e glória. Vede, senhor, apesar de não ser servo renegado, nada desejo mais do que vos servir do pequeno modo que puder.' Pouca verdade havia nisso e, de fato, seu pai Egnor era o principal inimigo de Melko entre toda a gente dos Gnomos que ainda era livre, salvo apenas Turgon, rei de Gondolin, e os filhos de Fëanor, e longos dias de amizade tivera com a gente dos Homens, nos tempos em que era irmão d'armas de Úrin, o resoluto; mas, naqueles dias, ostentava outro nome, e Egnor nada significava para Melko. A verdade, contudo, Beren contou ao dizer que era excelente caçador, ligeiro e hábil para acertar ou apanhar ou ultrapassar todos os pássaros e animais. 'Perdi-me despreparado numa região das colinas que me eram desconhecidas, ó Senhor', disse, 'enquanto estava caçando; e, vagando longe, cheguei a terras estranhas e não tinha outro conselho de segurança senão ir até Angband, a qual podem encontrar todos aqueles que divisam de longe as colinas negras do norte. Teria eu mesmo viajado até vós

e implorado algum humilde mister (talvez como provedor de carne para vossa mesa) se esses Orques não me tivessem apanhado e atormentado injustamente.'

Ora, os Valar devem ter inspirado essa fala, ou talvez fosse um encantamento de palavras astuciosas que Melian lhe tivesse posto por compaixão quando saiu do paço; pois de fato lhe salvou a vida [...]

Subsequentemente, uma parte desse trecho foi emendada no texto datilografado, da seguinte forma:

[...] e longos dias de amizade tivera com a gente dos Homens (assim como o próprio Beren depois, como irmão d'armas de Úrin, o Resoluto); mas, naqueles dias, os Orques o chamavam de Rog, o Ágil, e o nome Egnor nada significava para Melko.

Ao mesmo tempo, as palavras "Ora, os Valar devem ter inspirado essa fala" foram alteradas para "Ora, os Valar inspiraram essa fala".

* * *

(15) Assim, Beren foi feito por Melko servo do Príncipe dos Gatos, a quem os Gnomos chamaram de Tiberth Bridhon Miaugion, mas os Elfos, de Tevildo.

Subsequentemente, *Tiberth* aparece ao longo do texto nos locais onde o manuscrito possui *Tevildo* e, em um lugar, o nome completo *Tiberth Bridhon Miaugion* reaparece. No manuscrito, o nome gnômico é *Tifil*.

* * *

(17) [...] não obtendo nada por sua labuta senão um dedo mordido. Então Tiberth ficou irado e disse: 'Mentiste para meu senhor, ó Gnomo, e serve mais como ajudante de cozinha do que caçador, incapaz até de apanhar os camundongos em meus paços.' Penosos foram seus dias depois disso em poder de Tiberth; pois fizeram dele um ajudante de cozinha, e seu labor era interminável cortando lenha e tirando água e nos afazeres servis daquela morada repugnante. Muitas vezes também era atormentado pelos gatos e outros animais malignos de sua companhia, e quando, como acontecia às vezes, havia um banquete órquico naqueles salões, amiúde punham-no

para assar aves e outras carnes em espetos diante dos grandes fogos nas masmorras de Melko, até ele desfalecer pelo calor intenso; contudo, sabia-se afortunado além de toda esperança por estar ainda vivo em meio àqueles cruéis inimigos de Deuses e Elfos. Raramente ele próprio tinha comida ou sono, e tornou-se desgrenhado e meio cego, de modo que muitas vezes desejou que jamais, vagando para fora dos locais livres e selvagens de Hisilómë, tivesse ao menos vislumbrado ao longe a visão de Tinúviel.

* * *

(17) Ora, Melian não riu, e nada disse quanto a isso; pois em muitas coisas era sábia e presciente — e, contudo, era coisa não imaginada em sonho insano que uma Elfa, ainda mais sendo donzela, a filha do rei que por mais tempo desafiara Melko, viajasse sozinha mesmo às fronteiras daquela terra infeliz em meio à qual ficava Angband e os Infernos de Ferro. Pouco amor havia entre os Elfos da floresta e o povo de Angband, mesmo naqueles dias antes das Batalhas das Lágrimas Inumeráveis, quando o poderio de Melko ainda não crescera completamente, e ele velava seus desígnios e expandia sua rede de mentiras. 'Nenhuma ajuda nisso terás de mim, pequena', disse ela; 'pois mesmo se magia e destino houvessem de trazer-te em segurança dessa sandice, ainda assim muitas e grandes coisas viriam daí e, para alguns, muitos pesares, e meu conselho é que jamais contes ao teu pai teu desejo.'

Mas essa última palavra de Melian Thingol, que vinha despercebido, entreouviu, e elas tiveram de contar tudo, e ele se enfureceu tanto quando ouviu que Tinúviel desejou que seus pensamentos jamais tivessem sido revelados nem mesmo à sua mãe.

* * *

(18) Em verdade não tenho apreço por ele, pois ele destruiu nossa brincadeira juntos, nossa música e nossa dança.' Mas Tinúviel disse: 'Não peço por ele, mas por mim mesma, e em nome dessas nossas brincadeiras juntos outrora.' E Dairon respondeu: 'E por ti, digo não'; e não mais falaram disso juntos, mas Dairon contou ao rei o que Tinúviel queria dele,

temendo que a intrépida donzela partisse rumo à morte no desvario de seu coração.

* * *

(18) [...] não podia encerrar a filha para sempre nas cavernas onde a luz era apenas a que vinha de tochas fracas e bruxuleantes.

* * *

(19) Os nomes de todas as coisas mais altas e mais longas da Terra estavam postos nessa canção: as barbas dos Indrafangs, a cauda de Carcaras, o corpo de Glorund, o draco, o tronco de Hirilorn, e a espada de Nan ela nomeou, nem esqueceu a corrente Angainu que Aulë e Tulkas fizeram, nem o pescoço de Gilim, o gigante que é mais alto que muitos olmeiros; [...]
Carcaras está grafado assim subsequentemente no texto datilografado.

* * *

(20) [...] tão depressa quanto voavam seus pés dançantes.
Ora, quando os guardas despertaram, a manhã já ia longe, e eles fugiram e não se atreveram a levar as notícias ao seu senhor; e foi Dairon quem deu as novas da fuga de Tinúviel a Thingol, pois ele encontrara a gente que corria atônita desde as escadas que eram alçadas à porta dela todas as manhãs. Grande foi o pesar mesclado com ira do rei, e todos os lugares fundos de sua corte estavam em polvorosa, e todos os bosques ressoavam com a busca; mas Tinúviel já estava bem longe, dançando desvairada pelos bosques escuros rumo aos sopés obscuros das colinas e às Montanhas da Noite. Dizem que foi Dairon quem partiu mais rápido e chegou mais longe na busca, mas envolveu-se no desconcerto daquelas plagas longínquas e perdeu-se por completo, e jamais retornou a Elfinesse, mas voltou-se na direção de Palisor; e ali ainda toca sutis músicas mágicas, saudoso e solitário nos bosques e florestas do sul.
Agora Tinúviel avançava, e um súbito temor se apossou dela quando pensou no que ousara fazer e no que estava à frente. Então voltou atrás por um momento e chorou, desejando que Dairon estivesse com ela. Dizem que de fato ele não estava longe naquela hora, mas vagava perdido em

Taurfuin, a Floresta da Noite, onde mais tarde Túrin matou Beleg por infortúnio. Próxima já estava Tinúviel desses lugares malignos, mas não penetrou naquela região escura, e os Valar instilaram-lhe nova esperança no coração, de modo que ela prosseguiu novamente.

* * *

(21) Raramente qualquer um dos gatos era morto, na verdade; pois naqueles dias eram muito maiores em valentia e força do que se tornaram desde que se passaram as coisas que tu logo hás de descobrir, maiores até mesmo do que os gatos pardos das terras meridionais onde o sol é abrasador. E não menor, ademais, era a habilidade deles em escalar e se esconder, e sua agilidade era como a de uma flecha e, no entanto, os cães livres das matas setentrionais eram maravilhosamente corajosos e desconheciam o medo, e havia grande inimizade entre eles, e alguns desses cachorros eram temidos mesmo pelos maiores dentre os gatos. Tiberth, porém, não temia nenhum, exceto apenas Huan, senhor dos Cães de Hisilómë. Tão rápido era Huan que certa feita deparou-se com Tiberth quando caçava a sós nas matas e, perseguindo-o, alcançou-o e quase arrancou o pelo de seu pescoço antes que ele fosse resgatado por uma hoste de Orques que ouviu seus gritos. Huan feriu-se muito naquela batalha até conseguir escapar, mas o orgulho ferido de Tiberth cobiçava incessantemente sua morte.

Grande foi, portanto, a sorte que ocorreu a Tinúviel ao se encontrar com Huan na mata; e isso se deu numa pequena clareira perto das bordas da floresta, onde começam as primeiras campinas alimentadas pelas águas superiores do rio Sirion. Vendo-o, sentiu temor mortal e virou-se para fugir; mas com dois saltos ágeis Huan a alcançou. Falando com voz suave a profunda língua dos Elfos Perdidos, ele lhe pediu que não temesse, e 'por que', perguntou, 'vejo uma donzela élfica, e belíssima, vagando assim tão perto dos locais do Príncipe de Coração Maligno?'

* * *

(22) Qual é teu pensamento, ó Huan?'

'Pouco conselho tenho para ti', falou ele, 'a não ser que voltes com toda a celeridade para Artanor, aos paços de teu pai, e acompanhar-te-ei por todo o caminho, até alcançares as terras que a magia de Melian, a Rainha, envolve.' 'Isso jamais farei', disse ela, 'enquanto Beren aqui vive, esquecido de seus amigos.' 'Pensei que seria mesmo essa tua resposta', disse ele, 'mas se tu ainda quiseres prosseguir com tua demanda insana, então não tenho outro conselho para ti senão um que é desesperado e perigoso: devemos ir agora a toda velocidade aos locais malignos da morada de Tiberth, os quais ainda estão distantes. Guiar-te-ei até lá pelas veredas mais secretas e, quando chegarmos lá, deves esgueirar-te sozinha, se tiveres coragem, à habitação daquele príncipe numa hora perto do meio-dia, quando ele e a maior parte de sua casa cochilam nos terraços diante de seus portões. Ali talvez descubras, se a sorte for muito generosa, se Beren está mesmo dentro daquele local maléfico como tua mãe te falou. Mas vê, não estarei longe do sopé do monte onde o paço de Tiberth está construído, e deves dizer a Tiberth, assim que o vires, quer Beren esteja lá ou não, que topaste com Huan dos Cães jazendo doente por grandes ferimentos num vale seco do lado de fora de seus portões. Não temas demasiadamente, pois assim estarás a um só tempo fazendo minha vontade e ajudando teus próprios desejos, tão bem quanto possível; e não creio que, quando Tiberth ouvir tuas novas, estarás em grande perigo por um tempo. Mas não lhe indiques o lugar que te hei de mostrar; deves oferecer-te para guiá-lo tu mesma até lá. Assim libertar-te-ás novamente de sua casa maligna e hás de ver o que pretendo para o Príncipe dos Gatos.' Então Tinúviel estremeceu ao pensar no que estava à frente, mas disse que preferia aceitar este conselho a voltar para casa, e eles partiram imediatamente por caminhos secretos que atravessavam as matas, e por trilhas sinuosas cruzaram as terras desoladas e rochosas que jaziam adiante.

Por fim, num dia de manhã, chegaram a um vale amplo, cavado à semelhança de uma vasilha em meio às rochas. Suas encostas eram fundas, mas nada crescia ali salvo arbustos baixos de folhas escassas e grama ressequida. 'Este é o Vale Seco de que falei', disse Huan. 'Adiante está a caverna onde o grande

Aqui termina a versão datilografada do *Conto de Tinúviel*, no pé de uma página. Acho improvável que qualquer outra coisa dessa versão tenha sido escrita.

NOTAS

1. Para referências anteriores à Olórë Mallë, a Trilha dos Sonhos, ver I. 29, 40; 255, 270.
2. A distinção feita aqui entre os Elfos (que chamam a rainha de *Wendelin*) e, por inferência, os Gnomos (que a chamam de *Gwendeling*) é ainda mais explícita na versão datilografada, p. 56 ("é um conto dos *Gnomos*, pelo que te imploro que não enchas os ouvidos de Eriol com teus nomes *élficos*") e p. 60 ("Príncipe dos Gatos, a quem os *Gnomos* chamaram Tiberth Bridhon Miaugion, mas os *Elfos*, de Tevildo"). Ver I. 68–9.
3. Originalmente, o manuscrito dizia: "Ora, Beren era um Gnomo, filho de um escravo de Melko, alguns dizem, que laborava nos lugares mais obscuros [...]". Ver nota 4.
4. Originalmente, o manuscrito dizia: "eu, Beren dos Noldoli, filho de Egnor, o caçador [...]". Ver nota 3.
5. Deste ponto, continuamente até as palavras "florestas do Sul", na p. 33, o texto foi escrito em folhas soltas acondicionadas dentro do caderno. Não há material rejeitado que corresponda a essa passagem. É possível que tenha existido e que tenha sido removido do caderno e se perdido; contudo, ainda que o caderno esteja danificado, não parece que quaisquer páginas tenham sido removidas aqui, e penso ser mais provável que meu pai simplesmente se viu sem espaço conforme escrevia por cima da versão original apagada e (quase certamente) a expandiu à medida que prosseguia.
6. Conforme escrito originalmente, o texto dizia: "jamais retornou a Ellu, mas toca [...]" (para *Ellu* ver *Alterações a Nomes*, adiante). Como resultado da interpolação "mas voltou-se na direção de Palisor", Palisor acabou sendo alocada no sul do mundo. No conto da *Vinda dos Elfos* (I. 143), Palisor é chamada de "a região mais central" (ver também o desenho do "Navio do Mundo", I. 108), e parece possível que a palavra "sul" deveria ter sido alterada, mas ela permanece no texto datilografado (p. 62).
7. O *Conto de Turambar*, embora concebido depois do *Conto de Tinúviel*, já existia quando *Tinúviel* foi reescrito (ver p. 90).
8. De "admirou-se imensamente" até "se Tinúviel não estivesse lá" (p. 43), o texto está escrito em uma página inserida; ver nota 5 — aqui também a situação textual subjacente é obscura.
9. Um trecho curto do texto anterior a lápis torna-se visível aqui, terminando com: "[...] e Tinúviel anelava intensamente por sua mãe Wendelin e por ver Linwë e Kapalen fazendo música em agradáveis clareiras." *Kapalen* deve ser um nome anterior de *Tifanto*, o qual, por sua vez, precedeu *Dairon* (ver *Alterações a Nomes* adiante).
10. *esse Gnomo*: a frase original era *esse homem*. Isso foi um deslize, mas um deslize significativo (ver p. 47), muito provavelmente. É possível que a palavra

"homem" tenha sido usada aqui — como ocasionalmente em outros lugares, por exemplo na p. 30 "tão alto quanto os homens podiam construir as mais longas escadas", onde a referência é aos Elfos de Artanor — com o sentido de "Elfo homem", mas, se fosse o caso, não haveria razão aparente para alterar.

11 Riscado neste ponto do manuscrito: "Beren dos Morros".

12 "Mablung, o mão-pesada, chefe dos capitães do rei, ergueu-se de um salto e agarrou uma lança" substituiu o trecho original "Tifanto jogou sua flauta para longe e agarrou uma lança". Originalmente, o nome do irmão de Tinúviel era *Tifanto* ao longo de todo o conto. Ver notas 13–15 e o Comentário ** p. 77.

13 *Mablung* substituiu *Tifanto* aqui e imediatamente abaixo; ver nota 12.

14 "ó Rei" substituiu "ó pai"; ver nota 12.

15 Aqui, *Mablung* foi o nome escrito inicialmente; ver o Comentário ** p. 77.

16 É essencial para a narrativa da Vinda dos Elfos que os Solosimpi tenham sido a terceira e última das tribos; neste ponto, "segunda" só pode ser um deslize, ainda que surpreendente.

Alterações feitas a nomes em
O Conto de Tinúviel

(i) Versão Manuscrita

Ilfiniol < *Elfriniol*. No texto datilografado, o nome é *Ilfrin*. Ver p. 242.

Tinwë Linto, Tinwelint No trecho de abertura do conto (p. 18), no qual Ausir e Vëannë discordam quanto às formas do nome de Tinwelint, o manuscrito é muito confuso e é impossível compreender os estágios sucessivos. Ao longo de todo o conto, da forma que foi originalmente escrito, Vëannë chama Tinwelint de *Tinto Ellu* ou *Ellu*, mas na querela do início é Ausir quem o chama de *Tinto Ellu*, ao passo que Vëannë o chama de *Tinto'ellon*. (*Tinto*) *Ellu* é certamente uma forma "élfica", mas foi corrigida no conto inteiro para a forma gnômica *Tinwelint*, enquanto o *Tinto Ellu* de Ausir, no início, foi corrigido para *Tinwë Linto*. (Na terceira ocorrência de *Tinwë*, no trecho de abertura, o nome conforme escrito originalmente era *Linwë*: ver I. 162).

Nos contos *A Vinda dos Elfos* e *O Roubo de Melko*, na Parte Um, *Ellu* é o nome do segundo senhor dos Solosimpi, escolhido para ocupar o lugar de Tinwelint (posteriormente, Olwë), mas em ambas as ocorrências (I. 150, 175) isso foi um acréscimo tardio (I. 161, nota 5, 190). Muitos anos mais tarde, *Ellu* novamente tornou-se o nome de Thingol (sindarin *Elu Thingol* e quenya *Elwë Singollo* em *O Silmarillion*).

Gwendeling No conto escrito originalmente, o nome era sempre *Wendelin* (e esse nome é encontrado em contos da Parte Um como emenda de *Tindriel*: I. 134–35, 162). Foi alterado posteriormente no conto todo para a forma gnômica *Gwendeling* (encontrada no primitivo dicionário gnômico, I. 329, alterada depois para *Gwedhiling*) exceto no falar de Ausir, que usa a forma "élfica" *Wendelin* (p. 18).

Dairon < *Tifanto* em todas as ocorrências. Para a alteração *Tifanto* > *Mablung*, no final do conto (notas 12–14, p. 66), ver o Comentário ** p. 77, e para o nome *Kapalen*, que precedeu *Tifanto*, ver a nota 9.

Dor Lómin < *Aryador* (p. 22). No conto *A Vinda dos Elfos* (I. 148), está dito que Aryador era o nome de Hisilómë entre os Homens; para *Dor Lómin – Hisilómë*, ver I. 141. Em ocorrências subsequentes neste conto, *Aryador* não foi alterado.

Angband foi escrito originalmente duas vezes e, em um desses casos, foi alterado para *Angamandi*, mas permaneceu no outro (p. 49); em todas as outras ocorrências, *Angamandi* foi a forma escrita inicialmente. Na versão manuscrita do conto, Vëannë não usa consistentemente formas gnômicas ou "élficas": dessa forma, ela fala *Tevildo* (e não *Tifil*), *Angamandi*, *Gwendeling* (< *Wendelin*), *Tinwelint* (< *Tinto* (*Ellu*)). Na versão datilografada, por outro lado, Vëannë fala *Tiberth*, *Angband*, *Melian* (< *Gwenethlin*), *Thingol* (< *Tinwelint*).

Hirilorn, a Rainha das Árvores < *Golosbrindi, a Rainha da Floresta* (p. 30); *Hirilorn* < *Golosbrindi* em ocorrências subsequentes.

Uinen < *Ónen* (ou possivelmente *Únen*).

Egnor bo-Rimion < *Egnor go-Rimion*. Nos contos incluídos anteriormente, o patronímico é *go-* (I. 180, 191).

Tinwelint < *Tinthellon* (p. 49, o único caso). Ver *Tinto'ellon* mencionado acima em *Tinwë Linto*.

i·Cuilwarthon < *i·Guilwarthon*.

(ii) Versão Datilografada

Tinúviel < *Tynwfiel* no título e em todas as ocorrências, até o trecho que corresponde, no manuscrito, à p. 22: "porém agora ele via Tinúviel dançando no crepúsculo"; ali, e subsequentemente, a forma datilografada foi *Tinúviel*.

Singoldo < *Tinwë Linto* (p. 56).

Melian < *Gwenethlin* em todas as ocorrências, até o trecho que corresponde, no manuscrito, à p. 24: "a imponência da Rainha Gwendeling"; ali, e subsequentemente, a forma datilografada foi *Melian*.

Thingol < *Tinwelint* em todas as ocorrências, até o trecho que corresponde, no manuscrito, à p. 23: "por sendas tortuosas, à morada de Tinwelint"; ali, e subsequentemente, a forma datilografada foi *Thingol*.

Para *Egnor* > *Barahir*, ver p. 58.

Comentário a
O Conto de Tinúviel

§1. *A narrativa primária*

Nesta seção, considerarei apenas o tratamento da narrativa principal, e deixarei, por ora, questões tais como a história mais ampla implicada aí, o povo de Tinwelint e sua habitação, ou a geografia das terras que aparecem no conto.

A história do encontro de Beren e Tinúviel na clareira enluarada, conforme o seu registro mais antigo (pp. 22–3) nunca foi alterada quanto à imagem central, e deve-se notar que o trecho correspondente em *O Silmarillion* (p. 227) é uma representação extremamente concentrada e elevada da cena: muitos elementos que não são mencionados lá nunca se perderam de fato. Em um retrabalho muito tardio desse trecho na *Balada de Leithian*,* as cicutas e as mariposas brancas ainda aparecem, e Daeron, o menestrel, está presente quando Beren chega à clareira. Mas há, contudo, diferenças muitíssimo notáveis, e a principal delas é, evidentemente, que Beren não era aqui um Homem mortal, mas um Elfo dos Noldoli, e o elemento absolutamente essencial da história de Beren e Lúthien não está presente. Ver-se-á mais adiante (pp. 93, 171), contudo, que não era assim originalmente: na primeira versão do *Conto de Tinúviel*, agora perdida (porque apagada), ele era um Homem (e é por essa razão que eu falei que a palavra *homem* no manuscrito (ver p. 47 e nota 10, p. 65), posteriormente alterada para *Gnomo*,

---

*O longo e inacabado poema em dísticos rimados no qual se conta a história de Beren e Lúthien Tinúviel, composto entre 1925 e 1931, mas com trechos substancialmente reescritos muitos anos depois.

é um "deslize significativo"). Muitos anos depois da composição do conto na forma em que o temos, ele se tornou novamente um Homem, embora naquela época (1925–926), meu pai parece ter hesitado longamente quanto à natureza élfica ou mortal de Beren.

Há no conto, por necessidade, uma razão muito diferente para a hostilidade e desconfiança que Beren encontrou em Artanor (Doriath): a saber, que "os Elfos das florestas acreditavam ser os Gnomos de Dor Lómin criaturas traiçoeiras, cruéis e desleais" (ver p. 85). Parece claro que, nesse momento, a história de Beren e seu pai (Egnor) ainda estava numa forma muito rudimentar; de todo modo, não há indício da história do bando de proscritos liderados por seu pai e da traição de Gorlim, o Infeliz (*O Silmarillion*, p. 223 e seguintes) antes da primeira versão da *Balada de Leithian*, quando a história aparece completamente formada (no final do verão de 1925, a Balada já tinha alcançado um ponto bem posterior a esse). Mas uma associação entre o pai de Beren (alterada para o próprio Beren) e Úrin (Húrin) como seu "irmão d'armas" é mencionada na versão datilografada do conto (p. 60); de acordo com o último dos esboços do *Conto de Gilfanon* (I. 289), "Úrin e Egnor marcharam com incontáveis batalhões" contra as forças de Melko.

Na antiga história, Tinúviel não se encontrara com Beren até o dia em que ele, muito atrevidamente, acabou por abordá-la, e foi nessa exata ocasião que ela o levou à caverna de Tinwelint; eles não eram amantes, Tinúviel não sabia nada de Beren além do fato de que ele se enamorara de sua dança, e parece que ela o levou diante do pai por cortesia, como a coisa natural a se fazer. A traição de Daeron, que denunciou Beren a Thingol (*O Silmarillion*, p. 228) não existia, portanto, na história antiga — não havia o que trair; e, de fato, não se demonstra no conto que Dairon soubesse qualquer coisa em absoluto de Beren até que Tinúviel o levou para a caverna, excetuando-se o fato de que vira uma vez seu rosto ao luar.

Apesar dessas diferenças radicais na estrutura narrativa, é notável quantas características da cena nos paços de Tinwelint (pp. 24–5), quando Beren estava diante do rei, permaneceram, ao mesmo tempo em que toda a importância interna foi alterada e ampliada. Remonta ao início, por exemplo, o embaraço e o silêncio de Beren, Tinúviel respondendo por ele, a súbita elevação de sua coragem, quando anuncia seu desejo sem preâmbulo ou hesitação. Mas o tom é absolutamente mais leve e menos sério do que se tornou depois; no riso zombeteiro de Tinwelint, que trata o assunto como pilhéria e Beren como um tolo ignaro, não há indício do que está explícito na história posterior: "Assim ele causou a condenação de Doriath e foi enredado pela maldição de Mandos" (*O Silmarillion*, p. 230). As Silmarils são famosas, de fato, e têm um poder sagrado, mas o destino do mundo não está atado a elas (*O Silmarillion*, p. 104); Beren é um Elfo, ainda que de um povo temido e suspeito, e seu pedido carece da profundíssima dimensão do ultraje; e ele e Tinúviel não são amantes.

Nesse trecho há a primeira menção da Coroa de Ferro de Melko, e de que as Silmarils estão engastadas na Coroa; e, novamente, há aqui um detalhe que nunca se perdeu: "Jamais essa coroa deixava sua cabeça" (compare com *O Silmarillion*, p. 121: "Aquela coroa jamais tirou da cabeça, embora seu peso se tornasse um cansaço mortal").

Contudo, a partir desse ponto a história de Vëannë diverge de modo completamente inesperado em relação à narrativa posterior. Em nenhum outro lugar dos *Contos Perdidos* a transformação subsequente é tão marcante quanto aqui, precursora da história que relata a captura de Beren, Felagund e seus companheiros por Sauron, o Necromante, o aprisionamento e morte de todos, salvo Beren, nas masmorras de Tol-in-Gaurhoth (a Ilha dos Lobisomens no rio Sirion) e o resgate de Beren e a derrocada de Sauron por Lúthien e Huan.

De maneira muito notável, o que se poderia chamar de "o Elemento Nargothrond" está completamente ausente e, até onde existia, ainda não tinha relação com a história de Beren e Tinúviel (para Nargothrond nessa época, quando ainda não tinha esse nome, ver pp. 104, 150). Beren não tem qualquer anel de Felagund, não tem companheiros em sua jornada para o norte e não há relação (por um lado) entre a história de sua captura, seu diálogo com Melko e seu despacho para a casa de Tevildo e (por outro) os eventos na narrativa posterior em que Beren e o bando de Elfos vindos de Nargothrond acabaram na masmorra de Sauron. De fato, todo o complexo pano de fundo da lenda — batalhas e rivalidades, juramentos e alianças — da qual surge a história de Beren e Lúthien em *O Silmarillion* está em grande medida ausente. O castelo dos Gatos "é" a torre de Sauron em Tol-in-Gaurhoth, mas apenas no sentido de que ele ocupa o mesmo "espaço" na narrativa: para além disso, não faz sentido buscar nem mesmo as mais tênues semelhanças entre as duas construções. Os monstruosos gatos glutões, suas cozinhas e terraços ensolarados, e seus cativantes nomes élfico-felinos (*Miaugion, Miaulë, Meoita*) desapareceram todos, sem deixar vestígios. Mas e Tevildo? Penso que seria pouco verdadeiro dizer que Sauron "originou-se" num gato: na fase seguinte das lendas, o Necromante (Thû) não tem quaisquer atributos felinos. Por outro lado, seria incorreto considerar isso como mera questão de *substituição* — em que Thû assume na narrativa o lugar vago de Tevildo — sem qualquer elemento de *transformação* daquilo que existia anteriormente. O sucessor imediato de Tevildo é "o Senhor dos Lobos", ele mesmo um lobisomem, e ele conserva o traço de Tevildo de odiar Huan mais do que qualquer outra criatura no mundo. Tevildo era "um fata maligno em forma de animal" (p. 41); e a batalha entre as duas grandes feras, o cão contra o lobisomem (originalmente o cão contra o demônio em forma de felino), nunca se perdeu.

Quando o conto retorna para Tinúviel em Artanor, a situação é oposta, pois a história do seu aprisionamento na casa sobre Hirilorn e sua fuga de lá nunca passou por qualquer alteração significativa. O trecho em *O Silmarillion* (p. 236) é de fato muito breve, mas a falta de detalhes ali se deve à compressão, e não a uma omissão advinda de insatisfação; a *Balada de Leithian*, da qual deriva diretamente o relato em prosa em *O Silmarillion*, é tão parecida com o *Conto de Tinúviel* nesse trecho, em termos de detalhe narrativo, a ponto de ser quase idêntica a ele.

Pode-se observar que, nessa parte da história, a versão mais antiga tinha uma força que foi posteriormente diminuída, pois a duração do aprisionamento de Tinúviel e sua jornada para resgatar Beren tem relação direta com o período de cativeiro de Beren, o qual deveria ser interminável, conforme pretendiam seus captores; por outro lado, na história posterior, há muitos acontecimentos e movimentos (somados ao cativeiro de Lúthien em Nargothrond) para serem encaixados no tempo em que Beren aguardava a morte na masmorra do Necromante.

Se, por um lado, o forte elemento da fábula-animal "explanatória" (a respeito de cães e gatos) seria totalmente eliminado e Tevildo, Príncipe dos Gatos, seria substituído pelo Necromante, por outro, Huan sobreviveu como o grande Mastim de Valinor. Seu encontro com Tinúviel nas matas, sua incapacidade de fugir dele e de fato o amor dele por ela desde o momento em que se encontraram (sugerido no conto, p. 35, mas explícito em *O Silmarillion*, p. 238), já estavam presentes, ainda que o contexto de seu encontro e as motivações de Huan fossem completamente distintas, devido à ausência do "Elemento Nargothrond" (Felagund, Celegorm e Curufin).

Na história da derrota de Tevildo e do resgate de Beren, vê-se com clareza o gérmen da lenda posterior, ainda que mormente apenas por semelhanças estruturais genéricas. É curioso observar que Tinúviel, falando alto para que Beren a ouvisse, empoleirada no peitoril da portinhola da cozinha do castelo dos Gatos, é a cena precursora da canção de Lúthien na ponte de Tol-in-Gaurhoth, ouvida por Beren em sua masmorra (*O Silmarillion*, p. 239). A intenção de Tevildo de entrega-la a Melko permaneceu no propósito semelhante de Sauron (*ibid.*); a morte do gato Oikeroi (p. 40) é o gérmen da luta de Huan com Draugluin — a pele do oponente morto de Huan é usada da mesma maneira em ambos os casos (pp. 42–3, *O Silmarillion*, pp. 244–45); a batalha de Tevildo e Huan se tornaria a de Huan e do Lobo-Sauron, com o desfecho essencialmente igual: Huan soltou o inimigo quando este lhe entregou o comando de sua morada. Isto, por fim, é muito notável: Tinúviel enunciando o feitiço que unia pedra a pedra no castelo maligno (p. 41). Evidentemente, quando isso foi escrito o castelo de Tevildo era uma característica adventícia no conto — não tinha uma história pregressa: era um local completamente maligno, e o feitiço (derivado de Melko) que Tevildo foi obrigado a revelar era o segredo do próprio poder de Tevildo sobre suas criaturas, assim como a magia que atava as pedras. Com a entrada de Felagund na lenda que se desenvolvia, e da torre élfica de vigia em Tol Sirion (*Minas Tirith*: *O Silmarillion*, pp. 171, 216–18) capturada pelo Necromante, o feitiço foi deslocado, pois não se pode pensar que fosse obra de Felagund, o qual construiu a fortaleza. Se o fosse, ele seria capaz de pronunciá-lo na masmorra e fazer o lugar desmoronar sobre suas cabeças — um expediente menos maligno para que morressem. Contudo, esse elemento sobreviveu na lenda e está presente por completo em *O Silmarillion* (p. 240), ainda que, como meu pai não disse de fato que Sauron contou as palavras para Huan e Lúthien — apenas que ele "se entregou" — a importância do que aconteceu pode passar despercebida:

E ela concluiu: "Lá, para todo o sempre, teu ser desnudo há de suportar o tormento do escárnio dele, varado por seus olhos, a menos que me entregues o comando de tua torre."

Então Sauron se entregou, e Lúthien tomou o comando da ilha e de tudo o que lá havia [...].

Então Lúthien se postou sobre a ponte, e declarou seu poder: e soltou-se o feitiço que juntava pedra a pedra, e os portões foram derrubados, e as muralhas, abertas, e as covas, desnudadas.

Outra vez aqui a matéria real da narrativa é completamente distinta entre a versão mais antiga e a mais tardia da lenda: em *O Silmarillion*, "muitos servos e cativos vieram para fora em assombro e temor [...] pois tinham jazido longamente na escuridão de Sauron", ao passo que, no conto, os ocupantes que emergiram da habitação abalada (além de Beren e de Gimli, o Gnomo escravizado e cego, uma figura aparentemente sem desdobramentos) eram uma hoste de gatos, reduzidos a um "tamanho insignificante" quando o feitiço de Tevildo foi quebrado. (Se meu pai tivesse usado no conto nomes que não fossem Huan, Beren e Tinúviel, e na ausência de qualquer outra informação, incluindo de autoria, não seria fácil demonstrar por simples comparação entre essa porção do Conto e a história em *O Silmarillion* que as semelhanças são mais do que superficiais e acidentais.)

Pode-se notar aqui um ponto narrativo menor. Presume-se que a versão datilografada teria tratado a luta de Huan e Tevildo de maneira um tanto diferente, pois, no manuscrito, Tevildo e seu companheiro conseguem subir em árvores altas (p. 41), ao passo que, no texto datilografado, nada crescia no Vale Seco (onde Huan fingiria estar doente) salvo "arbustos baixos de folhas escassas" (p. 64).

No restante da história, a congruência entre as versões antiga e tardia é muito maior. A estrutura narrativa no conto pode ser resumida assim:

- Beren é disfarçado na pele do gato morto, Oikeroi.
- Ele e Tinúviel partem juntos para Angamandi.
- Tinúviel lança um feitiço do sono em Karkaras, o guardião-lobo de Angamandi.
- Eles adentram Angamandi, Beren esgueira-se na forma animal para debaixo do assento de Melko e Tinúviel dança diante de Melko.
- Toda a hoste de Angamandi e, por fim, o próprio Melko, adormecem e a coroa de ferro de Melko rola de sua cabeça.

- Tinúviel desperta Beren, que corta fora uma Silmaril da coroa, e a lâmina se parte.
- Os adormecidos se mexem e Beren e Tinúviel fogem para os portões, mas encontram Karkaras acordado novamente.
- Karkaras morde a mão estendida de Beren que segura a Silmaril.
- Karkaras enlouquece pela dor da Silmaril dentro da barriga, pois a Silmaril é algo sagrado que queima a carne maligna.
- Karkaras parte ensandecido para o sul, rumo a Artanor.
- Beren e Tinúviel retornam a Artanor; apresentam-se diante de Tinwelint e Beren declara que tem uma Silmaril na mão.
- Dá-se a caçada ao lobo e Mablung, o Mão-pesada, é um dos caçadores.
- Beren é morto por Karkaras e levado de volta à caverna de Tinwelint numa padiola de galhos; moribundo, ele entrega a Silmaril a Tinwelint.
- Tinúviel segue Beren até Mandos e Mandos permite que eles retornem ao mundo.

Colocando-se o pelame de lobo de Draugluin no lugar do pelame de gato de Oikeroi, e alterando-se alguns outros nomes, isso funcionaria bastante bem como um resumo da história em *O Silmarillion*! Mas, é claro, essa listagem foi feita como um resumo das semelhanças. Há grandes diferenças, assim como uma série de diferenças pequenas que não aparecem aí.

Novamente, a mais importante é a ausência do "Elemento Nargothrond". Quando ele foi combinado com a lenda de Beren, introduziu Felagund como companheiro de Beren, o aprisionamento de Lúthien em Nargothrond por Celegorm e Curufin, sua fuga com Huan, o cão de Celegorm, e o ataque a Beren e Lúthien ao retornarem de Tol-in-Gaurhoth empreendido por Celegorm e Curufin, que então fugiam de Nargothrond (*O Silmarillion*, pp. 234-38, 242-43).

A narrativa, após a conclusão do episódio da "Servidão de Beren", é conduzida de modo bem diferente na antiga história (pp. 43-4), pois aqui Huan está com Beren e Tinúviel; Tinúviel sente falta de seu lar e Beren fica pesaroso, pois ele ama a vida nas matas com os cães, mas resolve o impasse decidindo obter uma Silmaril. Embora Huan ache o plano deles uma tolice, dá-lhes o pelame de Oikeroi e, vestindo-se com ele, Beren parte com Tinúviel rumo a Angamandi.

Da mesma forma, em *O Silmarillion* (p. 242), depois de muito vagar nas matas com Lúthien (embora não com Huan), Beren resolve partir novamente na demanda da Silmaril, mas a atitude de Lúthien quanto a isso é diferente:

"Tens de escolher, Beren, entre estas duas coisas: abandonar a demanda e teu juramento e levar uma vida de andança sobre a face da terra; ou te ater à tua palavra e desafiar o poder da escuridão sobre seu trono. Mas, em qualquer dessas estradas, hei de ir contigo, e a nossa sina há de ser semelhante."

Ali e naquela hora se deu o ataque de Celegorm e Curufin a Beren e Lúthien, quando Huan, abandonando seu mestre, juntou-se a eles; retornaram juntos a Doriath e, quando chegaram lá, Beren deixou Lúthien adormecida e voltou para o norte a sós, no cavalo de Curufin. Ele foi alcançado nas fímbrias de Anfauglith por Huan, que carregava Lúthien no lombo e trazia de Tol-in-Gaurhoth as peles de Drauglin e da mensageira-morcego de Sauron, Thuringwethil (de quem não há indício na história antiga); disfarçados assim, Beren e Lúthien partiram para Angband. Aqui, Huan é o conselheiro ativo deles.

A lenda posterior é, portanto, mais cheia de movimentações e de incidentes nessa parte do que o *Conto de Tinúviel* (ainda que a versão final não tenha sido alcançada toda em uma única etapa, como se poderia imaginar); e, na versão de *O Silmarillion*, isso fica ainda mais marcado pelo fato de que o relato é uma compressão e resumo da longa *Balada de Leithian*.*

---

*Ver *The Road to Middle-earth* [A Estrada para a Terra-média], do Professor T.A. Shippey, 1982, p. 193: "Em 'Beren e Lúthien', como um todo, há enredo demais. O outro lado dessa crítica é que, ocasionalmente, Tolkien precisa ser bastante célere com suas próprias invenções. Celegorm fere Beren, e o cão Huan se volta para seu mestre e o persegue; 'retornando, ele trouxe a Lúthien uma erva da floresta. Com aquela folha ela estancou a ferida de Beren e, por suas artes e seu amor, curou-o [...]'. O motivo da erva curativa é comum, sendo por exemplo o centro do *lai* bretão de *Eliduc* (transformada em *conte* por Marie de France). Mas ali ela ocupa a cena inteira, senão um poema inteiro. Em *O Silmarillion*, ele aparece apenas para sumir duas linhas depois, enquanto o ferimento de Beren é infligido e curado em cinco linhas. Repetidamente o leitor tem uma sensação de resumo [...]". Essa sensação é eminentemente justificada! Na *Balada de Leithian*, o ferimento e a cura com a erva ocupam uns 64 versos. (Ver meu Prefácio a *O Silmarillion*, p. 12).

No *Conto de Tinúviel*, o relato do disfarce de Beren é detalhado de forma característica: a instrução de Tinúviel sobre o comportamento dos felinos, o calor e o desconforto dentro da pele. Contudo, o disfarce de Tinúviel como morcego ainda não surgira e enquanto em *O Silmarillion*, quando confrontada com Carcharoth, ela "lançou fora suas vestes imundas" e "ordenou que ele dormisse", aqui ela usa uma vez mais sua mágica veste de névoa, fiada de seus cabelos: "lançou as mechas negras de seu escuro véu nos olhos dele" (p. 44). A indiferença de Karkaras quanto ao falso Oikeroi contrasta com a desconfiança de Carcharoth quanto ao falso Drauglin, de cuja morte ele ouvira notícias: na história antiga, enfatiza-se que nenhuma notícia acerca do vexame de Tevildo (ou da morte de Oikeroi) chegara ainda a Angamandi.

O encontro de Tinúviel com Melko recebe muito mais detalhes do que em *O Silmarillion* (aí muito resumido a partir da fonte); é notável a frase (p. 45) "[ele] a olhou maliciosamente, de modo horrível, pois sua mente obscura planejava algum mal", precursora do trecho em *O Silmarillion*, p. 246:

Então Morgoth, contemplando sua beleza, concebeu em seu pensamento uma luxúria maligna e um desígnio mais sombrio do que qualquer outro que lhe tivesse vindo ao coração desde que fugira de Valinor.

Nada de mais explícito jamais é dito.

Não é possível dizer se as palavras de Melko a Tinúviel "Quem és tu que adejas em meus paços como um morcego?" e a descrição de sua dança, "silenciosa como morcego", seriam o gérmen de seu posterior disfarce de morcego, embora pareça possível.

A faca com a qual Beren cortou a Silmaril da Coroa de Ferro tem uma origem muito diferente no *Conto de Tinúviel*, sendo aí uma faca de cozinha que Beren pegou do castelo de Tevildo (pp. 42, 46); em *O Silmarillion*, é Angrist, a famosa faca feita por Telchar que Beren tomou de Curufin. Os adormecidos de Angamandi são aqui agitados pelo som da lâmina se partindo; em *O Silmarillion*, é o estilhaço que voa da faca partida e golpeia o rosto de Morgoth que o faz gemer e mover-se.

Há uma diferença menor nos relatos do encontro com o lobo conforme Beren e Tinúviel fugiam. Em *O Silmarillion*, "Lúthien estava exausta e não tinha tempo nem força para deter o lobo"; no conto, parece que ela poderia ter feito isso caso Beren não tivesse sido precipitado. Muito mais importante, aqui aparece pela primeira vez a concepção do poder sagrado das Silmarils, que abrasam a carne maldita.*

A fuga de Tinúviel e Beren de Angamandi e a volta a Artanor (pp. 47–50) é tratada de modo muito diferente no *Conto de Tinúviel*. Em *O Silmarillion* (pp. 248–49), eles foram resgatados pelas Águias e deixados nas fronteiras de Doriath; e muito mais é dito sobre a cura do ferimento de Beren, na qual Huan desempenha uma parte. Na história antiga, Huan chega até eles mais tarde, depois da longa fuga que empreenderam a pé para o sul. Em ambos os relatos, há uma discussão entre eles sobre se deveriam ou não retornar aos salões do pai dela, mas a discussão é conduzida de modo bem diferente — no conto, é ela quem persuade Beren a voltar; em *O Silmarillion*, é Beren quem a convence.

Há uma característica curiosa na história da caça ao Lobo (pp. 50–3) que pode ser considerada aqui (ver p. 66, notas 12–5). Inicialmente, foi o irmão de Tinúviel quem teve um papel na caçada com Tinwelint, Beren e Huan, e seu nome é ali *Tifanto*, que era o nome ao longo do conto antes de ser substituído por *Dairon*.** Na sequência, "Tifanto" — sem passar pela fase "Dairon" — foi substituído por "Mablung, o mão-pesada, chefe dos capitães do rei", que faz aqui sua primeira aparição, sendo o quarto membro da caçada. Mas antes, no conto, diz-se que Tifanto > Dairon, ao deixar Artanor para buscar Tinúviel, perdeu-se de todo "e jamais retornou a Elfinesse" (p. 33), e a perda de Tifanto > Dairon é mencionada novamente quando Beren e Tinúviel voltaram para Artanor (pp. 49–50).

Assim, por um lado Tifanto se perdeu, e foi um pesar para Tinúviel descobrir isso ao retornar, mas, por outro, ele estava presente na caçada ao Lobo. *Tifanto* foi então alterado para *Dairon* no conto inteiro, exceto na história da caçada ao Lobo, em que *Tifanto* foi substituído por um novo personagem, *Mablung*. Isso mostra que *Tifanto* foi removido da perseguição antes de o nome

---

*Em uma nota antiga há uma referência às "sagradas Silmarils": I. 206, nota 2.
**A ideia de que Timpinen (Tinfang Trinado) era filho de Tinwelint e irmão de Tinúviel (ver I. 134, nota 1) fora abandonada. Tifanto/Dairon é agora contado, juntamente com Tinfang e Ivárë, entre os "três músicos mais mágicos dos Elfos" (p. 21).

ser alterado para *Dairon*, mas não explica como, ainda com o nome *Tifanto*, ele estava ao mesmo tempo perdido nos ermos e presente na caçada. Como não há nada no manuscrito em si que explique esse enigma, só posso concluir que meu pai, na verdade, escreveu primeiro que Tifanto estava perdido e nunca mais voltou e também que ele participara da caçada ao Lobo; mas, notando a contradição, introduziu Mablung nesse último papel (e provavelmente o fez mesmo antes de o conto estar completo, já que na última aparição de Mablung o nome foi escrito assim desde o início, e não emendado a partir de *Tifanto*: ver p. 66, nota 15). Foi depois disso que *Tifanto* foi emendado para *Dairon* em todas as ocorrências que restaram.

No conto, a caçada é conduzida de modo diferente da história em *O Silmarillion* (onde, a propósito, Beleg Arcoforte estava presente). É curioso que todos (inclusive Huan, ao que parece!) exceto Beren estavam dormindo quando Karkaras os assaltou ("no turno de Beren", p. 52). Em *O Silmarillion*, Huan matou Carcharoth e foi morto por ele, enquanto aqui Karkaras morreu pela lança do rei, e o menino Ausir diz, ao fim, que Huan continuou a viver, encontrando Beren novamente nos tempos dos "grandes feitos do Nauglafring" (p. 55). Nada se fala aqui do destino de Huan, de que não haveria de morrer "até que encontrasse o lobo mais poderoso a jamais caminhar pelo mundo", e nem da permissão de "três vezes apenas, antes de sua morte, falar com palavras" (*O Silmarillion*, pp. 237-38).

A característica mais marcante do *Conto de Tinúviel* permanece o fato de que, na versão mais antiga que restou, Beren era um Elfo; e, a esse respeito, são muito notáveis as palavras do garoto, no final (p. 54):

Porém, Mandos disse aos dois: "Ó, Elfos, eis que não vos dispenso a uma vida de perfeita alegria, pois tal não se pode encontrar mais em todo o mundo onde se assenta Melko do coração maligno — e sabei que *vos tornareis mortais, bem como os Homens*, e quando viajardes outra vez para cá será para sempre, a não ser que os Deuses de fato vos convoquem a Valinor."

No conto *A Vinda dos Valar e a Construção de Valinor* temos o seguinte trecho (I. 98; comentário, I. 116):

Para ali [isto é, para Mandos] em dias posteriores iam os Elfos de todos os clãs que por má sina eram mortos com armas ou morriam de pesar pelos que foram mortos — e somente assim podiam os Eldar morrer, e mesmo assim era apenas por pouco tempo. Ali Mandos pronunciava sua sina, e ali esperavam na treva, sonhando de seus feitos passados, até o momento por ele determinado quando podiam renascer em seus filhos, e partir para rirem e cantarem outra vez.

> A mesma ideia ocorre no conto *A Música dos Ainur* (I. 79). A peculiar dispensa de Mandos no caso de Beren e Tinúviel, conforme concebida aqui, é de que o destino completamente "natural" como Elfos foi alterado: tendo morrido da maneira que os Elfos podem morrer (de ferimentos ou pesar), eles não renasceram como novos seres, mas retornaram de Mandos como eles mesmos — mas agora "mortais, bem como os Homens". A escatologia mais antiga é obscura demais para permitir uma interpretação satisfatória dessa "mortalidade", e o trecho em *A Construção de Valinor* acerca dos fados dos Homens (I. 99) é particularmente difícil de compreender (ver o comentário ali, I. 116 e seguintes). Mas parece possível que as palavras "bem como os Homens" na fala de Mandos a Beren e Tinúviel foram incluídas para frisar que qualquer segunda morte que experimentassem seria cabal; sua partida seria tão final quanto a dos Homens, não haveria retorno em seus próprios corpos, e nenhuma reencarnação. Eles permanecerão em Mandos ("quando viajardes outra vez para cá será para sempre"), a menos que sejam convocados pelos Deuses para habitar em Valinor. Essas últimas palavras devem provavelmente se relacionar ao trecho em *A Construção de Valinor* a respeito do destino de alguns Homens (I. 99):

São poucos e, de fato, felizes aqueles a quem, de tempos em tempos, Nornorë, arauto dos Deus, vai buscar. Eles então o acompanham em carruagens ou em bons cavalos até o vale de Valinor, e banqueteiam-se nos salões de Valmar, morando nas casas dos Deuses até que chegue o Grande Fim.

§2. *Lugares e povos no Conto de Tinúviel*

Para considerarmos primeiro o que se pode depreender da geografia das Grandes Terras a partir desse conto: o antigo "dicionário" da língua gnômica deixa claro que o significado de *Artanor* era "a Terra Além", como interpretado no texto (p. 20). Diversas passagens dos *Contos*

Perdidos jogam luz nessa expressão. Em um esboço para a história não contada de Gilfanon (I. 289), os Noldoli exilados de Valinor

agora lutaram pela primeira vez com os Orques e conquistaram o passo dos Morros Amargos; assim, escaparam da Terra das Sombras [...] Entraram na Floresta de Artanor e na Região das Grandes Planícies [...]

(eu sugeri que esta última talvez fosse precursora da posterior Talath Dirnen, a Planície Protegida de Nargothrond). O conto que se seguiria ao de Gilfanon, segundo o esquema projetado (I. 290–91), seria o de Tinúviel, e esse esboço começa: "Beren, filho de Egnor, vagou de Dor Lómin [isto é, Hisilómë, ver I. 141] para Artanor [...]". No presente conto, diz-se que Beren chegou "em meio aos terrores das Montanhas de Ferro, até ele alcançar as Terras Além" (p. 22), e também (p. 33) que alguns dos Cães "perambulavam pelos bosques de Hisilómë ou, passando pelos lugares montanhosos, às vezes chegavam até à região de Artanor e às terras além e para o sul". E, finalmente, no *Conto de Turambar* (p. 94) há uma referência à "estrada por sobre as colinas de Hithlum e adentrando as grandes florestas da Terra Além, onde naqueles dias Tinwelint, o rei oculto, tinha sua morada".

Fica bastante claro, portanto, que Artanor, posteriormente chamada Doriath — que aparece no título do texto datilografado do *Conto de Tinúviel*, junto com uma forma anterior *Dor Athro*, p. 55 —, tinha na concepção original uma relação com Hisilómë (a Terra de Sombra(s), Dor Lómin, Aryador) bem parecida com a relação entre Doriath e Hithlum (Hisilómë) em *O Silmarillion*: na direção sul e apartadas por uma cadeia de montanhas, as Montanhas de Ferro ou os Morros Amargos.

No comentário ao conto *O Roubo de Melko e o Obscurecer de Valinor*, observei (I. 193–95) que, enquanto nos *Contos Perdidos* afirma-se que Hisilómë ficava além das Montanhas de Ferro, também se diz (no *Conto de Turambar*, p. 99) que essas montanhas foram assim chamadas por causa de Angband, os Infernos de Ferro que ficavam abaixo de "suas fortalezas mais setentrionais", e que, portanto, parece haver um uso contraditório da expressão "Montanhas de Ferro" dentro dos *Contos Perdidos* — "a menos que se possa supor que essas montanhas tenham sido concebidas como uma cordilheira contínua, de modo que a porção meridional (posteriormente as Montanhas de Sombra) formava a borda sul de Hisilómë, enquanto os picos setentrionais, estando acima de Angband, emprestaram seu nome para a cordilheira".

Ora, no *Conto de Tinúviel*, Beren, viajando a norte de Artanor, aproximou-se "das colinas mais baixas e das terras desprovidas de árvores que alertavam sobre a aproximação das ermas Montanhas de Ferro" (p. 25). Ele já as tinha atravessado, saindo de Hisilómë, mas agora seguiu "as Montanhas de Ferro até se aproximar das terríveis regiões da morada de Melko". Isso parece corroborar a ideia de que as montanhas que cercavam Hisilómë das Terras Além eram contínuas em relação àquelas acima de Angband; e podemos comparar o antigo pequeno mapa (I. 105), no qual a cadeia de montanhas marcada com a letra *f* isola Hisilómë (*g*): ver I. 141, 167. A implicação é que a "escura" ou "sombria" Hisilómë não tinha defesa contra Melko.

Agora surgem também as Montanhas da Noite (pp. 33, 62), e parece claro que os grandes pinheirais de Taurfuin, a Floresta da Noite, cresciam nessas elevações (em *O Silmarillion*, Dorthonion, "Terra de Pinheiros", foi mais tarde chamada de Taur-nu-Fuin). Dairon perdeu-se aí, mas Tinúviel, embora passasse por perto, não entrou "naquela região escura". Não há nada indicando que, naquela época, ela não se localizava no mesmo lugar posterior — a leste de Ered Wethrin, as Montanhas de Sombra. É também no mínimo possível que a descrição (somente na versão manuscrita, p. 35) de Tinúviel ao separar-se de Huan, "deixando o abrigo das árvores" e chegando a "uma região de capim longo", seja uma primeira sugestão da grande planície de Ard-galen (chamada, depois de sua desolação, de Anfauglith e Dor-nu-Fauglith), especialmente se isso for relacionado à passagem na versão datilografada que conta como Tinúviel encontrou Huan "numa pequena clareira perto das bordas da floresta, onde começam as primeiras campinas alimentadas pelas águas superiores do rio Sirion" (p. 63).

Depois de sua fuga de Angamandi, Huan encontrou Beren e Tinúviel "naquela região setentrional de Artanor que depois se chamou Nan Dumgorthin, a terra dos ídolos sombrios" (p. 48). No dicionário gnômico, *Nan Dumgorthin* está definido como "uma terra de floresta sombria a leste de Artanor onde, numa montanha florestada, havia ídolos ocultos a quem algumas tribos malignas de homens renegados faziam sacrifícios" (*dum* "secreto, de que não se deve falar", *dumgort, dungort* "um ídolo (maligno)"). Na *Balada dos Filhos de Húrin*, em verso aliterante, Túrin e seu companheiro

Flinding (que depois tornou-se Gwindor), ao fugir depois da morte de Beleg Arcoforte, chegam a essa terra:

> Ali os dois foram postos num   crepúsculo-fantasma,
> em dédalos vagos   e escuridade impura,
> em Nan Dungorthin,   onde deuses sem nome
> têm altares velados   em trevas secretas,
> mais antigos que Morgoth   ou os magnos senhores,
> Deuses de ouro   do Oeste protegido.
> Mas os fantasmas   que habitam o estranho vale
> mal não lhes fizeram,   e o caminho seguiram
> com medo na pele   e os membros a tremer.
> Mas às vezes risadas   com vagos ecos,
> feito zombaria   de bestas e demônios
> insolente e oca   no lusco-fusco,
> Flinding captava,   atroz e obscena [...][A]

Não há, acredito, quaisquer outras referências aos deuses de Nan Dumgorthin. No poema, essa terra ficava a oeste do Sirion; e, finalmente, como Nan Dungortheb, o "Vale da Morte Horrenda", ele se torna, em *O Silmarillion* (pp. 173, 226), uma "terra-de-ninguém" entre o Cinturão de Melian e as Ered Gorgoroth, as Montanhas de Terror. Mas a descrição dela no *Conto de Tinúviel* como uma "região setentrional de Artanor" claramente não implica que ela ficava dentro dos limites da magia protetora de Gwendeling, e parece que essa "zona" tinha, originalmente, fronteiras menos distintas e menos extensas do que o "Cinturão de Melian" tornou-se posteriormente. Provavelmente *Artanor* foi concebida nessa época como uma grande região de florestas no coração da qual estava a caverna de Tinwelint, e somente seu domínio imediato era protegido pelo poder da rainha:

Sua habitação estava oculta da visão e do conhecimento de Melko graças às magias de Gwendeling, a fata, e ela tecia encantamentos em torno das veredas que para lá levavam, de modo que ninguém além dos Eldar as pudesse trilhar facilmente, e, assim, o rei ficou a salvo de todos os perigos, exceto apenas da traição. (p. 20).

Ademais, parece que originalmente a proteção dela não era de nenhuma maneira uma muralha de defesa tão completa ou tão poderosa como se tornou. Assim, embora os Orques e lobos tivessem desaparecido quando Beren e Tinúviel haviam "penetrado no círculo de magia de Gwendeling que ocultava as trilhas do mal e evitava que o dano chegasse às regiões dos Elfos da floresta" (p. 49), relata-se o temor de que, mesmo que Beren e Tinúviel alcançassem a caverna do Rei Tinwelint, eles "só atrairiam para lá a caçada que os seguia" (p. 48), e o povo de Tinwelint temia que Melko "convocasse suas forças e viesse esmagá-los por completo e que a magia de Gwendeling não tivesse o poder de resistir à multidão de Orques" (p. 50).

A representação de Menegroth junto ao Esgalduin, acessível apenas pela ponte (*O Silmarillion*, pp. 136–37) remonta ao início, embora nem caverna e nem rio recebam nome no conto. Mas (como será visto mais enfaticamente nos contos posteriores deste livro) Tinwelint, fada-da-floresta em sua caverna, tinha diante de si uma longa ascensão até se tornar, por fim, Thingol das Mil Cavernas ("a mais bela habitação de qualquer rei a jamais existir a leste do Mar"). No começo, a morada de Tinwelint não era uma cidade subterrânea repleta de maravilhas, fontes de prata derramando-se em bacias de mármore e pilares entalhados à semelhança de árvores, mas uma caverna rústica; e, ainda que na versão datilografada a caverna venha a ter uma "incomensurável abóbada", ainda é iluminada somente pela luz fraca e bruxuleante de tochas (pp. 57, 62).

Nos *Contos Perdidos*, já houve referências anteriores a Tinwelint e o lugar de sua morada. Em um trecho acrescentado, mas depois rejeitado, ao conto *O Acorrentamento de Melko* (I. 134, nota 1), conta-se que ele se perdeu em Hisilómë e lá encontrou Wendelin; "amando-a, contentou-se em deixar sua gente e dançar para sempre nas sombras". Em *A Vinda dos Elfos* (I. 145), "Tinwë não morou muito com seu povo e, no entanto, diz-se que segue sendo senhor dos Elfos desgarrados de Hisilómë"; e, no mesmo conto (I. 148), os "Elfos Perdidos" ainda estavam lá "muito depois, quando os Homens foram presos em Hisilómë por Melko", e os Homens os chamavam de Povo da Sombra, e os temiam. Mas no *Conto de Tinúviel* a concepção foi alterada. Tinwelint agora é um rei que governa não em Hisilómë, mas em Artanor.* (Não se diz onde foi que se deparou com Gwendeling).

---

* Nos esboços do *Conto de Gilfanon*, o "Povo da Sombra" de Hisilómë deixou de ser Elfos e tornou-se "fatas" de origem desconhecida: I. 278, 280.

No relato (versão manuscrita apenas, ver pp. 20, 56) do povo de Tinwelint, há menção a Elfos "que permaneceram na escuridão"; e isso obviamente se refere aos Elfos que nunca deixaram as Águas do Despertar. (Evidentemente, aqueles que se perderam na marcha de Palisor também nunca deixaram "a escuridão", isto é, nunca viram a luz das Árvores, mas a distinção feita nessa frase não é entre a escuridão e a luz, mas entre os que *permaneceram* e os que *partiram*). Acerca do surgimento dessa ideia no decorrer da escrita dos *Contos Perdidos*, ver I. 282. Em relação aos súditos de Tinwelint, "a maioria deles era Ilkorin", e devem ser aqueles que "foram perdidos na marcha desde Palisor" (anteriormente, "os Elfos Perdidos de Hisilómë").

Aqui é aparente uma diferença maior na concepção essencial entre a lenda antiga e a versão em *O Silmarillion*. Esses Ilkorindi da corte de Tinwelint ("seres misteriosos e estranhos" cujas "sombrias canções e toadas [...] se desvaneciam em lugares florestados ou ecoavam em cavernas fundas") são descritos em termos aplicáveis aos Avari selvagens ("os Indesejosos") de *O Silmarillion*; mas na verdade eles são, é claro, os precursores dos Elfos-cinzentos de Doriath. O termo *Eldar* equivale aqui a *Elfos* ("todos os Eldar, tanto *os que permaneceram na escuridão* como os que foram perdidos na marcha desde Palisor") e não se restringe aos que concluíram ou no mínimo partiram na Grande Jornada; todos eram Ilkorindi — Elfos Escuros — se nunca tivessem passado por sobre o Mar. A importância posterior da Grande Jornada em conferir status "eldarin" foi um aspecto da elevação dos Elfos-cinzentos de Beleriand, trazendo uma distinção de extrema importância dentro da categoria dos *Moriquendi*, ou "Elfos da Escuridão" — os *Avari* (que não eram Eldar) e os *Úmanyar* (os Eldar que "não eram de Aman"): ver a tabela "A Separação dos Elfos" incluída em *O Silmarillion*. Portanto.

Contudo, entre os súditos de Tinwelint também havia *Noldoli*, Gnomos. Esse assunto é um tanto obscuro, mas pode-se observar no mínimo que a versão manuscrita e a datilografada do *Conto de Tinúviel* não descrevem precisamente a mesma situação.

O texto manuscrito talvez não seja perfeitamente explícito quanto a esse assunto, mas conta-se (p. 20) que, dentre os súditos de Tinwelint, "*a maioria* deles era Ilkorin", e que antes do erguer do Sol "eles já se misturavam com muitos Gnomos vagantes". No entanto, Dairon fugiu diante de Beren na floresta porque "todos os Elfos das florestas acreditavam ser os Gnomos de Dor Lómin criaturas traiçoeiras, cruéis e desleais" (p. 22); e "Havia temor e suspeita entre os Eldar e aqueles de sua gente que haviam provado a escravidão de Melko, e nisto vingaram-se os feitos malignos dos Gnomos no Porto dos Cisnes" (p. 22). A hostilidade dos Elfos de Artanor quanto aos Gnomos era, portanto, uma hostilidade especificamente contra os Gnomos de Hisilómë (Dor Lómin), de quem suspeitava-se estarem sob a vontade de Melko (isso provavelmente antecipa a suspeita e rejeição sofrida pelos Elfos que escapavam de Angband, descrita em *O Silmarillion*, p. 217). Está dito no manuscrito (p. 20) que *todos* os Elfos das Grandes Terras (os que permaneceram em Palisor, os que se perderam na marcha e os Noldoli que voltaram de Valinor) caíram sob o poder de Melko, embora muitos tenham escapado e passaram a vagar no ermo; e, conforme o manuscrito dizia inicialmente (ver p. 22 e nota 3, p. 65), Beren era "filho de um escravo de Melko [...] que laborava nos lugares mais obscuros no norte de Hisilómë". Até onde ela chega, essa concepção parece razoavelmente clara.

Na versão datilografada, afirma-se explicitamente que havia Gnomos "no serviço de Thingol" (p. 58): a ponte sobre o rio da floresta que levava à porta de Tinwelint, fora erguida por eles. Não se afirma agora que todos os Elfos das Grandes Terras caíram no poder de Melko, mas, antes, são dados os nomes de vários centros de resistência ao seu poder, além daquele de Tinwelint/Thingol em Artanor: Turgon de Gondolin, os Filhos de Fëanor, e Egnor de Hisilómë (pai de Beren) — um dos principais inimigos de Melko "entre toda a gente dos Gnomos que ainda era livre" (p. 59). Presumivelmente, isso levou à exclusão do trecho no texto datilografado em que se dizia que os Elfos da floresta achavam os Gnomos de Dor Lómin traiçoeiros e desleais (ver p. 58), ao mesmo tempo em que foi mantido o trecho sobre a desconfiança sofrida pelos que haviam sido escravos de Melko. O trecho que diz respeito a Hisilómë, "onde habitavam Homens e onde Noldoli escravizados laboravam, e aonde poucos Eldar livres iam" (p. 21), também foi mantido; mas Hisilómë, quando Beren pensa que nunca deveria ter saído de lá, torna-se "os locais livres e selvagens de Hisilómë" (p. 61).

Isso leva a uma questão completamente desconcertante, qual seja as referências à Batalha das Lágrimas Inumeráveis; e várias das passagens recém-mencionadas são relevantes.

O conto "A Labuta dos Noldoli e a Vinda da Gente dos Homens" — que deveria ser contado por Gilfanon, mas que, após as páginas iniciais, muito infelizmente nunca foi além de projeções esboçadas — seria seguido pelo de Beren e Tinúviel (ver I. 291). Após a Batalha das Lágrimas Inumeráveis, há referência à Servidão dos Noldoli, às Minas de Melko, ao Encanto do Pavor Insondável, ao aprisionamento dos Homens em Hisilómë e *depois* "Beren, filho de Egnor, vagou de Dor Lómin para Artanor [...]" (em *O Silmarillion*, os feitos de Beren e Lúthien precederam a Batalha das Lágrimas Inumeráveis).

Ora, no *Conto de Tinúviel* há uma referência em ambas as versões aos "Noldoli escravizados" que laboravam em Hisilómë e aos Homens que ali habitavam; e, segundo o trecho apresentando Beren, conforme aparece inicialmente no manuscrito, seu pai era um desses escravos. Está dito, novamente em ambas as versões, que nem Tinwelint e nem a maioria de seu povo foram para a batalha, mas que seu senhorio aumentou muito por fugitivos dela (p. 20); e na afirmação seguinte de que sua habitação foi ocultada pela magia de Gwendeling/Melian, o texto datilografado acrescenta a palavra "posteriormente" (p. 57), ou seja, após a Batalha das Lágrimas Inumeráveis. No trecho alterado no texto datilografado que se refere a Egnor, ele é um dos principais inimigos de Melko "entre toda a gente dos Gnomos *que ainda era livre*".

Tudo isso parece levar a uma única conclusão: os eventos do *Conto de Tinúviel* aconteceram *depois* da grande batalha; e isso parece ser assegurado pela afirmação explícita do texto datilografado: no lugar em que o manuscrito (p. 26) diz que Melko "buscava sempre destruir a amizade e as relações entre Elfos e Homens", a segunda versão acrescenta (p. 59) "*de modo que não se esquecessem da Batalha das Lágrimas Inumeráveis* e não se erguessem novamente em fúria contra ele".

É muito estranho, portanto, que Vëannë tenha dito no início (apenas no manuscrito, p. 21 e ver p. 58) que ela contará "coisas que ocorreram nos paços de Tinwelint, *depois do erguer do Sol, é verdade, mas muito antes da inolvidável Batalha das Lágrimas Inumeráveis*". (Isso, de todo modo, parece implicar um período muito maior entre os dois eventos do que é sugerido pelos esboços do *Conto de Gilfanon*: ver I. 292). Isso é repetido depois (p. 29): "era coisa não imaginada [...] que uma Elfa [...] viajasse desassistida aos paços de Melko, *mesmo naqueles dias primordiais antes da Batalha das Lágrimas*, quando o poderio de Melko não crescera [...]". Mas é ainda mais estranho que a segunda frase tenha sido mantida no texto datilografado (p. 61). A versão datilografada, portanto, tem duas afirmações inescapavelmente contraditórias:

Melko "buscava sempre destruir a amizade e as relações entre Elfos e Homens, de modo que não se esquecessem da Batalha das Lágrimas Inumeráveis" (p. 59);

"Pouco amor havia entre os Elfos da floresta e o povo de Angband, mesmo naqueles dias antes das Batalhas das Lágrimas Inumeráveis" (p. 61).

Uma contradição assim radical dentro de um só texto é algo incomum ao extremo, talvez único, em todos os escritos que dizem respeito à Primeira Era. Mas não vejo meios de explicá-la, a não ser simplesmente aceitar que é uma contradição radical; e, de fato, também não consigo explicar as afirmações em ambas as versões de que os eventos do conto aconteceram *antes* da batalha, visto que praticamente todas as indicações apontam para o contrário.*

§3. *Miscelânea*

(i) *Morgoth*
Beren se dirige a Melko como "mais poderoso Belcha Morgoth", que se afirma serem seus nomes entre os Gnomos (p. 59). No dicionário gnômico, *Belcha* é dado como a forma gnômica correspondente a *Melko* (ver I. 314), mas *Morgoth* não se encontra ali: de fato, é

---

*No *Conto de Turambar*, a história de Beren e Tinúviel óbvia e necessariamente aconteceu *antes* da Batalha das Lágrimas Inumeráveis (pp. 93–4, 140).

a primeira e única aparição do nome nos *Contos Perdidos*. O elemento *goth* consta no dicionário gnômico com o sentido de "guerra, contenda"; mas se *Morgoth* significava, nesse período, "Contenda Sombria", talvez seja estranho que Beren tenha usado o nome num discurso adulador. Uma lista de nomes feita nos anos de 1930 explica *Morgoth* como "formado a partir de seu nome-órquico *Goth*, 'Senhor ou Mestre', com *mor*, 'sombrio ou negro', prefixado", mas parece muito duvidoso que essa etimologia seja válida para o período anterior. Essa lista de nomes explica que *Gothmog*, "Capitão de Balrogs", contém o mesmo elemento-órquico ("Voz de *Goth* (Morgoth)"); mas na lista de nomes do conto *A Queda de Gondolin* (p. 260), diz-se que o nome *Gothmog* significa "Contenda-e-ódio" (*mog-*, "detestar, odiar", aparece no dicionário gnômico), o que corrobora a interpretação de *Morgoth*, no presente conto, como "Contenda Sombria".*

(ii) *Orques e Balrogs*
Apesar da referência aos "bandos errantes dos gobelins *e* dos Orques" (p. 25, mantido na versão datilografada), os termos são certamente sinônimos no *Conto de Turambar*. Os Orques são descritos no presente conto (*ibid.*) como "imundas crias de Melko". Na segunda versão (p. 58) aparecem os Orques montados em lobos.
    Balrogs, mencionados no conto (p. 26), aparecem em um dos esboços do *Conto de Gilfanon* (I. 290); mas eles já haviam desempenhado papel importante no mais antigo dos *Contos Perdidos*, o da *Queda de Gondolin* (ver pp. 255–56).

(iii) *O "encanto de alongamento" de Tinúviel*
Dentre as "coisas mais longas" nomeadas nesse encanto (pp. 31, 62), duas delas, "a espada de Nan" e "o pescoço de Gilim, o gigante", parecem estar agora perdidas sem chance de recuperação, embora tenham sobrevivido no feitiço na *Balada de Leithian*, em que a própria espada de Nan tem um nome, *Glend*, e Gilim é chamado de "o gigante de Eruman". *Gilim*, no dicionário gnômico, significa

---

* Em nenhum texto se diz qualquer coisa que sugira que Gothmog tenha desempenhado para Morgoth a função implicada pela interpretação "Voz de *Goth*", mas também não há nada que o contradiga, e ele foi desde o início uma figura importante no reino maligno e tinha uma relação especial com Melko (ver p. 260). Há talvez uma reminiscência da "Voz de Morgoth" no "Boca de Sauron", o Númenóreano Negro que era Lugar-Tenente de Barad-dûr (*O Retorno do Rei*, V, cap. 10).

"inverno" (ver I. 314, verbete *Melko*), o que não parece particularmente apropriado: embora haja um rabisco muito difícil de ler no caderninho usado para lembretes em relação aos *Contos Perdidos* (ver I. 208) que parece dizer que Nan era um "gigante do verão do Sul", e que ele era como um olmo.

Os *Indravangs* (*Indrafangs* no texto datilografado) são os "Barbas-longas"; diz-se no dicionário gnômico que era "um nome especial dos Nauglath ou Anãos" (ver, ademais, o *Conto do Nauglafring*, p. 296).

Karkaras (*Carcaras* no texto datilografado), "Presa-de-Punhal", é nomeado no encanto já que foi originalmente concebido como "pai dos lobos, que guardava os portões de Angamandi naqueles dias *e o fizera por muito tempo antes*" (p. 33). Em *O Silmarillion* (pp. 245–46), ele tem uma história diferente: escolhido por Morgoth "entre os filhotes da raça de Draugluin" e criado para se tornar a ruína de Huan, foi posto diante das portas de Angband naquela mesma época. Em *O Silmarillion* (*ibid.*), Carcharoth é chamado de "a Goela Vermelha", e essa expressão é usada no texto do conto (p. 47): "tanto a mão quanto a joia foram arrancadas por Karkaras, que as tomou na goela vermelha".

Glorund é o nome do dragão no *Conto de Turambar* (*Glaurung* em *O Silmarillion*).

No conto *O Acorrentamento de Melko*, não há indicação de que Tulkas teve qualquer parte na confecção da corrente (grafada ali como *Angaino*): I. 127–28.

(iv) *A influência dos Valar*

Há frequentes sugestões de que os Valar de alguma forma exerciam uma influência direta nas mentes e corações dos Elfos distantes das Grandes Terras. Assim, diz-se (p. 27) que os Valar devem ter inspirado a fala engenhosa de Beren a Melko, e, embora isso possa ser apenas um floreio "retórico", fica claro que o sonho de Tinúviel em que Beren aparece deve ser aceito como um "sonho dos Valar" (p. 31). Novamente, "os Valar instilaram-lhe nova esperança no coração" (p. 63); e depois, no conto de Vëannë, os Valar são vistos como "fados" ativos, guiando os destinos dos personagens — assim, os Valar "levaram" Huan a encontrar Beren e Tinúviel em Nan Dumgorthin (p. 48), e Tinúviel diz a Tinwelint que "somente os Valar salvaram [Beren] de morte amarga" (p. 51).

… 2 …

Turambar e o Foalókë

O *Conto de Turambar*, assim como o de *Tinúviel*, é um manuscrito a tinta sobre um original a lápis completamente apagado. Mas parece certo que a versão *remanescente* de *Turambar* precedeu a versão *remanescente* de *Tinúviel*. Isso pode ser deduzido por mais de uma maneira, mas a ordem da composição é demonstrada de modo claro nas formas do nome do Rei dos Elfos da Floresta (Thingol). Ao longo do manuscrito de *Turambar*, ele era originalmente *Tintoglin* (nome que aparece também no conto *A Vinda dos Elfos*, no qual foi alterado para *Tinwelint*, I. 145, 162). Uma nota no manuscrito, no início do conto, afirma: "o nome de Tintoglin precisa ser alterado em todos os lugares para *Ellon* ou *Tinthellon* = qen. *Ellu*", mas a nota foi riscada e, ao longo de todo o conto, *Tintoglin* foi na realidade alterado para *Tinwelint*.

Ora, no *Conto de Tinúviel*, o nome do rei foi inicialmente dado como *Ellu* (ou *Tinto Ellu*), e em uma ocorrência como *Tinthellon* (pp. 66–7); subsequentemente, foi alterado em todos os lugares para *Tinwelint*. Fica claro que a instrução para que se alterasse *Tintoglin* para "*Ellon* ou *Tinthellon* = qen. *Ellu*" pertence à época em que o *Conto de Tinúviel* estava sendo ou já tinha sido reescrito e que o *Conto de Turambar* na versão que sobreviveu já existia.

Há também o fato de que o *Conto de Tinúviel* reescrito foi sucedido, na mesma época de sua composição, pela primeira versão do "interlúdio" em que Gilfanon aparece (ver I. 245), ao passo que, no começo de *Turambar* há uma referência a Ailios (que foi substituído por Gilfanon) concluindo o conto anterior. Sobre a distinta organização dos contos nesse ponto que meu pai introduziu posteriormente, mas que não conseguiu levar a cabo, ver I. 275–76. De acordo com a organização anterior, Ailios narrou seu conto na primeira noite do festival de Turuhalmë, ou Trazer das Lenhas, e Eltas o seguiu na segunda noite com o *Conto de Turambar*.

De todo modo, há evidência de que o *Conto de Turambar* já existia em meados de 1919. Humphrey Carpenter descobriu um trecho, escrito em um retalho de prova do Oxford English Dictionary, em um antigo alfabeto que meu pai criou; transliterando-o, Carpenter descobriu que fazia parte deste conto, não muito longe do começo. Ele me disse que meu pai estava usando essa versão do "Alfabeto de Rúmil" por volta de junho de 1919 (ver *Biografia*, p. 141).

Quando, então, Ailios terminou sua parte, a hora de acender as velas chegou, e assim terminou o primeiro dia de Turuhalmë; mas, na segunda noite, Ailios não estava lá e, instado por Lindo, um certo Eltas começou um conto, e disse:

"Sabei agora, todos aqui reunidos, que esta é a estória de Turambar e o Foalókë", falou, "e é um conto dileto entre os Homens e fala de dias muito antigos daquela gente, antes da Batalha de Tasarinan, quando os Homens entraram pela primeira vez nos vales escuros de Hisilómë.

"Nestes dias, muitas de tais estórias os Homens ainda contam, e tantas mais contavam no passado, especialmente naqueles reinos do Norte que outrora conheci. Talvez as façanhas de outros de seus guerreiros tenham se mesclado aí, além de muitas coisas que não estão no conto mais antigo — mas contar-vos-ei agora o verdadeiro e lamentável conto, e eu o descobri muito antes de andar pela Olórë Mallë nos dias anteriores à queda de Gondolin.

"Naqueles dias, meu povo habitava um vale de Hisilómë, e aquela terra foi chamada pelos Homens de Aryador nas línguas que usavam então, mas eles estavam muito distantes das praias do Asgon, e os picos das Montanhas de Ferro estavam perto de suas moradas e de grandes matas de árvores muito lúgubres. Disse-me meu pai que muitos dos nossos homens mais velhos, aventurando-se ao longe, viram por si mesmos as serpes malignas de Melko, e alguns tombaram diante delas, e em virtude do ódio de nosso povo por tais criaturas e pelo Vala maligno a estória de Turambar e do Foalókë esteve amiúde em seus lábios — mas à maneira dos Gnomos eles diziam 'Turumart e o Fuithlug'.

"Pois sabei que, antes da Batalha da Lamentação e da ruína dos Noldoli, habitava ali um senhor de Homens chamado Úrin e, dando ouvidos às convocações dos Gnomos, ele e seu povo marcharam com os Ilkorindi contra Melko, mas deixaram para trás suas esposas e filhos nas florestas, e com eles estava Mavwin, esposa de Úrin, e o filho permaneceu com ela, pois ainda não tinha altura para guerrear. Ora, o nome daquele menino era Túrin, e assim o é em todas as línguas, mas a Mavwin os Eldar chamam Mavoinë.

"Ora, Úrin e seus seguidores não fugiram daquela batalha como a maior parte dos clãs dos Homens, mas muitos deles foram mortos lutando até o fim, e Úrin foi feito cativo. Dos Noldoli que lutaram ali, todas as companhias foram mortas ou capturadas, ou fugiram em desordem, salvo apenas a de Turondo (Turgon), e ele e seu povo abriram caminho para fora daquela contenda e não entram neste conto. Ainda assim, a fuga daquela grande companhia arruinou a vitória completa que doutra forma Melko teria alcançado sobre seus adversários, e ele desejava muitíssimo descobrir para onde tinham fugido; mas isso não conseguiu, pois seus espiões em nada foram úteis, e tortura nenhuma naquela época tinha o poder de forçar informações traidoras dos Noldoli cativos.

"Sabendo, portanto, que os Elfos de Kôr faziam pouco caso dos Homens, pouco os temendo ou suspeitando deles em virtude de sua cegueira e carência de engenho, ele teria forçado Úrin a entrar para seu serviço e procurar Turondo como espião de Melko. Contudo, nem ameaças de tortura e nem promessas de rica recompensa faziam com que Úrin assentisse, pois dizia: 'Ora, faz como quiseres, pois jamais me constrangerás a desempenhar nenhum dos teus serviços malignos, ó Melko, inimigo de Deuses e Homens.'

"'Por certo,' falou Melko enraivecido, 'não te pedirei qualquer serviço para mim novamente, e nem te forçarei a tanto por ora, mas hás de sentar-te aqui e observar feitos meus que pouco te agradarão, e não serás capaz de mover pé ou mão para impedi-los.' E foi esta a tortura que devisou para aflição de Úrin, o Resoluto, e colocando-o num local elevado das montanhas postou-se ao seu lado e amaldiçoou a ele e seu povo com maldições pavorosas dos Valar, pondo sobre eles uma sina de desgraça e uma morte de tristeza; mas a Úrin deu certa medida de visão, de forma que muitas das coisas que acometeram sua esposa e filhos ele conseguia ver, impotente para ajudar, pois estava preso por magia àquele lugar elevado. 'Vê!', disse Melko, 'a vida de Túrin, teu filho, será tida como assunto de pranto onde quer que Elfos ou Homens se reúnam para contar estórias'; mas Úrin falou: 'Pelo menos ninguém há de apiedar-se dele por isto, que teve um covarde por pai.'

"Ora, após aquela batalha Mavwin foi lacrimosa à terra de Hithlum, ou Dor Lómin, onde pela palavra de Melko todos os Homens deveriam agora habitar, exceto alguns poucos selvagens que ainda perambulavam do lado de fora. Lá deu à luz Nienóri, mas seu marido, Úrin, definhava sob a escravidão de Melko, e Túrin era ainda menininho e Mavwin não sabia, em sua aflição, como sustentá-lo e à sua irmã, pois os homens de Úrin haviam perecido todos naquela grande contenda, e os homens estranhos que habitavam nas cercanias não sabiam da dignidade da Senhora Mavwin, e toda a terra era escura e pouco benévola."

> A pequena seção seguinte do texto foi posteriormente riscada por completo e substituída por um adendo num pedaço de papel anexado. O trecho rejeitado diz:

Naquela época, o rumor [*escrito acima*: memória] das façanhas de Beren Ermabwed fora muito divulgado em Dor Lómin, pelo que chegou ao coração de Mavwin, por falta de melhor conselho, a ideia de mandar Túrin à corte de Tintoglin,[1] implorando-lhe que cuidasse desse órfão em memória de Beren e que lhe ensinasse a sabedoria das fatas e dos Eldar; ora, Egnor[2] era aparentado de Mavwin, e ele era pai de Beren, o Uma-Mão.

> O trecho substitutivo diz:

> > Trecho modificado para se adequar melhor à estória de Tinúviel e ao desenrolar do Nauglafring.

O conto narra, contudo, que Úrin fora amigo dos Elfos, e nisso ele era diferente de muitos de seu povo. "Ora, fora grande a amizade com Egnor, o Elfo da verdemata, o caçador dos Gnomos, e ele conhecia Beren Ermabwed, filho de Egnor, e lhe prestara serviço certa feita em respeito a Damrod, seu filho; mas as façanhas de Beren, o da Uma Mão, nos paços de Tinwelint[3] ainda eram lembrados em Dor Lómin. Assim, chegou ao coração de Mavwin, por falta doutro conselho, a ideia de enviar Túrin, seu filho, à corte de Tinwelint, implorando-lhe que cuidasse desse órfão em memória de Úrin e de Beren, filho de Egnor.[4]

"Muito amarga, de fato, foi aquela separação, e por longo [?tempo] Túrin chorou e não queria deixar a mãe, e esse foi o primeiro dos muitos pesares que o acometeram na vida. Afinal, contudo, quando sua mãe lhe havia explicado, ele cedeu e preparou-se para a jornada, angustiado. Com ele foram dois homens idosos, antigamente serviçais de seu pai Úrin, e quando tudo estava pronto, e todos os adeuses haviam sido dados, voltaram os pés para as colinas sombrias e a casinha de Mavwin perdeu-se nas árvores e Túrin, cegado pelas lágrimas, não mais a conseguiu ver. Então, antes que estivessem fora do alcance do ouvido, gritou: 'Ó Mavwin, minha mãe, logo voltarei para ti!' — mas não sabia que a condenação de Melko jazia entre eles.

"Longa, e muito exaustiva e incerta era a estrada por sobre as colinas de Hithlum e adentrando as grandes florestas da Terra Além, onde naqueles dias Tinwelint, o rei oculto, tinha sua morada; e Túrin, filho de Úrin,[5] foi o primeiro dos Homens a trilhar aquele caminho, e não muitos o fizeram desde então. Túrin e seus guardiões corriam perigo devido aos lobos e aos Orques errantes que àquela época chegavam mesmo assim longe de Angband, conforme o poder de Melko crescia e se espalhava pelos reinos do Norte. Magias malignas os circundavam e, perdendo a trilha, amiúde vagavam inutilmente por muitos dias, mas, no fim, superavam-nas e agradeciam aos Valar por isso — ou talvez não fosse senão parte do fado que Melko tramou em redor dos seus pés, pois em dias posteriores Túrin preferiria ter perecido quando criança ali, nas matas sombrias.

"O que quer que seja, foi desta maneira que chegaram aos paços de Tinwelint; pois nas florestas além das montanhas perderam-se por completo até que, afinal, sem terem como se sustentar, estavam à beira da morte quando foram descobertos por um caminheiro-da--floresta, um caçador dos Elfos secretos, e ele se chamava Beleg, pois era de grande estatura e porte conforme a maneira daquele povo. Beleg então os conduziu por caminhos sinuosos, atravessando muitas terras florestadas, escuras e solitárias, até as margens daquele rio sombrio diante das portas cavernosas dos paços de Tinwelint. Ora, apresentando-se diante do rei, foram bem recebidos em virtude da memória de Úrin, o Resoluto, e quando o rei também ouviu dos laços entre Úrin e Beren, o Uma-Mão,[6] e do apuro da senhora Mavwin, seu coração abrandou-se e concedeu a ela seu desejo, e não mandou Túrin embora, dizendo, antes: 'Filho de Úrin, tu hás de morar docemente em minha corte da floresta, e não serás serviçal, mas vê, serás para mim como um segundo filho, e em todos os saberes de Gwedheling e nos meus tu hás de ser instruído.'

"Depois de um tempo, portanto, quando os viajantes haviam descansado, ele despachou o mais novo dos dois guardiões de Túrin de volta a Mavwin, pois era o desejo daquele homem morrer no serviço da esposa de Úrin e, no entanto, uma escolta de Elfos foi enviada consigo, e tanto conforto e magias para a viagem quanto puderam ser concebidos e, ademais, estas palavras de Tinwelint para Mavwin ele portou: 'Vê, ó Senhora Mavwin, esposa de Úrin, o Resoluto, não por amor nem por temor de Melko, mas pela sabedoria de meu coração e o fado dos Valar, não fui com meu povo à Batalha das Lágrimas Inumeráveis, eu que agora me tornei proteção e refúgio para todos os que, temendo o mal, podem encontrar as trilhas secretas que levam à segurança de meus paços. Talvez agora não reste qualquer outro baluarte contra a arrogância do Vala de Ferro, pois os homens dizem que Turgon não está morto, mas quem é que sabe se há verdade nisso, ou por quanto tempo ele conseguiria escapar? Agora, portanto, teu filho Túrin há de ser cuidado aqui como meu próprio filho até que tenha idade para te socorrer — aí então, se ele desejar, poderá partir.' Mais ainda, convidou a Senhora Mavwin, caso conseguisse superar a jornada, a ir também aos seus paços e lá habitar em paz; mas ela, ao ouvir isso, não o fez tanto pela ternura que sentia pela filhinha, Nienóri, quanto porque preferia viver pobre em meio aos Homens do que ricamente como hóspede pedinte mesmo entre os Elfos da floresta. Pode ser também que estivesse apegada àquela morada na qual Úrin a colocara antes de partir para a grande guerra, ainda esperando debilmente por seu retorno, pois nenhum dos mensageiros que haviam trazido as lamentáveis notícias daquele campo disse que ele estava morto, reportando apenas que ninguém sabia onde poderia estar — mas, em verdade, tais mensageiros eram poucos e estavam um tanto desvairados, e agora os anos já se passavam lentamente desde que se assestara o último golpe naquele dia mui infeliz. De fato, em dias posteriores ela ansiou por ver Túrin de novo, e talvez no fim, quando Nienóri estava crescida, tivesse deitado fora o orgulho e passado por sobre as colinas, se não tivessem se tornado impassáveis pelo poder e grande magia de

Melko, que fechava todos os Homens em Hithlum e assassinava os que ousavam atravessar suas muralhas.

"Assim se deu a estadia de Túrin nos salões de Tinwelint; e permitiram que Gumlin habitasse com ele, o guardião idoso que viajara consigo desde Hithlum e não tinha coragem ou força para retornar. Grande júbilo tinha em morar ali, mas o pesar da separação de Mavwin nunca o deixou por completo; cresceu muito a força de seu corpo e a valentia de seus feitos conquistou-lhe louvor onde quer que Tinwelint fosse tido como senhor e, no entanto, era um rapaz silencioso, amiúde soturno, e não ganhava amor com facilidade, e a sorte não o seguia, pois conquistava poucas das coisas que desejava grandemente, e muitas das coisas nas quais laborava davam errado. Mas nada o agravou tanto quanto a interrupção das mensagens entre Mavwin e ele, quando após alguns anos, conforme foi dito, as colinas tornaram-se impassáveis e os caminhos foram fechados. Ora, Túrin tinha sete anos quando partiu buscando os Elfos da floresta, e sete anos havia habitado ali enquanto notícias de sua mãe chegavam-lhe amiúde, de modo que sabia como sua irmã, Nienóri, tornara-se uma donzela esbelta e muito formosa, e como as coisas haviam melhorado em Hithlum e sua mãe tinha mais paz; mas depois todas as mensagens cessaram, e os anos se passaram."

"Para apaziguar seu pesar e a ira de seu coração, que sempre se lembrava de como Úrin e seu povo batalharam contra Melko, Túrin incessantemente percorria a distância com os mais belicosos do povo de Tinwelint e muito antes de chegar à primeira idade adulta matara e ferira-se em refregas com os Orques que espreitavam sem descanso as fronteiras do reino e eram uma ameaça aos Elfos. De fato, não fosse por sua proeza muita dor aquele povo teria enfrentado e ele manteve a ira de Melko afastada deles por muitos anos, e depois de seus dias, foram severamente atacados e teriam sido escravizados no fim se magnos e pavorosos acontecimentos não tivessem feito com que Melkor os esquecesse.

"Ora, pelas cortes de Tinwelint habitava um Elfo chamado Orgof e, assim como a maioria do povo daquele rei, era um Ilkorin, mas tinha também sangue de Gnomo. Pelo lado da mãe, era parente próximo do próprio rei, e gozava de certo favor por ser um bom caçador e um Elfo corajoso, mas era um tanto linguarudo e arrogante em razão da estima do rei; e, no entanto, nada o agradava mais do que belas vestes e joias, e ornamentos de ouro e prata, e estava sempre trajado esplendidamente. Ora, Túrin, que jazia continuamente nas matas e penava em locais longínquos e ermos, ficou com as roupas rotas e os cabelos desgrenhados, e Orgof zombava dele sempre que os dois estavam sentados à mesa do rei; mas Túrin nunca dizia palavra a essa tola zombaria e, de fato, em momento algum dava muita atenção às palavras que lhe falavam, e os olhos sob as sobrancelhas desguedelhadas amiúde miravam como se a uma grande distância, de forma que parecia ver coisas distantes e ouvir sons da floresta que os outros não ouviam.

"Certa feita Túrin estava à refeição com o rei, e fazia doze anos naquele dia desde que, através de suas lágrimas, fitara Mavwin de pé junto à porta, chorando ao vê-lo partir no meio das árvores, até que os galhos a ocultaram de sua visão, e ele estava taciturno, dando respostas secas a todos os que se sentavam perto, e acima de tudo a Orgof.

"Mas esse tolo não lhe dava paz, escarnecendo de suas roupas rotas e de seu cabelo emaranhado, pois Túrin tinha então acabado de chegar de uma longa estadia nas matas e, por fim, ele tirou delicadamente um pente de ouro que tinha e ofereceu-o a Túrin; e, tendo bebido bastante, quando Túrin não se dignou a notá-lo, falou: 'Ora, se tu não sabes como usar um pente, volta correndo para tua mãe, pois ela talvez te ensine — a menos que, em verdade, as mulheres de Hithlum sejam tão feias quanto seus filhos e tão descabeladas.' Então, uma raiva feroz nasceu de seu coração dorido, e essas palavras a respeito da senhora Mavwin súbito arderam no peito de Túrin, de sorte que ele agarrou uma taça pesada de ouro que estava à sua mão direita e, inconsciente de sua própria força, atirou-a com grande ímpeto nos dentes de Orgof, dizendo: 'Contém já tua boca, tolo, e para de garrular.' Mas o rosto de Orgof estava arrebentado e ele caiu para trás com grande peso, batendo a cabeça na pedra do piso e arrastando para cima de si a mesa e todas as vasilhas, e ele não falou e nem garrulou novamente, pois estava morto.

"Todos os homens ergueram-se então em silêncio, mas Túrin, fitando horrorizado o corpo de Orgof e o vinho derramado sobre sua mão, virou-se e partiu noite adentro; e alguns que eram aparentados de Orgof desembainharam as armas pela metade, mas ninguém atacou, pois o rei não deu qualquer sinal, mirando petrificado o corpo de Orgof, e mui grande espanto cobria-lhe o rosto. Mas Túrin lavou as mdãos no rio do lado de fora dos portões e lá irrompeu em lágrimas, dizendo: 'Ai! Será que há uma maldição sobre mim, pois tudo o que faço é mau, e agora as coisas desandaram de tal forma que devo fugir da casa de meu pai adotivo como proscrito, culpado por sangue, sem mais rever os rostos daqueles que amo.' E em seu coração não ousava voltar a Hithlum para que sua mãe não se agravasse amargamente por sua desgraça, ou porque talvez atraísse em seu encalço a ira dos Elfos para seu povo; portanto, partiu para longe e, quando os homens foram atrás dele, não o puderam encontrar.

"E, no entanto, não queriam lhe fazer mal, embora ele não soubesse disso, pois Tinwelint, não obstante seu pesar e o malfeito, perdoou-o, e a maioria do povo estava de acordo com ele, pois Túrin por muito tempo mantivera-se pacífico ou devolvera cortesia às tolices de Orgof, ainda que amiúde muito aguilhoado por isso, pois aquele Elfo, não pouco invejoso, costumava farpar suas palavras; e agora, portanto, os parentes próximos de Orgof foram compelidos a aceitar a decisão do rei, por medo de Tinwelint e por muitos presentes.

"Mas Túrin, infeliz, acreditando que a mão de todos estava contra ele e que o coração do rei se tornara como o de um inimigo, esgueirou-se até as estremas mais remotas daquele reino florestal. Ali caçava para sobreviver, sendo hábil com o arco, mas não rivalizava com os Elfos nisso, pois era, antes, no manejo da espada que os superava. Juntou para si uns poucos espíritos bravios, e entre eles estava Beleg, o caçador, que outrora resgatara Gumlin e Túrin nas matas. Ora, esses dois — Beleg, o Elfo, e Túrin, o Homem — estavam juntos em muitas aventuras que não são mais contadas ou lembradas, mas que certa vez foram cantadas em muitos lugares. Guerreavam com fera e gobelim, e às vezes iam a lugares distantes desconhecidos dos Elfos, e a fama dos caçadores ocultos das fronteiras começou a ser ouvida entre Orques e Elfos, de modo que talvez Tinwelint logo teria tomado ciência do lugar onde Túrin estava se o bando inteiro de Túrin não tivesse entrado certa feita em desesperada contenda com uma hoste de Orques que os superava três vezes em número. Todos lá foram mortos, salvo Túrin e Beleg, e Beleg escapou com ferimentos, mas Túrin foi dominado e amarrado, pois a vontade de Melko era que o trouxessem vivo;

pois eis que, habitando nos paços de Linwë,[7] em redor dos quais a fata Gwedheling, a rainha, tecera muita magia e mistério e tal poder de encantos que só poderiam vir de Valinor — donde de fato ela os trouxera há muito tempo —, Túrin passara para fora de sua visão, e Melko temia que ele pudesse burlar a condenação que lhe fora preparada. Portanto, tencionava agora tratá-lo cruelmente diante dos olhos de Úrin, mas Úrin clamara pelos Valar do Oeste, tendo aprendido muito a respeito deles pelos Eldar de Kôr — os Gnomos que encontrara — e suas palavras chegaram, quem há de saber como, até Manwë Súlimo sobre as alturas de Taniquetil, a Montanha do Mundo. E, no entanto, Túrin foi arrastado por muitas léguas malignas em doloroso tormento, um cativo dos Orques impiedosos, e eles viajavam morosamente, pois estavam sempre a seguir a faixa de colinas escuras rumo às regiões onde elas se erguem altaneiras e lúgubres, e seus cimos são amortalhados de vapores negros. Ali elas passam a se chamar Angorodin, ou Montanhas de Ferro, pois sob as raízes das suas fortalezas mais setentrionais fica Angband, os Infernos de Ferro, a mais atroz de todas as moradas — e para lá rumavam, carregados de butim e de feitos malignos.

"Sabei, pois, que naqueles dias Hithlum e as Terras Além continuavam repletas de Elfos selvagens e de Noldoli ainda livres, fugitivos da antiga batalha; e alguns perambulavam sempre exaustos, e outros tinham moradas secretas e ocultas em cavernas ou refúgios florestais, mas Melko os buscava sem descanso e, caso os capturasse, eram os que tratava mais impiedosamente de todos os cativos. Orques e dragões e fatas malignos eram soltos contra eles e suas vidas eram cheias de pesar e sofrimento, de modo que aqueles que não encontravam, no fim, os reinos de Tinwelint e nem a fortaleza secreta do rei da cidade de pedra* pereciam ou eram escravizados.

"Havia também Noldoli que estavam sob os encantamentos malignos de Melko e vagavam como se num sonho de medo, cumprindo suas ordens cruéis, pois o encanto do pavor insondável estava sobre eles, e sentiam os olhos de Melko abrasando-os de longe. E, no entanto, esses Elfos infelizes, tanto os cativos quanto os livres, amiúde ouviam a voz de Ulmo nos riachos ou na orla do mar, onde as águas do Sirion mesclavam-se com as ondas;

---

*Gondolin.

pois, dentre todos os Valar, era Ulmo quem ainda pensava neles com maior ternura e pretendia, com o parco auxílio deles, arruinar o mal de Melko. Então, lembrando-se da bem-aventurança de Valinor, eles às vezes deitavam fora seu temor, fazendo coisas boas e auxiliando Elfos e Homens contra o Senhor de Ferro.

"Ora, chegou ao coração de Beleg, o caçador dos Elfos, a ideia de buscar Túrin tão logo suas próprias feridas estivessem curadas. Como isso aconteceu em poucos dias, já que tinha habilidade de cura, foi a toda velocidade atrás do bando de Orques, e precisou de toda sua destreza de acossador para seguir aquele rastro, pois um bando de gobelins de Melko move-se com astúcia e muita leveza. Logo estava longe de todas as regiões que lhe eram conhecidas, mas por amor a Túrin ele prosseguiu, e nisso mostrou maior coragem do que a maioria do povo da floresta, e de fato não há ninguém que consiga agora mensurar a profundidade do temor e da angústia que Melko instilava nos corações de Homens e de Elfos naqueles dias infelizes. Assim, aconteceu que Beleg se perdeu e foi tomado pela escuridão numa região sombria e perigosa, tão densa de pinheiros de tamanho gigantesco que ninguém além de gobelins conseguiria encontrar uma trilha, tendo eles olhos que penetravam a mais profunda treva e, mesmo assim, entre eles muitos se perdiam por longo tempo naquelas regiões; e eram chamadas pelos Noldoli de Taurfuin, a Floresta da Noite. Ora, reconhecendo-se perdido, Beleg deitou-se com as costas apoiadas numa árvore imensa, e escutou o vento nos topos desolados da floresta, muitas braças acima dele, e o gemido dos ares noturnos e o crepitar dos galhos estava repleto de pesar e presságio, e seu coração exauriu-se por completo.

"Súbito notou uma luzinha ao longe em meio às árvores, firme e pálida como se fosse a de uma larva luminosa muito brilhante, mas, pensando improvável que fosse uma larva luminosa em tal lugar, esgueirou-se na direção dela. Ora, os Noldoli que labutavam na terra e que outrora tinham habilidade nos ofícios com metais e gemas em Valinor eram os mais valorizados dos escravos de Melko, e ele não permitia que vagassem para longe, e Beleg não sabia que esses Elfos tinham pequenas lanternas de estranho feitio, e eram de prata e de cristal, e uma flama de azul pálido ardia perene dentro delas, e isso era um segredo que só os joalheiros entre eles conheciam, e não o revelavam nem mesmo a Melko, ainda que fossem obrigados a lhe confeccionar muitas joias e muitas luzes mágicas.

"Auxiliados por essas lanternas, os Noldoli viajavam muito à noite, e de raro perdiam uma trilha se a tivessem percorrido antes, mesmo que uma só vez. Assim foi que, aproximando-se, Beleg contemplou um dos Gnomos-da-colina estirado nas acículas sob um grande pinheiro, adormecido, e sua lanterna azul brilhava perto da cabeça. Então Beleg o despertou, e o Elfo sobressaltou-se com grande temor e aflição, e Beleg descobriu que era um fugitivo das minas de Melko e se chamava Flinding bo-Dhuilin, de uma casa anciã dos Gnomos. Ora, ao conversarem, Flinding ficou sobremaneira contente de falar com um Noldo livre, e contou muitas histórias de sua fuga da mais remota fortaleza das minas de Melko; e falou, por fim: 'Quando pensei que estava quase livre, eis que cheguei à noite despreocupado no meio de um acampamento-órquico, e eles estavam adormecidos e tinham muito espólio e fardos pesados, e pensei ter visto muitos Elfos cativos: e havia um ali jazendo próximo a um tronco, ao qual estava amarrado mui cruelmente, e ele gemia e bradava amargamente contra Melko, chamando pelos nomes de Úrin e Mavwin; e embora naquele momento, acovardado pelo longo cativeiro, eu tenha fugido desabalado, agora muito me espanto, pois quem dos escravos de Angband não ouviu falar de Úrin, o Resoluto, o único dos Homens que desafia Melko, acorrentado em tormento sobre um pináculo cruel?'

"Então Beleg foi tomado de grande anseio e saltou de pé, exclamando: 'É Túrin, filho adotivo de Tinwelint, ele mesmo a quem busco, há muito filho de Úrin. — Ora, leva-me a este acampamento, ó filho de Duilin, e logo ele há de estar livre', mas Flinding estava muito temeroso, e disse: 'Fala mais brandamente, Beleg, pois os Orques têm ouvidos de gato, e embora haja um dia inteiro de marcha entre mim e aquele acampamento, quem há de saber se não há outros vindo atrás?'

"No entanto, ouvindo de Beleg a estória de Túrin, apesar de seu pavor consentiu em conduzir Beleg àquele local, e muito antes de o sol se erguer naquele dia, ou de seus pálidos raios adentrarem furtivos aquela floresta sombria, eles estavam na estrada, guiados pela luz bruxuleante da lanterna balouçante de Flinding. Ora, aconteceu que em sua jornada seus caminhos cruzaram com o dos Orques que estavam agora retomando a marcha, mas numa direção diferente à que eles estavam seguindo há um bom tempo, pois, temendo a fuga de seu prisioneiro, foram a um local em que sabiam que as árvores eram menos densas e no qual havia uma trilha fácil de percorrer por muitas léguas; portanto, naquela noite, antes mesmo de chegarem ao ponto que Flinding buscava, ouviram um grito e uma cantoria rouquenha ao longe nas matas, mas que se aproximava; e mal tinham se escondido quando o bando inteiro dos Orques passou rente a eles, e alguns dos capitães estavam montados em pequenos cavalos, e a um deles Túrin estava amarrado pelos pulsos, de modo que precisava ou trotar ou ser cruelmente arrastado. Então, Beleg e Flinding os seguiram apreensivos conforme o crepúsculo caía na floresta, e quando aquele bando montou acampamento, aproximaram-se furtivos até que tudo estivesse em silêncio, a não ser pelos gemidos dos cativos. Ora, Flinding cobriu sua lanterna com uma pele e eles rastejaram para perto, e eis que os gobelins dormiam, pois não costumavam manter fogueiras ou vigias em seus bivaques e confiavam a guarda a alguns lobos ferozes que sempre iam com seus bandos, tal como cães com Homens, mas que não dormiam quando acampavam, e seus olhos brilhavam como pontos de luz vermelha entre as árvores. Ora, Flinding estava terrivelmente apavorado, mas Beleg pediu-lhe que prosseguisse e os dois arrastaram-se entre os lobos num ponto onde havia um grande vão entre eles, e pela sorte dos Valar Túrin jazia ali perto, apartado dos outros, e Beleg chegou sem ser visto ao seu lado e estava para cortar as amarras quando descobriu que sua faca havia caído enquanto rastejava, e havia deixado a espada para trás, do lado de fora do acampamento. Agora, portanto, não ousando arriscar novamente arrastar-se de lá para cá, Beleg e Flinding, ambos homens robustos, tentaram carregá-lo furtivamente do acampamento, dormindo pesado por seu extremo cansaço, e isso eles fizeram, o que foi tido sempre como um grande feito, e poucos fizeram coisa semelhante ao passar pelos lobos de guarda dos gobelins, despojando seus acampamentos.

"Ora, nas matas, não muito longe do acampamento, puseram-no no chão, pois não conseguiam carregá-lo adiante, visto que era um Homem de maior estatura que eles;[8] mas Beleg buscou sua espada e começou a cortar as amarras de pronto. As que estavam nos pulsos ele rompeu primeiro, e estava cortando as dos tornozelos quando, no escuro, aguilhoou fundo o pé de Túrin por acidente, e Túrin despertou temeroso. Ora, vendo um vulto curvado sobre si no escuro, espada em punho, e sentindo a dor aguda no pé, pensou que era um dos Orques que viera assassiná-lo ou atormentá-lo — e isso eles faziam amiúde, cortando-o com facas ou ferindo-o com lanças; mas Túrin, sentindo agora que sua mão estava livre, saltou de pé e atirou todo o peso do corpo subitamente sobre Beleg, que caiu e foi parcialmente esmagado, jazendo atônito no solo; mas ao mesmo tempo Túrin agarrou a espada e lacerou a garganta de Beleg antes mesmo de Flinding conseguir entender o que tinha acontecido. Então Túrin saltou para trás e, vociferando imprecações contra os gobelins, mandou que viessem matá-lo ou provassem de sua espada, pois imaginava estar no meio do acampamento, e não pensou em fugir, apenas em entregar sua preciosa vida. Ora, ele teria impelido contra Flinding, mas o Gnomo saltou para trás, deixando a lanterna cair, de modo que a capa escorregou e a luz irrompeu, e ele exclamou no idioma dos Gnomos para que Túrin detivesse a mão e não assassinasse seus amigos — e Túrin parou ouvindo-o falar e, conforme estava ali postado, viu pela luz da lanterna o rosto branco de Beleg jazendo próximo aos seus pés com a garganta ferida, e ficou ali como alguém petrificado, e tal era o semblante dele que Flinding não ousou falar por um longo tempo. De fato, mal pensava em falar, pois por aquela luz também vira o fado de Beleg, e seu coração estava muito aflito. Afinal, contudo, pareceu a Flinding que os Orques estavam se agitando, e era mesmo, pois os gritos de Túrin chegara até eles; portanto, disse a Túrin: 'Os Orques estão sobre nós, vamos fugir', mas Túrin não respondeu, e Flinding o sacudiu, dizendo-lhe que ou se recompunha ou perecia, e então Túrin fez como ele ordenava, mas estava estupefato e, curvando-se, ergueu Beleg e beijou-lhe a boca.

"Flinding então guiou Túrin rapidamente e da melhor forma que pôde para fora daquelas regiões, e Túrin vagou com ele, seguindo-o conforme ele conduzia, e afinal, conseguiram por um tempo livrar-se da caçada e puderam respirar de novo. Flinding teve então um momento para contar a Túrin tudo o que sabia e de seu encontro com Beleg, e Túrin deu vazão ao aguaceiro de lágrimas, e chorou amargamente, pois Beleg amiúde fora seu camarada em muitos feitos; e essa foi a terceira angústia que acometeu Túrin, e ele não perdeu por completo a marca daquele pesar durante toda a vida; e por muito tempo vagou com Flinding, cuidando pouco de onde ia, e não fosse aquele Gnomo ele logo teria sido recapturado ou se perdido, pois pensava apenas no rosto rígido de Beleg, o caçador, jazendo na floresta escura, morto por suas mãos enquanto ele cortava as amarras da escravidão.

"Naquela época os cabelos de Túrin ganharam algum cinza, apesar de sua pouca idade. Por muito tempo, contudo, Túrin e o Noldo viajaram juntos, e em razão da magia daquela lanterna viajavam à noite e escondiam-se durante o dia, e sumiram nas colinas, e os Orques não os encontraram."

"Ora, havia nas montanhas um lugar de cavernas acima de uma torrente, e aquela torrente descia, alimentando o rio Sirion, mas a grama crescia diante das portas das cavernas, e estas eram habilmente ocultas por árvores e pelas magias de que ainda se lembravam aqueles grupos dispersos que ali habitavam. De fato, nessa época esse lugar havia se tornado uma forte habitação do povo e muitos fugitivos a incrementavam, e ali as antigas artes e trabalhos dos Noldoli tiveram novamente vida, ainda que de maneira tosca e rude.

"Havia secreto trabalho em ferro, e a forja de bons armamentos, e mesmo a feitura de belas coisas além disso, e as mulheres uma vez mais fiavam e teciam, e às vezes minerava-se ouro secretamente em locais próximos, onde se podia encontrá-lo, de modo que no fundo daquelas cavernas era possível ver belos vasos à chama de luzes secretas, e antigas canções eram cantadas em voz baixa. E, no entanto, os habitantes das cavernas sempre fugiam diante dos Orques e nunca batalhavam, a menos que forçados pelo infortúnio ou se fossem capazes de apanhá-los numa armadilha em que todos fossem mortos, sem que nenhum escapasse vivo; e essa era sua política para que nenhuma notícia de sua morada chegasse a Melko, e para que ele não suspeitasse de qualquer agrupamento numeroso de gente naquelas partes.

"Este local, contudo, era conhecido pelo Noldo Flinding, que viajava com Túrin; de fato, há muito tempo fizera parte daquele povo, antes de os Orques o capturarem e de ele ser mantido em servidão. Para lá ele foi então, certo de que a perseguição já não estavam perto deles, mas ainda assim por caminhos tortuosos, de tal forma que demorou até chegarem próximo daquela região e os espiões e vigias dos Rodothlim (pois esse era o nome daquele povo) deram aviso de sua aproximação, e a gente que estava fora de casa retirou-se diante deles. Eles então fecharam as portas, na esperança de que os estranhos não descobrissem suas cavernas, pois temiam e desconfiavam de toda a gente ignota de qualquer raça, tal era a crueldade das lições daquele tempo pavoroso.

"Ora, Flinding e Túrin então arriscaram-se até a entrada das cavernas e, percebendo agora que esses dois conheciam os caminhos até lá, os Rodothlim os assaltaram e os fizeram prisioneiros, levando-os para dentro de seus salões rochosos, e foram levados diante do chefe, Orodreth. Ora, os Noldoli livres àquela época temiam muito aqueles de sua gente que haviam provado da escravidão, pois, impelidos por medo e tortura e feitiços, haviam obrado muita traição; até mesmo dessa maneira os feitos malignos dos Gnomos em Cópas Alqalunten foram vingados,[9] colocando Gnomo contra Gnomo, e os Noldoli amaldiçoavam o dia em que deram ouvidos pela primeira vez ao engodo de Melko, lastimando ao extremo sua partida do reino abençoado de Valinor.

"E, no entanto, quando Orodreth escutou o conto de Flinding e soube que era verdade, recepcionou-o com júbilo de volta à gente, mas aquele Gnomo estava tão mudado pela aflição de sua escravidão que poucos o reconheceram; mas por causa de Flinding Orodreth escutou o conto de Túrin, e Túrin lhe contou de seus sofrimentos e identificou Úrin como seu pai, e os Gnomos não se haviam esquecido daquele nome. Então o coração de Orodreth abrandou-se e ele pediu que habitassem entre os Rodothlim e que lhe fossem fiéis. Assim se deu a estadia de Túrin entre o povo das cavernas, e ele habitava com Flinding bo-Dhuilin e laborava muito pelo bem do povo, e matou muitos Orques errantes, levando a cabo muitas façanhas corajosas em sua defesa. Em troca, aprendeu deles muito saber novo, pois as memórias de Valinor ainda ardiam fundo em seus corações bravios, e sua sabedoria era ainda maior do que a dos Eldar que jamais tinham visto os semblantes abençoados dos Deuses.

"Entre aquele povo havia uma donzela mui formosa, e ela se chamava Failivrin, e seu pai era Galweg; e esse Gnomo gostava de Túrin e muito o auxiliava, e Túrin amiúde estava com ele em aventuras e façanhas benfazejas. Ora, delas Galweg compunha muitos contos ao pé do fogo, e Túrin estava amiúde à sua mesa, e o coração de Failivrin comovia-se ao vê-lo, e muitas vezes admirava-se de sua lugubridade e tristeza, ponderando sobre o pesar que jazia encerrado em seu peito, pois Túrin não ia alegre, agravado que era pela morte de Beleg, a qual sentia sobre a cabeça, e ele não permitia que seu coração se comovesse, embora se contentasse com a doçura dela; mas tinha a si mesmo como um homem proscrito, sobrecarregado com uma pesada condenação maligna. Assim, Failivrin tornou-se pesarosa e chorava em segredo, e empalideceu tanto que a gente se espantava com a brancura e delicadeza de seu rosto e com os olhos brilhantes que nele luziam.

"Ora, chegou um tempo em que os bandos de Orques e as coisas malignas de Melko aproximavam-se cada vez mais da morada desse povo e, apesar dos bons feitiços que corriam na torrente lá embaixo, parecia provável que sua habitação não permaneceria oculta. Diz-se, contudo, que durante todo esse tempo a estadia de Túrin nas cavernas e seus feitos entre os Rodothlim estiveram velados aos olhos de Melko, e que ele atormentava os Rodothlim não por causa de Túrin e nem por seu desígnio, mas, antes, era o número crescente dessas criaturas e o aumento de seu poder e violência que as levava para tão longe. No entanto, a cegueira e o infortúnio que tecera outrora ainda se agarravam a Túrin, como se pode ver.

"A cada dia o cenho dos chefes dos Rodothlim ficava mais sombrio, e sonhos lhes chegavam,[10] pedindo-lhes que se erguessem e partissem rápida e secretamente, buscando Turgon, se pudessem, pois com ele talvez ainda fosse possível encontrar salvação para os Gnomos. Sussurros também havia na torrente à noitinha, e os que entre eles tinham a habilidade de escutar tais vozes, somavam seus presságios nos concílios do povo. Ora, Túrin tinha conquistado um lugar nesses concílios por causa de muitas façanhas valorosas, e opunha-se ao temor deles, confiando em sua força, pois ansiava sempre por guerra contra as criaturas de Melko, e repreendia os homens do povo, dizendo: 'Vede! Tendes armas de mui excelente feitura e, no entanto, a maioria está limpa do sangue de vossos inimigos. Lembrai-vos da Batalha das Lágrimas Incontáveis e não vos esqueceis da vossa gente que lá tombou, nem buscais fugir jamais, mas lutai e mantende-vos firmes.'

"Ora, a despeito da sabedoria dos mais sábios, tais palavras amargas confundiram seus conselhos e os retardaram, e não eram poucos os de coração firme que encontravam esperança nelas, estando tristes ao pensar em abandonar esses lugares onde haviam começado a construir uma morada de paz e beleza; mas Túrin implorou de Orodreth uma espada, pois não empunhara espada alguma desde o assassinato de Beleg, contentando-se em vez disso com uma clava imensa. Assim, Orodreth fez com que lhe forjassem uma grande espada, e por magia fizeram com que fosse completamente preta, exceto nos fios, que eram dum brilho reluzente e afiados tal como somente o aço gnômico pode ser. Era pesada, e embainhada de preto, e pendia de um cinto negro, e Túrin a chamou de Gurtholfin, a Vara da Morte; e amiúde aquela lâmina saltava para sua mão por vontade própria, e conta-se que às vezes falava-lhe palavras sombrias. Com ela, ele agora percorria as colinas, e matava incessantemente, de modo que o Espada-Negra dos Rodothlim tornou-se um nome de terror aos Orques e por um longo período o mal foi completamente afastado das cavernas dos Gnomos. Donde o nome de Túrin entre os Gnomos, que o chamavam de Mormagli ou Mormakil, conforme sua fala, pois esses nomes significam espada negra.

"Contudo, quanto mais crescia a bravura de Túrin, mais profundo se tornava o amor de Failivrin, e se os homens murmuravam contra ele em sua ausência, ela o defendia, e buscava sempre servi-lo, e ele a tratava sempre com cortesia e alegria, dizendo que tinha encontrado uma bela irmã nas terras-dos-Gnomos. Pelos feitos de Túrin, contudo, o antigo conselho dos Rodothlim foi posto de lado, e sua morada ficou conhecida em toda parte, nem Melko a ignorava, mas muitos dos Noldoli agora fugiam para lá, e sua força aumentou, e Túrin era estimado com grande honra entre eles. Foram dias de grande felicidade e por um tempo os homens viveram abertamente de novo, e podiam ir muito longe de seus lares em segurança, e muitos gabavam-se da salvação dos Noldoli, enquanto Melko reunia suas grandes hordas em segredo. Então de súbito as soltou sobre eles, pegando-os desprevenidos, e eles reuniram seus guerreiros muito apressadamente e investiram contra ele, mas eis que um exército de Orques se abateu sobre eles, e lobos, e Orques montados em lobos; e uma grande serpe estava junto, cujas escamas eram bronze polido e cujo hálito era uma mescla de fogo e fumaça, e seu nome era Glorund.[11] Todos os homens dos Rodothlim tombaram ou foram capturados naquela batalha, pois eram incontáveis os inimigos, e essa foi a contenda mais amarga desde a cruel batalha de Nínin-Udathriol.* Orodreth foi gravemente ferido ali e Túrin o retirou da batalha antes que tudo

---

*No pé do manuscrito há o seguinte:
   "*Nieriltasinwa*   a batalha das lágrimas inumeráveis
      Glorund   Laurundo ou *Undolaurë*"
   Posteriormente, *Glorund* e *Laurundo* foram emendados para *Glorunt* e *Laurunto*.

estivesse acabado, e com o auxílio de Flinding, cujos ferimentos não eram graves,[12] levou-o às cavernas.

"Ali Orodreth morreu, repreendendo Túrin por sempre se opor aos seus sábios conselhos, e o coração de Túrin estava dorido pela ruína do povo, que foi posta na sua conta.[13] Então, deixando o Senhor Orodreth morto, Túrin foi aos locais da morada de Galweg, e lá estava Failivrin chorando amargamente às notícias da morte de seu pai, mas Túrin buscou confortá-la, e pela dor em seu coração, pelo pesar da morte de seu pai e pela ruína de seu povo, ela desfaleceu sobre seu peito e jogou os braços em volta dele. Tão profunda era a tristeza do coração de Túrin que naquela hora pensou que a amava muito; mas agora ele e Flinding estavam sozinhos, exceto por alguns serviçais idosos e homens moribundos, e os Orques, tendo despojado o campo dos mortos, estavam perto deles.

"Assim estava Túrin de pé diante das portas com Gurtholfin em punho, e Flinding estava ao seu lado; e os Orques abateram-se sobre aquele local e saquearam-no por inteiro, arrastando para fora toda a gente que se escondia ali e todos os seus bens, tudo o que de grande ou pequeno valor pudesse estar escondido. Mas Túrin lhes negou entrada à habitação de Galweg e eles se chocaram com ímpeto contra ele, até que uma companhia de arqueiros a uma certa distância atirou uma saraivada de flechas nele. Ora, ele vestia cota de malha, tal como todos os guerreiros dos Gnomos sempre amaram e ainda amam vestir, mas ela não repeliu todas aquelas setas malignas, e já estava bastante ferido quando Flinding tombou, flechado subitamente no olho; e logo teria encontrado a morte — e sua sorte teria sido mais feliz assim — se aquele grande draco, achegando-se ao butim, não houvesse ordenado que parassem de atirar; mas com o poder de seu hálito ele afastou Túrin das portas e com a magia de seus olhos, atou suas mãos e pés.

"Ora, tais dracos e serpes são as criaturas mais malignas que Melko fez, e as mais estranhas, mas de todas são as mais poderosas, excetuando-se apenas os Balrogs. Têm grande astúcia e sabedoria, de modo que há muito tempo se diz entre os Homens que todos os que provassem do coração de um dragão conheceriam todas as línguas de Deuses ou Homens, de aves ou feras, e seus ouvidos captariam os sussurros dos Valar ou de Melko tal como jamais tinham ouvido antes. Poucos jamais conseguiram feito de tamanha proeza quanto matar um draco, e mesmo esses intrépidos não poderiam provar do sangue deles e viver, pois é como um veneno de fogos que mata a todos salvo os mais divinos em força. Seja como for, essas feras repugnantes, tal como seu senhor, amam mentiras e cobiçam ouro e coisas preciosas com desejo violentíssimo, embora não possam usá-las ou desfrutar delas.

"Foi assim que esse *lókë* (pois tal é o nome que os Eldar dão às serpes de Melko) permitiu que os Orques assassinassem quem quisessem e que reunissem quem desejassem numa grande e infeliz multidão de mulheres, donzelas e criancinhas, mas todo o imenso tesouro que eles haviam trazido dos salões rochosos e amontoado diante das portas, brilhando ao sol, ele cobiçou para si mesmo e os proibiu de colocar um dedo sequer ali, e eles não ousavam se opor, e nem o poderiam fazer caso quisessem.

"Naquele grupo infeliz estava Failivrin horrorizada, e ela estendia os braços na direção de Túrin, mas Túrin estava atado pelo feitiço do draco, pois aquela fera tinha uma magia torpe no olhar, assim como muitos outros de sua espécie, e ele fez com que os nervos de Túrin ficassem como pedra, pois seu olho sustinha o olho de Túrin, de modo que a vontade dele morreu, e não podia se mover por seu próprio desejo, mas ainda podia ver e ouvir.

"Então Glorund provocou Túrin até quase levá-lo à loucura, dizendo-lhe que havia deitado fora sua espada e não tivera coragem de dar um golpe por seus amigos — agora a espada de Túrin jazia aos seus pés, para onde havia escorregado de seu punho enfraquecido. Grande foi a agonia do coração de Túrin, e os Orques riram-se dele, e alguns dos cativos bradaram amargamente contra ele. Então os Orques começaram a levar embora aquela hoste de prisioneiros, e seu coração se partiu ao ver isso, mas, ainda assim, não se moveu; e o rosto pálido de Failivrin desvaneceu-se ao longe, e a voz dela chegou-lhe, exclamando: 'Ó Túrin Mormakil, onde está teu coração; ó meu amado, por que me abandonas?' Tão grande se tornou a angústia de Túrin que nem mesmo o feitiço daquela serpe poderia contê-la, e gritando alto ele fez menção de apanhar a espada aos seus pés, e teria ferido o draco com ela, mas a serpente soprou com hálito repugnante e quente sobre ele, de modo que desfaleceu e pensou que fosse a morte.

"Muito tempo depois, e o conto não diz quanto tempo, voltou a si, e jazia fitando o sol diante das portas, e sua cabeça repousava numa pilha d'ouro da maneira que os saqueadores a haviam deixado. Então o draco, que estava bem ao lado, falou: 'Não te perguntaste por que afastei a morte de ti, ó Túrin Mormakil a quem um dia chamaram de valente?' Então Túrin lembrou-se de todos os seus pesares e do mal que o acometera, e disse: 'Não escarneças de mim, serpe imunda, pois sabes que eu morreria de bom grado; e somente por isso, penso, não me mataste.'

"Mas o draco respondeu, dizendo: 'Pois sabe disto, ó Túrin, filho de Úrin, que um fado de maldade está tecido em redor de ti, e não podes desenredar teus passos dele seja lá aonde fores. Sim, de fato não te deixaria morrer, pois assim tu escaparias de tristezas muito amargas e de um destino de angústia.' Então Túrin, saltando subitamente de pé e esquivando-se do olho pernicioso daquela fera, ergueu sua espada no alto e gritou: 'Não, a partir deste momento ninguém há de me chamar de Túrin se eu viver. Vê, dar-me-ei um novo nome, e ele será Turambar!' Ora, isso significa Conquistador do Destino, e a forma do nome na fala-dos-Gnomos é Turumart. Então, dizendo essas palavras ele investiu uma segunda vez contra o draco, pensando de fato em forçar o draco a matá-lo e em subjugar seu destino pela morte, mas o dragão riu-se, dizendo: 'Tolo! Se quisesse, teria te matado muito antes, e poderia fazê-lo aqui e agora, mas se eu não desejar, não podes batalhar comigo enquanto estou desperto, pois meu olho pode lançar uma vez mais o feitiço atador sobre ti para que fiques como pedra. Não, vai-te embora, ó Turambar, Conquistador do Destino! Deves primeiro encontrar tua sina se quiseres vencê-la.' Mas Turambar estava cheio de vergonha e raiva, e quem sabe teria matado a si mesmo, tamanha era sua loucura, embora se assim fosse ele não poderia esperar jamais que seu espírito fosse liberado das tristezas sombrias de Mandos, ou que andasse pelos caminhos aprazíveis de Valinor;[14] mas em meio à sua desgraça, pensou no rosto pálido de Failivrin e curvou a cabeça, pois chegou ao seu coração a ideia de rastrear por todas as florestas seus infelizes passos, mesmo que fosse até Angamandi e as Colinas de Ferro. Talvez naquela aventura desesperada ele encontrasse uma morte rápida e gentil, ou quiçá uma dolorosa, e talvez resgatasse Failivrin e encontrasse a felicidade, mas não era seu fado conquistar dessa forma o novo nome que assumira, e o draco, lendo sua mente, não permitiu que escapasse assim levianamente de sua maré de crueldade.

"'Ouve, ó filho de Úrin', disse ele; 'sempre foste covarde de coração, jactando-te falsamente diante dos homens. Talvez consideres um feito galante ir atrás duma donzela de gente estranha, mal pensando na tua própria gente que agora sofre com coisas terríveis? Eis que Mavwin, que te ama, espera há muito ansiosamente por teu retorno, sabendo que chegaste à virilidade há um tempo, e ela busca em vão por teu socorro, pois mal sabe que o filho é um proscrito, manchado com o sangue de seus companheiros, um profanador da mesa de seu senhor. Com crueldade os homens a tratam, e eis que os Orques infestam agora aquelas regiões de Hithlum, e ela está temerosa e em perigo, e com ela sua filha, Nienóri, a tua irmã.'

"Então Turambar inflamou-se de pesar e vergonha, pois as mentiras daquela serpe estavam farpadas com verdade, e em razão do feitiço de seus olhos, acreditou em tudo o que era dito. Assim, seu antigo desejo de ver uma vez mais sua mãe, Mavwin, e olhar Nienóri, a quem nunca vira desde seus primeiros dias[15] ardeu dentro dele, e com o coração despedaçado de pesar pelo fado de Failivrin, virou-se para as colinas buscando Dor Lómin, e sua espada estava embainhada. E em verdade se diz: 'Não abandones por nada os teus amigos, e nem acredita naqueles que te aconselham a fazê-lo', pois do abandono de Failivrin em um perigo que ele mesmo conseguia ver adveio o pior dos males a ele e todos os que amava; e, de fato, seu coração estava confuso e vacilante, e ele deixou aqueles lugares completamente vexado e exausto. Mas o dragão fitou o tesouro com satisfação e enrolou-se sobre ele, e a fama daquele grande tesouro de vasos dourados e do ouro virgem que jazia próximo às cavernas acima da torrente correu por toda parte; mas a grande serpe dormia diante dele, e pensamentos malignos tinha enquanto ponderava na semeadura de suas mentiras ardilosas, e no seu brotar, e no seu crescer e frutificar, e fumos subiam de suas narinas conforme dormia."

"Assim certa vez, muito tempo depois, Turambar chegou com grandes penas em Hisilómë, e encontrou afinal o lugar da morada de sua mãe, a mesma onde haviam se separado quando era criança, mas eis que estava destelhada e a lavoura em redor se havia tornado silvestre. Então seu coração o sobressaltou, mas ele soube por alguns que habitavam perto que, deparando-se com dias melhores, a Senhora Mavwin partira havia alguns anos a plagas não muito distantes, onde existia uma grande e próspera habitação de homens, pois aquela região de Hisilómë era fértil, e os homens cultivavam a terra de algum modo, e muitos tinham rebanhos, embora a maioria, nos dias sombrios após a grande batalha, temesse habitar em lugares fixos e percorria as matas e caçava ou pescava, e isso acontecia com aqueles clãs próximos às águas do Asgon, donde depois ergueu-se Tuor, filho de Peleg.

"Ao ouvir essas palavras, contudo, Turambar admirou-se, perguntando-lhes se Orques e outros povos ferozes de Melko vagavam para aquelas regiões, mas eles balançaram a cabeça e disseram que nunca tais criaturas chegaram a entrar tão fundo na terra de Hisilómë.[16] 'Se procuras Orques, então vai até as colinas que circundam nossa terra', disseram, 'e não hás de procurar por muito tempo. Os mais cautelosos mal conseguem ir e vir, tão constante é a vigilância deles, e eles infestam os portões rochosos da terra, de modo que os Filhos dos Homens estão enclausurados para sempre na Terra das Sombras; mas os homens dizem que é por desejo de Melko que eles não nos incomodam aqui — e, no entanto, parece-nos que vieste de longe, e admiramo-nos quanto a isso, pois faz muito tempo desde que alguém doutras terras conseguiu trilhar este caminho.' Então Turambar ficou perplexo com isso, e duvidou do engano nas palavras do dragão, mas foi esperançoso até a morada dos homens e a casa de sua mãe e, chegando a propriedades de homens, foi facilmente encaminhado até lá. Ora, os homens olhavam com estranheza ao seu questionamento e decerto tinham motivo, mas aqueles a quem falou ficavam muito atônitos e assombrados diante dele, e esquivavam-se de conversar com ele, pois suas vestes eram das matas bravias e seu cabelo era longo, e seu rosto era rude e contraído como se por tristezas inextinguíveis, e nele ardiam com ferocidade seus olhos escuros debaixo de sobrancelhas escuras. Usava um colar de fino ouro, e sua imensa espada estava ao lado, e os homens espantaram-se muito com ele; e se qualquer um se atrevia a questionar, chamava-se a si mesmo de Turambar, filho da floresta exaurida,* e isso lhes parecia tanto mais estranho.

"Ora, ele chegou à morada de Mavwin e eis que era uma bela casa, mas ninguém habitava ali, e a grama crescia alta nos jardins, e não havia vacas nos estábulos, e nem cavalos nas estrebarias, e os pastos em volta estavam silentes e vazios. Somente as andorinhas

---

* Uma nota no manuscrito referindo-se a esse nome diz: "*Turumart go-Dhrauthodauros* [emendado para *bo-Dhrauthodavros*] ou *Turambar Rúsitaurion*".

habitavam sob o madeiramento dos beirais, e faziam um barulho e uma algazarra como se a partida do outono estivesse próxima, e Turambar sentou-se diante das portas entalhadas e chorou. E alguém que estava passando rumo a outras moradas, pois uma trilha corria perto daquela propriedade, avistou-o e, aproximando-se, perguntou o que havia de errado, e Turambar disse que era doloroso para um filho, separado do lar há tantos anos, abandonar tudo o que estimava e enfrentar os perigos das colinas infestadas somente para encontrar os salões de sua gente vazios ao retornar, enfim.

"'Ora, então isso é um genuíno truque de Melko', disse o outro, 'pois em verdade aqui habitava a Senhora Mavwin, esposa de Úrin, mas já faz dois anos que partiu muito secreta e subitamente, e os homens dizem que ela busca o filho perdido, e que sua filha, Nienóri, está com ela, mas não sei da estória. Isto contudo eu sei, assim como muitos também sabem, e exclamam de indignação, pois sabe que a guarda de todos os seus bens e terra ela deu a Brodda, um homem em quem confiava, e ele é senhor dessas regiões pelo consentimento dos homens, e tem por esposa uma parenta dela. Mas como ela partiu há muito tempo, ele misturou os rebanhos dela, por menores que fossem, com seus próprios rebanhos imensos, ferreteando-os com sua própria marca e, no entanto, a casa e a fazenda de Mavwin ele deixa caírem em ruínas, e os homens acham isso mau, mas não se opõem, pois o poder de Brodda tornou-se grande.'

"Então Turambar implorou-lhe que o colocasse na trilha para os salões de Brodda, e o homem fez como desejava, de modo que Turambar chegou a passos largos ali, logo no cair da noite, e os homens sentavam-se para a refeição naquela casa. Grande era a companhia naquela noite, e a luz de muitas tochas recaía sobre eles, mas a Senhora Airin não estava lá, pois os homens bebiam demais nos banquetes de Brodda e suas canções eram ferozes, e altercações abrasavam-se pelo salão, e nada disso ela amava. Ora, Turambar golpeou os portões, e seu coração estava sombrio e ele estava tomado de grande ira, pois as palavras do estranho diante das portas de sua mãe foram amargas a ele.

"Então alguém abriu à sua batida, e Turambar adentrou o salão, e Brodda pediu-lhe que se sentasse e ordenou que fosse servido vinho e comida diante dele, mas Turambar não comeu e nem bebeu, ao que os homens, olhando de soslaio para sua ranhetice, perguntaram-lhe quem era. Então Turambar, indo até o meio deles, defronte do lugar mais elevado onde Brodda estava sentado, falou: 'Vede, sou Turambar, filho da floresta', e os homens riram-se disso, mas os olhos de Turambar estavam cheios de ira. Então disse Brodda, em dúvida: 'O que queres de mim, ó filho da floresta bravia?' Mas Turambar replicou: 'Senhor Brodda, vim retribuir-te pela tua guarda dos bens alheios', e o silêncio caiu naquele lugar; mas Brodda riu, dizendo novamente: 'Mas quem és tu?' E a isso Turambar saltou até aquele lugar elevado e, antes que Brodda pudesse prever a ação, desembainhou Gurtholfin e, agarrando Brodda pelos cabelos, quase arrancou-lhe a cabeça do corpo, vociferando: 'Assim morre o homem rico que soma o pouco da viúva ao seu muito. Eis que nem todos os homens morrem nas matas bravias, pois não sou eu em verdade filho de Úrin que, buscando voltar ao seu povo, encontrou um salão vazio e despojado?' Então houve grande alarido naquele salão e, de fato, embora ele estivesse demasiadamente sobrecarregado com seus muitos pesares e quase desvairado, ainda assim esse feito de Turambar foi violento e ilícito. Havia alguns ali, contudo, que não se dispuseram a desembainhar suas armas, dizendo que Brodda era um ladrão e morreu como tal, mas muitos saltaram com espada em punho contra Turambar, e ele se viu em apuro, e matou um homem, que era Orlin. Então Airin dos longos cabelos entrou mui temerosa nos salões, e ao seu comando os homens detiveram-se; mas grande foi seu horror quando viu o que tinha se passado, e Turambar virou o rosto e não conseguiu encará-la, pois sua ira havia esfriado e ele estava abalado e exausto.

"Mas, ouvindo a história, ela disse: 'Não, não te aflijas por mim, filho de Úrin, mas por ti mesmo; pois meu senhor era rígido e cruel e injusto, e talvez os homens digam algo em tua defesa, mas vê, tu o mataste agora à sua mesa, sendo seu convidado, e Orlin tu mataste, ele que é da parentela de tua mãe; e qual será tua sentença?' A essas palavras uns se calaram e muitos gritaram 'morte', mas Airin disse que isso não estava em completo acordo com as leis daquele lugar, 'pois', disse ela, 'Brodda foi morto injustamente, mas a ira do assassino era justa, e também Orlin ele matou em sua defesa, ainda que no salão de um banquete. Mas receio que agora este homem deva sair de nosso meio rapidamente, e nunca mais voltar a pôr os pés nestas terras, doutro modo qualquer homem há de matá-lo; mas tais terras e bens que eram de Úrin os parentes de Brodda hão de deter, salvo apenas se Mavwin e Nienóri algum dia voltarem de sua errância, e mesmo assim Túrin, filho de Úrin, não poderá herdar jamais qualquer coisa delas.' Ora, tal sentença pareceu justa a todos, exceto a Turambar, e eles se admiraram com a equidade de Airin, cujo senhor fora morto, e não suspeitavam do horror que fora sua vida antes com aquele homem; mas Turambar depôs a espada no chão e pediu que o matassem, mas não se dispuseram, em virtude das palavras de Airin a quem amavam, e Airin não o permitiu por amor a Mavwin, esperando ainda reunir esses dois, mãe e filho, em felicidade, e sua sentença ela havia pronunciado para satisfazer a ira dos homens e salvar Túrin da morte. 'Ora', disse ela, 'dou-te três dias para sair da terra, portanto vai!' e Turambar, erguendo a espada, limpou-a, dizendo: 'Quisera eu estar limpo do sangue dele', e partiu noite adentro. Na tolice de seu coração, julgou-se separado para sempre de Mavwin, sua mãe, achando que nunca mais qualquer um que amasse dispor-se-ia a olhar para ele. Ansiou então por novas de sua mãe e sua irmã, mas não podia perguntar a ninguém, e vagou de volta por sobre as colinas, sabendo apenas que elas ainda o procuravam, quiçá nas florestas das Terras Além, e nada mais ficou sabendo por muito tempo.

"Das suas andanças depois disso nenhum conto falou, exceto que após muito vagar seu pesar embotou-se e seu coração morreu, até que, afinal, em lugares muito distantes, muito longe do rio dos Rodothlim, ele se juntou a uns caçadores das florestas, e eles eram Homens. Alguns daquela companhia eram capitães de Úrin, ou filhos deles, e haviam vagado em segredo desde a Batalha das Lágrimas, mas agora Turambar somou-se ao seu contingente, e reconstruiu a vida tão bem quanto pôde. Ora, aquele povo tinha casas em lugares mais aprazíveis das matas, em terras que não estavam completamente distantes do Sirion ou das colinas relvadas no curso médio daquele rio, e eram homens intrépidos, e não se curvavam a Melko, e Turambar conquistou honra entre eles."

"Agora é preciso contar que a Mavwin passaram coisas muito diversas daquilo que o Foalókë dissera a Túrin, pois, chegando-lhe dias melhores, ela tinha paz e honra entre os homens daquelas regiões. Contudo, sua tristeza pela perda do filho devido à interrupção de todos os mensageiros não fez senão aprofundar-se com os anos, ainda que Nienóri tivesse se tornado uma donzela mui formosa e esbelta. Na época da fuga de Túrin dos paços de Tinwelint, ela já tinha doze[17] anos de idade e era alta e bela.

"Ora, o conto não diz o número de dias que Turambar permaneceu com os Rodothlim, mas foram muitíssimos, e durante esse tempo Nienóri cresceu até quase se tornar mulher adulta, e amiúde havia conversa entre ela e a mãe acerca de Túrin, que estava perdido. Nos paços de Tinwelint a memória de Túrin também vivia ainda, e ali Gumlin continuava a morar, agora decrépito, ele que havia sido guardião da infância de Túrin naquela primeira jornada rumo às Terras Além. Ora, Gumlin tinha cãs e os anos pesavam sobre ele, mas ansiava muito por ver mais uma vez a gente dos Homens e a Senhora Mavwin, sua ama. Assim, um dia Gumlin ficou sabendo que os maiores bandos de Orques e outros seres ferozes de Melko haviam recuado das colinas, eles que por tanto tempo as haviam tornado impassáveis a Elfos e Homens. Ora, por um período as colinas e os caminhos que as atravessavam estavam livres de seu mal em toda parte, pois àquela época Melko tinha um grande e terrível projeto em curso, que era a destruição dos Rodothlim e de muitas das habitações dos Gnomos que seus espiões haviam revelado[18] e, no entanto, todo o povo dessas regiões respirou mais livre por um tempo, ainda que, se soubesse de tudo, talvez não o fizesse.

"Então Gumlin, o idoso, caiu de joelhos diante de Tinwelint e implorou-lhe que o permitisse ir para casa ver sua antiga senhora antes que a morte o levasse aos salões de Mandos — se é que, de fato, aquela senhora já não houvesse ido para lá antes dele. Então o rei[19] anuiu, e para a jornada lhe cedeu dois guias, para auxiliá-lo devido à sua idade; mas esses três, Gumlin e os Elfos da floresta, tiveram uma jornada duríssima, pois era fim do inverno, mas Gumlin de modo algum quis esperar até que a primavera chegasse.

"Ora, conforme aproximavam-se daquela região de Hisilómë onde antigamente Mavwin havia habitado, e próximo ao local onde ela ainda habitava, muita neve caiu, como acontecia amiúde naquelas partes em dias que deveriam ser, antes, do início de primavera. Ali Gumlin foi sobrepujado, e seus guias, buscando socorro, chegaram inesperadamente à casa de Mavwin e, pedindo-lhe ajuda, foi-lhes concedida. Então, com auxílio da gente de Mavwin, Gumlin foi encontrado e carregado até a casa, e aquecido até se reanimar e, voltando a si, reconheceu Mavwin afinal e muito se regozijou.

"Ora, quando ele estava em parte curado, contou sua história a Mavwin, e conforme relatava os anos e os mais valentes dos feitos de Túrin ela se alegrou, mas grande foi seu pesar e desalento ao saber do rompimento com Linwë[20] e como ele se deu, e afastando-se de Gumlin ela chorou amargamente. De fato, por muito tempo desde que soube que Túrin, caso ainda vivesse, tinha chegado à idade adulta, admirara-se por ele não voltar para procurá-la, e amiúde o pavor enchia-lhe o coração, temendo que, nessa tentativa, ele tivesse perecido nas colinas; mas agora a verdade era dolorosa de suportar, e ela ficou desolada por muito tempo, e Nienóri não a podia confortar.

"Ora, em razão da severidade do clima, os guias que trouxeram Gumlin do reino de Tinwelint permaneceram como hóspedes dela até a primavera chegar, mas, quando ela despontou, Gumlin morreu.

"Então Mavwin se ergueu e, indo ter com vários dos chefes daquelas regiões, pediu-lhes ajuda, contando-lhes a história do fado de Túrin conforme Gumlin relatara. Mas alguns riram, dizendo que ela fora enganada pelos balbucios de um moribundo, e a maioria disse que ela estava desesperada de tristeza, e que seria um conselho tolo procurar além das colinas por um homem que estava perdido há anos: 'E nem emprestaremos homem ou cavalo para tal demanda, a despeito de nosso amor por ti, ó Mavwin, esposa de Úrin', disseram.

"Então Mavwin partiu lacrimosa, mas não os injuriou, pois tinha pouca esperança em seu pedido e sabia que havia sabedoria nas palavras deles. Ainda assim, sem conseguir sossegar, foi ter então com os guias dos Elfos, que já se impacientavam para partir sob o sol, e lhes disse: 'Levai-me agora ao vosso senhor', e eles procuraram dissuadi-la, dizendo que aquela não era estrada para os pés de uma mulher trilharem; mas ela não lhes deu atenção. Antes, implorou a sua amiga cujo nome era Airin Faiglindra* (de longas tranças) e que era casada com Brodda, um senhor daquela região, rico e poderoso, para que Nienóri pudesse ser acolhida sob a guarda do seu marido, assim como todos os seus bens. Isso Airin conseguiu de Brodda sem pedir muito e, quando soube disso, foi despedir-se de sua filha; mas seu plano deu pouco certo,

---

*Na margem está escrito *Firilanda*.

pois Nienóri postou-se diante da mãe e disse: 'Ou tu não vais, ó Mavwin, minha mãe, ou vamos nós duas', e nada a faria recuar. No fim, portanto, mãe e filha prepararam-se para aquela jornada atroz, e os guias resmungaram muito. Mas aconteceu que a estação que se seguiu àquele inverno cruel foi muito gentil e, apesar dos presságios dos guias, os quatro atravessaram as colinas e completaram a jornada sem maiores males que a fome e a sede.

"Assim, chegando afinal diante de Tinwelint, Mavwin atirou-se ao chão e chorou, implorando perdão por Túrin e compaixão e auxílio para si e para Nienóri; mas Tinwelint ordenou que se erguesse e se sentasse ao lado de Gwedheling, sua rainha, dizendo: 'Há muitos anos teu filho Túrin foi perdoado, sim, tão logo deixou estes paços, e muitas buscas exaustivas fizemos por ele. Não foi qualquer proscrição de minha parte que o levou deste reino, mas o remorso e a amargura o conduziram aos ermos e penso que ali coisas malignas o acometeram ou, se ele ainda vive, temo que seja cativo dos Orques.' Então Mavwin chorou novamente e implorou ao rei para que a socorresse, pois disse: 'Sim, em verdade eu andaria até que a carne de meus pés estivesse consumida se, ao final da jornada, pudesse ver quem sabe o rosto de Túrin, filho de Úrin, meu bem-amado.' Mas o rei disse que não sabia onde ela poderia buscar senão em Angamandi, e até lá ele não poderia enviar nenhum de seus súditos, muito embora seu coração estivesse cheio de compaixão pelo pesar do povo de Úrin. De fato, Tinwelint simplesmente falou do modo que acreditava ser justo, sem pretender agravar o sofrimento de Mavwin, mas apenas impedi-la de partir numa demanda tão louca e mortal; mas Mavwin, ao ouvi-lo, não disse mais palavra e, afastando-se, foi para as florestas e não permitiu que ninguém ficasse consigo, e apenas Nienóri a seguia aonde quer que fosse.

"Ora, o povo de Tinwelint olhava para essas duas com piedade e gentileza, e secretamente as vigiavam e, sem que soubessem, afastavam delas muito mal, de modo que as senhoras vagantes das florestas se tornaram familiares entre eles e queridas por muitos, mas eram uma visão de desalento, e aqueles que as viam passar juravam ódio a Melko e suas obras. Assim aconteceu que, depois de muitas luas, Mavwin deparou-se com um grupo de Gnomos errantes e, travando contato com eles, foi-lhe contado o relato dos Rodothlim da forma como tais Gnomos o conheciam e da estadia de Túrin entre eles. Também contaram da tomada daquela habitação pelas hostes de Melko e pelo dragão Glorund, pois àquela época tais façanhas eram recentes e sua fama espalhou-se por toda parte. Ora, não se referiram a Túrin pelo nome, chamando-o de Mormakil, um homem selvagem que fugiu da presença de Tinwelint e escapou depois das mãos dos Orques.

"Então o coração de Mavwin encheu-se de esperança e ela continuou a questioná-los, mas os Noldoli disseram que não ouviram falar de ninguém que tivesse saído vivo daquele ataque, salvo os que foram levados a Angamandi, e então a esperança de Mavwin novamente se abateu. Contudo, ainda assim ela voltou aos paços do rei e, contando-lhe o relato, pediu seu auxílio contra o Foalókë. Ora, Mavwin pensava que Túrin talvez ainda vivesse como escravo do dragão e que poderiam de alguma maneira libertá-lo, ou ainda que, caso a valentia dos homens do rei fosse suficiente, poderiam matar a serpe em vingança por seus males, de modo que à beira da morte falasse palavras a respeito do fado de Túrin, caso ele realmente não estivesse mais perto das cavernas dos Rodothlim. O imenso tesouro que a serpe guardava era de pouca monta para Mavwin, mas ela falou muito dele a Tinwelint, assim como os Noldoli haviam lhe contado. Ora, o povo de Tinwelint era das florestas e tinha poucas riquezas, mas amavam coisas belas e formosas, ouro e prata e gemas, como todos os Eldar amam, e os Noldoli acima de todos; e o rei não pensava diferente nisso, e suas riquezas eram pequenas, a não ser por aquela gloriosa Silmaril, pela qual muitos reis teriam dado todo o seu tesouro se a pudessem possuir.

"Portanto, Tinwelint respondeu: 'Agora tu hás de receber auxílio, ó Mavwin, a mais resoluta, e digo-te abertamente que não é por esperança de libertar Túrin que te concedo isso, pois tal esperança não consigo divisar nesse relato, apenas a morte da esperança. No entanto, é verdade que preciso de tesouro e que o desejo, e talvez isso eu consiga com essa empresa; mas metade do espólio tu hás de ganhar, ó Mavwin, em memória de Úrin e Túrin, ou então tu hás de guardá-la para Nienóri, tua filha.' Então disse Mavwin: 'Não, dai-me apenas uma cabana de lenhador e meu filho', e o rei replicou: 'Isso não te posso dar, pois sou apenas um rei dos Elfos silvestres e não um Vala das ilhas do oeste.'

"Então Tinwelint reuniu um seleto grupo de seus guerreiros e caçadores e passou-lhes suas ordens, e parecia que o nome do Foalókë já lhes era conhecido, e havia muitos que poderiam guiar o grupo até as regiões de sua morada e, no entanto, aquele nome era aterrorizante até para o mais valente, e os locais que habitava, uma terra de pavor maldito. Ora, as antigas moradas dos Rodothlim não eram completamente distantes do reino de Tinwelint, ainda que fossem longe o bastante, mas o rei disse a Mavwin: 'Agora espera comigo, e Nienóri também, e meus homens hão de investir contra o draco, e tudo o que fizerem e encontrarem naqueles locais, reportarão fielmente', — e isto os homens disseram: 'Sim, faremos como ordenais, ó Rei', mas havia medo em seus olhos.

"Então Mavwin, vendo isso, disse: 'Sim, ó Rei, deixai que Nienóri, minha filha, aguarde de fato aos pés de Gwedheling, a Rainha, mas eu, que não me importo se vou morrer ou viver, olharei para o dragão e encontrarei meu filho'; e Tinwelint riu-se, mas Gwedheling e Nienóri, receando que ela não estivesse gracejando, suplicaram-lhe com fervor. Mas ela estava irredutível, temendo que sua última esperança de resgatar Túrin acabasse em nada devido ao terror dos homens de Tinwelint, e ninguém a podia dissuadir. 'Sei que é do amor', disse ela, 'que vêm todas as palavras que falais, mas dai-me, antes, um cavalo para montar e, se quiserdes, uma faca afiada para minha própria morte, caso necessário, e deixai-me partir.' Ora, tais palavras deixaram atônitos os Elfos que escutavam, pois as esposas e filhas dos Homens naqueles dias eram deveras intrépidas, e sua juventude durava muito e, ainda assim, isso parecia a todos uma loucura.

"E maior loucura ainda pareceu quando Nienóri, vendo a obstinação da mãe, disse diante de todos: 'Então irei também; aonde for Mavwin, minha mãe, para lá eu, Nienóri, filha de Úrin, hei de ir com ainda mais facilidade'; mas Gwedheling disse ao rei para não permitir isso, pois era uma fata e quiçá previu vagamente o que poderia vir a ser.

"Mavwin teria então encerrado a discussão e partido da presença do rei rumo às matas se Nienóri não a tivesse agarrado pelas vestes e a impedido, e assim todos imploraram a Mavwin, até que, por fim, ela concordou que o rei enviasse um forte contingente contra o Foalókë e que Nienóri e Mavwin cavalgassem com eles até que as regiões da fera fossem alcançadas. Então, elas buscariam um local elevado donde poderiam ver algo dos feitos, mas em segurança e segredo, enquanto os guerreiros chegavam furtivos até a serpe para matá-la. Ora, um lenhador falara sobre esse local elevado, e dali amiúde observara a morada da serpe ao longe. Por fim, esse bando de matadores-de-dragão se aprontou, e eles montavam bons cavalos, céleres e de passo firme, ainda que o povo das florestas tivesse poucos desses animais. Foram arranjados cavalos para Nienóri e para Mavwin também, e elas cavalgaram na vanguarda dos guerreiros, e o povo muito se espantou ao ver o porte delas, pois os homens de Úrin e aqueles em meio aos quais Nienóri foi criada andavam muito a cavalo, e tanto os rapazes quanto as moças entre eles cavalgavam mesmo na tenra idade.

"Depois de muitos dias, a cavalaria chegou à vista de um lugar que fora outrora uma bela região, e ali atravessava um rio veloz num leito rochoso, e a margem de um dos lados era alta e arborizada, e do outro lado a terra era mais plana e fértil e extensa, mas para além da margem alta do rio as colinas assomavam. Conforme olharam para lá, viram que a terra se tornara completamente árida, e fora devastada a uma grande distância em volta das antigas cavernas dos Rodothlim, e as árvores haviam sido esmagadas ao solo ou dilaceradas. Na direção das colinas estendia-se uma negra charneca, e as terras estavam fendidas com os grandes rastros que aquela repugnante serpe deixara ao se arrastar.

"Muitos são os dragões que Melko soltou no mundo, e uns são mais poderosos que outros. Ora, os menos poderosos — e, ainda assim, eram muito grandes em comparação aos Homens daqueles dias — são frios, tal como é a natureza das cobras e serpentes, e dentre eles muitos têm asas, viajando com o maior ruído e velocidade; mas os mais poderosos são quentes e muito pesados e movem-se com vagar, e alguns expelem chamas, e o fogo faísca sob suas escamas, e sua avidez e cobiça e crueldade ardilosa são as maiores de todas as criaturas: e de tal tipo era o Foalókë, cujo ardor deixou todos os locais de sua habitação devastados e desolados. Essa serpe já havia crescido muitíssimo em comparação aos dias do ataque aos Rodothlim, e também maior era o seu tesouro acumulado, pois Homens e Elfos e até mesmo Orques ele matava, ou escravizava para que o servissem, trazendo-lhe comida para satisfazer sua avidez [?por] coisas preciosas e espólios de suas pilhagens para inchar seu tesouro.

"Ora, aquele grupo ficou estupefato ao olhar de longe a região, mas eles se prepararam para a batalha e, por sorteio, mandaram um indivíduo do grupo com Nienóri e Mavwin ao local elevado[21] que fora indicado, nos confins da terra ressequida, e era coberto de árvores e podia ser alcançado por trilhas ocultas. Conforme aqueles três cavalgavam até lá e os guerreiros iam furtivamente na direção das cavernas, deixando para trás os cavalos que já estavam apavorados, eis que o Foalókë saiu de seu covil e, rastejando margem abaixo, repousou atravessado no rio, como muitas vezes fazia. De pronto uma grande neblina e vapores subiram, e um fedor estava ali misturado, de modo que o grupo mergulhou em vapores e eles quase sufocaram e, gritando uns aos outros na névoa, denunciaram sua presença para a serpe, que riu alto. Diante desse que era o mais terrível de todos os sons animais eles fugiram alucinados nas névoas, mas não conseguiam encontrar os cavalos, pois estes, em extremo terror, soltaram-se e fugiram.

"Então Nienóri, ouvindo gritos ao longe e vendo a grande névoa rolando na direção delas, vinda do rio, voltou com a mãe para o local em que haviam se apartado e, apeando ali, esperou com grande incerteza. De súbito, aquela névoa cegante as envolveu enquanto estavam lá, e com ela chegaram correndo, desvairados e indistintos, os cavalos dos caçadores. Então seus próprios cavalos, incitados por seu terror, pisotearam até a morte o Elfo que as escoltava conforme ele agarrava os arreios agitados, e ariscos de medo eles galoparam para as matas escuras e nunca mais levaram Homem ou Elfo nas selas; mas Mavwin e Nienóri foram deixadas a sós e desamparadas nas fímbrias daqueles locais de medo. Mui perigosa era mesmo a situação delas, e por muito tempo tatearam na névoa e não sabiam onde estavam e não viram mais ninguém do grupo, e somente vozes débeis pareciam passar por elas de longe, chamando como se aterrorizadas, e então tudo ficou em silêncio. Ora, elas ficaram juntas e, exaustas, cambalearam sem atinar aonde seus passos iam, até que subitamente o sol brilhou tênue acima delas, e a esperança voltou; e eis que as névoas se dispersaram e os ares clarearam, e elas não estavam longe do rio. Mesmo agora ele fumegava como se estivesse quente, e eis que o Foalókë estava ali, e seus olhos estavam postos nelas.

"Não disse palavra e nem se moveu, mas seus olhos perniciosos sustinham o olhar delas, até que a força pareceu abandonar seus joelhos, e a mente delas se turvou. Então Nienóri furtou-se por um momento daquela influência com sua força de vontade, e exclamou 'Vê, ó serpente de Melko, o que queres conosco? Sê rápido em dizer ou fazer, pois sabe que não procuramos por ti e nem por teu ouro, mas por um certo Túrin que viveu aqui certa vez.' Então disse o draco, e a terra estremeceu: 'Estás mentindo — com minha morte contentar-vos-íeis e contentar-se-ia teu bando de covardes que agora foge balbuciando nas matas, caso pudessem me espoliar. Tolos e mentirosos, mentirosos e covardes, como haveis de matar ou espoliar Glorund, o Foalókë, que mesmo antes de seu poder crescer matou as hostes dos Rodothlim e Orodreth, seu senhor, devorando todo o seu povo?'

"'Mas talvez', disse Nienóri, 'um certo Túrin tenha escapado da contenda e viva aqui ainda sob tuas amarras, se é que não fugiu de ti e já está longe daqui', e isso ela disse fortuitamente, esperando sem esperança, mas aquele ser maléfico disse: 'Vê! Pela minha sabedoria conheço os nomes de todos os que moravam aqui antes da tomada das cavernas, e digo-te que ninguém que chamasse a si mesmo de Túrin saiu vivo daqui.' E foi assim que a jactância de Túrin sutilmente voltou-se contra ele, pois essas feras amam falar assim, dando duplicidade a palavras ardilosas.[22]

"'Então Túrin foi morto neste local maligno', disse Mavwin, mas o dragão respondeu: 'Neste lugar o nome de Túrin desvaneceu-se para sempre da terra — mas não chores, mulher, pois era o nome de um poltrão que traiu os amigos.' 'Besta imunda, cessa tuas palavras malignas', disse Mavwin; 'matador de meu filho, não insultes os mortos para que tua própria ruína não caia sobre ti.' 'Tuas palavras devem ser menos altivas, ó Mavwin, se quiseres escapar do tormento, ou tua filha contigo', replicou o draco, mas Mavwin exclamou: 'Ó, mais maldito, não tenho medo de ti! Leva-me onde quiseres, a teus tormentos e tuas amarras, pois é verdade que desejava tua morte, mas permite apenas que Nienóri, minha filha, volte às moradas dos Homens: pois veio até aqui constrangida por mim e sem saber os propósitos de nossa jornada.'

"'Não tentes me adular, mulher', zombou aquele maligno. 'Eu bem manteria tua filha e matar-te-ia ou mandar-te-ia de volta ao teu casebre, mas não preciso de nenhuma das duas.' Com essas palavras, abriu completamente os olhos malignos, e uma luz brilhou dentro deles, e Mavwin e Nienóri estremeceram sob eles, e um desfalecimento acometeu-lhes a mente, e a elas pareceu que tateavam em túneis sem fim de escuridão, e ali jamais encontravam uma à outra de novo e, ao chamarem, apenas ecos vãos respondiam, e não havia faiscar de luz.

"Contudo, após um lapso de que ela não se lembrava, a escuridão deixou a mente de Nienóri e eis que o rio e os locais ressequidos do Foalókë já não estavam ao seu redor, mas havia terras profundas florestadas, e era hora do ocaso. Parecia-lhe que acordava de sonhos de horror dos quais não conseguia se lembrar, mas o pavor deles pendia sombrio no fundo de sua mente, e a memória de todas as coisas passadas estava turva. Então por muito tempo ela errou nas matas, e talvez tenha sido somente o feitiço que a manteve viva, pois estava muitíssimo afaimada e sedenta, e por sorte era verão, pois seus trajes estavam rasgados e seus pés, descalços e cansados, e ela muitas vezes chorava e caminhava sem saber para onde.

"Ora, certa vez, numa clareira da mata, divisou um acampamento como os dos Homens e, aproximando-se furtivamente devido à fome para espiá-lo, viu que ali viviam criaturas de compleição atarracada e desgraciosa, e tinham rostos mui malignos, e suas vozes e seu riso eram como o choque de pedra com metal. Estavam armados com espadas curvas e arcos de chifre, e ela foi tomada de medo ao observá-los, embora não soubesse que fossem Orques, pois jamais vira esses seres maléficos antes. Ora, ela se virou e fugiu, mas foi avistada, e um deles atirou uma flecha que estremeceu subitamente numa árvore ao seu lado conforme corria, e outros, vendo que era uma mulher jovem e bela, perseguiram-na, urrando e chamando de modo horrendo. Ora, Nienóri correu tanto quanto pôde na mata densa, mas logo se exauriu e estava muito perto da captura e da terrível escravidão quando alguém irrompeu estrondeando pela mata, como se em resposta aos seus lamentáveis gritos.

"Seu cabelo era desgrenhado e negro, ainda que riscado de cinza, e seu rosto era pálido e vincado como se por profundos pesares do passado, e empunhava uma grande espada, completamente negra exceto pelos fios. Saltou com ela contra os Orques perseguidores e os derrubou, e eles logo fugiram, perplexos, e ainda que uns atirassem flechas a esmo entre as árvores, causaram poucos ferimentos, e cinco deles foram mortos.

"Então Nienóri sentou-se sobre uma pedra e, pela exaustão e aplacamento do medo, soluços a sacudiam e ela não conseguia falar; mas seu salvador ficou ao lado por um tempo, e admirou-se com sua beleza e por ela vagar assim sozinha nas matas, dizendo por fim: 'Ó doce donzela da floresta, donde vieste, e qual seria teu nome?'

"'Não, essas coisas não sei', falou. 'Mas parece-me que me desgarrei para muito longe do meu lar e do meu povo, e muitas coisas malignas sobrevieram no caminho, das quais nada a não ser uma nuvem paira na minha memória — não, não sei donde vim e nem aonde vou' — e tornou a chorar, mas o homem falou, dizendo: 'Então vê, chamar-te-ei de Níniel, a pequena das lágrimas', e a isso ela ergueu o rosto para ele, e era muito doce, ainda que maculado pelo choro, e ela disse com olhar de assombro: 'Não, Níniel não, Níniel não.' Mas não conseguia se lembrar de mais nada, e seu rosto encheu-se de aflição, ao que exclamou: 'Não, quem és tu, guerreiro das matas; por que me importunas?' 'Turambar é meu nome', disse ele, 'e não tenho lar, nem clã, e nem passado para refletir, e vago para sempre', e àquele nome o assombro da donzela se agitou novamente.

"'Ora,' disse Turambar, 'seca tuas lágrimas, ó Níniel, pois encontraste a segurança que essa floresta pode oferecer. Vê, agora faço parte do pequeno povo da floresta, e temos uma morada aprazível numa clareira longe daqui, mas hoje, conforme quis tua sorte, saímos para caçar, sim, e para destruir Orques também, pois estamos passando por apuro ao defender nossos lares desses seres malignos.'

"Então Níniel (pois assim Turambar sempre a chamava, e ela aprendeu a empregá-lo como nome) foi com ele até seus camaradas e, fazendo poucas perguntas, subiram nos cavalos, e Turambar colocou Níniel à sua frente, e assim foram tão céleres quanto possível para longe do perigo dos Orques.

"Ora, na altura da contenda de Turambar com os Orques perseguidores, metade do dia já havia passado, mas percorreram léguas no caminho quando apearam mais uma vez, e a noite começava a cair. Já no pôr-do-sol Níniel tivera a impressão de que as matas eram menos densas e menos lúgubres, e o ar, menos cheio de maldade do que antes. Ora, eles montaram acampamento numa clareira, e as estrelas brilhavam acima, onde o dossel das árvores era ralo, mas Níniel deitou-se um tanto apartada, e deram-lhe muitas peles para se cobrir do frio noturno, e assim ela dormiu mais suavemente do que o fizera em muitas noites, e as brisas beijavam-lhe o rosto, mas Turambar contou aos companheiros do encontro na floresta, e eles se perguntaram quem seria ela, ou como chegara perambulando até lá, como alguém sob um feitiço de cego esquecimento.

"Prosseguiram novamente no dia seguinte, e assim foi por muitos dias de jornada, até que, por fim, exaustos e desejosos de repouso, numa hora de sol a pino chegaram a uma torrente na floresta, e a seguiram por um trecho até alcançarem um ponto em que podiam vadeá-la devido à pouca profundidade e às rochas que estavam no curso; mas à direita deles ela mergulhava numa grande queda d'água e caía num precipício e, apontando, Turambar falou: 'Agora estamos perto de casa, pois esta é a queda da Bacia de Prata', mas Níniel, sem saber por quê, encheu-se de pavor e não conseguiu olhar para a beleza daquela água espumante. Ora, logo chegaram a lugares de árvores mais esparsas e a uma encosta na qual poucas cresciam, salvo aqui e ali algum carvalho antigo de grande circunferência, e o gramado aos seus pés era macio, pois a clareira fora aberta há muitos anos e era bastante ampla. Lá também havia um aglomerado de belas casas de madeira, e uma lavoura no entorno, e árvores frutíferas. A uma dessas casas, adornada com estranhos entalhes rústicos e com flores vivazes em volta, Turambar conduziu Níniel. 'Vê', disse ele, 'minha casa. Aqui, se desejares, hás de morar por ora, mas julgo ser um salão solitário, e há casas desse povo onde se encontram donzelas e mulheres, e nelas ficarias melhor.' Assim foi que, depois, Nienóri morou com os caminheiros-da-floresta,* e após um tempo entrou para a casa de Bethos, um homem robusto que lutara, ainda que fosse menino na época, na Batalha das Lágrimas Inumeráveis. De lá ele fugiu, mas sua esposa era uma donzela-Noldo, segundo o conto, e muito bela, e belos também eram seus filhos e filhas, exceto o filho mais velho, Tamar Pé-coxo.

"Ora, conforme os dias passavam, Turambar passou a amar Níniel de fato muitíssimo, e além dele todo o povo a amava por sua grande beleza e doçura, e, no entanto, ela estava sempre meio pesarosa, e amiúde com a mente transtornada, como alguém que procura algo fora do lugar e que logo há de encontrar, ao que a gente dizia: 'Quisera que os Valar retirassem o feitiço que jaz sobre Níniel.' Contudo, na maior parte do tempo ela era mesmo feliz entre o povo e na casa de Bethos, e a cada dia ficava mais formosa, e Tamar Pé-coxo, que era pouco estimado, amava-a em vão.

"Chegaram então dias em que a vida parecia a Turambar ter júbilo novamente, e o amargor do passado foi ficando turvo e distante, e havia amor fresco em seu coração. Então ele pensou em

---

* Na margem, aparentemente referindo-se a "caminheiros-da-floresta", está escrito *Vettar*.

deitar fora o seu fado para sempre, e viver a vida ali nos lares da floresta, com crianças à volta e, olhando Níniel, desejou se casar com ela. Passou então a cortejá-la com frequência, mas embora fosse um homem de bravura e renome, ela o afastava, sem dizer sim ou não, mas ela mesma não sabia por quê, pois parecia ao seu coração que o amava profundamente, temendo por ele quando estava longe e provando da felicidade quando estava por perto.

"Ora, era um costume daquele povo obedecer a um chefe, o qual era escolhido por eles entre os homens mais valentes, e tal cargo ele ocupava até que por sua própria vontade renunciasse, estando doente ou avançado em anos, ou se fosse morto. E àquela época Bethos era o chefe; mas ele foi morto por má sorte em uma incursão não muito tempo depois — pois apesar da idade, ainda cavalgava para fora — e ocorreu que um novo capitão precisava ser escolhido. Assim, acabaram nomeando Turambar, pois sua linhagem — visto que se sabia entre eles que era filho de Úrin — era estimada entre esses valentes rebeldes a Melko, ao passo que[23] também se tornara um homem muito poderoso em todas as façanhas e alguém de sabedoria superior aos seus anos devido às suas vastas andanças e tratos com os Elfos.

"Vendo, portanto, o amor do novo chefe por Níniel, e achando que sabiam que ela o amava também, os homens começaram a dizer como ficariam contentes em ver seu senhor casado, e que era tolice esperar sem boa razão; e essa falação chegou aos ouvidos de Níniel e, por fim, ela consentiu em ser esposa de Turambar, e todos se alegraram com isso. Um grande banquete foi feito, e houve canção e júbilo, e Níniel tornou-se senhora dos caminheiros-da--floresta, e passou a morar na casa de Turambar. Grande era a felicidade deles ali, embora às vezes um gélido presságio repousasse no coração de Níniel, mas Turambar estava em regozijo e dizia em seu coração: 'Foi oportuno que me dei o nome de Turambar, pois eis que venci o destino maligno que estava tramado em redor de meus pés.' O passado ele deitou fora, e a Níniel não falava muito sobre coisas idas, salvo de seu pai e de sua mãe e da irmã que não vira, mas Níniel sempre se abalava com tal conversa e ele não sabia por quê.[24] Mas de sua fuga dos paços de Tinwelint, da morte de Beleg e de seu retorno a Hisilómë ele jamais disse palavra, e a lembrança de Failivrin jazia encerrada no lugar mais fundo de seu coração, quase esquecida.

"Níniel nunca conseguia lhe dizer nada dos seus dias passados, e caso ele perguntasse, a aflição ficava escrita em seu rosto como se ele agitasse a superfície de sonhos sombrios, e às vezes ele se entristecia, mas isso não pesava muito sobre si.

"Ora, os dias se passam e Níniel e Turambar habitam em paz, mas Tamar Pé-coxo vaga pelas matas achando que o mundo é um lugar cruel e amargo, e amava Níniel muitíssimo e não conseguia reprimir seu amor. Mas eis que naqueles dias o Foalókë engordara, e tendo muitos bandos de Noldoli e Orques sujeitos a si, planejou estender seu domínio por toda parte. De fato, em muitos locais naqueles dias essas feras de Melko faziam coisa parecida, estabelecendo seus próprios reinos de terror que floresciam sob o manto maligno do senhorio de Melko. E foi assim que os bandos de Glorund, o draco, assolaram atrozmente o povo de Tinwelint e, afinal, alguns chegaram muito rente até mesmo àquelas matas e clareiras amadas por Turambar e seu povo.

"Ora, os homens-da-floresta não fugiram, mas lidaram bravamente com seus inimigos, e a ira de Glorund, a serpe, foi mui grande quando lhe trouxeram notícias de uma gente corajosa dos Homens que habitava muito longe do rio, e que seus saqueadores não conseguiram subjugá-la. De fato, conta-se que apesar do ardil de seus desígnios cruéis, ele ainda não sabia onde era a morada de Turambar ou de Nienóri; e, em verdade, naqueles dias parecia que a sorte sorriu por um tempo para Turambar, pois seu povo cresceu e tornou-se próspero, e muitos escaparam até mesmo da mais remota Hisilómë e chegaram até ele, e juntou estoque de riquezas e bens, pois todas as suas batalhas traziam-lhe vitória e butim. Turambar e Níniel tornaram-se como rei e rainha, e havia canção e júbilo nas clareiras de sua morada, e muita felicidade em seus salões. E Níniel concebeu.[25]

"Muito disso os espiões relataram ao Foalókë, e sua ira foi terrível. Ademais, sua cobiça foi grandemente atiçada, de modo que, após ponderar muito, montou uma guarda em que poderia confiar para vigiar sua habitação e seu tesouro, e o capitão dela era Mîm, o anão.[26] Então, deixando as cavernas e os locais de seu sono, cruzou os riachos e adentrou as matas, e elas se abrasavam diante dele. Rapidamente essas notícias chegaram a Turambar, mas ele por ora não estava temeroso, e nem de fato deu muita atenção ao relato, pois havia um longuíssimo caminho entre o lar dos homens-da-floresta e as cavernas da serpe. Mas o coração de Níniel pesou, e embora ela não soubesse por quê, um fardo de pavor e tristeza jazia sobre ela, e após aquela notícia ela raramente sorriu, ao que Turambar espantou-se e se entristeceu.

"Ora, durante esse tempo, o Foalókë arrasta-se pelas matas profundas, e um rastro de desolação fica para trás e, no entanto, conforme rastejava um longo período se passou, até que, vede!, de súbito um grupo dos homens-da-floresta deparou-se desprevenido com ele, dormindo nas matas em meio às árvores partidas. Desses, muitos foram dominados pelo hálito nocivo da fera e depois foram mortos; mas dois, partindo a toda velocidade, trouxeram novas ao seu senhor, dizendo que o relato de outrora tinha fundamento, e em verdade agora o draco se arrastava mesmo para dentro dos confins do seu reino; e, dizendo isso, caíram desfalecidos aos seus pés.

"Ora, o dragão estava em uma baixada, e havia um pequeno morro não muito longe, ilhado no meio das árvores, mas ele mesmo não muito arborizado, de onde se podia avistar, ainda que muito a distância, grande parte da região agora devastada pela passagem do draco. Havia também uma torrente que corria pela floresta naquela região entre o draco e as casas dos homens-da-floresta, mas o seu curso passava bem rente ao dragão, e era uma torrente estreita, com margens profundamente fendidas e cobertas por árvores. Portanto, Turambar tinha como propósito levar seus homens mais corajosos àquele outeiro para observar em segredo, se pudessem, os movimentos do dragão, de modo a talvez conseguirem arremeter contra ele quando estivesse em desvantagem, dando um jeito de matá-lo, pois aí estava a melhor esperança deles. Não permitiu que esse grupo fosse muito numeroso, e o restante, ao seu comando, pegou em armas e vasculhou o entorno, temendo que hostes de Orques tivessem vindo com seu senhor, a serpe. Mas não era o caso, pois ele viera sozinho, confiando em seu poder subjugador.

"Ora, quando Turambar aprontou-se para partir, Níniel implorou para cavalgar ao seu lado, e ele consentiu, pois a amava e pensava que, caso ele tombasse e o draco vivesse, então ninguém daquele povo poderia ser salvo, e gostaria de ter Níniel consigo, quiçá na esperança de pelo menos arrancá-la das garras da serpe, morrendo por suas próprias mãos ou pelas de algum de seus vassalos.

"Juntos cavalgaram então Turambar e Níniel, como aquela gente os conhecia, e atrás havia uma vintena de bons homens. Ora, a distância até o outeiro entre as árvores eles percorreram em um dia de jornada e, embora contrariando as ordens e o conselho de Turambar, seguia-os furtivamente uma grande quantidade do seu povo, até mesmo mulheres e crianças. O engodo de um estranho pavor os sustentava, e alguns pensavam em ver uma grande luta, e outros seguiam o restante sem refletir muito, mas ninguém pensava em ver o que, no fim, seus olhos viram; e eles não seguiam muito de longe, pois a companhia de Turambar ia devagar e cautelosa. Então, quando primeiro Turambar permitiu que ela cavalgasse ao seu lado, Níniel ficou mais alegre do que estivera havia muito tempo, e ela clareava o presságio nos corações daqueles homens; mas eles logo chegaram a um local não muito longe do sopé do outeiro, e ali o coração dela pesou, e em verdade uma escuridão sobreveio a todos.

"E, no entanto, era muito belo aquele lugar, pois aí fluía a mesma torrente que, mais adiante em seu curso, meandrava pelo covil do dragão num leito profundo, fendido na terra; e ela descia veloz e gélida das colinas para além das casas dos homens-da-floresta, e caía numa grande cascata onde as rochas desgastadas pela água projetavam-se, lisas e cinzentas, no meio da relva. Ora, essa era a cabeceira daquela queda d'água que os homens-da-floresta chamavam de Bacia de Prata, pela qual passaram Turambar e Níniel outrora, indo para casa quando resgataram Níniel pela primeira vez. A altura daquela queda era grandiosa, e as águas tinham uma voz alta e musical, derramando-se numa espuma prateada muito abaixo, onde haviam aberto uma grande cavidade nas rochas; e essa cavidade era sombreada por árvores e arbustos, mas o sol atravessava e cintilava sobre o borrifo; e cingindo a cabeceira da cascata havia uma clareira e um gramado verde onde crescia uma abundância de flores, e os homens amavam aquele lugar.

"Ali Níniel de súbito chorou, e atirando-se sobre Turambar implorou-lhe que não tentasse o fado, mas, antes, que fugisse com ela e todo o seu povo, conduzindo-os a terras distantes. Mas, olhando-a, ele disse: 'Não, minha Níniel, nem tu e nem eu morreremos neste dia, e nem amanhã, seja pelo mal do dragão ou pelas espadas dos inimigos', mas ele não sabia como suas palavras seriam cumpridas; e ao ouvi-las Níniel reprimiu o choro e ficou muito quieta. Assim, tendo descansado um pouco aí, os guerreiros depois escalaram o morro e Níniel foi com eles. Do cimo conseguiam ver ao longe uma ampla área onde todas as árvores estavam partidas e as terras, laceradas[27] e abrasadas, e o solo estava enegrecido, mas próximo à orla das árvores que ainda estavam ilesas, o que não era longe da beira do profundo precipício do rio, erguia-se uma fumaça fina de grande negror e os homens disseram: 'Ali jaz a serpe.'

"Então disseram conselhos de muitos tipos em cima aquele teso, e os homens temiam investir abertamente contra o dragão de dia ou de noite, se estivesse acordado ou adormecido e, vendo seu pavor, Turambar deu-lhes um conselho que foi acatado, e foram estas as suas palavras: 'Falastes certo, ó caçadores das florestas, que nem de dia e nem de noite os homens esperam pegar o dragão de Melko desprevenido, e vede, este aqui causou devastação à sua volta, e a terra foi calcada de tal forma que ninguém pode se aproximar às escondidas. Portanto, quem tiver coragem há de vir comigo, e desceremos as rochas até o pé da cascata e, trilhando o caminho da torrente, talvez consigamos chegar tão perto quanto possível do draco. Então, devemos escalar, se pudermos, até chegarmos embaixo da margem mais próxima, e então esperar, pois acredito que o Foalókë não vai repousar por muito mais tempo até se arrastar rumo às nossas casas. Assim, ele deverá ou cruzar essa torrente funda, ou desviar-se muito de suas trilhas, pois ficou grande demais para rastejar pelo leito. Ora, não penso que se desviará, pois para o grande Foalókë das cavernas douradas aquilo não passa de uma vala, um sulco estreito cheio de água corrente. Se, contudo, ele provar que estou errado e não vier por este caminho, uns poucos de vós devereis reunir coragem em vossos corações, esforçando-vos para atraí-lo cautelosamente de volta através da torrente, de modo que nós, escondidos, possamos trazer-lhe sua ruína, pungindo-o por baixo, pois a couraça dessas serpes vis é de pouco valor sob a barriga.'

"Ora, daquele grupo apenas seis prontamente se apresentaram para ir com Turambar e, ao ver isso, disse que imaginara haver mais do que seis homens corajosos em seu povo, mas depois disso, não permitiu que nenhum dos outros fosse consigo, afirmando que os seis estariam melhor sem o estorvo dos medrosos. Então Turambar disse adeus a Níniel, e eles se beijaram no cimo do morro, e era então fim de tarde, e o coração de Níniel ficou como pedra devido ao pesar; e toda aquela companhia desceu até a cabeceira da Bacia de Prata, e ali ela contemplou seu senhor baixando até a base da cascata com seus seis companheiros. Ora, quando ele havia desaparecido lá embaixo, ela ralhou com aqueles que não se atreveram a ir e, envergonhados, não responderam, esgueirando-se de volta para o teso, e observaram na direção do covil do dragão, e Níniel sentou-se ao lado da água, olhando adiante, e não chorou, mas estava angustiada.

"Ninguém ficou ao seu lado, salvo apenas Tamar, que fora com aquela companhia sem ser convidado, e ele a amara desde que ela primeiro morou nos salões de Bethos, e outrora pensara em conquistá-la antes que Turambar a tomasse. A manqueira de Tamar o acompanhava desde a infância e, no entanto, ele era sábio e gentil, ainda que tido em baixa conta por aquele povo, para quem força significava segurança e a coragem era o maior orgulho dos homens. Contudo, agora Tamar carregava uma espada, e muitos zombaram dele por isso, mas ele se regozijou com a oportunidade de guardar Níniel, embora ela não o notasse.

"Agora é preciso contar que Turambar chegou ao local que desejava depois de muito se esforçar no leito rochoso da torrente e junto de seus homens escalou com dificuldade a lateral íngreme daquela ravina. Logo abaixo da borda, abrigaram-se em umas árvores que pendiam dali, e não muito longe conseguiam escutar a respiração alta da fera, e alguns dos seus companheiros se desesperaram.

"A escuridão já caíra, e ficaram ali a noite toda, e havia uma cintilação estranha onde o dragão repousava, e barulhos pavorosos e um tremor quando ele se mexia, e à chegada da aurora Turambar viu que só lhe sobraram três companheiros, e maldisse os outros por sua covardia, e nenhum conto diz para onde fugiram aqueles infiéis. Nesse dia, aconteceu tudo conforme Turambar planejara, pois o draco começou a se movimentar e arrastou-se lentamente para beira do precipício sem se desviar, procurando passar por cima e, assim, chegar aos lares dos homens-da-floresta. Ora, o terror de sua aproximação foi grandioso, pois a terra sacudiu, e aqueles três temiam que as árvores que os sustentavam tivessem as raízes afrouxadas e caíssem na torrente rochosa lá embaixo. As folhas das árvores que cresciam por perto também murcharam com o hálito da serpente, mas eles não se feriram pela proteção da margem.

"Afinal o draco chegou à beira da torrente, e a visão de sua cabeça maligna e de suas mandíbulas gotejantes era hedionda ao extremo, e eles as viram com clareza e ficaram aterrorizados, temendo que ele também pudesse avistá-los, pois estava atravessando fora do ponto que Turambar havia escolhido para se esconder por causa da estreiteza do precipício ali e de sua menor profundidade. Em vez disso, ele começou a içar-se através da ravina um pouco abaixo deles, e assim, escorregando do lugar em que estavam, Turambar e seus homens alcançaram o leito tão rapidamente quanto possível e chegaram embaixo da barriga da serpe. O calor aí era tão grande e o fedor tão repugnante que seus homens foram tomados de um terror tremendo e não se atreveram a escalar a margem novamente. Então, em sua ira, Turambar teria voltado a espada contra eles, mas eles fugiram, e foi assim que escalou o paredão sozinho até chegar rente à parte de baixo do corpo do dragão, e ele vacilou em virtude do calor e do fedor, e agarrou-se a um arbusto vigoroso.

"Então, aguardando até que um ponto muito vital e desprotegido estivesse ao alcance de seu golpe, ele ergueu Gurtholfin, sua espada negra, e pungiu com toda a força acima de sua cabeça, e a lâmina mágica dos Rodothlim penetrou as vísceras do dragão até o cabo, e o estertor de sua dor fatal varou as matas e todos os que o ouviram ficaram aterrorizados.

"Então o draco contorceu-se horrivelmente e as imensas espirais de suas torções eram terríveis de se ver, e arrebentou todas as árvores perto do lugar em que agonizava. Ele havia quase atravessado o precipício quando Gurtholfin o perfurou, e então se atirou na margem oposta e devastou tudo à volta, e ricocheteava e se enrolava e emitia gritos e urros tamanhos que faziam até o mais valente empalidecer e virar-se para fugir. Ora, os que estavam ao longe pensaram que era o ruído medonho da batalha entre os sete, Turambar e seus companheiros,[28] e pouca esperança tinham de jamais ver qualquer um deles retornando, e o coração de Níniel morreu dentro de si ao ouvir esses sons; mas lá embaixo na ravina, os três pusilânimes que tinham observado Turambar de longe fugiram de volta para a catarata aterrorizados, e Turambar agarrou-se perto da beira do precipício, pálido e tremendo, pois estava exaurido.

"Afinal cessaram aqueles ruídos de horror e ergueu-se uma grande fumaça, pois Glorund estava morrendo. Então, com intrepidez extrema, Turambar saiu sozinho de seu esconderijo, pois na agonia do Foalókë sua espada lhe fora arrancada da mão antes que pudesse recolhê-la, e ele estimava Gurtholfin mais do que todas as suas posses, pois todas as coisas — pessoa ou animal — morriam quando seu gume as mordia uma só vez. Agora Turambar conseguia ver onde o dragão jazia, e ele estava rígido, estirado de lado, e Gurtholfin ainda estava em sua barriga; mas continuava a respirar.

"Ainda assim, Turambar foi até ele lentamente e pôs o pé sobre seu corpo, mal conseguindo retirar Gurtholfin com toda sua força, mas assim que o fez, disse no triunfo do seu coração: 'Agora nos encontramos novamente, ó Glorund, tu e eu, Turambar, a quem um dia chamaram de valente';[29] mas conforme ele falava, o sangue maligno jorrou daquela ferida sobre de sua mão e a queimou, e ela murchou, ao que gritou subitamente de dor. Então o Foalókë, abrindo os olhos pavorosos, olhou para ele, e ele desfaleceu ao lado do draco e a espada estava debaixo dele.

"Assim o dia se arrastou, e nenhuma notícia chegava ao cimo do morro, e Níniel não conseguia mais suportar a angústia e levantou-se, fazendo menção de ir embora da clareira sobre a catarata, e Tamar Pé-coxo disse: 'O que pensas fazer?', mas ela replicou: 'Quero buscar meu senhor e jazer morta ao seu lado, pois tenho para mim que está morto', e ele procurou dissuadi-la, sem sucesso. E conforme caía a noitinha, aquela bela senhora andava pela floresta, e não queria que Tamar a seguisse, mas, vendo que o fazia, ela correu cegamente entre as árvores, rasgando as roupas e lanhando o rosto em locais com arbustos espinhosos, e Tamar, por ser manco, não conseguia acompanhá-la. E assim a noite desceu nas matas e tudo estava quieto, e um grande pavor por Níniel tomou conta de Tamar, de modo que ele maldisse sua fraqueza, e seu coração se amargurou, mas não parou de segui-la tão rápido quanto podia e, perdendo-a de vista, desviou seu curso na direção daquela parte da floresta perto da ravina onde a última batalha da serpe fora travada, pois ela em verdade podia ser percebida pelos espectadores no morro. Ora, quando a noite já ia alta, uma lua brilhante se ergueu e Tamar, que vagara amiúde sozinho por toda parte desde os lares dos homens-da-floresta, conhecia aquelas regiões e chegou afinal às franjas da desolação que o dragão causara em sua agonia; mas o luar estava muito brilhoso, e parando entre os arbustos perto das beiras daquele lugar, Tamar ouviu e viu tudo o que se passou ali.

"Eis que Níniel havia chegado então àqueles lugares não muito antes dele, e imediatamente ela correu destemida para o campo aberto, por amor a seu senhor, e assim o encontrou caído com a mão ressequida, desmaiado de través sobre a espada; mas não deu atenção à fera imensa que jazia estirada ali, e caindo do lado de Turambar, chorou, e beijou-lhe o rosto, e pôs bálsamo em sua mão, pois o tinha trazido numa caixinha quando partiram, temendo que muitas feridas seriam infligidas antes que os homens retornassem ao lar.

"Mas Turambar não despertou ao seu toque, nem se mexeu, e ela gritou, pensando que ele agora estava morto, decerto: 'Ó Turambar, meu senhor, desperta, pois a serpente de ira está morta e só eu estou por perto!' Mas eis que, a essas palavras, o draco se mexeu pela última vez e voltando-lhe os olhos perniciosos antes de cerrá-los para sempre, falou: 'Ó Nienóri, filha de Mavwin, alegra-te em saber por mim que encontraste teu irmão afinal, pois a busca foi exaustiva — e ele agora se tornou um homem poderoso e um esfaqueador oculto de seus inimigos'; mas Nienóri ficou sentada, atônita, e com isso Glorund morreu, e ao morrer o véu de seus feitiços desceu dela, e toda a sua memória clareou, e também não se esqueceu de nada que lhe acontecera desde que caiu pela primeira vez sob a magia da serpe; de modo que seu vulto chacoalhava de horror e angústia. Então saltou de pé, lívida sob a lua, e fitando Turambar com os olhos arregalados, falou alto: 'Então tua sina está cumprida, por fim. Bem estás morto, ó mais infeliz', mas, desvairada com sua desgraça, subitamente fugiu daquele lugar e foi-se embora desenfreada, como louca, para onde quer que seus pés a levassem.

"Mas Tamar, cujo coração estava entorpecido de pesar e comiseração, seguiu como pôde, cuidando pouco de Turambar, pois todo o seu coração se enchia de ira pelo fado de Nienóri. Ora, a torrente e o profundo abismo interpunham-se no caminho dela, mas aconteceu que ela desviou antes de chegar às margens, e seguiu seu curso sinuoso por lugares pedregosos e espinhentos até chegar uma vez mais à clareira na cabeceira daquela grande catarata rugidora, e ela estava vazia conforme a primeira luz cinzenta de um novo dia filtrava-se pelas árvores.

"Ali se deteve e, parada, disse a si mesma: 'Ó águas da floresta, aonde vades? Quereis levar Nienóri, Nienóri filha de Úrin, cria da desgraça? Ó vós, espumas brancas, quisera eu que me pudésseis banhar — mas fundas, fundas devem ser as águas para lavar minha memória dessa maldição inominável. Ó levai-me até lá, muito, muito longe, onde estão as águas do mar deslembrado. Ó águas da floresta, aonde vades?' Então, parando de repente, lançou-se das bordas da catarata e pereceu lá embaixo, onde ela espumava sobre as rochas; mas naquele momento o sol se ergueu acima das árvores, e a luz caiu nas águas, e as águas rugiram indiferentes por sobre a morte de Nienóri.

"Ora, tudo isso Tamar observou, e a luz do novo sol parecia-lhe escura, mas, dando as costas àqueles lugares, foi ao teso e lá já se havia reunido grande número de pessoas, e entre elas estavam os três que tinham abandonado Turambar por último, e eles inventaram uma estória para os ouvidos do povo. Mas quando Tamar chegou, postou-se subitamente diante deles, e seu semblante era terrível de se ver, de modo que um murmurinho correu entre eles: 'Ele está morto'; mas outros disseram: 'O que então aconteceu à pequena Níniel?' — mas Tamar gritou: 'Ouvi, ó meu povo, e dizei se há algum fado como este que vos contarei, ou alguma desgraça tão pesada. O draco está morto, mas ao seu lado jaz Turambar, também morto, ele mesmo que primeiro foi chamado de Túrin, filho de Úrin,[30] e isso é bom; sim, muito bom', e a gente rumorejou, espantando-se com o que ele falava, e uns disseram que estava louco. Mas Tamar disse: 'Pois sabei, ó povo, que Níniel — a bela amada de todos vós e que amei mais do que meu próprio coração — está morta, e as águas rugem por cima dela, pois saltou sobre as quedas da Bacia de Prata, desejando nunca mais ver a luz do dia. Agora está encerrado todo esse feitiço maligno, agora a sina de todo o povo de Úrin cumpriu-se terrivelmente, pois ela a quem vós chamáveis de Níniel era em verdade Nienóri, filha de Úrin, e isso ela descobriu antes de morrer, e isso ela contou às matas bravias e o eco chegou até mim.'

"A essas palavras os corações de todos os que ali estavam se partiu de tristeza e terror, mas ninguém se atreveu a ir até o local da aflição daquela bela senhora, pois um espírito infeliz ainda mora lá e ninguém põe os pés naquele relvado; mas grande remorso varou os corações daqueles três covardes e, esgueirando-se para longe da turba, foram procurar o corpo de seu senhor, e eis que o encontraram se mexendo e vivo, pois quando o dragão morreu o desfalecimento perdeu efeito sobre ele, e ele dormiu sono profundo por exaustão, mas agora estava acordando e tinha dores. Enquanto aqueles três estavam ali parados, ele falou, e disse 'Níniel', e àquele nome eles cobriram os rostos por pena e horror e não conseguiram olhá-lo, mas depois o instigaram e eis que ele se alegrou muito de sua vitória; mas, notando sua mão subitamente, falou: 'Vede! Alguém cuidou de minha ferida com destreza — quem pensais que o fez?' — mas eles não responderam, pois suspeitavam. Ora, assim Turambar foi levado, debilitado e ferido, de volta para seu povo, e um deles foi na frente e exclamou que seu senhor vivia, mas os homens não sabiam se estavam contentes; e conforme chegou entre eles, muitos viraram a cara, escondendo a perplexidade de seus corações e as lágrimas, e ninguém se atreveu a falar.

"Mas Turambar disse aos que estavam perto: 'Onde está Níniel, minha Níniel? Pois pensei que a encontraria aqui em júbilo — mas se ela preferiu voltar aos meus salões, então está bem', e aqueles que ouviam não conseguiram mais conter o pranto, e Turambar se ergueu, exclamando 'Que nova desgraça é essa? Falai, falai, minha gente, e não me tortureis!' E alguém disse: 'Ai, meu senhor, Níniel está morta', mas Turambar vociferou asperamente contra os Valar e seu fado de desgraça, e outro disse, por fim: 'Sim, ela está morta, pois caiu nas profundezas da Bacia de Prata', mas Tamar, que estava ao lado, murmurou: 'Não, ela se atirou lá.' Então Turambar, entreouvindo essas palavras, agarrou-o pelo braço e exclamou: 'Fala, ó coxo, fala o que significam tuas palavras repugnantes, ou hás de perder a língua', pois seu tormento era terrível de se ver.

"Ora, o coração de Tamar estava muito abalado e dorido pelas coisas pavorosas que vira e ouvira, e pela longa desesperança de seu amor por Níniel, ao que subitamente inflamou-se dentro dele a ira contra Turambar e, rechaçando seu toque, falou: 'Uma donzela tu encontraste nas matas bravias, e deste-lhe um nome jocoso, e tu e toda a gente a chamavam de Níniel, a pequena das lágrimas. Cruel foi tua jocosidade, Turambar, pois eis que ela se atirou cega de horror e em desgraça, desejando jamais te ver novamente, e o nome pelo qual chamou a si mesma à morte foi Nienóri, filha de Úrin, cria da desgraça, e nem todas as águas da Bacia de Prata caindo nas profundezas seriam capazes de verter todo o conto de lágrimas sobre Níniel.'

"Então Turambar, com um rugido, tomou-lhe pela garganta e o sacudiu, dizendo: 'Tu mentes, filho maligno de Bethos', mas Tamar ofegou: 'Não, maldito; assim falou Glorund, o draco, e Níniel, ao ouvir, soube que era verdade.' Mas Turambar disse: 'Então vai conversar em Mandos com teu Glorund', e assassinou-o à vista do povo e partiu desvairado, vociferando 'Está mentindo, está mentindo!'; e, contudo, estando agora livre da cegueira e dos sonhos em seu profundo coração, sabia que era verdade e que seu destino enfim se cumprira.

"Assim ele deixou seu povo para trás e andou alheado pelas matas, chamando sempre por Níniel, até que as florestas passaram a reverberar muito sinistramente com aquele nome, e sua andança o levava em círculos sempre de volta para a clareira da Bacia de Prata, e ninguém ousara segui-lo. Lá brilhava o sol da tarde, e eis que todas as árvores estavam secas, por mais que ainda fosse alto verão, e havia nas folhas um ruído como o do outono morrente. Todas as flores e a relva estavam ressequidas, e a voz da água que caía era mais infeliz do que as lágrimas pela morte da alva donzela Nienóri, filha de Úrin, que lá estivera. Turambar postou-se ali, finalmente exausto, e, sacando a espada, disse: 'Salve, Gurtholfin, vara da morte, pois tu és a ruína de todos os homens, e a vida de todos os homens aprazer-te-ia beber, sem ter senhor e nem lealdade senão à mão que te empunha, caso seja forte. Tenho apenas a ti agora — mata-me, portanto, e sê breve, pois a vida é uma maldição, e todos os meus dias são uma imundície rastejante, e todos os meus feitos são vis, e todos os que amo estão mortos.' E Gurtholfin disse: 'Isso farei contente, pois sangue é sangue, e talvez o teu não seja menos doce do que muitos que me ofertaste até hoje'; e Turambar atirou-se no gume de Gurtholfin e a lâmina escura tirou-lhe a vida.

"Mas depois vieram alguns timidamente e o levaram embora, depondo-o num local ali perto, e ergueram um grande teso por cima dele, e depois arrastaram até ali uma grande rocha de superfície lisa, e nela foram entalhados estranhos sinais que o próprio Turambar lhes ensinara em dias mortos, trazendo o saber das cavernas dos Rodothlim, e aquela inscrição dizia:

Turambar, matador de Glorund, a Serpe
que era também Túrin Mormakil
Filho de Úrin das Matas

e debaixo disso entalharam o nome 'Níniel' (ou filha das lágrimas); mas ela não estava lá, e nenhum homem sabe onde as águas depositaram seu vulto formoso."

Nisso, Eltas parou de falar, e de súbito todos os que ouviam choraram; mas ele disse: "Sim, é um conto infeliz, pois o pesar sempre andou longe em meio aos Homens e ainda o faz, mas naqueles dias selvagens coisas mui terríveis foram feitas e sofridas; e, no entanto, de raro Melko devisou crueldade maior, e não conheço conto mais lamentável."

Então, depois de um tempo alguns o questionaram a respeito de Mavwin e Úrin e dos eventos posteriores, e ele disse: "Ora, de Mavwin não se preservou registro seguro como o do conto de Túrin Turambar, seu filho, e muitas coisas são ditas, e algumas diferem entre si; mas isto vos posso dizer, que depois desses feitos terríveis o povo da floresta não se dispôs mais a morar naquele lugar, e eles partiram para outros vales da mata e, no entanto, uns poucos permaneceram tristemente próximo de seus antigos lares; e certa vez chegou uma dama idosa vagando pela floresta, e ela se deparou com a rocha entalhada. Um daqueles homens-da-floresta lhe disse o significado dos sinais, e contou-lhe toda a história, conforme se lembrava — mas ela ficou em silêncio, e não falou nem se moveu. Então ele disse: 'Teu coração está pesado, pois é um conto que leva todos os homens às lágrimas.' Mas ela falou: 'Sim, meu coração está mesmo infeliz, pois sou Mavwin, mãe desses dois', e o homem percebeu que aquele longo conto de pesar ainda não tinha chegado ao fim — mas Mavwin se ergueu e passou para as matas, chorando angustiada, e por muito tempo assombrou aquele lugar, de modo que o homem-da-floresta e seu povo fugiram e nunca mais voltaram, e ninguém sabe dizer se era mesmo Mavwin que ia até lá ou seu fantasma sombrio que não queria voltar a Mandos em virtude de sua grande infelicidade.[31]

"No entanto, conta-se que Úrin viu todos esses eventos terríveis pela magia de Melko, e era constantemente tentado por aquele Ainu a sucumbir à sua vontade, e não o fazia; mas quando a sina de seu povo foi cumprida por inteiro, então Melko pensou em usar Úrin de maneira diferente e mais sutil, e o libertou daquele lugar elevado e repugnante onde estivera sentado por muitos anos com o coração atormentado. Mas Melko foi ter com ele, e falou-lhe com maldade sobre os Elfos, e acusou especialmente Tinwelint[32] de fraqueza e pusilanimidade. 'Não consigo compreender', disse ele, 'por que ainda há Homens grandes e sábios que confiam na amizade dos Elfos e, tornando-se tolos o bastante para resistir ao meu poder, triplicam sua tolice ao buscarem ajuda segura dos Gnomos ou Fadas. Vê, ó Úrin, não fosse o coração débil de Tinwelint da floresta, como meus desígnios poderiam acontecer? E talvez agora Nienóri vivesse e Mavwin, tua esposa, não estivesse chorando, mas, sim, contente por recuperar o filho. Vai então, ó tolo, e volta a comer o pão amargo dado por caridade nos paços de teus belos amigos.'

"Então Úrin, curvado pelos anos e pelo sofrimento, partiu sem ser importunado dos reinos de Melko e chegou a terras mais benfazejas, mas a todo momento ponderava sobre o que Melko dissera, e a trama ardilosa de verdades entrelaçadas com falsidade nublava o juízo de seu coração, e seu espírito estava muitíssimo amargurado. Ora, ele reuniu junto de si, portanto, um bando de Elfos selvagens,[33] e eles se haviam tornado um povo feroz e sem lei que não morava com sua gente, a qual os expulsara para as colinas para viver ou morrer como lhes aprouvesse. Assim, certa vez Úrin os conduziu às cavernas dos Rodothlim, e eis que os Orques haviam fugido dali quando da morte de Glorund, e apenas um ainda morava lá, um velho anão deformado que sempre se sentava na pilha de ouro, cantando sombrias canções de encantamento para si mesmo. Mas ninguém até então se achegara para espoliá-lo, pois o terror do draco viveu mais tempo do que ele mesmo, e ninguém se aventurara até lá novamente por pavor do próprio espírito de Glorund, a serpe.[34] Agora, portanto, quando esses Elfos se aproximaram, o anão postou-se diante dos portões da caverna que outrora fora a morada de Galweg e exclamou: 'Que quereis comigo, ó proscritos das colinas?' Mas Úrin respondeu: 'Viemos tomar o que não é teu.' Então disse o anão, cujo nome era Mîm: 'Ó Úrin, não esperava te ver, um senhor de Homens, na companhia de tamanha súcia. Ouve agora as palavras de Mîm, o sem-pai, e vai embora, sem tocar neste ouro como se ele fosse fogo venenoso. Pois Glorund refestelou-se por longos anos sobre ele, e a malignidade dos dracos de Melko está nele, e nenhum bem ele pode trazer a Homem ou Elfo, e eu, somente eu, posso guardá-lo — Mîm, o anão — e atei-o com muitos feitiços sombrios a mim mesmo.' Então Úrin vacilou, mas seus homens iraram-se com isso, de modo que ordenou que pegassem tudo, e Mîm ficou ao lado e observou, e irrompeu em imprecações terríveis e malignas. A isso, Úrin o golpeou, dizendo: 'Viemos tomar somente o que não é teu — mas por tuas palavras malignas tomaremos o que é teu também, até mesmo a tua vida.'

"Mas, morrendo, Mîm disse a Úrin: 'Agora Elfos e Homens hão de se arrepender por este feito, e por causa da morte de Mîm, o anão, a morte há de seguir esse ouro enquanto ele permanecer na Terra, e do mesmo fado há de partilhar toda quota e quinhão do todo.' E Úrin estremeceu, mas seu povo gargalhou.

"Ora, Úrin fez seus seguidores levarem o ouro aos paços de Tinwelint, e eles resmungaram por isso, mas ele falou: 'Será que vos tornastes como os dracos de Melko, deitando-se e chafurdando-se em ouro, sem querer outra alegria? Se levardes este tesouro até ele, tereis vida mais doce na corte desse rei ganancioso do que todo o ouro de Valinor vos pode proporcionar nas matas vazias.'

"Ora, seu coração estava amargurado com Tinwelint, e desejava vingança, como se pode ver. Tamanho era o tesouro que, por maior que fosse a companhia de Úrin, quase não conseguiram levá-lo às cavernas de Tinwelint, o rei, e dizem que um tanto ficou para trás, e um tanto se perdeu no caminho, e o mal acossou para sempre aqueles que o encontraram.

"Por fim, contudo, aquela hoste carregada chegou à ponte diante das portas e, questionado pelos guardas, Úrin disse: 'Diz ao rei que Úrin, o Resoluto, chegou trazendo presentes', e assim foi feito. Então Úrin fez colocarem aquela magnificência diante do rei, mas ela estava oculta em sacas ou encerrada em caixas de madeira tosca; e Tinwelint cumprimentou Úrin com júbilo e espanto, e deu-lhe as boas-vindas três vezes, e ele e toda a corte se ergueram em honra àquele senhor de Homens; mas o coração de Úrin estava cego em razão dos seus anos de tormento e das mentiras de Melko, e ele disse: 'Não, ó Rei, não desejo ouvir tais palavras — diz apenas onde está Mavwin, minha esposa; e sabes se Nienóri, minha filha, está morta?' E Tinwelint disse que não sabia.

"Então Úrin contou tudo com ferocidade, e o rei e todo o povo à sua volta cobriram os rostos por grande pena, mas Úrin falou: 'Ora,[35] se tiveste tido a fibra que tem o menor dos Homens, eles nunca se teriam perdido; mas vê, trago-te agora uma paga por todas as atribulações do teu bando insignificante que investiu contra Glorund, o draco, e que, ao desertarem, entregaram os meus amados ao seu poder. Ó Tinwelint, contempla docemente os meus presentes, pois tenho para mim que o brilho do ouro é tudo o que teu coração contém.'

"Então os homens deitaram aquele tesouro aos pés do rei, descobrindo-o de modo que toda a corte ficou atordoada e pasmada — mas agora os homens de Úrin compreendiam o que passava, e não ficaram contentes. 'Eis o tesouro de Glorund', disse Úrin, 'comprado pela morte de Nienóri com o sangue de Túrin, matador da serpe. Pega, ó rei poltrão, e alegra-te de que há Homens corajosos para conquistar riquezas para ti.'

"E as palavras de Úrin foram demais para Tinwelint suportar, e ele disse: 'O que queres dizer, filho de Homens, e por que me repreendes?³⁶ Por muito tempo acolhi teu filho e perdoei a maldade de seus feitos, e depois socorri tua esposa, cedendo aos seus desejos insanos contra meu alvitre. É Melko quem te odeia, não eu. E, no entanto, o que tenho com isso — e por que tu, da rude raça dos Homens, te prestas a repreender um rei dos Eldalië? Vê! Minha vida começou em Palisor incontáveis anos antes de o primeiro Homem despertar. Vai-te embora, Úrin, pois Melko te enfeitiçou, e leva tuas riquezas contigo' — mas ele se absteve de matar ou atar Úrin com encantamentos, lembrando-se de sua antiga valentia na causa dos Eldar.

"Então Úrin partiu, mas não quis tocar no ouro e, avançado em anos, chegou a Hisilómë e morreu entre os Homens, mas suas palavras perduraram, gerando estranhamento entre Elfos e Homens. No entanto, conta-se que quando morreu seu fantasma voltou às matas procurando Mavwin, e por muito tempo os dois assombraram as florestas em torno da catarata da Bacia de Prata, lamuriando-se pelos filhos. Mas os Elfos de Kôr disseram, e eles sabem, que Úrin e Mavwin foram no fim até Mandos, e Nienóri não estava lá e nem Túrin, seu filho. Turambar de fato seguira Nienóri pelas trilhas negras até as portas de Fui, mas Fui não quis abri-las a eles, e nem Vefántur. No entanto, as preces de Úrin e Mavwin chegaram até mesmo a Manwë, e os Deuses tiveram piedade de seu fado infeliz, de modo que aqueles dois, Túrin e Nienóri, entraram em Fôs'Almir, o banho de flama, da mesma forma que Urwendi e suas donzelas o haviam feito em eras passadas antes do primeiro erguer do Sol, e assim todos os seus pesares e todas as suas máculas foram lavadas, e eles habitaram como Valar luzentes entre os sagrados, e agora o amor entre irmão e irmã é muito belo; mas Turambar há de estar, de fato, ao lado de Fionwë na Grande Vindita, e Melko e seus dracos hão de maldizer a espada do Mormakil."

E assim dizendo, Eltas concluiu, e ninguém perguntou mais nada.

NOTAS

1. O trecho foi rejeitado antes da alteração de *Tintoglin* para *Tinwelint*; ver p. 90.
2. Acima do nome *Egnor* está escrito "Damrod, o Gnomo"; ver Comentário *, p. 172.
3. Aqui e imediatamente abaixo, o nome escrito originalmente era *Tinthellon*; esse adendo deve pertencer à mesma época da nota no manuscrito determinando a mudança de *Tintoglin* para *Ellon* ou *Tinthellon* (p. 90). Ver nota 32, a seguir.

4 Há uma nota no manuscrito associada a essa substituição: "Se Beren for um Gnomo (como está agora na história de Tinúviel), as referências a Beren devem ser alteradas". No trecho rejeitado, Egnor, pai de Beren, "era aparentado de Mavwin", ou seja, Egnor era um Homem. Ver notas 5 e 6 e o Comentário *, p. 172.

5 "Túrin, filho de Úrin": originalmente escrito "Beren Ermabwed". Ver notas 4 e 6.

6 Originalmente escrito "e quando o rei ouviu do parentesco entre Mavwin e Beren". Ver notas 4 e 5.

7 *Linwë (Tinto)* era o nome "élfico" original do rei, e pertence à mesma "camada" de nomes de *Tintoglin* (ver I. 145, 162). A manutenção dele aqui (sem alteração para *Tinwë*) é claramente um simples deslize. Ver notas 19 e 20.

8 Originalmente escrito "visto que era um Homem de grande tamanho".

9 Compare essa passagem com a p. 22 do *Conto de Tinúviel*, que é muito semelhante. Demonstra-se que o trecho em *Turambar* é anterior (o que é presumível, de toda forma) pelo fato de que, em *Tinúviel*, isso só é relevante se Beren for um Gnomo, e não um Homem (ver nota 4).

10 "sonhos lhes chegavam": originalmente escrito "sonhos os Valar lhes enviavam".

11 "e seu nome era Glorund" foi acrescentado depois, assim como as ocorrências subsequentes do nome, nas pp. 107, 119, 123; mas a partir da primeira ocorrência na p. 128, *Glorund* é a forma que aparece originalmente no manuscrito.

12 "com o auxílio de Flinding, cujos ferimentos não eram graves": originalmente escrito: "com o auxílio de um homem com ferimentos leves". Todas as referências subsequentes a Flinding nesse trecho foram acrescentadas depois.

13 Originalmente escrito "o coração de Túrin estava dorido, e foi assim que somente ele e o outro retornaram daquela batalha".

14 Originalmente escrito "embora toda a gente àquela época considerasse tal feito atroz e covarde".

15 Originalmente escrito "e olhar Nienóri novamente". Isso foi emendado para "e olhar Nienóri, a quem nunca vira". As palavras "desde seus primeiros dias" foram acrescentadas ainda depois.

16 A seguinte passagem foi riscada, aparentemente no momento da composição:

'De fato', disseram, 'os viajantes e caminheiros das colinas relatam que por muitas e muitas luas até mesmo as divisas mais longínquas estiveram livres deles, incomumente seguras, e assim muitos homens saíram de Hisilómë para as Terras Além.' E era verdade que, durante a vida de Turambar como exilado da corte de Tintoglin, ou escondido entre os Rothwarin, Melko pouco importunara Hisilómë ou os caminhos que levavam até lá.

(*Rothwarin* era a forma original no conto todo, substituída posteriormente por *Rodothlim*). Ver p. 121, em que a situação descrita no trecho rejeitado se refere ao período anterior (antes da destruição dos Rodothlim), quando Mavwin e Nienóri deixaram Hisilómë.

17 Escrito originalmente "duas vezes sete". Quando Túrin fugiu da terra de Tinwelint, fazia exatos 12 anos desde que deixara a casa da mãe (p. 97), e Nienóri nasceu antes disso, mas não se diz exatamente quanto tempo antes.

18 Depois de "um grande e terrível projeto em curso", originalmente estava escrito "cuja estória não entra neste conto". Não sei se isso significa que, quando meu

pai escreveu pela primeira vez aqui sobre o "projeto" de Melko, ele não tinha em mente a destruição dos Rodothlim.

19 "o rei": originalmente escrito "Linwë". Ver nota 7.
20 *Linwë*: um equívoco. Ver nota 7.
21 "ao local elevado": escrito originalmente "a uma colina".
22 Essa frase — "E foi assim que a jactância de Túrin [...]" — foi acrescentada a lápis posteriormente. A referência é ao fato de que Túrin chamou a si mesmo de *Turambar*: "a partir deste momento ninguém há de me chamar de Túrin se eu viver" (p. 110).
23 Essa frase, a partir de "pois sua linhagem [...]" até aproximadamente este ponto, está riscada bem de leve. Na página oposta do manuscrito há a seguinte inscrição apressada: "Fazer com que Turambar nunca fale de sua linhagem a novas pessoas (enterrará o passado) — isso evita a possibilidade (com cert.) de Níniel ouvir de alguém a linhagem dele." Ver p. 161.
24 Diante dessa frase há um ponto de interrogação escrito a lápis, na margem. Ver nota 23 e p. 161.
25 "E Níniel concebeu" foi acrescentado a lápis posteriormente. Ver Comentário, p. 166.
26 "e o capitão dela era Mîm, o anão" acrescentado posteriormente, a lápis. Ver Comentário, p. 169.
27 A palavra *tract* [área] pode ser lida como *track* [rastro], e a palavra *hurt* [laceradas], como *burnt* [queimadas] (mas com menor probabilidade).
28 Da maneira que está, essa frase dificilmente significaria outra coisa senão que as pessoas achavam que os homens estavam lutando entre si; mas por que eles pensariam tal coisa? Com maior probabilidade, meu pai se esqueceu por descuido do final da frase: "entre os sete, Turambar e seus companheiros e o dragão".
29 Turambar está se referindo às palavras de Glorund para ele diante das cavernas dos Rodothlim: "Ó Túrin Mormakil, a quem um dia chamaram de valente" (p. 110).
30 Essas palavras, a partir de "ele mesmo que [...]" foram acrescentadas posteriormente a lápis. *Úrin* também pode ser lido como *Húrin*.
31 Deste ponto até o final do conto de Eltas, o texto original foi completamente riscado, e é seguido, no caderno manuscrito, por dois breves esboços narrativos, os quais também foram rejeitados. O texto incluído aqui (a partir de "No entanto, conta-se [...]") encontra-se em retalhos de papel colocados dentro do caderno. Para o material rejeitado, ver pp. 166–69.
32 Em toda a porção final do texto (a que foi escrita em retalhos de papel, ver nota 31), o nome do rei foi inicialmente escrito *Tinthellon*, e não *Tintoglin* (ver nota 3).
33 "Elfos": originalmente escrito "homens". A mesma alteração foi feita a seguir ("Agora, portanto, quando esses Elfos se aproximaram") e um pouco mais adiante "homens" foi removido em dois lugares ("seu povo gargalhou", "Úrin fez seus seguidores levarem o ouro", p. 140); mas várias ocorrências de "homens" foram mantidas, possivelmente por descuido, embora "homens" seja usado frequentemente em referência a Elfos no *Conto de Turambar* (p. ex. "Beleg e Flinding, ambos homens robustos", p. 102).

34 A frase a partir de "Mas ninguém até então se achegara [...]" foi acrescentada posteriormente, a lápis.
35 Essa frase, a partir de "Então Úrin contou tudo com ferocidade [...]" foi acrescentada posteriormente, substituindo a frase "Então Úrin disse: 'Se tiveste tido a fibra [...]'".
36 Essa frase, a partir de "O que queres dizer [...]" substituiu o original "Vai-te embora, e leva tua imundície contigo."

Alterações feitas a nomes em
O Conto de Turambar

Fuithlug < *Fothlug* < *Fothlog*

Nienóri Na primeira ocorrência (p. 93), meu pai originalmente escreveu *Nyenòre (Nienor)*. Depois disso, ele excluiu *Nyenòre*, removeu os parênteses de *Nienor* e acrescentou *-i*, chegando a *Nienori*. Em ocorrências subsequentes, o nome foi escrito tanto como *Nienor* quanto como *Nienóri*, mas *Nienor* foi alterado para *Nienóri* posteriormente ao longo de todo o início do conto. Mais para o final, e no texto escrito em retalhos de papel que o conclui, a forma é *Nienor*. Eu coloquei *Nienóri* em todo o conto.

Tinwelint < *Tinthellon* (p. 93, duas vezes). Ver p. 90 e nota 3, p. 142. *Tinwelint* < *Tinthellon* também na parte conclusiva do texto, ver nota 32.

Tinwelint < *Tintoglin* ao longo de todo o conto, exceto nas ocorrências recém-mencionadas (em que *Tinwelint* < *Tinthellon* em trechos acrescentados depois); ver p. 90.

Gwedheling < *Gwendeling* em todas as ocorrências (*Gwendeling* inalterado na p. 99, mas isso foi obviamente um descuido: eu coloquei *Gwedheling* no texto). No dicionário gnômico, a forma *Gwendeling* foi alterada para *Gwedhiling*; ver p. 67.

Flinding bo-Dhuilin < *Flinding go-Dhuilin* Essa alteração, feita na ocorrência da p. 101, não foi feita na p. 105, mas isso se deve claramente ao fato de que o nome passou despercebido, e eu coloquei *bo-Dhuilin* em ambos os casos; a mesma alteração de *go-* para *bo-* foi feita no *Conto de Tinúviel*, ver p. 67. O nome assume a forma *Dhuilin* quando o patronímico é prefixado (compare com *Duilin* p. 101).

Rodothlim < *Rothwarin* em todas as ocorrências.

Gurtholfin < *Gortholfin* nas primeiras ocorrências, mas, a partir da p. 107, *Gurtholfin* é a forma originalmente escrita.

Comentário a
O Conto de Turambar
§1. A narrativa primária

Ao comentar esse longo conto, é conveniente dividi-lo em seções curtas. Ao longo deste comentário, faço frequente referência à longa (embora incompleta) narrativa em prosa, o *Narn i Hîn Húrin*, incluído em *Contos Inacabados* (p. 74 em diante), muitas vezes preferindo-o ao relato mais breve de *O Silmarillion*, capítulo 21. Ao referenciar o primeiro, cito-o como "*Narn*", incluindo a página de *Contos Inacabados*.

(i) *A captura de Úrin e a infância de Túrin em Hisilómë* (pp. 91-3)

Já no início do conto, seria interessante saber mais acerca do narrador, Eltas. É uma figura enigmática: parece ser um Homem (ele diz que "nosso povo" chamava Turambar de *Turumart* "à maneira dos Gnomos") que viveu em Hisilómë depois dos dias de Turambar, mas antes da queda de Gondolin, e que andou "pela Olórë Mallë", a Trilha dos Sonhos. Seria ele então uma criança, um dos "filhos dos pais dos pais dos Homens" que "encontraram Kôr e permaneceram com os Eldar para sempre" (*O Chalé do Brincar Perdido*, I. 31)?

O trecho de abertura coincide em quase todos os elementos essenciais com a última versão da história. Assim, remonta ao início da "tradição" (ou pelo menos à versão restante mais antiga) a partida de Húrin para a Batalha das Lágrimas Inumeráveis quando da convocação dos Noldor, enquanto sua esposa (Mavwin = Morwen) e o filhinho Túrin ficaram para trás; a grande resistência dos homens de Húrin e a captura de Húrin por Morgoth; o motivo para que Húrin fosse torturado (o desejo de Morgoth em descobrir o paradeiro de Turgon) e a forma como isso foi feito, e a maldição de Morgoth; o nascimento de Nienor logo depois da grande batalha.

O fato de os Homens terem sido confinados em Hisilómë (ou Hithlum, a forma gnômica que aparece aqui pela primeira vez, equivalente a Dor Lómin, p. 93) após a Batalha das Lágrimas Inumeráveis é afirmado em *A Vinda dos Elfos* (I. 148) e no último dos esboços para o *Conto de Gilfanon* (I. 291); posteriormente, isso foi transformado no confinamento dos traiçoeiros Homens Lestenses em Hithlum (*O Silmarillion*, p. 265), e os seus maus tratos aos sobreviventes da Casa de Hador tornaram-se um elemento essencial na história da infância de Túrin. Mas no *Conto de Turambar* já está presente a ideia de que "os homens estranhos que moravam nas cercanias não sabiam da dignidade da Senhora Mavwin". Na verdade, não fica claro onde Úrin morava: aqui se conta que após a batalha "Mavwin foi lacrimosa à terra de Hithlum, ou Dor Lómin, onde pela palavra de Melko todos os Homens deveriam agora habitar", o que só pode significar que ela foi para lá, devido às ordens de Melko, vinda de onde quer que morasse anteriormente com Úrin; por outro lado, um pouco adiante no conto (p. 95), e em aparente contradição, Mavwin não aceita o convite de Tinwelint para ir a Artanor parcialmente porque (sugere-se) estava "apegada àquela morada na qual Úrin a colocara *antes de partir para a grande guerra*".

Na história posterior, Morwen decidiu mandar Túrin embora por medo de que fosse escravizado pelos Lestenses (*Narn*, pp. 128–29), ao passo que aqui tudo o que se diz é que Mavwin "não sabia, em sua aflição, como sustentá-lo e à sua irmã" (o que presumivelmente reflete sua pobreza). Isso, contudo, mostra outra diferença, a saber que aqui Nienóri nasceu antes da partida de Túrin (mas ver p. 161); na lenda posterior, ele e seus companheiros deixaram Dor-lómin no outono do Ano da Lamentação, e Nienor nasceu no início do ano seguinte — portanto, ele jamais a vira, nem na primeira infância.

Uma diferença subjacente importante no conto é a ausência do episódio em que o próprio Húrin visita Gondolin, algo que Morgoth sabia e a razão pela qual ele foi levado vivo (*O Silmarillion*, pp. 219–20, 264–67); esse elemento na história emergiu muito depois, quando a fundação de Gondolin foi alocada muito para trás, bem antes da Batalha das Lágrimas Inumeráveis.

(ii) *Túrin em Artanor* (pp. 93–6)

Da história original acerca da jornada de Túrin, os dois idosos que o acompanharam — um dos quais retornou a Mavwin, enquanto o mais velho permaneceu com Túrin — nunca se perderam; e o grito de Túrin ao partirem reaparece no *Narn* (p. 107): "Morwen, Morwen, quando hei de te ver outra vez?"

Beleg está presente desde o início, assim como o significado de seu nome: "ele se chamava Beleg *pois* era de grande estatura" (ver I. 307, verbete *Haloisi velikë* e o Apêndice de *O Silmarillion*, p. 477, verbete *beleg*); e ele desempenha o mesmo papel na antiga história, resgatando os viajantes famintos na floresta e levando-os ao rei.

Nas versões posteriores, não há indício da notável mensagem enviada de Tinwelint a Mavwin e, de fato, sua explicação curiosamente cândida de que se manteve alheio à Batalha das Lágrimas Inumeráveis porque, em sua sabedoria, previu que Artanor poderia se tornar um refúgio caso ocorresse um desastre, mal combina com seu caráter conforme concebido posteriormente. Houve, é claro, motivos bem diferentes para sua conduta (*O Silmarillion*, p. 257). Por outro lado, as razões de Mavwin para não deixar Hithlum permaneceram inalteradas (ver a passagem no *Narn*, p. 104, em que a expressão "pedir esmola" é um eco do antigo conto); mas é surpreendente a afirmação de que Mavwin poderia, quando Nienóri estivesse crescida, ter deixado de lado seu orgulho e atravessado as montanhas, se não tivessem se tornado impassáveis — o que sugere claramente que ela nunca deixou Hithlum. Contudo, talvez o sentido seja que ela poderia ter feito a jornada *antes* (enquanto Túrin ainda estava em Artanor) do que de fato fez (quando os caminhos ficaram temporariamente mais acessíveis, mas Túrin já tinha partido).

A índole de Túrin quando garoto reaparece em todos os detalhes da descrição no *Narn* (p. 112):

Parecia que a sorte lhe era hostil, de forma que muitas vezes o que projetava dava errado, e não conseguia obter o que desejava; não fazia amigos facilmente, pois não era jovial, raramente ria e uma sombra pairava sobre sua juventude.

(É um ponto notável que se acrescenta no conto: "em momento algum dava muita atenção às palavras que lhe falavam"). E a interrupção de todas as mensagens entre Túrin e sua mãe se dá da mesma foram — o aumento da vigilância nas montanhas (*Narn*, pp. 113–14).

Enquanto os elementos essenciais da história de Túrin e Saeros, conforme contada em *O Silmarillion* e com muito mais detalhe no *Narn*, remontam ao *Conto de Turambar*, há algumas diferenças notáveis, sendo a principal o fato de que, da maneira que foi inicialmente contada, o atormentador de Túrin foi morto imediatamente pela taça arremessada. As posteriores complicações do ataque de Saeros a Túrin no dia seguinte, e a caçada até sua morte, o julgamento de Túrin à sua revelia por esse feito e o testemunho de Nellas (esse último apenas no *Narn*) estão completamente ausentes, por necessidade; e Mablung também não aparece — de fato, parece claro que Mablung surgiu pela primeira vez no final do *Conto de Tinúviel* (ver p. 77). Alguns detalhes permaneceram (como o pente que Orgof/Saeros ofereceu a Túrin por deboche, *Narn*, p. 117), enquanto outros foram alterados ou negligenciados (como o fato de que era o aniversário da partida de Túrin de seu lar — ainda que os doze anos passados estejam de acordo com a história posterior e que, no conto, o rei estivesse presente no salão, compare com *Narn*, p. 116). Mas o insulto que despertou em Túrin a ira assassina permaneceu essencialmente o mesmo, pois dizia respeito à sua mãe; e nunca se alterou a história de que Túrin chegou ao salão desgrenhado e com as vestes rotas, e que seu inimigo caçoou dele por isso.

Orgof não é muito diferente de Saeros, ainda que menos desenvolvido. Gozava da estima do rei, era soberbo e tinha inveja de Túrin; na história posterior, era um Elfo nandorin, ao passo que aqui ele era um Ilkorin com algum sangue gnômico (sobre os Gnomos em Artanor, ver p. 85), mas sem dúvida algo de peculiar em sua origem fazia parte da "tradição". Na história antiga, ele é explicitamente um janota e um tolo, e não se atribui a ele as mesmas as razões para odiar Túrin do *Narn* (p. 113).

Embora narrativamente muito mais simples, o desconhecimento de Túrin de que havia sido perdoado é um elemento essencial presente desde o início. O conto fornece uma explicação não encontrada na história posterior sobre o porquê de Túrin não retornar a Hithlum depois de deixar Artanor; compare com o *Narn*, p. 126: "a Dor-lómin não ousava, pois a região estava cercada de perto e um homem só, pensava ele, àquela época não podia ter esperança de atravessar as passagens das Montanhas de Sombra".

A valentia de Túrin contra os Orques durante sua permanência em Artanor recebe uma importância mais central, até mesmo única, no conto ("ele manteve a ira de Melko afastada deles por muitos anos") especialmente porque Beleg, seu companheiro de armas nas versões posteriores, não é mencionado aqui (e, nesse trecho, o poder da rainha para conter invasões ao reino parece, novamente (ver p. 96), menor do que se tornou depois).

(iii) *Túrin e Beleg* (pp. 98–104)

A parte da saga de Túrin que sucede os seus dias em Artanor/Doriath sofreu grande desenvolvimento posterior ("Túrin entre os

Proscritos") e, de fato, meu pai nunca deu a essa parte da história uma conclusão. Na versão mais antiga, há um desenrolar muito mais célere do enredo: Beleg se junta ao bando de Túrin e a destruição do grupo e a captura de Túrin pelos Orques se segue quase imediatamente (nos termos da narrativa). Não há menção a "proscritos", apenas a "espíritos bravios"; não há uma longa busca de Beleg por Túrin; Beleg não é capturado e maltratado pelo bando, e não há um traidor do acampamento (papel desempenhado no final por Mîm, o Anão). De fato, como já foi notado, não se diz que Beleg tenha sido companheiro de Túrin antigamente, antes do assassinato de Orgof, e eles só se juntam depois do autoexílio de Túrin.

Beleg é chamado de Noldo (p. 101) e, se atribuirmos a essa única referência valor absoluto (e não há razão para não o fazermos: está explícito no *Conto de Tinúviel* que havia Noldoli em Artanor, e Orgof tinha sangue gnômico), então deve-se observar que Beleg, conforme concebido originalmente, era um Elfo de Kôr. Ele não recebe destaque aqui como um grande arqueiro (e nem o seu nome Cúthalion, "Arcoforte", nem seu grande arco Belthronding aparecem); na sua primeira aparição (p. 94), é descrito como um "um caminheiro-da-floresta, um caçador dos Elfos secretos", mas não como chefe dos guardiões das marcas do reino.

Mas da captura de Túrin até a morte de Beleg o conto antigo quase não foi alterado posteriormente em qualquer aspecto realmente importante, embora alterado em muitos detalhes: a exemplo de Beleg, na história posterior, flechando os lobos-sentinelas silenciosamente no escuro, e o relâmpago que iluminou o rosto de Beleg — mas as lanternas de luz azul dos Noldor reaparecem em escritos muito posteriores: uma delas era carregada pelos Elfos Gelmir e Arminas, que guiaram Tuor pelo Portão dos Noldor em sua jornada para o mar (ver *Contos Inacabados*, pp. 41 e 80–1, nota 2). Na pintura de meu pai (provavelmente datada de 1927 ou 1928) retratando o encontro de Beleg e Flinding em Taur-nu-Fuin (reproduzida em *Pictures by J.R.R. Tolkien*, n. 37), a lanterna de Flinding pode ser vista ao seu lado. O enredo da antiga história foi composto de maneira muito precisa em detalhes tais como a razão pela qual levaram Túrin ainda dormindo para fora do acampamento-órquico e pela qual Beleg usou sua espada, e não uma faca, ao cortar as amarras de Túrin; e talvez também no fato de que Beleg foi esmagado por Túrin, de modo que ficou sem ar e não pôde dizer o nome antes de Túrin desferir o golpe de morte.

A história da loucura de Túrin após matar Beleg, de sua condução por Gwindor e das lágrimas que Túrin derramou em Eithel Ivrin estão aqui em fase embrionária. Não há indicação da natureza peculiar da espada de Beleg.

(iv) *Túrin entre os Rodothlim; Túrin e Glorund* (pp. 104–11)

Encontra-se nessa passagem (até onde está registrado, pois deve-se lembrar que há um texto completamente apagado por baixo do manuscrito) a origem de Nargothrond, ainda sem nome. Entre as muitas características notáveis, a principal talvez seja que Orodreth estava lá antes de Felagund, Senhor de Cavernas, com quem Nargothrond passou a ser identificada na lenda posterior, seu fundador e criador. Em *O Silmarillion*, Orodreth era um dos irmãos de Finrod Felagund (os filhos de Finarfin), a quem Felagund deu o comando de Minas Tirith em Tol Sirion após a fundação de Nargothrond (p. 171), e Orodreth tornou-se Rei de Nargothrond após a morte de Felagund. No conto, essa habitação dos Noldoli exilados nas cavernas é um local mais simples e rude, e (sugere-se) resistiu pouco tempo ao poder dominador de Melko; mas, como é frequente, há muitas características que nunca foram alteradas, ainda que em um aspecto crucial a história de Nargothrond seria muito modificada pelo contato com a lenda de Beren e Tinúviel. Assim, desde o início o lugar ficava "acima de uma torrente" (o posterior Narog) que "descia, alimentando o rio Sirion" e, como visto depois (p. 104), a margem do rio no lado das cavernas era mais alta, e as colinas se aproximavam: ver *O Silmarillion*, p. 164: "as cavernas sob os Altos Faroth, em sua íngreme margem oeste". A política dos Elfos de Nargothrond de se manterem em sigilo e de se recusarem a entrar em guerra aberta foi sempre um elemento essencial (ver *O Silmarillion*, pp. 231–32, 233),* assim como o abandono dessa política pela confiança e perícia de Túrin (embora no conto não haja menção à grande ponte que ele fez construírem). Aqui, contudo, talvez a queda do reduto seja mais enfaticamente atribuída a Túrin, sua chegada até lá seja vista mais simplesmente como uma

---

*A julgar pelo primeiro desses trechos, parece que quando Beren chegou a Nargothrond a política de "sigilo" já estava em vigor sob Felagund; mas, pelo segundo, parece que ela passou a vigorar devido à potente retórica de Curufin após a chegada de Beren.

maldição e o desastre como sendo mais inevitavelmente resultado de sua falta de sabedoria: pelo menos nos fragmentos dessa parte no *Narn* (pp. 215–17), o argumento de Túrin contra Gwindor, que defendia a continuidade do sigilo, não parece ser infundado, apesar do resultado. Mas a história essencial é a mesma: a política de Túrin revelou Nargothrond a Morgoth, que se abateu sobre ela com força dominadora e a destruiu.

No que diz respeito à antiga versão, os papéis de Flinding (Gwindor), Failivrin (Finduilas),* e Orodreth passariam por uma notável cadeia de transferência. No antigo conto, Flinding tinha sido um dos Rodothlim antes de ser capturado e aprisionado em Angband, da mesma forma que Gwindor, na versão posterior, saiu de Nargothrond (mas com um grande desenvolvimento em sua história, ver *O Silmarillion*, pp. 257, 259–61) e, ao retornar, estava mudado a ponto de mal ser reconhecido (deixarei de lado características menores que perduraram, como o aprisionamento de Túrin e Flinding/Gwindor quando chegaram às cavernas). A bela Failivrin já está presente, assim como seu amor não correspondido por Túrin, mas a complicação de sua relação anterior com Gwindor está ausente, e ela não é filha de Orodreth, o Rei, mas de um certo Galweg (que desapareceria por completo). Não se mostra Flinding como antagônico às políticas de Túrin; e, na batalha final, ele ajuda Túrin a carregar Orodreth para longe da batalha. Orodreth morre (depois de ser levado de volta às cavernas) repreendendo Túrin pelo que causara — assim como Gwindor ao morrer em *O Silmarillion* (pp. 286–87), com a amargura adicional de sua relação com Finduilas. Mas o pai de Failivrin, Galweg, é morto na batalha, assim como Orodreth, pai de Finduilas, em *O Silmarillion*. Portanto, na evolução da lenda Orodreth assumiu o papel de Galweg, enquanto Gwindor assumiu em parte o papel de Orodreth.

Como notei anteriormente, não há menção, no conto, a qualquer peculiaridade associada à espada de Beleg, e ainda que a Espada Negra já esteja presente, ela foi feita para Túrin por ordens de Orodreth, e seu negror e seus fios de pálido brilho estavam presentes desde a primeira forjadura (ver *O Silmarillion*, p. 282). A sua capacidade de falar ("conta-se que às vezes falava-lhe palavras

---

* Em *O Silmarillion*, ela é chamada Finduilas, e o nome Faelivrin, "isto é, o brilho do sol nas lagoas de Ivrin", foi-lhe dado por Gwindor (p. 283).

sombrias") sobreviveu nas terríveis palavras a Túrin antes de sua morte (*Narn*, p. 202) — um tema que já aparece no conto, p. 138; e o nome de Túrin derivado da espada (aqui *Mormagli*, *Mormakil*, posteriormente *Mormegil*) já fora criado. Mas não há indício da ocultação do nome verdadeiro de Túrin em Nargothrond: de fato, afirma-se explicitamente que ele disse quem era.

Gelmir e Arminas e o aviso de Ulmo que levaram a Nargothrond (*Narn*, pp. 221-25) talvez tenham seu gérmen nos "sussurros na torrente à noitinha", o que sem dúvida implica que eram mensagens de Ulmo (ver p. 99).

O dragão Glorund é nomeado no "encanto de alongamento" no *Conto de Tinúviel* (pp. 31, 62), mas o nome em si só foi introduzido durante a escrita do *Conto de Turambar* (ver nota 11). Não há indício de que ele tenha desempenhado qualquer papel anteriormente na história e nem de que fosse o primeiro de sua espécie, o Pai de Dragões, com longo histórico de maldades antes mesmo do Saque de Nargothrond. O trecho em que se define a natureza dos dragões de Melko é de grande interesse: sua sabedoria maléfica, seu amor por mentiras e por ouro (o qual não podem usar e do qual não podem desfrutar), e o conhecimento de idiomas que, segundo os Homens, seria outorgado a quem comesse o coração de um dragão (com evidente referência à lenda de Sigurd Fafnisbane na Edda Nórdica, que passou a entender, para sua grande vantagem, a fala dos pássaros ao comer o coração do dragão Fafnir, assando-o num espeto).

A história do saque de Nargothrond é tratada de maneira um tanto diferente na história antiga, ainda que tenham permanecido os elementos essenciais de Failivrin/Finduilas sendo levada embora entre os cativos e da impotência de Túrin em ajudá-la, estando sob o feitiço do dragão. Podem ser deixadas de lado aqui diferenças menores (como a chegada tardia de Glorund na cena: em *O Silmarillion*, Túrin só chegou a Nargothrond quando o saque "estava quase completo") e semelhanças menores (tais como a recusa em permitir que os Orques pilhassem o tesouro); o mais interessante é o relato da conversa entre Túrin e o dragão. Aqui é introduzida toda a questão sobre Túrin escapar ou não escapar da sua sina, e é significativo que ele assuma o nome *Turambar* bem nessa conjuntura, ao passo que na lenda posterior ele o assume quando se junta aos Homens-da-floresta em Brethil, e menos caso se faz disso. A versão antiga é expressa de maneira muito menos poderosa e concisa, e as palavras do dragão são menos sutis e menos engenhosamente mentirosas. Aqui também se aponta muito explicitamente a moral de que Túrin *não deveria* ter abandonado Failivrin "em um perigo que ele mesmo conseguia ver" — isso não sugere que, mesmo estando sob o feitiço do dragão como ele estava, havia uma fraqueza (uma "cegueira", ver p. 106) em Túrin que o dragão tocou? Da maneira que a história é contada em *O Silmarillion*, essa afirmação moral pareceria desnecessária: Túrin estava diante de um adversário poderoso demais para sua mente e vontade.

Há aqui um trecho notável em que se declara que o suicídio é um pecado, privando a pessoa da esperança de "que seu espírito fosse liberado das tristezas sombrias de Mandos, ou que andasse pelos caminhos aprazíveis de Valinor". Isso parece combinar com a impressionante passagem no conto *A Vinda dos Valar e a Construção de Valinor* acerca dos fados dos Homens (ver pp. 78–9).

Por fim, é estranho que na história antiga o ouro e o tesouro tenham sido carregados das cavernas pelos Orques e permanecido ali (ele "jazia próximo às cavernas acima da torrente") e, de modo pouquíssimo característico, o dragão "dormia diante dele" a céu aberto. Em *O Silmarillion*, Glaurung "reuniu todo o tesouro e todas as riquezas de Felagund e as amontoou, e jazeu sobre elas no salão mais profundo".

(v) *O retorno de Túrin a Hithlum* (pp. 111–15)

Nesse trecho, o caso é bem parecido com o de partes anteriores do conto: a estrutura mais ampla da história não foi muito alterada depois e, ainda assim, há várias diferenças importantes.

No *Conto de Turambar*, fica claro que não se concebia a casa de Mavwin como estando perto das colinas ou montanhas que formavam a barreira entre Hithlum e as Terras Além: disseram para Túrin que os Orques nunca "chegaram a entrar tão fundo na terra de Hisilómë", em contraste com o *Narn* (p. 102), em que "a casa de Húrin ficava no sudeste de Dor-lómin, e as montanhas eram próximas; de fato, Nen Lalaith descia de uma nascente sob a sombra de Amon Darthir, que possuía acima do dorso uma íngreme passagem". A mudança de Mavwin de uma casa para outra em Hithlum, visitada por Túrin enquanto procurava por ela, foi posteriormente rejeitada, para aperfeiçoamento da história. Aqui, Túrin volta para seu antigo lar no fim do verão, ao passo que, em *O Silmarillion*, a queda de Nargothrond se deu no fim do outono ("as folhas caíam das árvores em um grande vento enquanto avançavam, pois o outono estava se transformando em um inverno duro", p. 287), e Túrin chegou a Dor-lómin durante o Fero Inverno (p. 289).

Os nomes Brodda e Airin (grafado "Aerin" depois) permaneceram; mas Brodda é aqui o senhor da terra e, em relação à história posterior, Airin desempenha um papel mais importante na cena do salão, julgando com vigor e sabedoria. Não se diz aqui que tenha se casado à força, embora se afirme que sua vida com Brodda era muito ruim; mas, é claro, a situação nas narrativas posteriores é muito mais definida: os Homens de Hithlum eram "Lestenses", "Forasteiros" hostis aos Elfos e aos remanescentes da Casa de Hador, ao passo que na história antiga não se faz distinção entre eles e, de fato, Brodda é "um homem em quem [Mavwin] confiava". O tema dos maus-tratos de Brodda a Mavwin já está presente, mas somente porque ele se apropriou dos bens dela após sua partida; no *Narn*, a julgar pelas palavras de Aerin a Túrin (p. 153), parece que foi a opressão sofrida por Morwen de Brodda e outros o motivo para ela partir, no fim, para Doriath. No breve relato em *O Silmarillion* (p. 290), não fica realmente explícito que Brodda em particular merecia o ódio de Túrin.

No conto, a conduta de Túrin no salão é essencialmente mais simples: a verdadeira história foi-lhe contada por um passante, ele entra no salão para se vingar de Brodda por se apropriar dos bens de Mavwin e o faz de imediato. Da maneira contada no *Narn*, quando os olhos de Túrin finalmente se abrem devido às palavras de Aerin, que está presente no salão, e ele percebe como foi enganado, sua ira é mais passional, insana e amarga e, de fato, mais compreensível: e não se faz a observação moralizante de que o ato de Túrin fora "violento e ilícito". A história do julgamento de Airin acerca desses feitos, com o propósito de salvar Túrin, foi removida posteriormente; e a partida solitária de Túrin foi expandida, com o acréscimo do incêndio ao salão de Brodda por Aerin (*Narn*, p. 155).

Alguns detalhes sobreviveram a todas as mudanças: no *Narn*, Túrin ainda agarra Brodda pelos cabelos e, assim como sua ira subitamente se amaina depois do ato violento ("sua ira havia esfriado") no conto, no *Narn* "o fogo de sua ira tornara-se cinzas". Aqui se pode observar que, mesmo que na história antiga Túrin não mude de nomes tão frequentemente, sua tendência a fazê-lo já está presente.

A história de como Túrin chegou aos Homens-da-floresta e os livrou dos Orques não se encontra no *Conto de Turambar*; e não há menção ao Teso de Finduilas próximo às Travessias do Teiglin e nenhum relato de seu destino.

(vi) *O retorno de Gumlin a Hithlum e a partida de Mavwin e Nienóri para Artanor* (pp. 115–18)

Na história posterior, o mais velho dos guardiões de Túrin (Gumlin no conto, Grithnir no *Narn*) não tem nenhum papel depois de levar Túrin a Doriath: conta-se apenas que ficou lá até morrer (*Narn*, p. 109); e Morwen não teve notícias de Doriath antes de deixar seu lar — de fato, ela só descobriu que Túrin havia deixado o reino de Thingol quando chegou lá (*O Silmarillion*, p. 285; cf. as palavras de Aerin no *Narn*, p. 153: "Ela pretendia encontrar o filho à sua espera"). Essa seção inteira do conto não faz mais do que explicar por que razão Mavwin foi até Tinwelint, e o faz com o que meu pai sentia, sem dúvida, ser desnecessária complicação (já que rejeitou quase tudo depois). Penso estar claro, contudo, que a divergência entre as versões aqui depende das diferentes visões sobre a condição de Mavwin (Morwen) em Hithlum. Na história antiga, ela não está sofrendo apuros e opressão; ela confia em Brodda a ponto de lhe entregar não apenas os seus bens, mas até mesmo sua filha, e conta-se que em verdade tinha "paz e honra entre os homens daquelas regiões", os chefes falam do amor que têm por ela. Uma razão para sua partida está na chegada de Gumlin e nas notícias que ele traz sobre a fuga de Túrin das terras de Tinwelint. Na história posterior, por outro lado, o caráter de Brodda como tirano e opressor é expandido, e é justamente a situação ruim de Morwen nas mãos dele que a leva a partir. A notícia que chega a Túrin em Doriath de que "as dificuldades de Morwen haviam sido aliviadas" (*Narn*, p. 112 e ver *O Silmarillion*, p. 269) provavelmente é um resquício da história antiga; nada se diz nas narrativas posteriores que explique como essa situação começou e cessou. Em ambos os casos, seu motivo para partir soma-se ao fato de que as terras estavam mais seguras; mas enquanto na história posterior essa segurança se devia à proeza do Espada Negra de Nargothrond, no conto era o "grande e terrível projeto" de Melko que estava em curso — o ataque às cavernas dos Rodothlim (ver nota 18, pp. 143–44).

É curioso que, nesse trecho, Airin e Brodda sejam apresentados como se fosse pela primeira vez. Talvez seja significativo que a porção do conto que vai de "Ouve, ó filho de Úrin [...]", na p. 110, até "[...] caiu de joelhos diante de Tinwelint", na p. 116, tenha sido escrita em uma parte separada do caderno manuscrito: possivelmente, isso substituiu um texto anterior em que Brodda e Airin não apareciam. Mas muitas questões como essa surgem dos manuscritos mais antigos e poucas podem ser respondidas com certeza agora.

(vii) *Mavwin e Nienóri em Artanor e seu encontro com Glorund* (pp. 117–23)

O próximo passo essencial no desenvolvimento do enredo — a descoberta de Mavwin/Morwen sobre a permanência de Túrin em Nargothrond — é conduzida de maneira mais hábil e natural em *O Silmarillion* (p. 292) e no *Narn* (p. 160), em que notícias trazidas por fugitivos do saque chegaram a Thingol, em oposição ao *Conto de Turambar*, em que Mavwin e Nienóri só ficam sabendo da destruição dos Elfos das Cavernas por meio de um bando de Noldoli enquanto eles próprios estão errando a esmo na floresta. É estranho que esses Noldoli não tenham se referido a Túrin pelo nome, mas apenas como o *Mormakil*: parece que não sabiam quem ele era, mas sabiam o bastante de sua história para deixar sua identidade clara a Mavwin. Como observado acima, Túrin declarou seu nome e linhagem aos Elfos das Cavernas. Na narrativa posterior, por outro lado, Túrin de fato escondeu isso em Nargothrond, chamando-se de Agarwaen, mas todos os que chegaram a Doriath portando notícias da queda "declararam que tinha sido do conhecimento de muitos em Nargothrond, antes do fim, que o Mormegil era ninguém menos que Túrin, filho de Húrin de Dor-lómin".

Como acontece com frequência, complicações desnecessárias na história antiga foram removidas depois: assim, a elaborada argumentação necessária para fazer os guerreiros de Tinwelint, Mavwin e Nienóri colocarem os pés na estrada foi eliminada de *O Silmarillion* e do *Narn*. No conto, as senhoras e os guerreiros élficos partem juntos, com o pleno propósito de que elas deveriam observar o desenrolar dos acontecimentos de um lugar elevado (posteriormente Amon Ethir, o Monte dos Espiões); na história posterior, Morwen simplesmente sai cavalgando e um grupo de Elfos liderados por Mablung a segue, com Nienor disfarçada entre eles.

É particularmente notável o trecho no conto em que Mavwin usa o grande tesouro dos Rodothlim como isca para Tinwelint, e

Tinwelint admite sem peias que (sendo um Elfo selvagem das florestas) é isso — e não qualquer esperança de ajudar Túrin — que o impele a mandar um grupo. A majestade, o poder e a soberba de Thingol cresceram com o desenvolvimento da concepção dos Elfos-cinzentos de Beleriand; como observei anteriormente (p. 83), "No começo, a morada de Tinwelint não era uma cidade subterrânea repleta de maravilhas [...] mas uma caverna rústica", e aqui ele é visto planejando uma incursão para aumentar sua escassa riqueza de coisas preciosas — muito diferente da descrição de seu vasto tesouro no *Narn* (p. 111):

Thingol tinha em Menegroth profundos arsenais repletos de fartura de armas: metal trabalhado como escamas de peixe e reluzente como água ao luar; espadas e machados, escudos e elmos fabricados pelo próprio Telchar ou por seu mestre Gamil Zirak, o velho, ou por artesãos-élficos ainda mais habilidosos. Pois recebera como presentes algumas coisas que vinham de Valinor e foram feitas com maestria por Fëanor, aquele que nenhum artífice superaria em todos os dias do mundo.

Quanto ao encontro com o dragão, por maiores que sejam as diferenças em relação à lenda posterior, já estão presentes os vapores fétidos que subiam por ele estar deitado no rio e que causaram o fracasso do plano, a fuga ensandecida dos cavalos e o feitiço sobre Nienor, de modo que toda a memória do seu passado foi perdida. Dentre as muitas diferenças, a mais surpreendente talvez seja o fato de Mavwin estar presente durante a conversa com Glorund; e dessas conversas não há eco no *Narn* (pp. 167–68), exceto pelo fato de que, ao dizer que Túrin era o objetivo de sua demanda, Nienor revelou sua identidade ao dragão (isso está explícito no *Narn* e provavelmente pode ser depreendido do conto). O tom peculiar de Glaurung na narrativa posterior, zombeteiro e seco, esperto e autoconfiante, e infinitamente perverso, já pode ser detectado nas palavras de Glorund, mas, conforme evoluiu, ele ganhou imensuravelmente em termos de pavor ao se tornar mais lacônico.

A principal diferença na estrutura está na completa ausência do "Elemento Mablung" no conto, e não há qualquer antecipação dele. Não há indício de que as habitações saqueadas foram exploradas durante a ausência do dragão (de fato, ele aparentemente nunca se afasta delas); o propósito da expedição de Artanor era expressamente bélico ("um forte contingente contra o Foalókë", "eles se prepararam para a batalha"), já que Tinwelint tinha esperança de colocar as mãos no tesouro, ao passo que, posteriormente, ela se tornou puramente uma incursão de reconhecimento, pois Thingol "desejava muito saber mais sobre o destino de Nargothrond" (*Narn*, p. 160).

Um ponto curioso é que, embora Mavwin e Nienóri devessem permanecer num "local elevado" coberto de árvores — o qual foi posteriormente chamado de Monte dos Espiões e aonde elas de fato foram levadas em *O Silmarillion* e no *Narn* — parece que na história antiga elas nunca sequer chegaram até lá, sendo atraídas por Glorund até o lugar do rio em que ele estava, ou não muito longe dali. Assim, o "local elevado" quase não teve importância no conto.

(viii) *Turambar e Níniel* (pp. 124–28)

Na lenda posterior, Nienor foi encontrada por Mablung depois de ter sido enfeitiçada por Glaurung, e a levou com três companheiros de volta rumo às fronteiras de Doriath. A perseguição a Nienor por um bando de Orques (*Narn*, p. 170) está presente no conto, mas não tem a função narrativa posterior de ocasionar a fuga de Nienor, fazendo-a se perder de Mablung e dos outros Elfos (que não aparecem): em vez disso, a perseguição leva diretamente ao seu resgate por Turambar, que então morava com os Homens-da-floresta. No *Narn* (p. 172), os Homens-da-floresta de Brethil de fato passavam pelo local em que a encontraram, retornando de uma incursão contra Orques, mas as circunstâncias em que a acharam são completamente diversas, especialmente porque no conto não há referência ao Haudh-en-Elleth, o Teso de Finduilas.

Há um detalhe interessante sobre a reação de Nienor ao ser chamada de *Níniel* por Turambar. Em *O Silmarillion* e no *Narn* "ela sacudiu a cabeça, mas disse: 'Níniel'"; no presente texto, ela diz "Não, Níniel não, Níniel não". Tem-se a impressão de que, na história antiga, o que abalou sua mente obscurecida foi apenas a semelhança entre *Níniel* e seu próprio nome esquecido, *Nienóri* (e entre *Turambar* e *Túrin*), ao passo que, depois, ela tanto recusou como de certa forma aceitou o nome *Níniel*.

Um elemento original na lenda é que os Homens-da-floresta levam Níniel a um lugar ("Bacia de Prata") em que havia uma grande cascata (posteriormente Dimrost, a Escada Chuvosa, onde a torrente do Celebros "caía na direção do Teiglin"): e essa cascata ficava perto das habitações dos Homens-da-floresta — mas o local em que encontraram Níniel era muito mais longe na floresta (muitos dias de jornada) do que as Travessias do Teiglin eram em relação a Dimrost. Quando ela chegou lá, foi tomada de pavor, um presságio do que haveria de acontecer ali depois, e essa é a origem do estremecimento que a acometeu nas narrativas posteriores, razão pela qual o lugar foi renomeado de Nen Girith, a Água do Estremecer (ver *Narn*, p. 206, nota 25).

A completa escuridão imposta à mente de Níniel pelo feitiço do dragão é menos enfatizada no conto, e não há sugestão de que ela precisou reaprender o próprio idioma; mas é interessante observar, num contexto alterado, a repetição do símile "alguém que procura algo fora do lugar": no *Narn* (p. 174), diz-se que Níniel tinha grande prazer em reaprender as palavras, "como alguém que reencontra tesouros, grandes e pequenos, cuja localização havia sido esquecida".

O homem manco, aqui chamado de Tamar, e seu amor vão por Níniel já aparecem; diferentemente de Brandir, sua contraparte posterior, ele não era chefe dos Homens-da-floresta, mas filho do chefe. E também era Meio-Elfo! É extraordinária a afirmação de que a esposa do chefe Bethos, mãe de Tamar, era uma Elfa, uma mulher dos Noldoli: isso é mencionado fortuitamente, como se a grande importância e a raridade das uniões entre Elfos e Mortais ainda não tivesse emergido — contudo, em uma lista de nomes associada ao conto da *Queda de Gondolin*, diz-se que Eärendel era "o único ser que é metade da gente dos Eldalië e metade dos Homens" (p. 259).*

A relutância inicial de Níniel em ceder aos galanteios de Turambar não tem explicação no conto: a implicação deve ser que algum instinto, alguma avaliação subconsciente da verdade, a impedia. Em *O Silmarillion* (p. 296):

mas por algum tempo ela quis esperar, apesar de seu amor. Pois Brandir tinha presságios, não sabia do quê, e buscou impedi-la, antes por causa dela do que por si próprio ou por rivalidade

---

*Numa reescrita posterior de um trecho nesse conto (p. 200 e nota 22), diz-se de Tuor e Idril de Gondolin: "Assim, pela primeira vez, casou-se um filho dos Homens com uma filha de Elfinesse, nem foi Tuor o último."

com Turambar; e revelou a ela que Turambar era Túrin, filho de Húrin e, embora ela não reconhecesse o nome, uma sombra lhe caiu na mente.

Na versão final, assim como na mais antiga, os Homens-da-floresta sabiam quem Turambar era. As instruções rabiscadas por meu pai para que a história fosse alterada — citadas na nota 23 ("Fazer com que Turambar nunca fale de sua linhagem a novas pessoas [...]") — são surpreendentes, pois uma vez que Níniel perdera toda a memória do passado, ela não reconheceria os nomes Túrin, filho de Húrin, mesmo que lhe contassem que ele era Turambar. Contudo, é possível que quando meu pai escreveu isso ele imaginasse a perda de memória de Níniel sobre si mesma e sua família como algo mais próximo da superfície da mente, lembranças passíveis de serem trazidas de volta ao ouvir os nomes — contrastando com a história posterior, em que ela não reconheceu conscientemente o nome de Túrin mesmo quando Brandir o mencionou a ela. Claramente, a interrogação no texto ao lado da referência a Turambar falando com Níniel "de seu pai e de sua mãe e da irmã que não vira", e a aflição de Níniel às suas palavras (ver nota 24) dependem dessa mesma linha de raciocínio. A afirmação de que Turambar nunca vira a irmã está em desacordo com o que se diz anteriormente no conto, que ele não havia deixado Hithlum até depois do nascimento de Nienóri (p. 95), mas meu pai estava incerto sobre esse ponto, como se vê claramente pela sucessão de alternativas incluídas na nota 15, indo e vindo entre as duas ideias.

(ix) *A morte de Glorund* (pp. 128–33)

Nesta seção, sigo a narrativa do conto até o momento em que Túrin desfalece quando o dragão moribundo abriu os olhos e o encarou. Aqui, a história posterior acompanha a antiga bem de perto, mas há muitas diferenças interessantes.

No conto, diz-se que Glorund tinha bandos de Orques e Noldoli sujeitos a ele, mas somente os Orques permaneceram; ver o *Narn*, p. 199:

Ora, o poder e a maldade de Glaurung cresciam depressa, e ele engordou [compare com "o Foalókë engordara"], e reuniu Orques à sua volta, e governava como um Rei-dragão, e todo o reino de Nargothrond que outrora existira estava sob seu domínio.

A menção no conto de que os bandos de Glorund "assolaram atrozmente" o povo de Tinwelint sugere uma vez mais que a magia da Rainha não era uma proteção muito substancial; ao passo que a afirmação "afinal, alguns chegaram muito rente até mesmo àquelas matas e clareiras amadas por Turambar e seu povo" parece estar em desacordo com a frase de Turambar a Níniel, anteriormente de que "estamos passando por apuro ao defender nossos lares desses seres malignos" (p. 125). Não há menção aqui à garantia de Turambar a Níniel de que só iria para a batalha se os lares dos Homens-da-floresta fossem atacados (*Narn*, p. 177); e não há figura que corresponda ao Dorlas das versões posteriores. O caráter de Tamar, brevemente descrito (pp. 131–32), está de acordo com o que se diz de Brandir depois, até onde a descrição alcança, mas a relação de Brandir com Níniel, que o chamava de irmão (*Narn*, p. 174), não havia emergido. A felicidade e prosperidade dos Homens-da-floresta sob a chefia de Turambar é muito mais enfatizada no conto (posteriormente, ele não foi chefe de fato, pelo menos não assim nomeado); e, na verdade, é isso que leva à cobiça do dragão e motiva o ataque a eles.

As indicações topográficas nesse trecho, importantes para a narrativa, já estão bem acomodadas para o que viria nos relatos seguintes, com uma exceção maior: é evidente que, na história antiga, a torrente da catarata que caía na Bacia de Prata era a mesma que corria pela garganta em que Turambar matou Glorund:

Aí fluía a mesma torrente que, mais adiante em seu curso, meandrava pelo covil do dragão [*covil* = o lugar em que ele repousava] num leito profundo, fendido na terra. (p. 130)

Portanto, conforme disse Turambar, ele e seus companheiros:

desceremos as rochas até o pé da cascata e, trilhando o caminho da torrente, talvez consigamos chegar tão perto quanto possível do draco. (*ibid.*).

Na história final, por outro lado, o rio que descia (Celebros) era afluente do Teiglin; ver o *Narn*, p. 179:

Ora, o rio Teiglin [...] descia das Ered Wethrin veloz como o Narog, mas inicialmente entre margens baixas, até que, após as Travessias, reunindo forças de outras correntezas, abria caminho através dos sopés do planalto em que se situava a Floresta de Brethil. Depois disso passava por ravinas profundas, cujas altas bordas eram como muralhas de rocha, mas as águas confinadas ao fundo fluíam com grande força e ruído. E bem na trajetória de Glaurung ficava agora uma dessas gargantas, não exatamente a mais profunda e sim a mais estreita, ao norte da confluência do Celebros.

O local aprazível ("um gramado verde onde crescia uma abundância de flores") sobreviveu: cf. o *Narn*, p. 173: "Havia um extenso gramado na cabeceira da cascata e cresciam bétulas à sua volta". E isto também acontecia com a "Bacia de Prata", embora o nome tenha se perdido: "a corrente [Celebros] ultrapassava uma orla de pedra desgastada e caía por muitos degraus espumantes até uma bacia de rocha, muito abaixo" (*Narn, ibid.*; compare com o conto, p. 130: "e caía numa grande cascata onde as rochas desgastadas pela água projetavam-se, lisas e cinzentas, no meio da relva"). O "pequeno morro" ou "outeiro", "ilhado no meio das árvores", de onde Turambar e seus companheiros observavam não é assim descrito no *Narn*, mas a representação de um lugar elevado de vigia próximo à cabeceira das cataratas permaneceu, como se vê pela afirmação do *Narn* (p. 173) de que "era possível ter uma visão ampla das ravinas do Teiglin" a partir de Nen Girith; mais adiante (*Narn*, p. 179), afirma-se que era a intenção de Turambar "cavalgar até a alta cascata de Nen Girith [...] de onde ele mesmo poderia ter uma visão de longo alcance". Parece certo, portanto, que a antiga imagem nunca esmaeceu e foi apenas levemente alterada.

Apesar de em ambos os relatos, o mais antigo e o mais recente, um grande número de pessoas seguir Turambar até a cabeceira das cataratas, contrariando suas ordens, no mais recente a razão para sua ordem de não o acompanharem é explícita: eles deveriam ficar e se preparar para a fuga. Aqui, por outro lado, Níniel cavalga com Turambar até a cabeceira da Bacia de Prata e diz adeus a ele ali. Mas um detalhe da antiga história sobreviveu: as palavras de Turambar a Níniel "Nem tu e nem eu morreremos neste dia, e nem amanhã, seja pelo mal do dragão ou pelas espadas dos inimigos" têm paralelo próximo nas palavras do *Narn* (p. 182): "Nem tu nem eu seremos mortos por esse Dragão, nem por qualquer inimigo do Norte"; e no primeiro relato Níniel "reprimiu o choro e ficou muito quieta", enquanto no outro ela "parou de chorar e ficou em silêncio". A situação é, de modo geral, mais simples no conto, pois os Homens-da-floresta mal são caracterizados; Tamar não é senhor titular do povo, como Brandir, e essa razão em específico para sua amargura em relação a Turambar está ausente, e não há um Dorlas para insultá-lo ou um Hunthor para repreender Dorlas. Tamar, contudo, está presente com Níniel no mesmo ponto da história, cingido de espada: "e muitos zombaram dele por isso", assim como depois se diz que Brandir raras vezes tinha feito isso antes (*Narn*, p. 186).

Aqui, Turambar parte da cabeceira das cataratas com seis companheiros, todos os quais se provam covardes no fim; no relato posterior, tinha apenas dois companheiros, Dorlas e Hunthor, e Hunthor se manteve fiel, embora tenha sido morto por uma pedra que caiu na ravina. Mas o resultado é o mesmo: Turambar precisou escalar sozinho o paredão oposto da garganta. Aqui, o dragão ficou durante toda a noite próximo de onde ele estava, perto da beirada do despenhadeiro, movendo-se apenas com a aurora, de modo que a sua morte e os eventos imediatamente seguintes aconteceram à luz do dia. Mas em outros aspectos a morte do dragão permaneceu bem parecida com o que foi escrito originalmente, mesmo em muitos detalhes, especialmente se for feita uma comparação com o *Narn* (p. 188), em que reaparece a necessidade de Turambar e seus companheiros (ou seu companheiro) se moverem do primeiro local de parada para ficarem diretamente embaixo da barriga da fera (isso fica de fora de *O Silmarillion*).

Restam dois pontos notáveis nessa seção, e ambos são reflexões tardias escritas a lápis no manuscrito. Numa delas, encontramos pela primeira vez Mîm, o Anão, como capitão da guarda de Glorund sobre o tesouro durante sua ausência — uma escolha estranha para o cargo, poder-se-ia pensar. A esse respeito, ver p. 169 adiante. Na outra, diz-se que Níniel concebeu um filho de Turambar o que, muito notavelmente, não se diz no texto originalmente escrito; sobre isso, ver p. 166.

(x) *As mortes de Túrin e Nienóri* (pp. 134–38)

Na conclusão da história, a estrutura do conto antigo permaneceu no *Narn*: o luar, o cuidado com a mão queimada de Turambar, o grito de Níniel que instigou o dragão ao seu último ato de maldade, a acusação do dragão de que Turambar esfaqueava seus inimigos às escondidas, Turambar chamando Tamar/Brandir de "coxo", mandando que fosse confraternizar com o dragão na morte, o súbito ressecar das folhas no local do salto de Nienor, como se já fosse fim de outono, a invocação de Nienor às águas e a de Turambar à espada, o erguimento do monte tumular de Túrin e a inscrição na pedra com "estranhos sinais". Muitas outras características poderiam ser acrescentadas. Há, contudo, muitas diferenças também; e aqui faço menção apenas a algumas das mais importantes.

Como Mablung está ausente do conto antigo, somente a intuição de Turambar ("estando agora livre da cegueira" — a cegueira que Melko "tecera outrora", p. 106)* o informa que Tamar falava a verdade. Na história posterior, a morte de Glaurung e todas as suas consequências se dão no curso de uma única noite e a manhã do dia seguinte, enquanto no conto isso acontece em duas noites, no dia entre elas e na segunda manhã. Turambar é levado de volta ao povo no cimo do morro pelos três desertores que o deixaram na ravina, ao passo que na história posterior ele chega sozinho. (No conto, não há vestígio do assassinato de Dorlas por Brandir, e o fato de que Tamar portava uma espada não tem desdobramentos.)

O resultado da mudança do lugar em que Túrin e Nienóri morreram é de particular interesse. No conto, há apenas um rio, e Níniel segue torrente acima pelas matas e se atira por sobre a catarata da Bacia de Prata (no local que depois foi chamado de Nen Girith), e aqui também, na clareira acima da catarata, Turambar se matou; na história desenvolvida depois, seu salto de morte foi para dentro da ravina do Teiglin em Cabed-en-Aras, o Salto do Cervo, próximo ao ponto em que Turambar jazia ao lado de Glaurung, e aqui também se deu a morte de Turambar. Assim, o sentimento de pavor de Níniel quando esteve pela primeira vez na Bacia de Prata com os Homens-da-floresta que a resgataram (p. 126) pressagiou sua própria morte naquele lugar, mas na história alterada há menos razão para um mau presságio a acometer ali. Mas, ainda que o local tenha sido mudado, permaneceram o ressecar das folhas e o temor em relação ao lugar da morte deles, de maneira que ninguém quis ir

---

*Compare com as palavras a Mablung no *Narn*, p. 241: "Pois vê, sou cego! Não sabias? Cego, cego, tateando desde a infância numa escura névoa de Morgoth!"

depois ao Cabed-em-Aras, assim como ninguém se dispôs a colocar os pés no gramado acima da Bacia de Prata.

A característica mais notável da versão mais antiga da história de Turambar e Níniel é certamente o fato de que, da maneira que meu pai escreveu inicialmente, ele *não* diz que ela havia concebido um filho de Turambar (nota 25); e, portanto, não há nada na história antiga que corresponda às palavras de Glaurung a ela: "Mas o pior de todos os seus atos [isto é, de Túrin] hás de sentir em ti mesma" (*Narn*, p. 193). Assim, o fato que acima de todos os outros é responsável pelo extremo horror e desespero de Nienor foi um acréscimo posterior ao conto.

Para concluir essa longa análise do *Conto de Turambar* propriamente dito, pode-se notar a ausência de topônimos na parte final da narrativa. A habitação dos Rodothlim não é nomeada, e nem o rio que passava por ali; nenhum nome se dá para as matas onde os Homens-da-floresta moravam, nem à sua vila e nem mesmo para a torrente que tem importância tão central no fim da história (em oposição a Nargothrond, Narog, Tumhalad, Amon Ethir, Brethil, Amon Obel, Ephel Brandir, Teiglin e Celebros das narrativas posteriores).

§2. *A narrativa seguinte de Eltas (após a morte de Túrin)*

Meu pai riscou a maior parte dessa continuação, deixando apenas até as palavras "em virtude de sua grande infelicidade", na p. 139 (ver nota 31). Do breve trecho que foi mantido, vê-se que a história de Morwen chegando à pedra no monte tumular de Túrin remonta ao início, embora na história posterior ela encontre Húrin ali (*O Silmarillion*, p. 308).

A porção rejeitada continua da seguinte maneira:

No entanto, conta-se que quando a sina de seu povo foi cumprida por inteiro, então Úrin foi libertado por Melko e, curvado pelos anos, voltou a terras mais benfazejas. Lá reuniu alguns poucos junto de si, e eles partiram e encontraram as cavernas dos Rothwarin [*forma anterior de* Rodothlim, *ver p. 145*] vazias, e ninguém as guardava, e um imenso tesouro jazia ali ainda, pois ninguém o encontrara, já que o terror do draco viveu mais tempo do que ele mesmo, e ninguém se aventurara até lá novamente. Mas Úrin fez com que levassem o ouro diante de Linwë [ou seja, Tinwelint] e, atirando-o aos pés dele, ordenou-lhe amargamente que pegasse sua vil recompensa, chamando-o de covarde por conta de cujo coração fraco muito mal caiu sobre sua casa que talvez nunca tivesse caído; e com isso começou uma nova desavença entre Elfos e Homens, pois Linwë irou-se às palavras de Úrin e mandou que fosse embora, dizendo: 'Por muito tempo acolhi Túrin, teu filho, e perdoei a maldade de seus feitos, e depois socorri tua esposa, cedendo aos seus desejos insanos contra meu alvitre. E, no entanto, o que tenho com isso — e por que tu, ó filho da rude raça dos Homens, te prestas a repreender um rei dos Eldalië cuja vida começou em Palisor incontáveis anos antes de os Homens nascerem?' E Úrin teria partido então, mas seus homens não estavam dispostos a deixar o ouro ali, e uma dissensão surgiu ali entre eles e os Elfos, e daí vieram golpes violentos, e Tintoglin [ou seja, Tinwelint] não os conseguiu conter.

Ali nos seus paços o bando de Úrin foi morto, e eles mancharam o tesouro do dragão com seu sangue; mas Úrin escapou e maldisse aquele ouro com uma pavorosa maldição, para ninguém poder desfrutar dele e para todos os que tomassem qualquer quinhão descobrirem que dali vinham o mal e a morte. Mas Linwë, ouvindo a maldição, fez com que o ouro fosse lançado num profundo remanso do rio diante de suas portas, e por muito tempo ninguém voltou a vê-lo, exceto pelo Anel do Destino [*corrigido para*: o Colar dos Anãos], e esse conto não diz respeito aqui, ainda que nele o mal da serpe Glorund tenha encontrado seu cumprimento final.

> (A última frase é um acréscimo ao texto). O restante dessa narrativa rejeitada, acerca dos destinos de Úrin e Mavwin e seus filhos, é essencialmente o mesmo do texto substitutivo incluído na p. 142 ("Então Úrin partiu, mas não quis tocar no ouro [...]") e não precisa ser colocado aqui.
>
> Imediatamente após a narrativa rejeitada há um breve esboço intitulado "Estória do Nauglafring ou o Colar dos Anãos", e este também está riscado por inteiro. Não há menção alguma a Úrin aí, mas conta-se que os Orques (uma emenda de *Gongues*, ver I. 295 nota 10) que guardavam o tesouro de Glorund foram procurá-lo

quando ele não voltou para as cavernas e, na sua ausência, Tintoglin (isto é, Tinwelint), sabendo da morte de Glorund, mandou Elfos para roubar o tesouro dos Rothwarin (isto é, Rodothlim). Ao retornarem, os Orques maldisseram os ladrões e o ouro também.

Linwë (isto é, Tinwelint) protegeu o ouro, e fez com que certos Úvanimor (Nautar ou Nauglath) lhe fizessem um grande colar. (*Úvanimor* foi definido em um conto anterior como "monstros, gigantes e ogros", ver I. 96, 284; *Nauglath* são Anãos, I. 284). Nesse colar a Silmaril foi engastada; mas a maldição do ouro estava nele, e ele os privou de parte da recompensa. Os Nauglath tramaram com a ajuda dos Homens; Linwë foi morto num saque e o ouro, levado.

Segue-se outro rascunho rejeitado, intitulado "O Colar dos Anãos", que combina características do rascunho precedente com características do final rejeitado da narrativa de Eltas (pp. 166–67). Aqui, Úrin reúne um bando de Elfos e Homens selvagens e ferozes, e eles vão até as cavernas, pouco vigiadas porque os "Orqui" (isto é, Orques) estão fora, procurando Glorund. Eles levam o tesouro embora e os Orques, ao retornarem, amaldiçoam-no. Úrin lança o tesouro diante do rei e o repreende (dizendo que ele poderia ter enviado uma companhia maior às cavernas para proteger o tesouro, se não para auxiliar Mavwin em sua aflição); "Tintoglin não se dispôs a tocá-lo e mandou que Úrin ficasse com o que conquistou, mas Úrin partiu com palavras amargas". Os homens de Úrin não queriam deixá-lo, e voltaram furtivamente; houve uma contenda nos paços do rei e muito sangue foi derramado sobre o ouro. O esboço é concluído assim:

Os Gongues saqueiam os paços de Linwë, e Linwë é morto e o ouro, levado para bem longe. Beren Ermabwed abate-se sobre eles numa travessia do Sirion, e o tesouro é lançado na água, e com ele a Silmaril de Fëanor. Os Nauglath que moram nas proximidades mergulham atrás do ouro, mas encontram somente um grande colar de ouro (e a Silmaril está nele). Essa se torna a marca do seu rei.

Esses dois esboços são relacionados em parte à história do Nauglafring, e mostram meu pai ponderando sobre essa história antes de escrevê-la; não há necessidade de considerar esses elementos aqui. É evidente que ele estava com muitas dúvidas sobre o rumo da história após a libertação de Úrin — o que aconteceu com o ouro do dragão? Estava protegido ou desprotegido e, se protegido, por quem? Como ele chegou afinal às mãos de Tinwelint? Quem o amaldiçoou e em que momento da história? Se foi Úrin e seu bando que se apossaram dele, eram Homens, Elfos ou ambos?

No texto final, escrito em retalhos de papel e incluídos acima, nas pp. 139–42, essas questões foram resolvidas da seguinte forma: inicialmente, o bando de Úrin era de Homens, alterado depois para Elfos (ver nota 33); o tesouro era guardado por Mîm, o anão, morto por Úrin, e foi ele quem amaldiçoou o ouro ao morrer; o bando de Úrin é usado de cargueiro para levar o tesouro a Tinwelint em sacas e caixas de madeira (e eles chegaram à ponte diante do portão do rei, no coração da floresta, aparentemente sem qualquer dificuldade). Nesse texto, não há indício do que aconteceu com o tesouro após a partida de Úrin (porque o *Conto do Nauglafring* começa neste ponto).

Seguindo a escrita do *Conto de Turambar* propriamente dito, meu pai inseriu Mîm no texto em um ponto anterior da história (ver pp. 128, 144 nota 26), tornando-o capitão da guarda indicado por Glorund para vigiar o tesouro na sua ausência; mas se isso foi escrito antes ou depois da aparição de Mîm ao final (pp. 140–41) — se representa uma ideia diferente ou se é uma explicação de como Mîm foi parar lá — isso eu não sei dizer.

Em *O Silmarillion* (pp. 309–11), a história foi completamente alterada, pois o tesouro permaneceu em Nargothrond e Húrin, após assassinar Mîm (por uma razão muito melhor do que na narrativa anterior), não levou nada de lá até Doriath a não ser o Colar dos Anãos.

Do assombroso relato ao fim da narrativa de Eltas (pp. 141–42) sobre a "deificação" de Túrin Turambar e Nienóri (e a recusa dos Deuses da Morte em abrir-lhes as portas), é preciso dizer que não há nenhuma explicação em lugar algum — embora em versões muito posteriores da mitologia Túrin Turambar apareça na Última Batalha e golpeie Morgoth com sua espada negra. O banho purificador no qual entraram Túrin e Nienóri, chamado de *Fôs'Almir* no texto final, chamava-se *Fauri* no texto rejeitado. No *Conto do Sol e da Lua*, ele foi descrito (I. 226), mas recebeu outros nomes: *Tanyasalpë*, *Faskalanúmen* e *Faskalan*.

Resta um último texto a ser considerado. O segundo dos esboços rejeitados incluídos acima (pp. 167–68) foi escrito a tinta sobre um rascunho a lápis que *não* foi apagado, e fui capaz de desenterrar uma boa parte do que está sob a escrita mais recente. Os dois trechos não têm nada a ver um com o outro; por alguma razão, meu pai não se deu ao trabalho de apagar a escrita anterior. O texto subjacente, até onde consigo decifrar, diz:

Tirannë e Vainóni se juntam ao feiticeiro maligno Kurúki, que lhes dá uma beberagem nociva. Elas se esquecem de seus nomes e vagam desvairadas pelas matas. Vainóni se perde. Ela encontra Turambar, que a salva dos Orques e a ajuda na busca por sua mãe. Casam-se e vivem felizes. Turambar se torna senhor dos caminheiros das matas e um agressor de Orques. Ele sai para buscar o Foalókë que devasta sua terra. O tesouro amontoado — e a fuga do seu bando. Ele mata o Foalókë e é ferido. Vainóni o socorre, mas o dragão moribundo conta tudo a ela, retirando o véu que Kurúki havia posto sobre elas. Aflição de Turambar e Vainóni. Ela foge para as matas e se lança de uma catarata. Loucura de Turambar, que habita sozinho . . . . Úrin foge de Angamandi e busca Tirannë. Turambar foge dele e cai sobre sua espada . . . . Úrin ergue um monte tumular e . . . . sina de Melko. Tirannë morre de pesar e Úrin chega a Hisilómë . . . . Purificação de Turambar e Vainóni, que percorrem brilhantes o mundo e vão com as hostes de Tulkas contra Melko.

Rabiscos separados se seguem, sem dúvida escritos ao mesmo tempo:

Úrin foge. Tirannë descobre sobre Túrin. Ambos vagam perturbados . . . na mata.
Túrin deixa Linwë, pois em uma querela ele matou um parente de Linwë (acidentalmente).
Introduzir o elemento Failivrin na história?
Turambar incapaz de lutar devido aos olhos do Foalókë. Vê Failivrin partir.

Isso só pode representar algumas das ponderações mais antigas de meu pai acerca da história de Túrin Turambar. O fato de aparecer no caderno no *final* do Conto completo pode parecer surpreendente, mas ele claramente usava esses cadernos de maneira muito excêntrica. Nienóri é chamada aqui de *Vainóni*, e Mavwin, de *Tirannë*; o feitiço de esquecimento aqui é lançado por um feiticeiro chamado *Kurúki*, embora seja o dragão que erga o véu colocado sobre elas pelo feiticeiro. Os dois encontros com o dragão parecem ter originalmente surgido de um único encontro.

Como mencionei anteriormente, o *Conto de Turambar*, assim como outros dos *Contos Perdidos*, foi escrito a tinta por cima de um texto a lápis completamente apagado, e a versão restante do conto é tal que só poderia ter derivado de um rascunho mais rudimentar que a precedeu; mas o texto por baixo está tão completamente apagado que não há qualquer pista sobre o estágio que ele tinha alcançado no desenvolvimento da lenda. É bem possível — e penso ser extremamente provável — que neste rascunho a respeito de Vainóni, Tirannë e Kurúki estejamos vislumbrando, por um acaso singular, uma "camada" da saga de Túrin mais antiga até mesmo do que o texto apagado que jaz debaixo da versão remanescente.

§3. *Miscelânea*

(i) *Beren*

O trecho rejeitado incluído na p. 93 — junto com a nota marginal "Se Beren for um Gnomo (como está agora na história de Tinúviel), as referências a Beren devem ser alteradas" (nota 4) — é a base para minha afirmação (p. 69) de que, na mais antiga e agora perdida versão do *Conto de Tinúviel*, Beren era um Homem. Espero ter demonstrado que a versão remanescente do *Conto de Turambar* precedeu a versão remanescente do *Conto de Tinúviel* (p. 90). Beren era um Homem, *e aparentado de Mavwin*, quando o *Conto de Turambar* que restou foi escrito; ele se tornou um Gnomo no *Conto de Tinúviel* remanescente, e essa alteração foi passada para o *Conto de Turambar*. O que o trecho substitutivo na p. 94 faz é alterar a relação de Egnor e Beren de parentesco com a esposa de Úrin para amizade com Úrin. (Uma correção à versão datilografada de *Tinúviel*, p. 60, é posterior, e faz com que a camaradagem de Úrin seja em relação a Beren, e não a Egnor). Duas outras alterações ao texto de Turambar, resultado da alteração em Beren de Homem para Elfo estão incluídas nas notas 5 e 6. É interessante observar que, na genealogia desenvolvida de *O Silmarillion*, quando Beren evidentemente se tornou um Homem outra vez, ele também voltou a ser parente de Morwen: pois Beren era primo em primeiro grau do pai de Morwen, Baragund.

No trecho rejeitado da p. 93, meu pai escreveu acima do nome Egnor "Damrod, o Gnomo" (nota 2) e no trecho corrigido escreveu que Úrin conhecera Beren "e lhe prestara serviço certa feita em respeito a Damrod, seu filho". Não há qualquer pista sobre o que esse serviço pode ter sido; mas no segundo dos "esquemas" para *O Livro dos Contos Perdidos* (ver I. 280–81), o esboço para o *Conto do Nauglafring* refere-se ao filho de Beren e Tinúviel, pai de Elwing, pelo nome *Daimord*, embora no conto em si, conforme foi escrito, o filho era chamado *Dior*, e assim permaneceu. Presumivelmente, *Daimord* deve ser equivalente de *Damrod*. Não consigo explicar a inserção "Damrod, o Gnomo" perto de "Egnor" no trecho rejeitado — possivelmente dar o nome *Damrod* ao pai de Beren não foi nada além de uma ideia passageira.

Pode-se notar aqui que tanto o trecho rejeitado quanto o trecho substitutivo deixam bem claro que os eventos da história de Beren e Tinúviel aconteceram *antes* da Batalha das Lágrimas Inumeráveis; ver p. 86.

(ii) *A Batalha de Tasarinan*

Diz-se no começo do presente conto (p. 91) que ele "fala de dias muito antigos daquela gente [Homens], antes da Batalha de Tasarinan, quando os Homens entraram pela primeira vez nos vales escuros de Hisilómë".

À primeira vista, isso acarreta uma contradição extrema, já que se diz muitas vezes que os Homens foram confinados em Hisilómë à época da Batalha das Lágrimas Inumeráveis, e o *Conto de Turambar* se passa — e precisa se passar — depois dessa batalha. A solução está, contudo, numa ambiguidade da frase citada. Meu pai não quis dizer que era um conto de Homens em dias antigos sobre esse povo antes de entrarem em Hisilómë; ele quis dizer "este é um conto de dias antigos *quando* os Homens entraram pela primeira vez em Hisilómë — muito antes da Batalha de Tasarinan".

Tasarinan é a Terra dos Salgueiros, *Nan-tathren* em *O Silmarillion*; as antigas listas de palavras, ou dicionários, incluem a forma "élfica" *tasarin* "salgueiro" e a gnômica *tathrin*.* A Batalha de Tasarinan

---

* *Tasarinan* sobreviveu sem alteração como o nome em quenya: "os salgueirais de Tasarinan" na canção de Barbárvore, *As Duas Torres*, Livro III, capítulo 4.

ocorreu muito depois, no decorrer da grande expedição desde Valinor para libertar os Noldoli escravizados nas Grandes Terras. Ver p. 265.

(iii) *A geografia do Conto de Turambar*

O trecho que descreve a rota dos Orques que capturaram Túrin (p. 99) fornece outra evidência para a ideia de que "as montanhas que cercavam Hisilómë das Terras Além eram contínuas em relação àquelas acima de Angband" (p. 81); pois se diz ali que os Orques "estavam sempre a seguir a faixa de colinas escuras rumo às regiões onde elas se erguem altaneiras e lúgubres, e seus cimos são amortalhados de vapores negros", e "*ali* elas passam a se chamar Angorodin, ou Montanhas de Ferro, pois sob as raízes das suas fortalezas mais setentrionais fica Angband".

O local das cavernas dos Rodothlim, muito em consonância com o que se diz depois de Nargothrond, já foi discutido (p. 151), assim como a topografia da Bacia de Prata e a ravina em que Turambar assassinou Glorund em relação aos posteriores Teiglin, Celebros e Nen Girith (pp. 162–63). Além disso, há algumas indicações no conto de como as cavernas dos Rodothlim se relacionam ao reino de Tinwelint e à terra onde os Homens-da-floresta habitavam. Está dito (p. 120) que as "moradas dos Rodothlim não eram completamente distantes do reino de Tinwelint, ainda que fossem longe o bastante"; ao passo que os Homens-da-floresta habitavam "em terras que não estavam completamente distantes do Sirion ou das colinas relvadas no curso médio daquele rio" (p. 115), e pode-se dizer que isso está em consonância aceitável com a situação da Floresta de Brethil. No mesmo trecho, diz-se que a região onde eles habitavam era "em lugares muito distantes, muito longe do rio dos Rodothlim", e a ira de Glorund foi grande quando ouviu falar de "uma gente corajosa dos Homens que habitava muito longe do rio" (p. 128); isso também se acomoda bem à concepção geográfica posterior — Brethil de fato ficava a uma grande distância do rio (Narog) para alguém que vinha de Nargothrond.

Minha forte impressão é de que, embora a geografia do oeste das Grandes Terras *pudesse* estar ainda bastante vaga, ela já tinha em muitos aspectos importantes a mesma estrutura essencial e as inter-relações daquelas vistas no mapa que acompanha *O Silmarillion*.

(iv) *A influência dos Valar*

Assim como no *Conto de Tinúviel* (ver p. 89), no *Conto de Turambar* também há várias referências ao poder dos Valar nos assuntos de Homens e Elfos nas Grandes Terras — e a preces, tanto de graças quanto de pedidos, direcionadas a eles: assim, os guardiões de Túrin "agradeciam aos Valar" por terem completado a jornada a Artanor (p. 94) e, mais notavelmente, Úrin "clamara pelos Valar do Oeste, tendo aprendido muito a respeito deles pelos Eldar de Kôr — os Gnomos que encontrara — e suas palavras chegaram, quem há de saber como, até Manwë Súlimo sobre as alturas de Taniquetil" (p. 99). (Úrin já era um "Amigo-dos-Elfos", instruído pelos Noldoli; ver o trecho substitutivo na p. 93). Será que sua prece foi "atendida"? Possivelmente, esse é o sentido da expressão muito estranha "pela sorte dos Valar" (p. 102), quando Flinding e Beleg encontraram Túrin jazendo perto do ponto em que eles entraram no acampamento-órquico.*

Sonhos enviados pelos Valar chegavam aos chefes dos Rodothlim, embora isso tenha sido alterado depois, e a referência aos Valar, removida (p. 106 e nota 10, p. 143); os Homens-da-floresta diziam "Quisera que os Valar retirassem o feitiço que jaz sobre Níniel" (p. 126); e Túrin "vociferou asperamente contra os Valar e seu fado de desgraça" (p. 137).

Uma referência interessante aos Valar (e seu poder) ocorre na resposta de Tinwelint (p. 119) às palavras de Mavwin "dai-me apenas uma cabana de lenhador e meu filho". O rei responde: "Isso não te posso dar, pois sou apenas um rei dos Elfos silvestres *e não um Vala das ilhas do oeste*". Na pequena porção do *Conto de Gilfanon* que de fato foi escrita, conta-se (I. 278) que os Elfos Escuros que permaneceram em Palisor diziam que "seus irmãos haviam partido para o oeste, para as Ilhas Reluzentes. Lá, diziam, habitam os Deuses, e eles os chamavam de Grande Povo do Oeste, e pensavam que habitavam em ilhas iluminadas por fogo no mar".

(v) *A idade de Túrin*

De acordo com o *Conto de Turambar*, quando Túrin deixou Mavwin, ele tinha sete anos de idade, e foi após sete anos morando com os Elfos da floresta que todas as notícias de seu lar cessaram (p. 96);

---

* O dicionário gnômico possui o verbete *gwalt* "boa sorte — qualquer acontecimento ou pensamento providencial: 'a sorte dos Valar', *i-walt ne Vanion*" (I. 237–38).

no *Narn*, o período em anos correspondente é oito e nove, e Túrin tinha dezessete anos, e não catorze, quando "seu desgosto foi renovado" (pp. 93, 112–13). Exatamente doze anos após deixar Mavwin, ele assassinou Orgof e fugiu de Artanor (p. 97), com dezenove anos; no *Narn* (p. 116), também fazia doze anos que deixara Hithlum quando caçou Saeros até a morte, mas ele tinha vinte anos.

"O conto não diz o número de dias que Turambar permaneceu com os Rodothlim, mas foram muitíssimos, e durante esse tempo Nienóri cresceu até quase se tornar mulher adulta" (p. 116). Nienóri era sete anos mais nova do que Túrin: ela tinha doze anos quando fugiu de Artanor (*ibid.*). Ele não pode, portanto, ter morado entre os Rodothlim por mais do que, digamos, cinco ou seis anos; e conta-se que, quando foi escolhido chefe dos Homens-da-floresta, possuía uma "sabedoria superior aos seus anos".

Bethos, chefe dos Homens-da-floresta antes de Túrin, "lutara, ainda que fosse menino na época, na Batalha das Lágrimas Inumeráveis" (p. 126), mas foi morto numa incursão, pois "*apesar da idade*, ainda cavalgava para fora". Mas é impossível correlacionar o tempo de vida de Bethos (desde menino na Batalha das Lágrimas Inumeráveis até sua morte numa incursão, com idade avançada o bastante para ser digna de nota) ao de Túrin; pois os eventos após a destruição dos Rodothlim, culminando no resgate de Níniel por Túrin depois do primeiro encontro dela com Glorund, não podem cobrir um período muito longo. O que é claro e certo é que, na história antiga, Túrin morreu quando era ainda muito jovem. De acordo com a datação precisa fornecida em escritos muito posteriores, ele tinha 35 anos quando morreu.

(vi) *A estatura de Elfos e Homens*
Os Elfos são concebidos como tendo compleição e estatura menores que as dos Homens: assim, Beleg "era de grande estatura e porte *conforme a maneira daquele povo*" (p. 94), e Túrin "era um Homem de maior estatura que eles", isto é, que Beleg e Flinding (p. 102), sendo essa última frase uma emenda de "era um Homem de grande tamanho" (nota 8). Sobre esse assunto, ver I. 46, 283.

(vii) *Dragões alados*
No final de *O Silmarillion* (p. 334), Morgoth "soltou sobre seus inimigos o último ataque desesperado que preparara, e das fossas

de Angband saíram os dragões alados, que não tinham sido vistos antes". Isso sugere que os dragões alados eram um refinamento da idealização original de Morgoth (encarnada em Glaurung, Pai de Dragões, que se movia de rastos). Por outro lado, de acordo com o *Conto de Turambar* (p. 121), entre os muitos dragões de Melko, uns eram menores, frios como cobras, e destes muitos eram criaturas voadoras; enquanto outros, os mais poderosos, eram quentes e pesados, dragões-de-fogo, e esses não tinham asas. Como já se observou (p. 153), não há sugestão no conto de que Glorund fosse o primeiro de sua espécie.

3

A QUEDA DE GONDOLIN

Ao final do relato de Eltas sobre a visita de Úrin a Tinwelint e sobre o estranho destino de Úrin, Mavwin, Túrin e Nienóri (p. 142), o manuscrito que está em folhas soltas na verdade continua com um breve interlúdio no qual se discute o curso vindouro do contar de contos em Mar Vanwa Tyaliéva.

E assim dizendo, Eltas concluiu, e ninguém perguntou mais nada. Mas Lindo pediu que todos o agradecessem por seu conto e, a isso, ele falou: "Ora, se desejardes, ainda há muito para contar a respeito do ouro de Glorund e como o mal daquela serpe encontrou sua realização final — mas vede, essa é a estória do Nauglafring, ou o Colar dos Anãos, e ela deve esperar um pouco — e outras estórias de coisas mais leves e mais felizes tenho para contar se preferirdes ouvi-las."

Então ergueram-se muitas vozes implorando a Eltas que contasse o conto do Nauglafring no dia seguinte, mas ele disse: "Não! Pois quem aqui sabe o conto completo de Tuor e da vinda de Eärendel, ou quem era Beren Ermabwed e quais foram seus feitos? Pois primeiro é melhor aprender direito sobre essas coisas." E todos disseram que Beren Ermabwed eles conheciam bem, mas que da vinda de Eärendel bem pouco fora contado.

"E isso é muito danoso," disse Lindo, "pois é a maior das estórias dos Gnomos, e justo nesta casa temos Ilfiniol, filho de Bronweg, que conhece essas façanhas mais fielmente do que qualquer um que agora vive na Terra."

Por volta daquele momento, Ilfiniol, o Guardião-do-Gongo, entrou de fato, e Lindo lhe falou: "Vê, ó Coração-Pequeno, filho de Bronweg, é o desejo de todos que nos contes os contos de Tuor e de Eärendel tão logo seja possível." E Ilfiniol alegrou-se com isso, mas disse: "É um magno conto, e sete vezes o povo há de se reunir no

Fogo-do-Conto até que ele seja contado apropriadamente; e é tão entretecido com as estórias do Nauglafring e da Marcha dos Elfos[1] que, para contá-lo, eu gostaria do auxílio de Ailios aqui e de Meril, a Senhora da Ilha, pois há muito tempo ela não vem a esta casa."

Portanto, mensageiros foram enviados no dia seguinte ao *korin*[2] de olmeiros altos, e disseram que Lindo e Vairë alegrar-se-iam de ver entre eles o rosto de sua senhora, pois tencionavam fazer um festival e promover uma grande contação de contos élficos antes que Eriol, seu hóspede, partisse para Tavrobel por um tempo. Assim foi que por três dias aquele salão não ouviu conto algum, e as pessoas de Vanwa Tyaliéva fizeram grandes preparativos, mas, na quarta noite, Meril foi até lá junto à sua companhia de donzelas, e aquele lugar encheu-se de luz e alegria; mas após a refeição da noite, uma grande multidão sentou-se diante do Tôn a Gwedrin,[3] e as donzelas de Meril cantaram as mais belas canções que aquela ilha conhecia.[4]

E uma delas Heorrenda depois verteu para a língua de seu povo, e ela é assim.[5]

Mas quando essas canções silenciaram, então falou Meril, que estava sentada na cadeira de Lindo: "Vamos, ó Ilfiniol, começa o conto dos contos, e conta-o mais plenamente do que jamais fizeste."

Então disse Coração-Pequeno, filho de Bronweg . . . (Conto de Gondolin). [*sic*]

> Essa é, portanto, a *Ligação* entre o *Conto de Turambar* e *A Queda de Gondolin* (um "prefácio" mais antigo ao conto está incluído adiante). Parece que meu pai hesitou sobre qual conto deveria seguir o de *Turambar* (ver nota 4), mas decidiu que era hora de apresentar *A Queda de Gondolin*, que existia havia algum tempo.
>
> Nessa *Ligação*, Ailios (posteriormente Gilfanon) está presente ("gostaria do auxílio de Ailios aqui") no final do conto de Eltas sobre Turambar, mas no início do conto de Eltas (p. 91), afirma-se de maneira explícita que ele não estava presente naquela noite. Sobre a sugestão de que Eriol deveria "partir para Tavrobel por um tempo" (como hóspede de Gilfanon), ver I. 212.
>
> O fato de que Eltas fala do conto de Beren Ermabwed como se não soubesse que ele fora recentemente contado em Mar Vanwa Tyaliéva certamente se explica porque esse conto não foi narrado junto ao Fogo-do-Conto (ver pp. 14–18).

O narrador do conto *A Queda de Gondolin*, Coração-Pequeno, o Guardião-do-Gongo de Mar Vanwa Tyaliéva, apareceu várias vezes nos *Contos Perdidos*, e seus nomes élficos têm muitas formas diferentes (ver a seção *Alterações feitas a nomes* no final do conto). Em *O Chalé do Brincar Perdido* (I. 26), diz-se que ele é "ancião além da conta", e que "navegou em Wingilot com Eärendel naquela última viagem em que buscaram Kôr"; e na *Ligação* à *Música dos Ainur* (I. 63), ele "tinha um rosto vincado e olhos azuis de grande divertimento, e era muito esguio e pequeno, e nem se podia dizer se tinha cinquenta anos ou dez mil". É um Gnomo, filho de Bronweg/Voronwë (Voronwë de *O Silmarillion*) (I. 65, 120).

Os textos de "A Queda de Gondolin"

A história textual de *A Queda de Gondolin*, se considerada com detalhes, é extremamente complexa; mas ainda que eu a apresente aqui, da maneira que a entendo, não há razão real para ela complicar a disposição do conto em si.

Em primeiro lugar, há um manuscrito muito difícil contido em dois cadernos escolares, nos quais o título do conto é *Tuor e os Exilados de Gondolin (que traz em seguida o grande conto de Eärendel)*. De fato, esse é o único título encontrado nos textos antigos, mas meu pai sempre se referiu posteriormente como *A Queda de Gondolin*. Esse manuscrito é (ou melhor, era) o texto original do conto, datado de 1916–17 (ver I. 245 e *Contos Inacabados*, p. 16), e por conveniência vou chamá-lo aqui de *Tuor A*. O tratamento que meu pai deu a ele subsequentemente foi distinto do que deu a *Tinúviel* e a *Turambar* (em que o texto original foi apagado e uma nova versão foi escrita no lugar). Neste conto, ele não escreveu um texto completamente novo, mas deixou uma boa parte do antigo permanecer, pelo menos no começo do conto: conforme a revisão progredia, a reescrita a tinta sobre o texto a lápis de fato se tornou quase contínua, e ainda que o lápis não tenha sido apagado, a tinta efetivamente faz com que desapareça. Mas mesmo depois de a segunda versão se tornar contínua, há vários lugares em que ele não escreveu por cima da primeira narrativa, mas simplesmente a riscou, e ela continua legível. Assim, ainda que *Tuor A* esteja no mesmo estágio de *Tinúviel* e *Turambar* (e outros dos *Contos Perdidos*) por ser uma revisão posterior, isto é, uma segunda versão, o método de meu pai em *Gondolin* permite ver que pelo menos aqui a revisão não foi em absoluto uma reformulação completa (muito menos uma reimaginação); pois se os trechos nos pontos mais avançados do conto que ainda podem ser comparados em ambas as versões mostram que ele estava seguindo a versão anterior muito de perto, o mesmo provavelmente se aplica aos pontos em que não é possível fazer uma comparação.

A partir de Tuor A, da maneira que estava *quando todas as alterações a ele haviam sido feitas* (isto é, quando ele estava na forma em que está agora), minha mãe fez uma cópia a limpo (*Tuor B*), a qual, considerando-se a dificuldade do original, é extremamente precisa, com apenas erros muito fortuitos de transcrição. Eu afirmei em *Contos Inacabados* (p. 17) que essa cópia foi feita "ao que parece em 1917", mas isso agora me parece improvável.* Concepções tais como a Música dos Ainur, mencionada em acréscimos posteriores a *Tuor A* (pp. 199-200), *podem*, é claro, ter estado na mente de meu pai por um bom tempo antes de ele escrever o conto em Oxford, enquanto trabalhava no Dicionário (I. 62), mas parece mais provável que a revisão a *Tuor A* (e, portanto, também a *Tuor B*, que foi copiado de *A* após a revisão) pertença também àquele período.

Subsequentemente, meu pai voltou o lápis para *Tuor B*, emendando-o bastante, mas principalmente no começo do conto, e quase sempre por razões estilísticas e não narrativas; mas essas emendas, como se verá, não foram feitas todas ao mesmo tempo. Algumas estão escritas em pedaços separados de papel, e muitos deles têm, no verso, partes de uma discussão etimológica sobre certas palavras germânicas para o pássaro chamado de *Butcher-bird* ou *Shrike* [picanço], conteúdo que aparece no Oxford Dictionary no verbete *Wariangle*. Considerando-se também o fato de que um dos papeizinhos com esse material no verso claramente contém uma instrução para que o conto fosse reduzido quando contado oralmente (ver nota 21), é praticamente certo que grande parte da revisão de *Tuor B* foi feita antes que meu pai o lesse no Clube de Ensaios do Exeter College, na primavera de 1920 (ver *Contos Inacabados*, p. 17).

Demonstra-se que nem todas as emendas a *Tuor B* foram feitas ao mesmo tempo pelo fato de existir um texto datilografado (*Tuor C*),

---

*Na *Biografia* (p. 131), Humphrey Carpenter diz que a história "foi escrita no começo de 1917, durante a convalescença de Tolkien em Great Haywood", mas ele está sem dúvida se referindo ao texto original a lápis de *Tuor A*.

sem título, que chega apenas até as palavras "vosso monte de vigilância contra o mal de Melko" (p. 196). Ele foi composto a partir de *Tuor B* quando algumas alterações haviam sido feitas, mas não aquelas que eu deduzo terem sido feitas antes da ocasião em que foi lido em voz alta. Uma característica estranha deste texto é que foram deixados espaços em branco para muitos dos nomes, e apenas alguns foram preenchidos depois. Mais para o final do texto, há um grau considerável de variação independente em relação a *Tuor B*, mas são todas alterações menores e nenhuma com importância narrativa. Eu concluo que esse foi um ramo colateral que se esvaiu.

A história textual pode, portanto, ser representada assim:

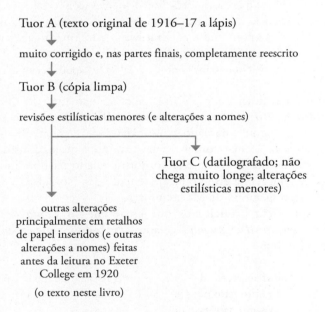

Visto que a narrativa em si sofreu muito pouca alteração digna de nota no decorrer dessa história (se bem que porções substanciais do texto original *Tuor A* estão completamente ilegíveis), o texto que se segue aqui é o de *Tuor B* na forma final, com algumas variações anteriores interessantes incluídas nas Notas. Parece que meu pai não cotejou a cópia limpa de *Tuor B* com o original, e não foi em todos os casos que notou os erros de transcrição que contém; quando notou, corrigiu-os julgando pelo contexto, mas sem olhar novamente

Tuor A. Em pouquíssimos casos eu restaurei para o texto de *Tuor A* onde ele está claramente correto (por exemplo em "uma muralha d'água subiu quase até o topo do penhasco", p. 185, onde *Tuor B* e o texto datilografado *Tuor C* trazem "alto até o topo do penhasco").

Ao longo de todo o texto datilografado, Tuor é chamado de *Tûr*. Em *Tuor B*, o nome é às vezes emendado de *Tuor* para *Tûr* na porção inicial do conto (aparece como *Tûr* nas revisões mais tardias), mas não em todas as ocorrências, absolutamente. Meu pai ao que parece decidiu alterar o nome, mas, por fim, resolveu não fazê-lo; e eu escrevo *Tuor* no conto inteiro.

Um documento interessante acompanha o Conto: é uma vultuosa, ainda que incompleta, lista de nomes (com explicações) que ocorrem nele, agora difícil ou impossível de ler em alguns lugares. Os nomes são incluídos em ordem alfabética, mas só chegam até a letra L. Informações linguísticas da lista estão incorporadas no Apêndice de Nomes, mas a nota inicial da lista pode ser citada aqui:

Aqui estão descritos por Eriol, pelo ensinamento do filho de Bronweg, Elfrith [*emendado de* Elfriniel], ou Coração-Pequeno (e ele era assim chamado pela jovialidade e maravilhamento do seu coração), os nomes e palavras usados nestes contos, seja do idioma dos Elfos de Kôr conforme falado na Ilha Solitária àquela época, seja do idioma aparentado dos Noldoli, sua gente a quem resgataram de Melko à força.

Aqui estão primeiro os que aparecem no *Conto de Tuor e os Exilados de Gondolin* e, antes de todos, aqueles na fala dos Gnomos.

Em *Tuor A* aparecem duas versões (uma riscada) de um curto "prefácio" ao conto feito por Coração-Pequeno, o qual não aparece em *Tuor B*. A segunda versão diz:

Então disse Coração-Pequeno, filho de Bronweg: "Ora, a estória que conto é dos Noldoli, que eram a gente de meu pai, e é possível que os nomes soem estranhos aos vossos ouvidos e que povos familiares sejam chamados por nomes que jamais escutastes, pois os Noldoli falam um idioma curioso, ainda doce aos meus ouvidos, embora talvez não aos de todos os Eldar. Os sábios o veem como parente próximo do eldarissa, mas não soa parecido, e nada conheço de tal saber. Portanto, falar-vos-ei os nomes eldar apropriados onde houver, mas em muitos casos não há.

Sabei, pois", disse ele, "que

A versão mais antiga (intitulada "Ligação entre *Tuor* e o conto anterior") começa da mesma forma, mas então diverge:

[...] e ainda é doce aos meus ouvidos, mas, com receio de que não o seja para todos os Eldar e Homens aqui reunidos, não usarei dele mais do que o necessário, e isso se aplica aos nomes daquele povo e a coisas de que o conto fala, mas para as quais — visto que se extinguiram antes de o resto dos Eldar chegar de Kôr — os Elfos não têm nomes verdadeiros. Sabei, pois", disse ele, "que Tuor

Esse "prefácio", portanto, leva à abertura do conto. Na segunda versão aparece aqui o nome *eldarissa* para a língua dos *Eldar* ou *Elfos*, em oposição a *noldorissa* (um termo encontrado na Lista de Nomes). Para a distinção envolvida aí, ver I. 68–9. Compare as palavras de Coração-Pequeno com o que Rúmil disse sobre ele a Eriol (I. 66):

"'Idiomas e falares', dizem, 'apenas um me basta' — e assim falou Coração-Pequeno, o Guardião-do-Gongo, certa vez: 'A fala-dos-Gnomos', disse ele, 'já me basta — não era essa, e nenhuma outra, que Eärendel e Tuor e Bronweg, meu pai (a quem vós outros, afetada e erroneamente, chamam de Voronwë), falavam?' E, ainda assim, teve de aprender élfico no fim, ou estaria fadado ao silêncio ou a deixar Mar Vanwa Tyaliéva [...]"

Depois dessas longas notas preliminares, apresento o texto do Conto.

☙

Tuor e os Exilados de Gondolin
(que traz em seguida o grande conto de Eärendel)

Disse então Coração-Pequeno, filho de Bronweg: "Sabei, pois, que Tuor era um homem que habitava, em mui antigos dias, naquela terra do Norte chamada Dor Lómin ou a Terra das Sombras, e entre os Eldar, os Noldoli a conhecem melhor.

"Ora, o povo do qual viera Tuor vagava pelas florestas e montes e nem conhecia nem cantava o mar, mas Tuor não habitava com eles e vivia sozinho perto daquele lago chamado Mithrim, ora caçando nos bosques, ora fazendo música perto das margens com sua harpa tosca de madeira e tendões de urso. Muitos, então, ouvindo falar do poder de suas rudes canções, vinham de perto e de longe para escutar o som de sua harpa, mas Tuor abandonou seu cantar e partiu para lugares solitários. Lá aprendeu muitas coisas estranhas e tomou conhecimento dos Noldoli errantes, que lhe ensinaram muito de sua fala e de seu saber, mas ele não estava fadado a habitar para sempre naqueles bosques.

"Depois disso, conta-se que a magia e o destino o levaram certo dia para uma abertura cavernosa, no fundo da qual um rio escondido corria a partir do Mithrim. E Tuor entrou naquela caverna buscando descobrir seus segredos, mas as águas do Mithrim o levaram adiante para o coração das rochas, e ele não podia voltar à luz. E isso, diz-se, era a vontade de Ulmo, Senhor das Águas, que levara os Noldoli a abrir aquele caminho escondido.

"Então vieram os Noldoli até Tuor e o guiaram por passagens escuras em meio às montanhas, até que ele saiu à luz mais uma vez e viu que o rio corria velozmente por uma ravina de grande profundidade, com encostas que não se podia escalar. Então Tuor não mais desejou retornar, mas ia sempre adiante, e o rio o conduzia sempre rumo ao oeste.[6]

"O sol erguia-se às suas costas e punha-se diante de seu rosto, e onde a água espumava em meio a muitos pedregulhos ou caía em cascatas havia às vezes mais de um arco-íris trançado através da ravina, mas ao anoitecer as encostas lisas brilhavam ao sol poente, e por essas razões a chamou de Fenda Dourada, ou de Garganta do Teto de Arco-Íris, o que na fala dos Gnomos é Glorfalc ou Cris Ilbranteloth.

"Ora, Tuor já viajava ali por três dias,[7] bebendo das águas do rio secreto e se alimentando de seus peixes, e esses eram dourados e azuis e prateados e de muitas e miríficas formas. Enfim a ravina alargou-se, e conforme se abria suas encostas tornavam-se cada vez mais baixas e agrestes, e o leito do rio mais atravancado com pedregulhos contra os quais as águas espumavam e se despejavam. Por longo tempo Tuor se sentava e mirava a água borbulhante e escutava a voz dela e depois se levantava e saltava adiante de pedra em pedra, cantando enquanto passava, ou, quando saíam as estrelas na nesga estreita de céu acima da garganta, ele fazia ecos para responder ao dedilhar feroz de sua harpa.

"Um dia, depois de uma grande jornada de avanço cansativo, Tuor, no profundo anoitecer, ouviu um grito e não podia decidir de que criatura viera. Ora dizia: 'É uma criatura-fata', ora: 'Não, pois não passa de bicho pequeno a gritar entre as pedras', ou de novo lhe parecia que uma ave desconhecida piava com uma voz nova para seus ouvidos e estranhamente triste — e, porque não tinha ouvido a voz de ave alguma em todo o seu vagar pela Fenda Dourada, alegrou-se com o som, embora fosse um som tristonho. No dia seguinte, em certa hora da manhã, ouviu o mesmo grito acima de sua cabeça e, olhando para cima, contemplou três grandes aves brancas batendo asas ravina acima, no vento forte, e lançando gritos semelhantes aos que ele ouvira em meio ao escurecer. Ora, essas eram as gaivotas, as aves de Ossë.[8]

"Nessa parte daquele curso de rio havia ilhotas de pedra em meio às correntes e pedras caídas com franjas de areia branca nos lados da garganta, de modo que era difícil seguir e, buscando caminho, Tuor achou um ponto onde podia com esforço escalar os penhascos finalmente. Então veio um vento fresco de encontro a seu rosto, e ele disse: 'Isto é muito bom, como sorver vinho', mas ele não sabia que estava perto dos confins do Grande Mar.

"Conforme prosseguia acima das águas, aquela ravina mais uma vez ajuntou-se e as paredes elevaram-se, de modo que ele andava no alto da borda de um penhasco e chegou a uma passagem estreita, e essa estava cheia de ruído. Então Tuor, olhando para baixo, viu a maior das maravilhas, pois parecia que uma enchente de água raivosa iria subir pelos estreitos e reverter contra o rio até sua fonte, mas aquela água que descera do distante Mithrim ainda avançava, e uma muralha d'água subiu quase até o topo do penhasco e estava coroada de espuma e retorcida pelos ventos. Então as águas do Mithrim foram derrotadas, e a enchente que entrava passou rugindo canal acima e engolfou as ilhotas pedregosas e remexeu a areia branca — de modo que Tuor fugiu e teve medo, ele que não conhecia os caminhos do mar, mas os Ainur puseram em seu coração a ideia de escalar a garganta naquela hora, ou ele teria sido engolfado pela maré que subia, e ela tinha sido feroz por conta de um vento que viera do oeste. Então Tuor viu-se em uma região agreste, nua de árvores e varrida por um vento vindo do lado do pôr do sol, e todas as moitas e todos os arbustos inclinavam-se para o lado da aurora por causa da prevalência daquele vento. E ali por um tempo vagou ele até que chegou aos penhascos negros perto do mar e viu o oceano e suas ondas pela primeira vez, e naquela hora o sol mergulhou para além da borda da Terra, muito ao longe, no mar, e ele ficou de pé no topo do penhasco de braços abertos, e seu coração encheu-se de um anseio de fato grandíssimo. Ora, alguns dizem que ele foi o primeiro dos Homens a alcançar o Mar e olhar para ele e conhecer o desejo que ele traz, mas não sei se o dizem corretamente.

"Naquelas regiões ele fez sua morada, habitando em uma cava sob o abrigo de grandes rochas negras, cujo chão era de areia branca, salvo quando a maré alta o recobria parcialmente com água azulada, nem espuma ou escuma lá vinham, salvo na hora das mais severas tempestades. Lá por muito tempo ele viveu sozinho e errou pela costa ou passeou pelas rochas na maré baixa, maravilhando-se com as poças e as grandes algas, as cavernas gotejantes e as estranhas aves marinhas que via e veio a conhecer, mas o subir e o descer da água e a voz das ondas eram sempre para ele o maior assombro e sempre pareciam ser uma coisa nova e inimaginável.

"Ora, nas águas quietas do lago Mithrim, sobre as quais a voz do pato ou da galinha-d'água se propagavam ao longe, ele viajara muito em um pequeno barco de proa semelhante ao pescoço de um cisne, e esse barco ele tinha perdido no dia em que encontrou o rio escondido. No mar não se aventurava ainda, embora seu coração estivesse sempre a incitá-lo com um estranho anseio para lá, e em noites calmas, quando o sol descia para além da borda do mar, isso crescia até virar um desejo feroz.

"Madeira ele tinha, trazida pelo rio escondido, e um bom lenho era, pois os Noldoli o cortaram nas florestas de Dor Lómin e o fizeram flutuar até ele de propósito. Mas nada ainda construíra, por enquanto, salvo uma habitação em um lugar protegido de sua cava, a qual, em suas histórias, os Eldar desde então chamam de Falasquil. Essa, com lento labor, ele adornou com belos entalhes das feras e árvores e flores e aves que ele conhecia das águas do Mithrim, e sempre entre eles o Cisne era o principal, pois Tuor amava esse emblema e ele se tornou o sinal dele próprio, de sua gente e de seu povo desde então. Lá ele passou tempo mui grande, até que a solidão do mar vazio afetou seu coração e fez com que mesmo Tuor, o solitário, ansiasse pela voz dos Homens. Juntos os Ainur[9] tinham algo a fazer: pois Ulmo amava Tuor.

"Certa manhã, enquanto lançava seu olhar ao longo da costa — e eram então os últimos dias do verão —, Tuor viu três cisnes voando alto e com vigor, vindos do norte. Ora, essas aves ele não tinha visto ainda naquelas regiões, e as tomou por um sinal, e disse: 'Há muito meu coração deseja uma jornada para longe daqui. Sus! Agora, enfim, seguirei esses cisnes.' Eis que os cisnes baixaram à água de sua cava e lá, nadando três vezes à volta do lugar, alçaram voo de novo e bateram asas lentamente para o sul, ao longo da costa, e Tuor, levando sua harpa e lança, seguiu-os.

"Foi um grande dia de viagem que Tuor completou daquela vez, e chegou antes do anoitecer a uma região onde as árvores de novo apareciam, e a feição da terra por onde ora passava diferia grandemente daquelas costas em torno de Falasquil. Lá Tuor conhecera penhascos altivos repletos de cavernas e grandes sumidouros, e cavas de muralhas fundas, mas do topo dos penhascos uma terra agreste e plana ia desolada até onde uma borda azul, longe no leste, sugeria montes distantes. Agora, entretanto, via ele uma costa comprida e em declive e trechos de areia, enquanto os montes distantes iam ficando cada vez mais perto da margem do mar e suas encostas escuras estavam cobertas de pinheiros ou abetos e em torno dos sopés cresciam vidoeiros e carvalhos antigos. Dos sopés desses montes torrentes frescas desciam por aberturas estreitas e assim achavam as costas e as ondas salgadas. Ora, algumas dessas fendas Tuor não conseguia saltar, e amiúde era difícil avançar nesses lugares, mas ainda assim ele perseverava, pois os cisnes voavam sempre diante dele, às vezes rodeando de súbito, às vezes pondo-se à frente, mas nunca descendo à terra, e o vento da forte batida de suas asas o encorajava.

"Conta-se que dessa maneira Tuor foi em frente por um grande número de dias, e aquele inverno marchava do norte algo mais velozmente que ele, por mais que ele fosse incansável. Apesar disso, chegou sem sofrer agravo de feras ou do tempo, em certo começo de primavera, à foz de um rio. Ora, aqui a terra estava menos ao norte e era mais gentil que em torno da saída da Fenda Dourada e, além do mais, por causa da progressão da costa, estava o mar dessa vez mais para o sul do que para o oeste, como ele podia reparar pelo sol e pelas estrelas, mas tinha mantido o mar sempre à sua direita.

"O rio corria por um bom canal e em suas margens havia terras ricas: pastagens e campinas úmidas de um lado e encostas repletas de árvores do outro, as águas do rio encontravam o mar preguiçosamente e não lutavam como as águas do Mithrim no norte.

Longas línguas de terra jaziam ilhadas em seu curso, cobertas de caniços e arbustos folhosos, até que, mais perto do mar, estendiam-se montinhos de areia, e esses eram lugares amados por tal multidão de aves como Tuor em nenhum lugar inda encontrara. Seus piados e gritos e assobios enchiam o ar, e ali, em meio às suas asas brancas, Tuor perdeu de vista os três cisnes, nem os viu outra vez.

"Então Tuor, por algum tempo, cansou-se do mar, pois a fadiga causada pela viagem fora muita. Nem se dava isso sem que fosse do plano de Ulmo, e naquela noite os Noldoli vieram até ele e ele despertou de seu sono. Guiado por suas lanternas azuis, ele achou caminho pelas fronteiras do rio e deu passadas tão largas terra adentro que, quando a aurora encheu o céu à sua direita, eis que o mar e sua voz tinham ficado muito para trás, e o vento batia de tal modo que o cheiro do mar nem mesmo estava no ar. Então chegou ele logo àquela região que tem sido chamada de Arlisgion, "o lugar dos caniços", e essa fica naquelas terras que estão ao sul de Dor Lómin e ficam separadas assim das Montanhas de Ferro, cujas encostas chegam até mesmo ao mar. De tais montanhas vinha esse rio, e de grande clareza e admirável frio eram suas águas, mesmo nesse lugar. Ora, esse é um rio de muita fama nas histórias dos Eldar e dos Noldoli, e em todas as línguas seu nome é Sirion. Ali Tuor descansou por um tempo até que, levado pelo desejo, levantou-se ainda outra vez para viajar mais e mais, em marchas de muitos dias, ao longo das fronteiras do rio. A primavera plena ainda não trouxera o verão quando ele chegou a uma região ainda mais adorável. Ali o canto das avezinhas enchia o ar à volta dele com música dulcíssima, pois não há aves que cantem como as aves canoras da Terra dos Salgueiros, e a essa região de assombro ele havia acabado de chegar. Ali o rio trançava-se em curvas amplas de encostas baixas, através de uma grande planície da grama mais suave e mui alta e verde, salgueiros de idade ignota havia naquelas margens e pelo largo seio do rio espalhavam-se folhas de nenúfares, das quais flores ainda não havia por ser cedo naquele ano, mas sob os salgueiros as espadas verdes das flores-de-lis estavam desembainhadas e papiros cresciam e caniços em ordem de batalha. Ora, habitava nesses lugares escuros um espírito de sussurros e ele sussurrava a Tuor no crepúsculo e Tuor estava avesso a partir, e, na alva, pela glória dos inumeráveis ranúnculos, ficava ainda mais avesso a ir e demorava-se ali.

"Lá viu ele as primeiras borboletas e alegrou-se ao vê-las, e dizem que todas as borboletas e sua raça nasceram no vale da Terra dos Salgueiros. Então veio o verão e o tempo das mariposas e dos anoiteceres tépidos, e Tuor admirou-se com a multidão de mosquinhas, com seu zunir e com a zoada dos besouros e o zumbido das abelhas, e a todas essas coisas ele deu nomes só seus e teceu os nomes em novas canções em sua velha harpa, e essas canções eram mais suaves que seu cantar de outrora.

"Então cresceu em Ulmo o medo de que Tuor habitasse lá para sempre e que as grandes coisas de seus desígnios para ele não se realizassem. Portanto, temia continuar confiando Tuor apenas ao amparo dos Noldoli, que prestavam serviço a Ulmo em segredo e, por medo de Melko, vacilavam muito. Nem tinham eles força contra a magia daquele lugar de salgueiros, pois mui grande era o seu encantamento. Pois não aconteceu que, mesmo depois dos dias de Tuor, Noldorin e seus Eldar foram até lá procurando por Dor Lómin e pelo rio oculto e pelas cavernas do aprisionamento dos Gnomos e, no entanto, assim perto do fim da demanda, quase a abandonaram? De fato, dormindo e dançando aí, e fazendo bela música de sons do rio e do murmurar da grama, e fiando ricos tecidos de teias e das asas de insetos alados, eles foram dominados por gobelins enviados por Melko das Montanhas de Ferro e Noldorin escapou dali por um triz. Mas essas coisas ainda não haviam acontecido.

"Eis que então Ulmo saltou sobre seu carro diante dos portais de seu palácio sob as águas paradas do Mar de Fora, e sua carruagem era puxada por narval e leão-marinho e era em forma de uma baleia, e em meio ao soar de grandes conchas ele partiu veloz de Ulmonan. Tão grande era a velocidade de seu avanço que em dias, e não em anos sem conta como poder-se-ia pensar, alcançou a foz do rio. Subi-la a sua carruagem não podia sem maltratar as águas e as beiras do rio, portanto Ulmo, amando todos os rios e esse mais do que muitos, prosseguiu a pé, trajado até a cintura em cota de malha semelhante às escamas de peixes azuis e prateados, mas seu cabelo era de prata azulada e sua barba, chegando até os pés, era do mesmo tom e ele não portava nem elmo nem coroa. Debaixo da cota de malha desciam as dobras de sua túnica de verdes brilhosos e de que substância elas tinham sido tecidas não se sabe, mas todo aquele que olhava para as profundezas de suas cores sutis parecia contemplar os movimentos tênues de águas profundas mescladas com as luzes fugidias de peixes fosforescentes que vivem no abismo. Cingira-se ele com uma corda de grandes pérolas e calçava grandes sapatos de pedra.

"Para lá portara também seu grande instrumento de música, e esse era de estranhas linhas, pois fora feito de muitas conchas compridas e vazadas com furos. Soprando ali e tocando com seus dedos compridos, ele produzia melodias profundas de uma magia maior do que a que qualquer outro músico jamais alcançou em harpa ou alaúde, em lira ou flauta, ou em instrumentos de arco. Chegando então ao longo do rio ele se sentou entre os caniços no crepúsculo e tocou seu instrumento de conchas e era perto desses lugares que Tuor se demorava. E Tuor escutou e emudeceu. Lá ficou, com a grama até os joelhos, e não ouviu mais o zumbido dos insetos, nem o murmúrio das beiras do rio, e o odor das flores não mais entrou em suas narinas, mas ele ouvia o som das ondas e o grito das aves do mar, e sua alma saltava pelos lugares rochosos e pelas escarpas que cheiram a peixe, pelo espirrar d'água do cormorão que mergulha e por aqueles lugares onde o mar escava os penhascos negros e urra em alta voz.

"Então Ulmo levantou e falou com ele e, em terror, Tuor esteve perto da morte, pois grandíssima é a profundeza da voz de Ulmo: tão profunda quanto seus olhos, que são as mais profundas de todas as coisas. E Ulmo disse: 'Ó Tuor do coração solitário, não desejo que habites para sempre em belos lugares de aves e flores, nem levar-te-ia por esta terra agradável,[10] se não fosse isso o que tem de ser. Mas segue agora a jornada de teu destino e não te demores, pois para longe daqui te leva tua sorte. Agora deves tu buscar através das terras pela cidade do povo chamado de Gondothlim, os habitantes da pedra, e os Noldoli hão de te escoltar até lá em segredo por medo dos espiões de Melko. Palavras porei em tua boca e lá residirás por um tempo. Contudo, talvez tua vida volte-se outra vez para as águas poderosas e com certeza um filho virá de ti que, mais do qualquer homem, há de conhecer as últimas profundezas, sejam elas do mar ou do firmamento do céu.' Então falou Ulmo também a Tuor sobre algo de seus desígnios e desejos, mas disso Tuor pouco entendeu naquela hora e tinha grande temor.

"Então Ulmo foi envolvido por uma névoa como se fosse a dos ares do mar naqueles locais terra adentro, e Tuor, com aquela música em seus ouvidos, de bom grado retornaria às regiões do

Grande Mar, mas, lembrando-se das ordens de Ulmo, voltou-se e partiu terra adentro ao longo do rio, e assim seguiu até o raiar do dia. Contudo, aquele que ouviu as conchas de Ulmo há de ouvi-las a chamá-lo até a morte, e isso foi o que Tuor descobriu.

"Quando o dia veio ele estava cansado e dormiu até que era quase crepúsculo outra vez, e os Noldoli vieram até ele e o guiaram. Assim ele viajou muitos dias no crepúsculo e no escuro e dormiu de dia e por causa disso aconteceu depois que ele não se lembrava muito bem dos caminhos que atravessara naqueles tempos. Ora, Tuor e seus guias continuaram sem se cansar, e a terra tornou-se uma região de montes ondulados e o rio rodava à volta dos sopés deles e havia infindos vales muitíssimo prazenteiros, mas ali os Noldoli ficaram inquietos. 'Esses', disseram eles, 'são os confins daquelas regiões que Melko infesta com seus Gobelins, o povo do ódio. Longe, ao norte — contudo, ai de nós, não longe o suficiente, quisera que fossem 10 mil léguas —, jazem as Montanhas de Ferro onde se assenta o poder e terror de Melko, de quem somos servos. De fato, guiando-te agimos em segredo, e se soubesse ele de todos os nossos propósitos, caber-nos-ia o tormento dos Balrogs.'

"Caindo então em tal medo, os Noldoli logo depois o deixaram e ele continuou sozinho entre os montes, e seu avanço mostrou-se ruim depois disso, pois 'Melko tem muitos olhos', dizem, e enquanto Tuor viajou com os Gnomos eles o levaram por trilhas de crepúsculo e por muitos túneis secretos através dos montes. Mas dessa vez ele se perdeu e subia amiúde aos topos de morros e montes esquadrinhando as terras em torno. Contudo, não podia ver sinais de nenhuma habitação de gente, e de fato a cidade dos Gondothlim não se achava com facilidade, sabendo-se que Melko e seus espiões ainda não a tinham descoberto. Diz-se, mesmo assim, que nessa hora aqueles espiões assim tiveram rumor de que os estranhos pés do Homem estavam pisando aquelas terras e por isso Melko redobrou seus estratagemas e sua vigilância.

"Ora, quando os Gnomos por medo desertaram de Tuor, um certo Voronwë ou Bronweg o seguiu de longe apesar de seu medo, quando suas repreensões não puderam encorajar os outros. Naquela hora Tuor tinha caído em grande cansaço e estava sentado ao lado da torrente que corria e o anseio pelo mar estava em seu coração e ele pensava mais uma vez em seguir esse rio de volta às águas abertas e às ondas que rugiam. Mas esse Voronwë, o fiel, foi até ele mais uma vez e, de pé perto de seu ouvido, disse: 'Ó Tuor, não penses nisso, mas crê que algum dia hás de ver outra vez teu desejo; levanta-te agora: eis que não deixar-te-ei. Não sou um dos que conhecem bem as estradas entre os Noldoli, sendo um artífice e criador de coisas feitas pela mão com madeira e metal, e não me juntei ao grupo de escolta até bem tarde. Contudo, desde há muito ouvi murmúrios e ditos pronunciados em segredo em meio ao cansaço da servidão, acerca de uma cidade onde os Noldoli poderiam ser livres, pudessem eles achar o caminho oculto para lá, e nós dois sem sombra de dúvida[11] podemos achar a estrada para a Cidade de Pedra, onde está aquela liberdade dos Gondothlim.'

"Sabei então que os Gondothlim eram aquela gente dos Noldoli que sozinha escapou do poder de Melko quando, na Batalha das Lágrimas Inumeráveis, ele matou e escravizou o povo deles[12] e teceu feitiços à sua volta e os fez habitar nos Infernos de Ferro, de lá saindo por sua vontade e ordem apenas.

"Por longo tempo Tuor e Bronweg[13] buscaram a cidade daquele povo, até que depois de muitos dias chegaram a um vale profundo em meio aos montes. Ali ouviram o rio passar por um leito mui pedregoso, com muita pressa e muito barulho, debaixo de uma cortina formada por espesso bosque de amieiros, mas as paredes do vale eram íngremes, pois eles estavam perto de algumas montanhas que Voronwë não conhecia. Nessa parede verde aquele Gnomo achou uma abertura semelhante a uma grande porta de batentes inclinados, e essa estava coberta com arbustos espessos e plantas rasteiras há muito enroscadas, contudo, a visão penetrante de Voronwë não podia ser enganada. Apesar disso, conta-se que tamanha mágica os construtores da porta tinham posto à volta dela (pela ajuda de Ulmo, cujo poder corria naquele rio, ainda que o terror de Melko grassasse em suas margens) que ninguém, salvo os do sangue dos Noldoli, poderia topar com ela assim por acaso, nem Tuor teria jamais achado a entrada se não fosse pela firmeza daquele Gnomo Voronwë.[14] Ora, os Gondothlim tinham construído tal morada secreta por temer Melko; contudo, não poucos dos mais corajosos entre os Noldoli escapuliam rio abaixo pelo Sirion desde aquelas montanhas e, se muitos assim pereciam pelo mal de Melko, muitos, achando essa passagem mágica, chegavam enfim à Cidade de Pedra e aumentavam seu povo.

"Grandemente Tuor e Voronwë jubilaram-se por achar esse portão, mas, entrando, acharam lá escuro caminho, de avanço duro e tortuoso, e longamente viajaram tropeçando dentro de seus túneis. Estava cheio de ecos temíveis, e lá incontáveis pisadas pareciam vir atrás deles, de modo que Voronwë ficava aterrorizado e dizia: 'São os gobelins de Melko, os Orques dos montes.' Então corriam, caindo em cima de pedras naquele negrume, até que perceberam que aquilo não era mais que um engano do lugar. Assim chegaram eles, depois do que pareceu um tempo imensurável de tatear temeroso, a um lugar onde uma luz distante bruxuleava e indo rumo a esse brilho chegaram a um portão semelhante àquele pelo qual tinham entrado, mas de modo algum descuidado. Então atravessaram para onde havia luz do sol e por um tempo não viram nada, mas um instante depois um grande gongo soou, houve um estrondo de armaduras e eis que estavam cercados por guerreiros vestidos de aço.

"Então olharam para cima e conseguiram ver e eis que estavam no sopé de montes íngremes e esses montes perfaziam um grande círculo dentro do qual havia uma planície ampla e disposto ali dentro, não justamente no centro, outrossim mais perto do lugar onde estavam, estava um grande monte de topo plano e nesse cume erguia-se uma cidade na luz nova da manhã.

"Então Voronwë falou à Guarda dos Gondothlim e a fala dele eles compreenderam, pois era a doce língua dos Gnomos.[15] Então falou também Tuor e perguntou onde estariam e quem seria a gente armada que estava à volta deles, pois em seu assombro muito se admirava da bela maneira de suas armas. Então lhe disse um membro daquela companhia: 'Somos os guardiões da saída da Via de Escape. Regozijai-vos por tê-la encontrado, pois eis diante de vós a Cidade de Sete Nomes onde todos os que guerreiam contra Melko podem achar esperança.'

"Então perguntou Tuor: 'Quais são esses nomes?' E o chefe da Guarda deu esta resposta: 'Isto é o que se diz e o que se canta: *Gondobar sou chamada e Gondothlimbar, Cidade de Pedra e Cidade dos Habitantes da Pedra; Gondolin, a Pedra da Canção e Gwarestrin é meu nome, a Torre de Guarda, Gar Thurion ou o Lugar Secreto, pois estou oculta dos olhos de Melko; mas aqueles que me amam mais grandemente chamam-me Loth, pois como uma flor eu sou, e mesmo Lothengriol, a flor que se abre na planície.* Contudo,' disse ele, 'na nossa fala de todo dia dizemos e a chamamos mormente de Gondolin.' Então disse Voronwë: 'Levai-nos para lá, pois de bom grado nela desejamos entrar' e Tuor disse que seu coração desejava muito andar pelos caminhos daquela bela cidade.

"Então respondeu o chefe da Guarda que eles próprios deviam permanecer ali, pois havia ainda muitos dias de sua lua de vigia a passar, mas que Voronwë e Tuor podiam passar-se para Gondolin e, além do mais, que eles não precisariam dali em diante de guia pois 'eis que lá ela se ergue bela de ver e muito clara, e suas torres furam os céus acima do Monte de Vigia na planície do meio.' Então Tuor e seu companheiro seguiram pela planície, que era maravilhosamente nivelada, interrompida apenas aqui e ali por pedras redondas e lisas que jaziam em meio a um gramado, e por lagos em leitos de pedra. Muitas e belas sendas havia por toda aquela planície, e eles chegaram, depois de um dia de marcha leve, ao sopé do Monte de Vigia (que é, na língua dos Noldoli, Amon Gwareth). Então começaram eles a ascensão pelas escadarias volteantes que subiam até o portão da cidade, nem podia alguém alcançar aquela cidade salvo a pé e observado das muralhas. Conforme o portão do oeste tornava-se dourado na última luz do dia chegaram eles ao alto da escada, e muitos olhos os miravam[16] das ameias e das torres.

"Mas Tuor olhou para as muralhas de pedra e para as altas torres, para os pináculos cintilantes da cidade, e olhou para as escadarias de pedra e mármore, cercadas de esguias balaustradas e refrescadas pelo salto de quedas d'água feito fios que buscavam a planície, vindas das fontes de Amon Gwareth, e ele parecia estar em algum sonho dos Deuses, pois não julgava que tais coisas fossem vistas pelos homens em visões de seus sonhos, tão grande era seu espanto diante da glória de Gondolin.

"Ainda assim chegaram eles aos portões, Tuor em assombro e Voronwë em grande júbilo por, ousando muito, ter tanto trazido Tuor até ali pela vontade de Ulmo quanto ter tirado de si o jugo de Melko para sempre. Embora ainda o odiasse não menos por isso, não mais temia ele aquele Maligno[17] com um terror que o entorpecesse (e em verdade aquele feitiço que Melko lançara sobre os Noldoli era de terror sem fundo, de modo que parecia estar sempre perto deles, mesmo quando estavam longe dos Infernos de Ferro, e seus corações estremeciam e eles não fugiam nem quando podiam, e nisso Melko amiúde se fiava).

"Eis que agora muitos saem dos portões de Gondolin e uma multidão está em volta daqueles dois em assombro, jubilando-se de que ainda outro dos Noldoli tenha fugido de Melko até ali e maravilhando-se com a estatura e os braços possantes de Tuor, sua lança pesada com farpas de osso de peixe e sua grande harpa. Rude era seu aspecto e seus cabelos estavam desalinhados e ele estava vestido com peles de urso. Está escrito que naqueles dias os pais dos pais dos Homens eram de menor estatura do que a dos Homens de agora e que os filhos de Elfinesse eram de maior crescimento, mas era Tuor mais alto do que qualquer um que lá estava. De fato, os Gondothlim não eram de ombros curvados como alguns de seus infelizes parentes se tornaram, labutando sem descanso ao escavar e martelar para Melko, mas pequenos eram e esguios e muito delgados.[18] Eram de pés velozes e incomparavelmente belos; doces e tristes eram suas bocas, e seus olhos tinham sempre um júbilo que, dentro de si, tendia às lágrimas, pois naqueles tempos os Gnomos eram exilados em seu coração, perseguidos pelo desejo por seus antigos lares que não esvanecia. Mas o destino e uma avidez inconquistável por conhecimento os levara a lugares distantes, e ora estavam eles cercados por Melko e tinham de fazer com que sua morada fosse tão bela quanto pudessem com labor e com amor.

"Como alguma vez veio a se dar que entre os Homens os Noldoli fossem confundidos com os Orques, que são os gobelins de Melko, eu não sei, a menos que certos dos Noldoli tenham sido distorcidos pelo mal de Melko e misturados entre esses Orques, pois toda aquela raça foi gerada por Melko dos calores e do limo subterrâneos. Seus corações eram de granito e seus corpos deformados; imundos eram seus rostos, que não sorriam, mas sua risada era como metal golpeado e nada lhes agradava mais que ajudar os propósitos mais baixos de Melko. Imensa era a inimizade entre eles e os Noldoli, que os chamavam de Glamhoth, ou povo do ódio horrendo.

"Eis que os guardiões armados do portão empurraram para trás a multidão do povo que se reunira em torno dos viajantes, e um entre eles falou, dizendo: 'Esta é uma cidade de vigia e guarda, Gondolin sobre Amon Gwareth, onde todos podem ser livres se forem de coração verdadeiro, mas onde ninguém é livre para entrar se for desconhecido. Dizei-me, pois, vossos nomes.' Mas Voronwë disse que seu nome era Bronweg dos Gnomos, tendo chegado ali[19] pela vontade de Ulmo como guia desse filho dos Homens, e Tuor disse: 'Sou Tuor, filho de Peleg, filho de Indor, da casa do Cisne dos filhos dos Homens do Norte que vivem longe daqui, e para cá vim pela vontade de Ulmo dos Oceanos de Fora.'

"Então todos os que escutavam ficaram em silêncio e a voz profunda e sonora dele os encheu de assombro, pois as vozes deles próprios eram belas como o barulho da água nas fontes. Então começaram a dizer entre si: 'Levai-o diante do rei.'

"Então a multidão retornou para dentro dos portões e os viajantes com ela, e Tuor viu que eram feitos de ferro e de grande altura e força. Ora, as ruas de Gondolin eram largas e pavimentadas de pedra, com calçadas de mármore, e belas casas e pátios em meio a jardins de flores de cores vívidas espalhavam-se pelos caminhos, e muitas torres de grande elegância e beleza construídas com mármore branco e esculpidas mui maravilhosamente erguiam-se ao céu. As praças lá eram iluminadas com fontes e eram o lar de aves que cantavam em meio aos galhos das árvores de grande idade, mas de todas essas a maior era aquele lugar onde ficava o palácio do rei, e a torre ali era a mais altiva da cidade, e as fontes que brincavam diante das portas saltavam vinte braças e sete no ar e caíam em uma chuva cantante de cristal: nelas o sol faiscava esplendidamente de dia, e a lua bruxuleava mui magicamente à noite. As aves que habitavam lá eram da brancura da neve, suas vozes mais doces que um acalanto em música.

"Em cada lado das portas do palácio havia duas árvores, uma que produzia flores de ouro e outra de prata, nem jamais esvaneciam, pois eram mudas geradas outrora das árvores gloriosas de Valinor que iluminavam aqueles lugares antes que Melko e Tecelã--de-Treva as secassem: e àquelas árvores os Gondothlim deram os nomes de Glingol e Bansil.

"Então Turgon, rei de Gondolin, trajado de branco com um cinto de ouro e uma pequena coroa de almandinas sobre sua cabeça, ficou diante de suas portas e falou do alto das escadas brancas que levavam até lá. 'Bem-vindo, ó Homem da Terra das Sombras. Eis que tua vinda estava disposta nos nossos livros de sabedoria e está escrito que viriam a acontecer muitas e grandes coisas nos lares dos Gondothlim quando aqui chegasses.'

"Então falou Tuor, e Ulmo pôs poder em seu coração e majestade em sua voz: 'Vede, ó pai da Cidade de Pedra, mandou-me aquele que faz profunda música no Abismo, conhecedor da mente de Elfos e Homens, dizer-vos que os dias da Soltura estão próximos. Chegaram aos ouvidos de Ulmo sussurros sobre vossa morada e vosso monte de vigilância contra o mal de Melko e isso o agrada: mas seu coração está irado, e enraivecidos estão os corações dos Valar que se sentam nas montanhas de Valinor e observam o mundo do pico de Taniquetil, vendo a tristeza da servidão dos Noldoli e as andanças dos Homens, pois Melko os aprisiona na Terra das Sombras para além das colinas de ferro. Portanto, fui trazido por um caminho secreto para dizer que conteis vossas hostes e vos prepareis para a batalha, pois o tempo é propício.'

"Então contestou Turgon: 'Isso eu não farei, ainda que sejam as palavras de Ulmo e de todos os Valar. Não aventurarei este povo meu contra o terror dos Orques, nem porei em perigo minha cidade contra o fogo de Melko.'

"Então falou Tuor: 'Não, se vós agora não ousardes grandemente, então os Orques cá habitarão para sempre e possuirão, no fim, a maioria das montanhas da Terra e não cessarão de atormentar Elfos e Homens, mesmo que por outros meios os Valar consigam mais tarde libertar os Noldoli, mas se confiardes agora nos Valar, ainda que terrível seja o confronto, então cairão os Orques, e o poder de Melko diminuirá até se tornar coisa pequena.'

"Mas Turgon respondeu que era rei de Gondolin e que nenhuma vontade podia forçá-lo contra seu desejo a colocar em perigo o caro labor de tantas eras passadas, e Tuor disse (pois assim lhe ordenara Ulmo, que temia a relutância de Turgon): 'Então me cabe dizer que os homens dos Gondothlim devem partir veloz e secretamente, descendo o Sirion até o mar, e lá construir para si barcos e tentar retornar a Valinor: eis que os caminhos para lá estão esquecidos e as estradas sumidas do mundo, e os mares e montanhas a cercam, mas lá ainda habitam os Elfos no monte de Kôr e os Deuses sentam-se em Valinor, embora seu regozijo esteja diminuído pela tristeza e pelo temor de Melko e eles ocultem sua terra e teçam à sua volta magia inacessível para que nenhum mal chegue a suas costas. Contudo, ainda podem vossos mensageiros chegar até lá e mudar os corações deles, para que se levantem irados e firam Melko e destruam os Infernos de Ferro que ele fez sob as Montanhas de Escuridão.'

"Então insistiu Turgon: 'Todos os anos, quando termina o inverno, mensageiros têm descido rapidamente, em sigilo, o rio que é chamado Sirion até as costas do Grande Mar e lá construíram barcos aos quais foram atrelados cisnes e gaivotas, ou as asas fortes do vento, e esses têm buscado retornar, para além da lua e do sol, a Valinor, mas os caminhos para lá estão esquecidos e as sendas esvanecidas do mundo e os mares e as montanhas a cercam, e eles que lá dentro se sentam em divertimento pouco cuidam do terror de Melko ou do pesar do mundo, mas escondem sua terra e tecem à volta dela magia inacessível para que nenhuma notícia sobre o mal chegue jamais a seus ouvidos. Não, bastantes de meu povo, por anos incontáveis, já partiram para as vastas águas e nunca retornaram, mas pereceram nos lugares profundos ou vagam agora perdidos nas sombras que não têm caminhos, e, com a chegada do próximo ano, ninguém mais irá até o mar, mas antes confiaremos em nós mesmos e em nossa cidade para rechaçar Melko, e nisso têm sido os Valar de escassa ajuda até agora.'

"Então o coração de Tuor ficou pesaroso e Voronwë chorou e Tuor sentou-se ao lado da grande fonte do rei, cujo barulho lembrava a música das ondas, e sua alma estava atormentada pelas conchas de Ulmo e ele desejava retornar, descendo as águas do Sirion, para o mar. Mas Turgon, que sabia que Tuor, mortal como era, tinha o favor dos Valar, percebendo seu olhar altivo e o poder de sua voz, chamou-o e pediu que habitasse em Gondolin e tivesse o favor do rei, e habitasse até mesmo nos salões reais, se desejasse.

"Então Tuor, pois que estava cansado e aquele lugar era belo, concordou; e daí veio que Tuor passou a residir em Gondolin. De todos os feitos de Tuor entre os Gondothlim os contos não contam, mas diz-se que muitas vezes ele desejaria ter escapado de lá, cansando-se das aglomerações do povo e pensando na floresta vazia e agreste ou ouvindo ao longe a música marinha de Ulmo, se seu coração não estivesse cheio de amor por uma mulher dos Gondothlim, e ela era filha do rei.

"Ora, Tuor aprendeu muitas coisas naqueles reinos, ensinadas por Voronwë, a quem ele amava e que também o amava mui grandemente; ou então era ele instruído pelos homens mais hábeis da cidade e pelos sábios do rei. Donde ele se tornou um homem muito mais poderoso do que antes e sabedoria havia em seu conselho, e muitas coisas tornaram-se claras para ele, as quais antes não estavam esclarecidas, bem como muitas coisas desconhecidas, que ainda o são para os Homens mortais. Lá ele ouviu muito acerca da cidade de Gondolin e sobre como o labor incessante por anos e eras não tinha sido suficiente para construí-la e adorná-la, no que o povo[20] ainda labutava; sobre a escavação daquele túnel oculto ele ouviu, que o povo chamava de Via de Escape, e sobre como os conselhos naquela matéria se dividiram, embora a piedade pelos Noldoli em servidão tivesse prevalecido no fim e levado à obra; da guarda sem cessar lhe contaram, que lá era feita de armas na mão e, do mesmo modo, em certos locais mais baixos nas montanhas circundantes e sobre como guardas sempre vigilantes habitavam nos mais altos picos daquela cordilheira, do lado de faróis prontos a serem acesos, pois nunca aquele povo cessava de esperar um ataque dos Orques, caso sua fortaleza se tornasse conhecida.

"Naqueles dias, entretanto, a guarda das montanhas era mantida mais por costume do que por necessidade, pois os Gondothlim tinham, havia muito tempo, com lides inimagináveis, aplainado e limpado e escavado toda a planície à volta do Amon Gwareth, de modo que nenhum Gnomo ou ave ou bicho ou serpente poderia se aproximar, mas era flagrado a muitas léguas de distância, pois entre os Gondothlim havia muitos cujos olhos eram mais aguçados que os dos próprios falcões de Manwë Súlimo, Senhor de Deuses e Elfos que habita sobre Taniquetil, e por essa razão eles chamavam aquele vale de Tumladin ou o vale da lisura. Ora, esse grande trabalho estava terminado, segundo eles, e o povo ocupava-se ainda mais com minerar metais e forjar toda maneira de espadas e machados, lanças e alabardas, dando forma a cotas de malha, couraças e ombreiras, grevas e avambraços, elmos e escudos. Disseram então a Tuor que, àquela altura, todo o povo de Gondolin, disparando seus arcos sem parada dia e noite, não conseguiria despender todas as flechas armazenadas nem que o fizesse por muitos anos, e que ano a ano o medo que tinham dos Orques ficava menor por isso.

"Lá aprendeu Tuor sobre como construir com pedra, sobre alvenaria e sobre talhar rocha e mármore, as artes de tecer e fiar, do bordado e da pintura e a destreza com metais dominou ele. Músicas das mais delicadas lá ouviu, e nisso eram aqueles que habitavam na parte sul da cidade os de maior habilidade, pois ali brincava uma profusão de fontes e nascentes murmurantes. Muitas dessas sutilezas Tuor dominou e aprendeu a entreter em suas canções, para o assombro e o júbilo do coração de todos os que o ouviam. Estranhas estórias sobre o Sol e a Lua e as Estrelas, sobre a maneira da Terra e de seus elementos, e sobre as profundezas do céu, foram-lhe contadas, e os caracteres secretos dos Elfos ele aprendeu, e seus falares e suas antigas línguas, e ouviu falar de Ilúvatar, Senhor para Sempre, que habita para além do mundo, da grande música dos Ainur à volta dos pés de Ilúvatar nas últimas profundezas do tempo, da qual veio a criação do mundo e a maneira dele, e tudo o que nele há e sua governança.[21]

"Ora, por sua habilidade e grande maestria em toda forma de saber e arte, e por sua grande coragem de coração e corpo, tornou-se Tuor um conforto e um apoio para o rei, que não tinha filho, e ele era amado pelo povo de Gondolin. Certa vez, o rei mandou que seus mais sagazes artífices moldassem uma armadura para Tuor, como um grande presente, e ela era feita de aço-dos--Gnomos, banhada a prata, mas o elmo era adornado com um detalhe de metais e joias semelhante a duas asas de cisne, uma de cada lado, e uma asa de cisne foi colocada no escudo, mas ele carregava um machado em vez de uma espada, e esse, no falar dos Gondothlim, batizou de Dramborleg, pois seus golpes atordoavam e seu gume cortava toda armadura.

"Uma casa foi construída para ele junto às muralhas do sul, pois ele amava os ares livres e não gostava da vizinhança muito próxima de outras moradas. Lá era seu deleite postar-se amiúde nas ameias à aurora, e o povo regozijava-se ao ver a luz nova refletida nas asas de seu elmo — e muitos murmuravam e de bom grado teriam apoiado Tuor em batalha contra os Orques, vendo que as falas daqueles dois, Tuor e Turgon, diante do palácio, eram conhecidas de muitos, mas a matéria não foi adiante por reverência a Turgon e porque nesse tempo, no coração de Tuor, o pensamento sobre as palavras de Ulmo parecia ter se tornado esvanecido e distante."

"Ora, vieram dias quando Tuor já tinha habitado entre os Gondothlim por muitos anos. Longamente ele conhecera e acalentara amor pela filha do rei e naquele momento estava seu coração cheio daquele amor. Grande também era o amor que Idril tinha por Tuor e os fios do destino dela estavam entrelaçados com os dele desde aquele dia em que primeiro ela o viu de uma janela alta enquanto ele se apresentava, um suplicante cansado da jornada, diante do palácio do rei. Pouca causa tinha Turgon para se opor ao amor deles, pois via em Tuor um parente que lhe confortava e trazia esperança. Assim, pela primeira vez, casou-se um filho dos Homens com uma filha de Elfinesse, nem foi Tuor o último. Menos alegria tiveram muitos do que eles e o pesar que tiveram no fim foi grande. Contudo, grande foi o contentamento daqueles dias, quando Idril e Tuor se casaram diante do povo em Gar Ainion, o Lugar dos Deuses, ao lado dos salões do rei. Um dia de festejos foi o daquele casamento para a cidade de Gondolin e da[22] maior felicidade para Tuor e Idril. Dali em diante habitaram eles em júbilo naquela casa ao lado das muralhas das quais se via Tumladin ao sul, e isso era bom para os corações de todos os da cidade, salvo apenas para Meglin. Ora, aquele Gnomo vinha de uma casa antiga, embora então seus números fossem menores que os de outras, mas ele mesmo era sobrinho do rei da parte de sua mãe, a irmã do rei, Isfin; e essa história de Isfin e Eöl não pode ser contada aqui.[23]

"Ora, o emblema de Meglin era uma Toupeira negra e ele era grande entre os que trabalhavam em pedreiras e um chefe dos que escavavam em busca de minério, e muitos desses pertenciam à sua casa. Menos belo era ele do que muitos desse povo bonito, moreno e de ânimo não muito gentil, de modo que lhe tinham pouco amor, e sussurros havia de que ele tinha sangue de Orque em suas veias, mas não sei como isso poderia ser verdade. Ora, amiúde ele pedira ao rei a mão de Idril, mas Turgon, vendo que ela era muito avessa à ideia, sempre dizia não, pois lhe parecia que o pedido de Meglin era causado tanto pelo desejo de ter alto poder ao lado do trono real quanto por amor àquela bela donzela. Bela de fato era ela e também corajosa; e o povo a chamava de Idril dos Pés de Prata,* pois que andava sempre descalça e de cabeça descoberta, filha do rei como era, salvo apenas durante as pompas dos Ainur; e Meglin ruminava sua raiva vendo que Tuor o suplantava.

"Nesses dias veio a se dar a plenitude do tempo do desejo dos Valar e da esperança [dos] Eldalië, pois em grande amor Idril deu a Tuor um filho e ele foi chamado de Eärendel. Ora, quanto a isso há muitas interpretações tanto entre Elfos quanto entre Homens, mas é possível que fosse um nome feito a partir de alguma língua secreta entre os Gondothlim[24] e que tenha perecido com eles nas habitações da Terra.

"Pois essa criança era da maior beleza, sua pele de um branco brilhante e seus olhos de um azul que excedia o do céu nas terras

---

* Em *Tuor B*, está escrito a lápis esmaecido acima disso: *Idril Talceleb*.

do sul — mais azul do que as safiras da vestimenta de Manwë;[25] e a inveja de Meglin quando de seu nascimento foi profunda, mas o júbilo de Turgon e de todo o seu povo de fato muito grande.

"Eis que então muitos anos tinham passado desde que Tuor se perdera em meio aos sopés dos montes e fora abandonado por aqueles Noldoli; contudo, muitos anos também tinham transcorrido desde que aos ouvidos de Melko primeiro chegaram aquelas estranhas notícias — distantes eram, várias em forma — sobre um Homem vagueando em meio aos vales das águas do Sirion. Ora, Melko não tinha muito receio da raça dos Homens naqueles dias de seu grande poder e por essa razão Ulmo agiu por meio de um dessa gente para melhor iludir Melko, vendo que nenhum dos Valar e quase nenhum dos Eldar ou dos Noldoli podia se deslocar sem ser percebido pela vigilância dele. Contudo, mesmo assim um pressentimento chegou àquele coração maligno com tais notícias e ele reuniu um poderoso exército de espiões: filhos dos Orques havia, com olhos amarelos e verdes como os de gatos, que conseguiam varar todas as trevas e enxergar através da bruma, da névoa e da noite; serpentes que conseguiam ir a qualquer lugar e vasculhar todos os buracos ou as mais profundas covas ou os mais altos picos, escutar cada sussurro que corria pela grama ou ecoava nos montes; lobos havia e cães famintos e grandes doninhas cheias de sede de sangue, cujas narinas podiam seguir cheiros com várias luas de idade através da água corrente, ou cujos olhos encontravam entre o cascalho pegadas que ali estavam já fazia uma vida; corujas vieram e também falcões cujo olhar aguçado podia divisar de dia ou à noite o voejar de pequenas aves em todos os bosques do mundo e o movimento de cada camundongo ou arganaz ou rato que rasteja ou habita por toda a Terra. Todos esses ele convocou a seu Salão de Ferro, e eles vieram em multidões. De lá os mandou pela Terra a buscar esse Homem que havia escapado da Terra das Sombras, mas também a procurar ainda mais curiosa e avidamente a morada dos Noldoli que tinham escapado da servidão, pois esses o coração dele ardia por destruir ou escravizar.

"Ora, enquanto Tuor vivia em felicidade e grande aumento de sabedoria e poder em Gondolin, essas criaturas incansáveis, por anos a fio, fossaram entre as pedras e rochas, caçaram pelas florestas e charnecas, espionaram os ares e lugares elevados, rastrearam todas as sendas pelos vales e planícies e não descansaram nem pararam. Dessa caçada trouxeram uma riqueza de notícias a Melko — de fato, entre muitas coisas ocultas que trouxeram à luz, descobriram aquela Via de Escape pela qual Tuor e Voronwë tinham entrado antes. Nem tinham feito isso sem forçar alguns dos menos firmes entre os Noldoli com ameaças tremendas de tormento, para que se juntassem àquela grande pilhagem, pois, por causa da magia à volta daquele portão, nenhuma gente de Melko sem a ajuda dos Gnomos poderia chegar a ele. Contudo, naqueles últimos tempos, tinham vasculhado o fundo de tais túneis e capturado muitos dos Noldoli que para ali tinham se arrastado, fugindo da servidão. Tinham também escalado os Montes Circundantes* em certos lugares e observado a beleza da cidade de Gondolin e a força do Amon Gwareth de longe, mas dentro de planície não conseguiam avançar, pela vigilância de seus guardiões e pela dificuldade daquelas montanhas. De fato, os Gondothlim eram valorosos arqueiros e seus arcos eram feitos com um poder que era maravilha. Com eles conseguiam disparar uma flecha para o céu a distâncias sete vezes maiores do que conseguiria o melhor flecheiro entre os Homens acertar um alvo no nível do chão e não permitiriam que nenhum falcão pairasse por muito tempo sobre a planície deles e que nenhuma serpente rastejasse lá dentro, pois não gostavam de criaturas de sangue, crias de Melko.

"Ora, naqueles dias tinha Eärendel um ano de idade quando essas más notícias chegaram à cidade, sobre os espiões de Melko e sobre como tinham cercado o vale de Tumladin. Então o coração de Turgon entristeceu-se, recordando as palavras de Tuor em anos passados diante das portas do palácio, e ele ordenou que a vigia e a guarda ganhassem força triplicada em todos os pontos e que máquinas de guerra fossem fabricadas por seus artífices e colocadas no alto do monte. Fogos venenosos e líquidos escaldantes, flechas e grandes pedras, estava ele preparado para despejar sobre qualquer um que quisesse assaltar aquelas muralhas brilhantes; e depois disso viveu tão contente quanto seria possível, mas o coração de Tuor estava mais pesaroso que o do rei, pois então as palavras de Ulmo lhe vinham sempre à mente e seu significado e gravidade ele entendia mais profundamente do que outrora, nem

---

* Escrito a lápis acima disso em *Tuor B*: *Heborodin*.

achava algum grande conforto em Idril, pois o coração dela tinha presságios ainda mais sombrios que os de Tuor.

"Sabei então que Idril tinha grande poder para sondar com seu pensamento a escuridão dos corações de Elfos e Homens e também as trevas do futuro — e nisso seu poder era ainda mais profundo do que o comum entre as casas dos Eldalië; portanto, assim ela falou certo dia a Tuor: 'Quero que saibas, meu marido, que meu coração me faz ter dúvidas de Meglin e temo que ele trará o mal para este belo reino, ainda que de modo algum eu consiga ver como ou quando — contudo, temo que tudo o que ele sabe sobre nossos atos e nossas preparações se torne de alguma maneira conhecido do Adversário e que assim ele imagine um novo meio de nos assolar, contra o qual não tenhamos pensado em defesa alguma. Eis que sonhei certa noite que Meglin construía uma fornalha e, vindo até nós de modo imprevisto, lançava lá dentro Eärendel, nosso filho, e depois jogava nela a ti e a mim, mas, por pesar diante da morte de nossa bela criança, eu não resistia.'

"E Tuor respondeu: 'Há razão para teu medo, pois também meu coração não é favorável a Meglin; contudo, é ele o sobrinho do rei e teu próprio primo, nem há acusação contra ele, e não vejo o que fazer senão aguardar e vigiar.'

"Mas Idril insistiu: 'Este é meu alvitre sobre isso: reúne tu no maior segredo aqueles escavadores e pedreiros que por teste cuidadoso mostrarem ter menor amor por Meglin, por causa do orgulho e da arrogância de seu trato com eles. Entre esses deves escolher homens de confiança que vigiem Meglin quando ele for para os montes mais distantes, mas te aconselho a ordenar que a maior parte daqueles em cujo segredo podes te fiar comecem uma escavação oculta, e que prepares com a ajuda deles — por mais cuidadoso e lento que o trabalho seja — um caminho secreto de tua casa aqui, passando por baixo das rochas deste monte, até o vale lá embaixo. Ora, esse caminho não deve ir na direção da Via de Escape, pois meu coração pede para não confiar nela, mas sim rumo àquele passo muito ao longe, a Fenda das Águias, nas montanhas ao sul, e, quanto mais longe essa escavação alcançar naquela direção sob a planície, mais hei de estimá-la — contudo, que esse labor fique em sigilo, salvo com relação a poucos.'

"Ora, não há escavadores de terra ou rocha como os Noldoli (e isso Melko sabe), mas naqueles lugares é a terra de grande dureza e

Tuor contestou: 'As rochas do monte de Amon Gwareth são como ferro, e só com muita faina podem ser cortadas; contudo, se isso for feito em segredo, então há de se acrescentar grande tempo e paciência ao trabalho, mas a pedra do fundo do Vale de Tumladin é como aço forjado, nem pode ser rachada sem o conhecimento dos Gondothlim, a não ser em luas e anos.'

"Idril insistiu então: 'Vero pode ser o que dizes, mas tal é o meu alvitre e há ainda tempo de sobra.' Então Tuor disse que não conseguia enxergar todo o propósito daquilo, 'mas "melhor qualquer plano do que falta de conselho" e farei do modo como tu dizes'.

"Ora, aconteceu que, não muito depois disso, Meglin foi para os montes para obter minério e, andando sozinho pelas montanhas, foi capturado por alguns dos Orques à espreita por lá, e eles desejavam lhe fazer mal e feri-lo terrivelmente, sabendo que era um homem dos Gondothlim. Isso, entretanto, não era sabido pelos vigias de Tuor. Mas o mal entrou no coração de Meglin, e ele disse a seus captores: 'Sabei então que sou Meglin, filho de Eöl, que tinha por esposa Isfin, irmã de Turgon, rei dos Gondothlim.' Mas eles disseram: 'Que temos nós com isso?' E Meglin respondeu: 'Muito tendes com isso, pois, se me matardes, rápida ou lentamente, perdereis grandes novas acerca da cidade de Gondolin, que vosso mestre regozijar-se-ia de ouvir.' Então os Orques detiveram sua mão e disseram que lhe concederiam a vida se as matérias que lhes revelasse o merecessem, e Meglin lhes contou tudo sobre como era a planície e a cidade, sobre suas muralhas e a altura e espessura delas, e sobre a força de seus portões; contou sobre a hoste de homens armados que então obedeciam a Turgon e sobre o acúmulo inesgotável de armas reunidas para equipá-los, sobre os engenhos de guerra e os fogos venenosos.

"Então os Orques estavam cheios de ira e, tendo ouvido essas matérias, ainda tencionavam matá-lo ali mesmo, como alguém que exagerara impudentemente o poder de seu povo miserável para zombaria da grande força e poderio de Melko, mas Meglin, agarrando-se a um fio de esperança, disse: 'Não pensais que, antes, poderíeis agradar a vosso mestre se levásseis a seus pés tão nobre cativo, para que ele possa ouvir as novas que trago de mim e julgar sua veracidade?'

"Ora, isso pareceu bom aos Orques e eles retornaram das montanhas à volta de Gondolin para as Montanhas de Ferro e os salões escuros de Melko; para lá arrastaram Meglin consigo, e naquele momento estava ele cheio de temor. Mas, quando se ajoelhou diante do trono negro de Melko, aterrorizado pelo horror das formas à sua volta, pelos lobos que se sentavam diante da cadeira e das víboras que se trançavam entre as pernas, Melko ordenou que falasse. Então contou ele aquelas novas, e Melko, ouvindo-o, lhe falou com cortesia, a que a insolência do coração de Meglin em grande medida correspondeu.

"Ora, o fim de tudo isso foi que Melko, ajudado pela ardileza de Meglin, fez seus planos para a derrocada de Gondolin. Nisso a recompensa de Meglin devia ser uma grande capitania entre os Orques (Melko, contudo, não pretendia em seu coração cumprir tal promessa), mas Tuor e Eärendel ele deveria queimar e dar Idril aos braços de Meglin (tais promessas aquele maligno de bom grado cumpriria). Contudo, para proteger-se de qualquer traição, Melko ameaçou Meglin com o tormento dos Balrogs. Ora, esses eram demônios com açoites de chama e garras de aço com os quais atormentava aqueles dos Noldoli que ousavam se opor a ele em qualquer coisa — e os Eldar os chamam de Malkarauki. Mas o alerta que Meglin fez a Melko foi o de que nem toda a hoste dos Orques, nem os Balrogs em sua ferocidade, jamais poderiam, por assalto ou cerco, ter esperança de sobrepujar as muralhas e os portões de Gondolin, mesmo se conseguissem chegar até a planície fora da cidade. Portanto, aconselhou Melko a criar, a partir de suas feitiçarias, um socorro para seus guerreiros naquela empreitada. Da imensidão de sua riqueza de metais e de seus poderes de fogo ele o incitou a fabricar feras como serpentes e dragões de força irresistível, que rastejariam pelos Montes Circundantes e engolfariam aquela planície e sua bela cidade com chama e morte.

"Então mandou que Meglin voltasse para casa, antes que por sua ausência o povo suspeitasse de algo, mas Melko teceu à volta dele o feitiço do horror sem fundo e, dali em diante, ele não teve mais nem regozijo nem calma em seu coração. Mesmo assim, usava uma bela máscara de bom ânimo e contentamento, de modo que a gente dizia: 'Meglin está se suavizando', e lhe tinham menos desfavor. Idril, contudo, temia-o ainda mais. Então Meglin disse: 'Labutei muito e desejo descansar e me juntar à dança e à canção e aos folguedos do povo', e não ia mais buscar pedra ou minérios nos montes, porém, em verdade, com isso buscava afogar seu medo e inquietação. Possuía-o um terror de que Melko estivesse sempre por perto, e isso vinha do feitiço, e ele nunca mais ousou vagar entre as minas, para que não caísse de novo em poder dos Orques e fosse levado mais uma vez aos terrores dos salões da escuridão.

"Passam-se, pois, os anos e, incitado por Idril, Tuor continua sempre sua escavação secreta, mas, vendo que o assédio dos espiões tinha ficado menos intenso, Turgon vive mais tranquilo e com menos medo. Contudo, esses anos são, para Melko, cheios da máxima agitação de labor e todo o povo de servos dos Noldoli tem de cavar incessantemente à cata de metais enquanto Melko se senta e cria fogos e convoca chamas e fumaça a virem dos calores inferiores, nem deixa que algum dos Noldoli se afaste um passo que seja dos lugares de sua prisão. Então, certa vez, Melko reuniu todos os seus ferreiros e feiticeiros mais sagazes e, a partir de ferro e chama, fizeram uma hoste de monstros tal como só naquele tempo se viu e não há de ser vista de novo até o Grande Fim. Alguns eram todos de ferro, tão habilmente encadeados que podiam fluir como rios lentos de metal, ou se enrolar em torno e por cima de todos os obstáculos diante deles, e esses, em suas profundezas mais recônditas, eram cheios dos mais vis Orques, armados com cimitarras e lanças; a outros, de bronze e cobre, foram dados corações e espíritos de fogo ardente e incineravam tudo o que havia diante deles com o terror de seu hálito ou pisoteavam o que quer que escapasse do ardor de sua respiração; ainda outros eram criaturas de chama pura que se retorciam como cordas feitas de metal derretido e levavam à ruína qualquer matéria da qual se aproximavam, e o ferro e a pedra derretiam diante deles e tornavam-se como água, e sobre eles cavalgavam os Balrogs às centenas; e esses eram os mais temíveis de todos os monstros que Melko criara contra Gondolin.

"Ora, quando tinha passado o sétimo verão desde a traição de Meglin, e Eärendel era ainda de bem tenros anos, ainda que fosse uma criança valorosa, Melko recolheu todos os seus espiões, pois cada caminho e canto das montanhas agora lhe eram conhecidos; contudo, os Gondothlim pensavam, em sua ignorância, que Melko não mais os buscasse, percebendo qual era o poder deles e a força inexpugnável de sua morada.

"Mas um ânimo sombrio tomou conta de Idril e a luz de seu rosto se encobriu, e muitos se espantaram com isso; Turgon, porém, reduziu a vigia e a guarda a seus números antigos, e a um pouco menos, e, quando veio o outono e a colheita dos frutos terminou, o povo pôs-se a preparar com coração alegre as festas de inverno, mas Tuor postava-se nos parapeitos e olhava para os Montes Circundantes.

"Ora, eis que Idril ficou ao lado dele, e o vento estava em seu cabelo, e Tuor, pensando que ela era de extrema beleza, inclinou-se para beijá-la, mas seu rosto estava triste e ela disse: 'Agora vêm os dias em que tu terás de fazer uma escolha', e Tuor não sabia o que ela dizia. Então, trazendo-o para dentro dos salões do castelo, Idril lhe disse que seu coração tinha presságios que a faziam temer por Eärendel, seu filho, e que prenunciavam que algum grande mal estava próximo e que Melko estaria na origem dele. Então Tuor queria confortá-la, mas não conseguiu, e ela lhe perguntou acerca da escavação secreta, e Tuor disse que agora o túnel estendia-se por uma légua planície adentro, e com isso o coração dela se aliviou um pouco. Mas ainda assim Idril o aconselhou a prosseguir com a escavação e que dali em diante a rapidez deveria pesar mais que o segredo, 'pois o tempo agora está muito próximo'. E outro conselho lhe deu e esse ele também aceitou, dizendo que certos dos mais corajosos e leais entre os senhores e guerreiros dos Gondothlim deveriam ser escolhidos com cuidado e ficar sabendo daquela via secreta e de sua saída. Esses ela o aconselhou a transformar em uma guarda fiel e a lhes dar o seu emblema, para que se tornassem a gente dele e a fazê-lo sob o pretexto do direito e da dignidade de um grande senhor, parente do rei. 'Além do mais', continuou ela, 'obterei o favor de meu pai para isso.' Em segredo também ela sussurrou para alguns do povo que, se a cidade corresse grave perigo ou se Turgon fosse morto, que eles se uniriam à volta de Tuor e do filho de Idril e sobre isso eles, rindo, responderam que sim, dizendo, entretanto, que Gondolin ficaria de pé por tanto tempo quanto Taniquetil ou as Montanhas de Valinor.

"Contudo, a Turgon ela não falou abertamente, nem permitiu que Tuor o fizesse, como desejava, apesar do amor e da reverência que tinham por ele — um grande e nobre e glorioso rei que era —, vendo que Turgon confiava em Meglin e mantinha com obstinação cega sua crença no poderio inexpugnável da cidade e na ideia de que Melko não mais buscava capturá-la, por perceber que não havia esperança nessa empresa. Ora, nisso ele era sempre apoiado pelas falas matreiras de Meglin. Eis que a malícia daquele Gnomo era mui grande, pois muito ele fazia às escuras, de forma que o povo dizia: 'Bem faz ele em portar o emblema de uma toupeira negra' e, por causa da insensatez de certos dos trabalhadores das pedreiras, e ainda mais por causa das línguas soltas de certos dos parentes dele a quem Tuor às vezes falava com algum descuido, ele tomou conhecimento da obra secreta e armou contra ela um plano só seu.

"Assim avançava o inverno e fazia muito frio para aquelas regiões, de modo que congelava a planície de Tumladin e o gelo cobria suas lagoas; as fontes, porém, ainda brincavam no Amon Gwareth e as duas árvores floresciam, e o povo divertia-se até o dia de terror que estava oculto no coração de Melko.

"Desse modo aquele inverno amargo passou e as neves jaziam mais profundas do que nunca sobre os Montes Circundantes; contudo, a seu tempo, uma primavera de glória maravilhosa derreteu as bordas daqueles mantos brancos, e o vale bebeu tais águas e irrompeu em flores. Então veio e passou, com folguedos de crianças, o festival de Nost-na-Lothion ou o Nascimento das Flores, e os corações dos Gondothlim ganharam esperança pelo bem que prometia aquele ano e enfim estava próxima aquela grande festa, Tarnin Austa ou os Portões do Verão. Pois sabei que em certa data era o costume deles começar uma cerimônia solene à meia-noite, continuando até mesmo ao romper da aurora de Tarnin Austa, e nenhuma voz fazia-se ouvir na cidade da meia-noite ao romper do dia, mas a aurora eles saudavam com canções antigas. Por anos incontáveis a chegada do verão tinha sido recebida assim, com música de corais que ficavam sobre a cintilante muralha do leste; e eis que chega aquela noite de vigília e a cidade está cheia de lâmpadas prateadas, enquanto nos pomares, sobre as árvores de folhas novas, luzes com cores feito joias se balançam e música baixa ouve-se pelos caminhos, mas nenhuma voz canta até a aurora.

"O sol acabou de descer além dos montes, e a gente se arranja para o festival, feliz e avidamente — olhando com expectativa para o Leste. Eis que, quando ele partira e tudo estava escuro, uma nova luz subitamente apareceu e um brilho havia, mas vinha das elevações ao norte,[26] e os homens espantaram-se e juntou-se uma multidão nas muralhas e ameias. Então o assombro foi virando dúvida conforme a luz crescia e ficava ainda mais vermelha e virou terror essa dúvida quando os homens viram a neve sobre as montanhas ser tingida como se fosse por sangue. E assim foi que as serpentes-de-fogo de Melko caíram sobre Gondolin.

"Então atravessaram a planície cavaleiros que traziam notícia esbaforida daqueles que mantinham vigília nos picos e contaram sobre as hostes chamejantes e as formas semelhantes a dragões e disseram: 'Melko vem contra nós.' Grande foi o medo e a angústia dentro daquela formosa cidade, e as ruas e os caminhos ficaram cheios do choro das mulheres e dos gritos das crianças e as praças, com a reunião de soldados e o tinir das armas. Havia as bandeiras cintilantes de todas as grandes casas e famílias dos Gondothlim. Magna era a ordem de batalha da casa do rei e as suas cores eram branco e dourado e vermelho, e seus emblemas a lua e o sol e o coração escarlate.[27] Ora, em meio a esses estava Tuor, acima de todas as cabeças, e sua cota de malha prateada brilhava e à volta dele havia grande número dos mais fortes do povo. Eis que todos esses usavam asas como se fossem de cisnes ou gaivotas em seus elmos e o emblema da Asa Alva sobre seus escudos. Mas a gente de Meglin estava disposta no mesmo lugar, e negras eram suas vestes e não portavam brasão nem emblema, mas seus capacetes redondos de aço estavam cobertos com pele de toupeira, e lutavam com machados de duas pontas semelhantes a picaretas. Ali Meglin, príncipe de Gondobar, reunira muitos guerreiros de semblante sombrio e olhar esquivo à sua volta, e um brilho avermelhado havia em seus rostos e nas superfícies polidas de seus apetrechos. Eis que todos os montes ao norte estavam em chamas, era como se rios de fogo corressem encosta abaixo até a planície de Tumladin, e a gente já podia sentir o calor que deles vinha.

"E muitas outras linhagens havia lá, o povo da Andorinha e o do Arco Celestial, e desse grupo vinha o maior número de melhores arqueiros e eles estavam dispostos sobre os espaços largos das muralhas. Ora, o povo da Andorinha portava um leque de penas em seus elmos e estava paramentado de branco, azul-escuro e de roxo e negro e adornava seus escudos com uma ponta de flecha. Seu senhor era Duilin, mais ágil de todos os homens na corrida e no salto e mais preciso dos arqueiros ao acertar um alvo. Mas aqueles do Arco Celestial, sendo um povo de riqueza incontável, estavam paramentados em uma glória de cores e suas armas eram incrustadas com joias que chamejavam na luz que agora havia no céu. Cada escudo daquele batalhão era de um azul como o dos céus, e seu centro era uma joia construída com sete gemas, rubis e ametistas e safiras, esmeraldas, crisoprásios, topázios e âmbar, mas uma opala de grande tamanho havia em seus elmos. Egalmoth era o chefe deles e usava um manto azul sobre o qual as estrelas estavam bordadas em cristal, e sua espada era recurva — ora, nenhum outro dos Noldoli portava espadas curvas —, mas ele confiava antes no arco e disparava mais longe do que qualquer um entre aquela hoste.

"Lá também estava o povo do Pilar e o da Torre de Neve e ambas essas gentes tinham como marechal Penlod, mais alto dos Gnomos. Havia aqueles da Árvore e eles eram uma grande casa e sua vestimenta era verde. Lutavam com bastões incrustados de ferro ou com fundas, e seu senhor, Galdor, era considerado o mais valente de todos os Gondothlim, salvo apenas Turgon. Lá estava a casa da Flor Dourada, que portava um sol com raios sobre seu escudo, e seu chefe, Glorfindel, portava um manto bordado de tal forma com fios de ouro que ele estava repleto de celidônias, como um campo na primavera, e suas armas eram cuidadosamente ornamentadas com ouro.

"Então veio do sul da cidade o povo da Fonte, e Ecthelion era seu senhor, e a prata e os diamantes eram o deleite deles e espadas muito longas e polidas e pálidas usavam e iam para a batalha ao som de flautas. Atrás então veio a hoste da Harpa e esse era um batalhão de bravos guerreiros, mas seu líder, Salgant, era um covarde e cobria Meglin de lisonja. Estavam adornados com borlas de prata e borlas de ouro, e uma harpa de prata brilhava no brasão deles, sobre um campo negro, mas Salgant portava uma harpa de ouro e só ele cavalgou para a batalha de todos os filhos dos Gondothlim e era pesado e atarracado.

"Ora, o último dos batalhões era formado pelo povo do Martelo da Ira, e desses vinham muitos dos melhores ferreiros e artesãos, e toda aquela gente reverenciava Aulë, o Ferreiro, mais do que todos os outros Ainur. Lutavam com grandes maças semelhantes a martelos e seus escudos eram pesados, pois seus braços eram muito fortes. Em dias mais antigos, muitos dos Noldoli que escapavam das minas de Melko eram recrutados por eles, e o ódio dessa casa pelas obras daquele maligno e pelos Balrogs, seus demônios, era muitíssimo grande. Ora, o líder deles era Rog, mais forte dos Gnomos, por pouco o segundo em coragem depois de Galdor da Árvore. O emblema desse povo era a Bigorna Martelada, e um martelo que lança chispas à sua volta estava posto em seus escudos, e ouro avermelhado e ferro negro eram o deleite deles. Muito numeroso era aquele batalhão, nem tinha nenhum dentre eles coração fraco e ganharam a maior glória entre todas aquelas belas casas naquela luta contra o destino; contudo, triste foi o fado deles e nenhum jamais deixou aquele campo de batalha, pois tombaram à volta de Rog e desapareceram da Terra, e com eles muita habilidade e engenho desapareceram para sempre.[28]

"Esta era a forma e o arranjo das onze casas dos Gondothlim com suas insígnias e emblemas, e a guarda de Tuor, o povo da Asa, era considerada a décima-segunda. Agora está sombrio o rosto daquele líder e ele não espera viver muito — e em sua casa sobre as muralhas Idril se veste com cota de malha e busca Eärendel. E aquela criança estava em lágrimas por causa das estranhas luzes vermelhas que chegavam aos muros da câmara onde dormia, e histórias que sua ama, Meleth, havia contado a ele acerca do fogo de Melko nos momentos de suas traquinagens lhe vieram à cabeça e o perturbaram. Mas veio sua mãe, colocou nele pequeníssima cota de malha que ela mandara fazer em segredo, e com isso ele ficou contente e muitíssimo orgulhoso e gritou de prazer. Mas Idril chorou, pois muito acalentara em seu coração a bela cidade e sua boa casa e seu amor por Tuor que lá habitara com ela, mas então viu que a destruição estava próxima e temeu que seus planos fracassassem contra o poder avassalador do terror das serpentes.

"Estavam ainda a quatro horas do meio da noite, e o céu estava vermelho no norte e no leste e oeste, e aquelas serpentes de ferro tinham alcançado a planície de Tumladin e aqueles seres de chama estavam em meio aos sopés mais baixos dos montes, de modo que os guardas foram capturados e postos sob tormento terrível pelos Balrogs que tudo destruíam, salvo apenas na região mais ao sul, onde ficava Cristhorn, a Fenda das Águias.

"Então o Rei Turgon convocou um conselho e para lá foram Tuor e Meglin, como príncipes reais, e Duilin veio com Egalmoth e Penlod, o alto, e Rog chegou com Galdor da Árvore e o dourado Glorfindel e Ecthelion, o de voz musical. Para lá também foi Salgant, tremendo com as novas, e outros nobres além dele, de sangue mais humilde, mas de coração melhor.

"Então falou Tuor, e este era seu alvitre, que uma grande retirada acontecesse de imediato, antes que a luz e o calor crescessem demais na planície, e muitos o apoiaram, divergindo apenas sobre partir com a hoste inteira, com as donzelas e esposas e crianças em meio a ela, ou com diversos grupos abrindo caminho em muitas direções, e a essa segunda visão Tuor inclinava-se.

"Mas Meglin e Salgant apenas tinham outro conselho e eram a favor de se manter na cidade e tentar proteger aqueles tesouros que havia lá dentro. Por malícia Meglin assim falou, temendo que algum dos Noldoli escapasse da ruína que tinha trazido sobre eles, e por horror de que sua traição se tornasse conhecida e, de algum modo, a vingança o achasse algum dia. Mas Salgant falou, tanto ecoando Meglin quanto temendo terrivelmente sair da cidade, pois preferia antes lutar dentro de uma fortaleza inexpugnável do que arriscar os duros golpes no campo de batalha.

"Então o senhor da casa da Toupeira jogou com a única fraqueza de Turgon, dizendo: 'Vede, ó Rei, a cidade de Gondolin contém riqueza de joias e metais e petrechos e coisas feitas pelas mãos dos Gnomos com beleza incomparável e tudo isso vossos senhores — mais corajosos, a mim parece, do que sábios — desejam abandonar ao Adversário. Mesmo que for vossa a vitória na planície, vossa cidade será saqueada e os Balrogs daqui sairão com butim imensurável', e Turgon gemeu, pois Meglin conhecia seu grande amor pela riqueza e beleza daquele burgo[29] sobre o Amon Gwareth. De novo disse Meglin, colocando fogo em sua voz: 'Sus! Será que labutastes para nada por anos incontáveis na construção de muros de espessura inexpugnável, erigindo portões cuja fortaleza não pode ser sobrepujada, tornou-se o poder do monte Amon Gwareth tão baixo quanto o do vale profundo, ou o acúmulo de armas que jaz sobre ele e suas flechas inumeráveis de tão pouco valor que, na hora do perigo, lançaríeis tudo de lado e partiríeis nu para o campo aberto contra inimigos de aço e fogo, cujo pisotear balança a terra e faz as Montanhas Circundantes vibrarem com o clamor de suas passadas?'

"E Salgant estremeceu ao pensar nisso e falou com rumor, dizendo: 'Meglin fala bem, ó Rei, ouvi-o.' Então o rei seguiu o conselho daqueles dois, embora todos os senhores falassem de outra maneira, aliás, mais ainda por isso: portanto, ao seu comando, todo o povo então ficou para encarar o assalto às muralhas. Mas Tuor chorou e deixou o salão do rei e, reunindo os homens da Asa, atravessou as ruas buscando sua casa, e naquela hora a luz estava forte e lúrida e havia calor sufocante e uma fumaça negra e um fedor levantou-se entre os caminhos que conduziam à cidade.

"E então vieram os Monstros, atravessando o vale, e as torres brancas de Gondolin avermelharam-se diante deles, mas até os mais fortes ficaram aterrorizados, vendo aqueles dragões de fogo e aquelas serpentes de bronze e ferro que já vinham chegando ao monte da cidade, e dispararam flechas inúteis contra eles. Então se ouviu um grito de esperança, pois eis que as cobras de fogo não conseguem escalar o monte, já que ele é íngreme e escorregadio e por causa das águas que caem por suas encostas, apagando o fogo, mas elas jaziam ao pé do monte e ergueram-se vastos vapores onde as torrentes do Amon Gwareth e as chamas das serpentes se encontravam. Então ali cresceu tal calor que as mulheres desmaiavam e os homens suavam até a exaustão sob sua cota de malha, e todas as fontes da cidade, salvo apenas a fonte do rei, esquentaram e fumegaram.

"Mas naquela hora Gothmog, senhor de Balrogs, capitão das hostes de Melko, pôs-se a pensar e reuniu todas as suas criaturas de ferro que podiam se enrolar em torno e acima de todos os obstáculos diante delas. Essas ele mandou que se empilhassem diante do portão norte e eis que suas grandes espirais alcançavam até mesmo o limiar do portão e lançavam-se contra as torres e os bastiões em torno dele, e por razão do imenso peso de seus corpos, aqueles portões caíram e grande foi o barulho disso; contudo, a maioria das muralhas em torno deles continuava firme. Então as máquinas e catapultas do rei despejaram dardos e pedras e metais derretidos naquelas feras impiedosas, e suas barrigas ocas ressoaram com as pancadas, mas isso de nada valeu, pois não podiam ser quebradas e os fogos rolaram por cima delas. Então as que estavam no topo se abriram na parte do meio e uma hoste inumerável de Orques, os gobelins do ódio, despejaram-se pela brecha, e quem há de contar sobre suas cimitarras ou o brilho de suas lanças de ponta larga, com as quais atacavam?

"Então gritou Rog com voz poderosa, e todo o povo do Martelo da Ira e a gente da Árvore, com Galdor, o valente, saltaram contra o inimigo. Lá os golpes de seus grandes martelos e as pancadas de seus bastões ecoaram até as Montanhas Circundantes, e os Orques caíram como folhas, e aqueles da Andorinha e do Arco despejaram flechas como as chuvas escuras do outono sobre o inimigo, e tanto Orques quanto Gondothlim também caíam com a fumaça e a confusão. Grande foi aquela batalha, mas, apesar de todo o seu valor, os Gondothlim, por causa da força dos números dos adversários, os quais cada vez mais aumentavam, foram lentamente empurrados para trás até que os gobelins dominaram parte do extremo norte da cidade.

"Naquele momento, Tuor estava à frente do povo da Asa, lutando no tumulto das ruas e, quando conseguiu abrir caminho até sua casa, descobriu que Meglin chegara antes dele. Fiando-se na batalha que então começara no portão norte e na balbúrdia pela cidade, Meglin aguardara essa hora para a consumação de seus desígnios. Descobrindo muito sobre a escavação secreta de Tuor (contudo, só no último momento obteve ele esse conhecimento e não conseguiu descobrir tudo), não disse nada ao rei ou a qualquer outro, pois pensava que com certeza aquele túnel iria, no fim, rumo à Via de Escape, sendo essa a mais próxima da cidade, e ele tinha a ideia de usar isso para seu bem e para o mal dos Noldoli. Mensageiros, com grande sigilo, despachou para Melko, a fim de que pusesse uma guarda em torno da saída daquela Via quando o assalto começasse, mas ele mesmo pensava agora em tomar Eärendel e lançá-lo ao fogo sob as muralhas e, agarrando Idril, forçá-la-ia a guiá-lo pelos segredos da passagem para que pudesse se safar desse terror de fogo e matança e arrastá-la-ia consigo para as terras de Melko. Ora, Meglin estava temeroso de que mesmo o salvo-conduto secreto que Melko lhe dera de nada serviria naquele saque terrível e tinha em mente ajudar aquele Ainu no cumprimento de suas promessas de segurança. Nenhuma dúvida, entretanto, tinha quanto à morte de Tuor naquele grande incêndio, pois a Salgant ele confiara a tarefa de atrasá-lo nos salões do rei e incitá-lo a entrar diretamente no momento mais mortal da luta — mas eis que Salgant caiu em um terror mortal e cavalgou para casa e lá jazeu trêmulo em sua cama, e Tuor foi para sua casa com o povo da Asa.

"Ora, Tuor fez isso, embora seu valor se levantasse diante do barulho da guerra, para poder dizer adeus a Idril e a Eärendel e mandá-los, junto com uma guarda, pelo caminho secreto antes que ele próprio retornasse ao calor da batalha para morrer, se preciso fosse, mas achou uma aglomeração do povo da Toupeira diante de sua porta, e esses eram os mais sombrios e os de coração menos bom que Meglin pôde reunir naquela cidade. Contudo, eram eles Noldoli livres e sob nenhum feitiço de Melko, ao contrário de seu mestre, donde embora, por causa do senhorio de Meglin, eles não ajudassem Idril, em nada além disso seguiram o propósito do Gnomo, apesar de todos os seus insultos.

"Naquela hora, então, Meglin agarrara Idril pelo cabelo e buscara arrastá-la até as ameias, pela crueldade de seu coração, para que ela visse a queda de Eärendel nas chamas, mas ele se atrapalhara ao carregar aquela criança, e Idril lutara, sozinha como estava, feito uma tigresa, apesar de toda a sua formosura e pequenez. Naquele momento Meglin luta e demora-se, praguejando, enquanto o povo da Asa se aproxima — e eis que Tuor solta um grito tão grande que os Orques o ouvem de longe e hesitam diante desse som. Feito o romper da tempestade, a guarda da Asa surge em meio aos homens da Toupeira e esses são derrubados. Quando Meglin viu isso, quis apunhalar Eärendel com uma faquinha que carregava, mas aquela criança mordeu a mão esquerda dele, fincando nela seus dentes, e ele balançou e o golpeou fracamente, e a pequena cota de malha desviou a lâmina, e depois disso Tuor veio sobre ele e sua ira era terrível de ver. Tomou Meglin por aquela mão que segurava a faca e quebrou o braço com esse aperto, e então, tomando-o pela cintura, saltou com ele para cima das muralhas e o lançou para longe. Grande foi a queda de seu corpo e atingiu o Amon Gwareth três vezes antes que caísse no meio das chamas, e o nome de Meglin tornou-se sinal de vergonha entre Eldar e Noldoli.

"Então os guerreiros da Toupeira, sendo mais numerosos do que aqueles poucos da Asa e leais ao seu senhor, vieram contra Tuor, e houve grandes golpes, mas nenhum homem podia ficar diante da ira de Tuor, e eles foram derrotados e forçados a fugir para os buracos escuros que conseguiram achar ou lançados das muralhas. Então Tuor e seus homens precisavam chegar à batalha no Portão, pois o estrondo dela se tornava mui grande e Tuor tinha ainda em seu coração a ideia de que a cidade podia resistir; contudo, com Idril ele deixou Voronwë, contra a vontade desse, e alguns outros espadachins para guardá-la até que ele retornasse ou mandasse notícias da luta.

"Nesse momento a batalha naquele portão caminhava de fato muito mal e Duilin da Andorinha, enquanto disparava das muralhas, foi atingido por uma seta de fogo dos Balrogs que saltavam à volta da base do Amon Gwareth; ele caiu das ameias e pereceu. Então os Balrogs continuaram a lançar dardos de fogo e flechas flamejantes feito pequenas serpentes no céu, e esses caíam sobre os tetos e jardins de Gondolin até que todas as árvores foram incineradas e as flores e a grama queimaram e a brancura daquelas muralhas e colunatas enegreceu e foi destruída; contudo, pior ainda foi que uma companhia daqueles demônios subiu nas volutas das serpentes de ferro e de lá disparou sem cessar de seus arcos e fundas até que um incêndio começou a arder na cidade às costas do principal exército dos defensores.

"Então disse Rog com grande voz: 'Quem agora há de temer os Balrogs, apesar de todo o seu terror? Vede diante de nós os malditos que por eras atormentam os filhos dos Noldoli e que agora põem fogo às nossas costas com seus disparos. Vinde, ó vós do Martelo da Ira, e vamos golpeá-los pelo mal que fazem.' Em seguida, ergueu sua maça, e o cabo dela era longo, e ele abriu caminho diante de si pela ira de seu avanço, chegando até mesmo ao portão derrubado, mas todo o povo da Bigorna Martelada acorreu atrás dele como ponta de lança, e chispas saíam de seus olhos com a força de sua raiva. Um grande feito foi aquele ataque, como ainda cantam os Noldoli, e muitos dos Orques foram lançados para trás na direção dos fogos lá embaixo, mas os homens de Rog saltaram até mesmo por sobre as volutas das serpentes e chegaram àqueles Balrogs e os feriram gravemente, apesar de todos os seus açoites de chama e garras de aço e de sua mui grande estatura. Martelaram-nos até virarem uma massa indistinta ou, agarrando seus açoites, usaram-nos contra eles, lacerando-os do mesmo modo como antes haviam lacerado os Gnomos, e o número dos Balrogs que pereceram era um assombro e um terror para as hostes de Melko, pois antes daquele dia nunca algum dos Balrogs tinha sido morto pelas mãos de Elfos ou Homens.

"Então Gothmog, Senhor de Balrogs, reuniu todos os seus demônios que estavam em volta da cidade e ordenou que assim fizessem: alguns deles foram até o povo do Martelo e recuaram diante desse grupo, mas a companhia mais numerosa, apressando-se pelos flancos, achou maneira de chegar pela retaguarda, subindo pelas volutas dos dracos e mais perto dos portões, de modo que Rog não poderia retornar, salvo com grande mortandade entre seu povo. Porém Rog, vendo isso, não tentou retornar, como era esperado, mas com todo o seu povo caiu sobre aqueles cujo papel era recuar, e fugiram diante dele, agora por premente necessidade e não por ardil. Foram assolados até lá embaixo, na planície, e seus gritos rasgaram os ares de Tumladin. Então aquela casa do Martelo pôs-se a golpear e retalhar os bandos assustados de Melko até que foram detidos enfim por uma força avassaladora de Orques e de

Balrogs, e um draco-de-fogo foi lançado contra eles. Lá pereceram à volta de Rog, atacando até o fim, quando o ferro e a chama os sobrepujaram e ainda hoje canta-se que cada homem do Martelo da Ira tirou as vidas de sete adversários como paga pela sua própria. Então caiu mais pesadamente o horror sobre os Gondothlim pela morte de Rog e a perda de seu batalhão, e eles recuaram ainda mais para dentro da cidade e Penlod pereceu lá, em uma alameda com suas costas para a muralha e, à volta dele, também muitos homens do Pilar e muitos da Torre de Neve.

"Com isso, portanto, os gobelins de Melko tomaram todo o portão e grande parte das muralhas de ambos os lados, de onde muitos dos da Andorinha e aqueles do Arco-Íris foram lançados para sua ruína, mas dentro da cidade eles tinham ganhado um grande trecho que chegava perto do centro, até mesmo ao Lugar do Poço que ficava ao lado da Praça do Palácio. Contudo, em torno desses lugares e do portão os mortos deles estavam empilhados em montes incontáveis, e eles pararam, portanto, e traçaram seus planos, vendo que, pelo valor dos Gondothlim, tinham perdido muitos mais do que tinham esperado e bem mais do que aqueles defensores. Temorosos também estavam pela matança que Rog causara entre os Balrogs, porque graças àqueles demônios eles tinham grande coragem e confiança de coração.

"Ora, o plano que traçaram então foi proteger o que já tinham conquistado, enquanto aquelas serpentes de bronze e com grandes patas, adequadas para pisotear, subissem devagar por cima daquelas de ferro e, alcançando os muros, abrissem neles uma brecha através da qual os Balrogs pudessem passar cavalgando os dragões de chama; contudo, sabiam que isso tinha de ser feito rapidamente, pois os calores daqueles dracos não durariam para sempre e só poderiam ser abastecidos nos poços de fogo que Melko fizera na fortaleza de sua própria terra.

"Mas, no momento em que seus mensageiros partiam, ouviram uma música doce que soava em meio à hoste dos Gondothlim e temeram o que aquilo poderia significar: e eis que vieram Ecthelion e o povo da Fonte, que Turgon até agora tinha mantido em reserva, pois observara a maior parte daquele confronto das alturas de sua torre. Ora, marchava esse povo ao grande som de suas flautas e o cristal e a prata de seus petrechos era mui belo de ver em meio à luz vermelha dos incêndios e o negrume das ruínas.

"Então, de repente, cessou a música deles e Ecthelion da bela voz gritou que se desembainhassem as espadas, e antes que os Orques pudessem prever seu ataque, o chamejar daquelas lâminas brancas estava no meio deles. Conta-se que o povo de Ecthelion lá matou mais dos gobelins do que os que jamais caíram em todas as batalhas dos Eldalië com aquela raça e que seu nome é um terror no meio deles até estes últimos dias e um grito de guerra para os Eldar.

"É agora que Tuor e os homens da Asa entram na luta e se postam ao lado de Ecthelion e daqueles da Fonte, e os dois assestam golpes poderosos, e cada um bloqueia muita investida contra o outro, e assolam os Orques de modo que quase chegam a abrir caminho até o portão. Mas eis que surge um tremor e um tropel, pois os dragões muito se esforçam para abrir caminho até o Amon Gwareth e derrubar as muralhas da cidade, e já há uma brecha ali e uma confusão de pedaços de alvenaria, onde as torres de guarda caíram em ruína. Grupos da Andorinha e do Arco do Céu ali lutam ferozmente em meio aos destroços ou contestam ao inimigo a posse das muralhas a leste e a oeste, mas, no momento em que Tuor se aproxima, desbaratando os Orques, uma dessas serpentes brônzeas empurra o muro do oeste e uma grande massa dele treme e tomba, e atrás dela vem uma criatura de fogo, com Balrogs sobre ela. Chamas jorram da mandíbula daquela serpe e a gente fenece diante dela, e as asas do elmo de Tuor ficam enegrecidas, mas ele continua de pé e reúne à sua volta a guarda e todos aqueles do Arco e da Andorinha que consegue achar, enquanto na sua direita Ecthelion congrega os homens da Fonte do Sul.

"Ora, os Orques de novo criam coragem com a chegada dos dracos e misturam-se aos Balrogs que jorram pela brecha e atacam os Gondothlim ferozmente. Ali Tuor matou Othrod, um senhor dos Orques, rachando seu elmo, e Balcmeg ele cortou ao meio e a Lug golpeou de tal forma com seu machado que as pernas foram cortadas debaixo dele na altura do joelho, mas Ecthelion estripou dois capitães dos gobelins com um único golpe e rachou a cabeça de Orcobal, o principal de seus campeões, até os dentes, e, por causa da grande bravura desses dois senhores, chegaram até mesmo aos Balrogs. Desses demônios de poder Ecthelion matou três, pois o brilho de sua espada lhes cortava seu ferro e feria até o fogo deles, e eles se contorciam; contudo, do salto daquele machado Dramborleg, que era girado pela mão de Tuor, tinham eles ainda mais medo, pois cantava como o rumor de asas de águia no ar e concedia a morte enquanto descia, e cinco caíram diante dele.

"Mas assim é: poucos não podem lutar para sempre contra muitos, e o braço esquerdo de Ecthelion sofreu uma laceração terrível do açoite de um Balrog e seu escudo caiu por terra na hora em que um dragão de fogo se aproximava em meio à ruína das muralhas. Então Ecthelion precisou se apoiar em Tuor, e Tuor não podia deixá-lo, ainda que os pés da fera estivessem quase em cima deles, e estavam prestes a ser sobrepujados, mas Tuor golpeou um dos pés da criatura, de forma que as chamas vazaram, e aquela serpente gritou, chicoteando com sua cauda, e muitos, tanto dos Orques quanto dos Noldoli, disso tiveram sua morte. Então Tuor reuniu forças e carregou Ecthelion e, junto com um remanescente de seu povo, abaixando-se, escapou do draco, mas terrível foi a mortandade de homens causada por aquela fera, e os Gondothlim foram duramente abalados.

"Assim foi que Tuor, filho de Peleg, recuou diante do adversário, lutando conforme cedia terreno, e levou daquela batalha Ecthelion da Fonte, mas os dracos e inimigos dominaram metade da cidade e todo o norte dela. Dali bandos de atacantes saíram pelas ruas e muito saquearam ou assassinaram no escuro homens e mulheres e crianças, e muitos, se a ocasião permitia, amarraram e lançaram nas câmaras de ferro em meio aos dragões, a fim de que pudessem mais tarde levá-los para serem servos de Melko.

"Ora, Tuor alcançou a Praça do Poço por um caminho que entrava pelo norte e lá encontrou Galdor barrando a entrada oeste, pelo Arco de Inwë, diante de uma horda de gobelins, mas à volta dele havia então apenas uns poucos daqueles homens da Árvore. Então tornou-se Galdor a salvação de Tuor, pois ele tombou atrás de seus homens, tropeçando, diante de Ecthelion, em um corpo que jazia no escuro, e os Orques teriam capturado a ambos não fosse o ataque repentino daquele campeão e a força de sua clava.

"Lá estavam os resquícios da guarda da Asa e das casas da Árvore e da Fonte, e da Andorinha e do Arco, unidos em um bom batalhão, e pelo conselho de Tuor eles recuaram para fora do Lugar do Poço, vendo que a Praça do Rei, que estava ao lado, era mais defensável. Ora, aquele lugar, em tempos de outrora, contivera muitas e belas árvores, tanto carvalhos quanto choupos, em volta de um grande poço de vasta profundidade e grande pureza d'água; contudo, naquela hora, estava cheio do tumulto e da feiura daquele horrendo povo de Melko, e suas águas foram poluídas por seus cadáveres.

"Assim vem a última reunião corajosa daqueles defensores na Praça do Palácio de Turgon. Entre eles estão muitos feridos e prestes a desmaiar e Tuor está cansado pelos labores da noite e pelo peso de Ecthelion, que desfalece mortalmente. Assim que ele liderou aquele batalhão para dentro da praça, pela Estrada dos Arcos, a partir do noroeste (e muito sofreram para evitar que algum inimigo chegasse às suas costas), um alarido levantou-se a leste da praça e eis que Glorfindel lá entra com os últimos dos homens da Flor Dourada.

"Ora, esses tinham suportado um conflito terrível no Grande Mercado a leste da cidade, onde uma força de Orques liderada por Balrogs veio contra eles sem aviso, enquanto marchavam por um caminho tortuoso para o combate no portão. Isso eles fizeram para surpreender o inimigo no seu flanco esquerdo, mas caíram eles próprios em emboscada; ali lutaram duramente por horas, até que um draco-de-fogo que acabara de vir da brecha os sobrepujou, e Glorfindel abriu caminho com muita dificuldade e com poucos homens, mas aquele lugar, com suas lojas e boas coisas de fina lavra, tornou-se uma desolação de chamas.

"Diz a estória que Turgon tinha mandado os homens da Harpa em seu auxílio, por causa da urgência que pediam os mensageiros de Glorfindel, mas Salgant ocultou esse pedido deles, dizendo que deviam guarnecer a praça do Mercado Menor ao sul, onde ele habitava, e eles se apressaram para lá. Naquela hora, porém, separaram-se de Salgant e chegaram diante do salão do rei, e isso foi bem a tempo, pois uma massa triunfante de inimigos estava nos calcanhares de Glorfindel. Sobre esses os homens da Harpa, sem aviso, caíram com grande avidez e redimiram totalmente a covardia de seu senhor, empurrando o inimigo de volta ao mercado e, estando sem líder, avançaram com ira desmedida, de modo que muitos ficaram presos nas chamas ou tombaram sob o hálito da serpente que lá se deleitava.

"Tuor então bebeu da grande fonte e refrescou-se e, afrouxando o elmo de Ecthelion, deu-lhe de beber, molhando o rosto dele de tal modo que sua fraqueza o deixou. Agora esses senhores, Tuor e Glorfindel, limpam a praça e retiram todos os homens que podem das entradas e as barram com obstáculos, salvo, por enquanto, as do sul. E daquela mesma região vem agora Egalmoth. Ele tinha ficado encarregado das máquinas na muralha, mas, já fazia tempo, considerando que o caso pedia antes golpes de espada nas ruas do que disparos das ameias, reunira alguns do Arco e da Andorinha à sua volta e lançara para longe seu arco. Então andaram pela cidade assestando bons golpes sempre que se encontravam com bandos do inimigo. Com isso resgataram muitos grupos de cativos e congregaram não poucos homens que vagavam confusos, e assim chegaram à Praça do Rei com dura luta, e os homens de bom grado o saudaram, pois temiam que estivesse morto. Agora todas as mulheres e crianças que tinham se reunido lá ou tinham sido trazidas por Egalmoth são abrigadas nos salões do rei e as fileiras de cada casa preparam-se para o fim. Naquela hoste de sobreviventes estão alguns, ainda que poucos, de todas as gentes, salvo apenas a do Martelo da Ira, e a casa do rei ainda está intocada. Nem é isso vergonha alguma, pois o papel deles foi sempre se manter descansados até o fim e defender o rei.

"Naquele momento, porém, os homens de Melko reuniram suas forças e sete dragões de fogo vieram com Orques à sua volta e Balrogs montados neles de todos os caminhos do norte, leste e oeste, buscando a Praça do Rei. Então houve carnificina nas barreiras e Egalmoth e Tuor iam de lugar a lugar da defesa, mas Ecthelion ficou ao lado da fonte, e aquela luta foi a mais teimosa e valente entre as recordadas em todas as canções ou em qualquer conto. Contudo, finalmente, um draco fez explodir a barreira ao norte — e lá antes fora a saída do Beco das Rosas e um belo lugar de se ver e onde caminhar, mas então ali havia não mais que uma rua de negrume, cheia de barulho.

"Tuor então pôs-se no caminho daquela fera, mas separou-se de Egalmoth, e o empurraram para trás até o centro da praça, perto da fonte. Lá ficou exausto pelo calor sufocante e foi derrubado por um grande demônio, pelo próprio Gothmog, senhor de Balrogs, filho de Melko. Mas eis que Ecthelion, cujo rosto tinha a palidez do aço cinzento e cujo braço de escudo pendia inerte ao lado do corpo, pôs-se por cima de Tuor quando ele caiu e aquele Gnomo atacou o demônio, mas não pôde matá-lo, recebendo antes um ferimento no braço com que usava a espada, de modo que a arma deixou sua mão. Então saltou Ecthelion, senhor da Fonte, mais belo dos Noldoli, contra Gothmog na hora em que esse erguia seu açoite, e seu elmo, que tinha uma ponta, ele o cravou naquele peito maligno e trançou suas pernas em volta das coxas de seu inimigo, e o Balrog urrou e caiu para a frente, mas aqueles dois tombaram no lago da fonte do rei, que era muito profundo. Lá encontrou aquela criatura o seu fim e Ecthelion, com o peso do aço, ficou nas profundezas, e assim pereceu o senhor da Fonte, depois daquela ígnea batalha, nas águas frias.[30]

"Ora, Tuor tinha se erguido quando o ataque de Ecthelion lhe dera espaço e, vendo aquele grande feito, chorou por seu amor àquele belo Gnomo da Fonte, mas, sendo envolvido pela batalha, mal conseguiu abrir caminho entre o povo em volta do palácio. Lá, vendo a hesitação do inimigo por razão do terror diante da queda de Gothmog, marechal das hostes, a casa real atacou, e o rei desceu em esplendor em meio a eles e com eles golpeava, de modo que varreram de novo boa parte da praça, e dos Balrogs mataram até duas vintenas, o que é, de fato, proeza muito grande, mas outra maior ainda realizaram, pois encurralaram um dos Dracos-de-Fogo, apesar de todas as suas chamas, e o forçaram a entrar nas próprias águas da fonte, nas quais ele pereceu. Ora, esse foi o fim daquela bela água, e suas lagoas viraram fumaça e sua fonte secou e não mais se lançou para o firmamento, mas antes uma vasta coluna de vapor subiu ao céu e a nuvem dela flutuou por cima de toda a terra.

"Então caiu sobre todos o terror pela ruína da fonte e a praça ficou cheia de brumas de calor escaldante e névoas que cegavam, e o povo da casa real foi morto pelo calor e pelo inimigo e por serpentes e uns pelos outros, mas um grupo deles salvou o rei e eles se reuniram para resistir sob Glingol e Bansil.

"Então disse o rei: 'Grande é a queda de Gondolin', e os homens estremeceram, pois tais foram as palavras de Amnon, o profeta de outrora,[31] mas Tuor, falando desvairadamente, por pena e por amor ao rei, gritou: 'Gondolin ainda resiste e Ulmo não permitirá que pereça!' Ora, estavam naquela hora postados, Tuor perto das Árvores e o rei sobre as Escadas, como estiveram muito antes, quando Tuor transmitira a mensagem de Ulmo. Mas Turgon disse: 'O mal fiz cair sobre a Flor da Planície, à revelia de Ulmo, e agora ele a deixa fenecer no fogo. Eis que esperança não há mais em meu coração por minha cidade de beleza, mas os filhos dos Noldoli não serão derrotados para sempre.'

"Então os Gondothlim bateram suas armas umas contra as outras, pois muitos ouviam por perto, mas Turgon disse: 'Não luteis contra o destino, ó meus filhos! Buscai, vós que podeis, a segurança da fuga, caso ainda haja tempo, mas que vossa lealdade caiba a Tuor.' Mas Tuor disse: 'Vós sois rei', e Turgon respondeu: 'Eu, porém, não desferirei mais golpe algum' e lançou sua coroa aos pés de Glingol. Então Galdor, que lá estava, pegou a coroa, mas Turgon não a aceitou e, de cabeça descoberta, subiu ao pináculo mais alto daquela torre branca que ficava perto de seu palácio. Lá gritou com voz semelhante a uma trompa soada em meio às montanhas, e todos os que estavam reunidos sob as Árvores e os inimigos nas brumas da praça o ouviram: 'Grande é a vitória dos Noldoli!' E conta-se que era então o meio da noite e que os Orques urraram em zombaria.

"Então os homens falaram de uma surtida e eram de duas opiniões. Muitos sustentavam que era impossível atravessar e que, de qualquer modo, não conseguiriam passar pela planície ou através dos montes e que era melhor, portanto, morrer à volta do rei. Mas Tuor não podia conceber a morte de tantas belas mulheres e crianças, fosse pelas mãos de seu próprio povo em último caso, fosse pelas armas do inimigo, e falou da escavação e da via secreta. Portanto, aconselhou que implorassem a Turgon que mudasse de ideia e, vindo em meio a eles, liderasse aquele remanescente para o sul, até as muralhas e a entrada daquela passagem, mas ele próprio ardia de desejo de ir até lá e saber como estavam Idril e Eärendel ou de levar notícias para eles e ordenar que partissem rapidamente, pois Gondolin fora tomada. Ora, o plano de Tuor pareceu de fato desesperado aos senhores da cidade — vendo a estreiteza do túnel e a grandeza da companhia que precisava passar ali dentro —, mas de bom grado adotariam esse conselho em tal aperto. Mas Turgon não os ouviu, e ordenou que partissem naquele momento, antes que fosse tarde demais. 'Que Tuor', disse ele, 'seja vosso guia e vosso chefe. Mas eu, Turgon, não deixarei minha cidade e queimarei com ela.' Então mandaram de novo mensageiros à torre, dizendo: 'Senhor, quem serão os Gondothlim se vós perecerdes? Liderai-nos!' Mas ele disse: 'Sus! Aqui fico', e ainda uma terceira vez ele disse: 'Se sou rei, obedecei aos meus pedidos e não ouseis debater mais minhas ordens.' Depois disso não mandaram mais mensagens e se aprontaram para aquela tentativa desesperada. Mas o povo da casa real que ainda vivia não arredou pé, mas reuniu-se em fileiras cerradas na base da torre do rei. 'Aqui', disseram eles, 'ficaremos se Turgon não sair', e não foi possível persuadi-los.

"Estava, pois, Tuor duramente dividido entre sua reverência pelo rei e seu amor por Idril e seu filho que lhe doía o coração; contudo, já serpentes rastejam pela praça, passando por sobre os mortos e os moribundos, e o inimigo reúne-se nas brumas para o último ataque; a escolha tem de ser feita. Então, por causa dos gemidos das mulheres nos salões do palácio e da grandeza de sua piedade por aquele triste resto dos povos de Gondolin, ele reuniu toda aquela chorosa companhia, damas, crianças e mães e, colocando-as no meio, congregou da melhor forma que pôde seus homens ao redor delas. Deixou as fileiras mais espessas nos flancos e atrás, pois pretendia recuar para o sul lutando da maneira mais adequada possível pela retaguarda conforme prosseguisse e, assim, se pudesse, avançar pela Estrada das Pompas até o Lugar dos Deuses antes que alguma grande força fosse enviada para detê-lo. Dali era seu pensamento seguir pela Via das Águas Correntes, passando pelas Fontes do Sul, até as muralhas e sua morada, mas a travessia do túnel secreto despertava-lhe muitas dúvidas. Logo depois, percebendo seus movimentos, o inimigo de imediato desferiu um grande ataque sobre seu flanco esquerdo e sua retaguarda — do leste e do norte — bem na hora em que ele começava a recuar, mas sua direita estava coberta pelo salão do rei e a frente daquela coluna já entrava na Estrada das Pompas.

"Então alguns dos mais imensos dos dracos aproximaram-se, brilhando em meio à névoa, e ele foi forçado a ordenar que a companhia seguisse correndo, enquanto lutava na esquerda às cegas, mas Glorfindel protegeu a retaguarda com vigor e muitos mais da Flor Dourada lá tombaram. Assim foi que eles passaram pela Estrada das Pompas e chegaram a Gar Ainion, o Lugar dos Deuses; esse era muito aberto e a sua parte média, o terreno mais alto de toda a cidade. Ali Tuor prepara-se para um combate terrível e quase não tem esperança de ir muito adiante, mas eis que o inimigo já parece perder ânimo e quase ninguém mais os segue, e isso é um assombro. Agora chega Tuor, à frente deles, ao Lugar das Bodas, e eis que lá está Idril diante dele com seu cabelo solto como no dia do casamento deles muito antes, e grande é o espanto dele. Ao lado dela estava Voronwë e mais ninguém, mas Idril não viu nem mesmo Tuor, pois seu olhar tinha se fixado atrás dele, na Praça do Rei, que ficava um pouco abaixo deles. Então toda aquela hoste parou e olhou para trás, para onde os olhos dela miravam, e seus corações pararam, pois agora viam por que o inimigo os pressionava tão pouco e a razão de sua salvação. Eis que um draco estava enroscado nos próprios degraus do palácio e conspurcava a sua brancura, mas enxames dos Orques saqueavam tudo e arrastavam para fora mulheres e crianças ou matavam homens que lutavam sozinhos. Glingol definhou até o âmago, Bansil estava totalmente enegrecida e a torre do rei estava cercada. Lá no alto conseguiam divisar a forma do rei, mas em volta da base uma serpente de ferro esguichando chama chicoteava e revirava a sua cauda, e Balrogs havia em torno dela, e estava a casa do rei em grande angústia e gritos terríveis chegavam aos que observavam. Assim foi que o saque dos salões de Turgon e a grande valentia da casa real ocuparam a mente do inimigo, de modo que Tuor conseguiu sair de lá com sua companhia e estava agora em lágrimas no Lugar dos Deuses.

"Então disse Idril: 'Desgraçada de mim, cujo pai espera a ruína em seu mais alto pináculo, mas sete vezes desgraçada é aquela cujo senhor caiu diante de Melko e nunca mais voltará para casa' — pois estava desesperada com a agonia daquela noite.

"Então disse Tuor: 'Sus, Idril, sou eu e eu vivo; agora, porém, trarei teu pai aqui, ainda que seja dos Infernos de Melko!' Com isso, queria descer a colina sozinho, enlouquecido pela tristeza de sua esposa, mas ela, recuperando seu juízo, em uma tempestade de choro, agarrou-se a seus joelhos dizendo: 'Meu senhor! Meu senhor!' e o deteve. Contudo, enquanto falava, um grande barulho e um urro levantaram-se daquele lugar de angústia. Eis que a torre foi lambida pelas chamas e, em uma explosão de fogo, veio abaixo, pois os dragões esmagaram a base dela e todos os que estavam lá. Grande foi o retinir daquela queda terrível e assim se foi Turgon, Rei dos Gondothlim, e naquela hora a vitória era de Melko.

"Então disse Idril, pesarosa: 'Triste é a cegueira dos sábios', mas Tuor completou: 'Triste também é a teimosia daqueles que amamos — mas foi uma falha valente', então, abaixando-se, ergueu-a em seus braços e a beijou, pois era para ele mais do que todos os Gondothlim, mas ela chorava amargamente por seu pai. Então virou-se Tuor para os capitães, dizendo: 'Eis que devemos partir daqui com toda a velocidade, para que não sejamos cercados', e imediatamente seguiram avante o mais velozmente que puderam e já estavam longe dali quando os Orques se cansaram de saquear o palácio e de se regozijar com a queda da torre de Turgon.

"Agora estão na parte sul da cidade e encontram apenas bandos dispersos de saqueadores que fogem diante deles; contudo, acham fogo e incêndios por toda parte, por causa da crueldade daquele inimigo. Mulheres encontram, algumas com criancinhas e outras com seus bens nas mãos, mas Tuor não deixa que carreguem nada além de um pouco de comida. Chegando enfim a um lugar um pouco mais quieto, Tuor pediu notícias a Voronwë, já que Idril não falava e estava quase desfalecida, e Voronwë lhe contou como ela e ele tinham esperado diante das portas da casa, enquanto o barulho daquelas batalhas crescia e estremecia seus corações, e Idril chorava pela falta de notícias de Tuor. Enfim mandara ela a maior parte de sua guarda pelo caminho secreto com Eärendel, forçando-os a partir com palavras imperiosas, mas foi grande o seu pesar com aquela separação. Ela própria ficaria, disse, nem buscaria viver mais tempo do que o seu senhor, então saiu pelas ruas reunindo mulheres e outros que vagavam e enviando-os para o túnel e atacando saqueadores com seu pequeno grupo, sequer conseguiram dissuadi-la de usar uma espada.

"Acabaram então encontrando um bando do inimigo que era numeroso demais e Voronwë a tinha arrastado de lá só com a sorte dos Deuses, pois todos os demais que estavam com eles pereceram e o inimigo queimara a casa de Tuor, mas não encontrou a via secreta. 'Com isso,' disse Voronwë, 'tua senhora ficou desesperada de cansaço e tristeza e caminhou cidade adentro desvairadamente, para meu grande temor — nem consegui fazê-la fugir dos incêndios.'

"Conforme diziam essas palavras, chegaram às muralhas do sul e perto da casa de Tuor, e eis que estava derrubada, e saía fumaça dos escombros, e isso encheu Tuor de amarga ira. Mas ouviu-se um ruído que pressagiava a chegada de Orques, e Tuor despachou aquela companhia o mais rápido que pôde para a via secreta.

"Agora há grande pesar naquela escada, enquanto aqueles exilados dizem adeus a Gondolin; têm, porém, pouca esperança de continuar a vida além das montanhas, pois como haverá alguém de escapar da mão de Melko?

"Contente está Tuor ao ver que todos passaram pela estrada e seu medo diminui; de fato, pela sorte dos Valar apenas pôde toda aquela gente entrar ali sem ser vista pelos Orques. Agora há alguns que, lançando de lado suas armas, trabalham com picaretas do lado de dentro e bloqueiam a entrada da passagem, partindo então atrás da hoste conforme conseguem, mas, quando aquele povo tinha descido a escada até chegar a um nível paralelo ao do vale, o calor aumentou até virar um tormento, por causa do fogo dos dragões que estavam em volta da cidade, e de fato eles estavam perto, pois a escavação ali não chegava a grande profundidade sob a terra. Pedregulhos foram soltos pelos tremores no chão e, caindo, esmagaram muitos, e fumaças estavam no ar, de modo que suas tochas e lanternas se apagaram. Ali tropeçaram sobre os corpos de alguns que tinham partido antes e perecido e Tuor temeu por Eärendel, e prosseguiram sob grande escuridão e angústia. Quase duas horas tinham passado naquele túnel no fundo da terra, e perto de seu fim mal estava concluído, mas era rugoso em suas paredes e baixo.[32]

"Então chegaram enfim, seus números diminuídos em quase um décimo, à abertura do túnel e o tinham feito desembocar habilmente em uma ampla depressão onde antes houvera água, mas ela agora estava cheia de arbustos espessos. Ali reunia-se um aglomerado não pequeno de gente dispersa que Idril e Voronwë tinham mandado pela via oculta antes deles, e eles choravam baixinho por cansaço e pesar, mas Eärendel não estava lá. Com isso, estavam Tuor e Idril em angústia de coração.[33] Lamentação havia também entre todos aqueles outros, pois em meio à planície acima deles erguia-se ao longe o monte de Amon Gwareth coroado de chamas, onde tinha ficado a cidade reluzente que fora o lar deles. Dracos-de-fogo estão em volta dela e monstros de ferro entram e saem de seus portões e grande é aquele saque cometido por Balrogs e Orques. Algum conforto isso traz para os líderes dos que fogem, mesmo assim, pois julgam que a planície está quase vazia do povo de Melko, salvo bem perto da cidade, pois para lá foram todos os seus seres malignos para festejar aquela destruição.

"'Agora,' disse, portanto, Galdor, 'temos de ir o mais longe possível daqui rumo às Montanhas Circundantes antes que a aurora venha sobre nós, e isso não nos dá grande intervalo de tempo, pois o verão está próximo.'[34] Disso veio uma divergência, pois alguns disseram que seria insensatez ir para Cristhorn, como Tuor propunha. 'O sol', disseram eles, 'estará alto muito antes de chegarmos aos sopés das montanhas e seremos sobrepujados na planície por aqueles dracos e demônios. Vamos para Bad Uthwen, a Via de Escape, pois isso dá apenas metade da jornada e nossos exaustos e feridos podem ter esperança de chegar lá, ainda que não mais adiante.'

"Idril, porém, falou contra essa ideia e persuadiu os senhores a não confiar na magia daquela via, a qual antes a tinha defendido de ser descoberta: 'Pois que magia há de resistir agora que Gondolin caiu?' Mesmo assim, um grande grupo de homens e mulheres separou-se de Tuor e foi para Bad Uthwen e lá caiu nas mandíbulas de um monstro que, por malícia de Morgoth, a conselho de Meglin, sentara-se na saída para que ninguém pudesse escapar. Mas os outros, liderados por Legolas Verdefolha da casa da Árvore, o qual conhecia toda aquela planície de dia ou no escuro, e que tinha boa visão à noite, fizeram grande progresso vale afora, apesar de todo o seu cansaço, e pararam só depois de uma grande marcha. Então estava toda a Terra coberta pela luz cinzenta daquela aurora triste que não mais via a beleza de Gondolin, mas a planície estava cheia de brumas — e isso era um assombro, pois nenhuma bruma ou névoa tinha aparecido lá jamais antes e isso, talvez, tivesse a ver com a ruína da fonte do rei. Mais uma vez levantaram-se e, encobertos pelos vapores, avançaram bem depois da aurora em segurança, até que já estavam longe demais para que fossem divisados naqueles ares brumosos do monte ou das muralhas arruinadas.

"Ora, as Montanhas, ou melhor, seus montes mais baixos ficavam daquele lado a sete léguas menos uma milha de Gondolin, e Cristhorn, a Fenda das Águias, a duas léguas de subida desde o começo das Montanhas, pois ficava a uma grande altura; portanto, ainda tinham duas léguas e parte de uma terceira a atravessar em meio às escarpas e aos sopés e estavam muito cansados.[35] Naquela hora o sol estava acima de um pico dos montes do leste, e ela se via muito vermelha e grande, e as brumas perto deles tinham desaparecido, mas as ruínas de Gondolin estavam totalmente ocultas, como se dentro de uma nuvem. Eis que então, conforme os ares clarearam, viram eles, a poucas quadras de distância, um grupo de homens que fugia a pé, e esses eram perseguidos por uma estranha cavalaria, pois sobre grandes lobos iam Orques, como pensavam, brandindo lanças. Então exclamou Tuor: 'Sus! Lá está Eärendel, meu filho, eis que seu rosto brilha como uma estrela no ermo,[36] e meus homens da Asa estão à volta dele e eles estão em grande apuro.' De imediato, escolheu cinquenta dos homens que estavam menos cansados e, deixando a companhia principal a segui-lo, partiu por aquela planície com a tropa o mais rápido que suas forças lhe permitiam. Chegando então a um ponto onde sua voz os alcançava, Tuor gritou para os homens em volta de Eärendel que ficassem e não fugissem, pois os ginetes-de-lobos estavam espalhando-os e matavam-nos um a um, e a criança estava nos ombros de certo Hendor, servidor da casa de Idril, e parecia que o deixariam sozinho com sua carga. Então eles se reuniram, com Hendor e Eärendel em meio a eles, mas Tuor logo chegou, embora toda a sua tropa estivesse sem fôlego.

"Dos ginetes-de-lobos havia uma vintena e dos homens que estavam em volta de Eärendel apenas seis viviam; portanto, Tuor mandou que seus homens formassem um crescente de apenas uma fileira e esperava assim cercar os cavaleiros, para que nenhum, escapando, levasse notícias ao inimigo principal e trouxesse a ruína sobre os exilados. Nisso ele teve sucesso, pois só dois escaparam e feridos da refrega e sem suas feras, de forma que foram suas notícias trazidas tarde demais à cidade.

"Feliz ficou Eärendel ao saudar Tuor e Tuor mui alegre por seu filho, mas disse Eärendel: 'Estou com sede, pai, pois corri muito — e nem precisava Hendor me carregar.' Disso seu pai não disse nada, não tendo água e pensando nas necessidades de toda aquela companhia que guiava, mas Eärendel disse de novo: 'Foi bom ver Meglin morrer daquele modo, pois queria deitar mão sobre minha mãe — e dele eu não gostava, mas eu não queria viajar em túnel algum, apesar de todos os ginetes-de-lobos de Melko.' Então Tuor sorriu e o colocou em seus ombros. Logo depois disso a companhia principal chegou e Tuor deu Eärendel à sua mãe, que estava em grande júbilo, mas Eärendel não queria ser carregado em seus braços, pois dizia: 'Mãe Idril, estás cansada, e guerreiros em cota de malha não cavalgam entre os Gondothlim, salvo o velho Salgant!' — e sua mãe riu em meio a seu pesar, mas Eärendel indagou: 'Não, onde está Salgant?', pois Salgant contava-lhe contos bobos ou inventava brincadeiras com ele por vezes e Eärendel muito se ria com o velho Gnomo naqueles dias em que ele vinha sempre à casa de Tuor, amando o bom vinho e belo repasto que lá recebia. Mas ninguém podia dizer onde Salgant estava, nem pode agora. Quiçá ele tenha sido surpreendido pelo fogo em sua cama; alguns, porém, dizem que ele foi feito cativo nos salões de Melko e tornou-se seu bufão — e essa é uma má sina para um nobre da boa raça dos Gnomos. Então Eärendel ficou triste com aquilo e caminhava ao lado de sua mãe em silêncio.

"Então chegaram eles aos sopés dos montes e era o meio da manhã, mas ainda cinzenta, e ali, perto do começo da estrada íngreme, o povo esticou-se e descansou um pouco em um pequeno vale bordeado por árvores e arbustos de avelã, e muitos dormiram, apesar do perigo, pois estavam profundamente exaustos. Contudo, Tuor estabeleceu uma guarda estrita e ele próprio não dormiu. Ali fizeram uma refeição de comida escassa e pedaços de carne, e Eärendel saciou sua sede e brincou perto de um riachinho. Então disse à sua mãe: 'Mãe Idril, quisera que o bom Ecthelion da Fonte estivesse aqui para tocar para mim com sua flauta, ou me fazer assobios-de-salgueiro! Será que ele foi na nossa frente?' Mas Idril disse que não e contou o que ouvira sobre o fim dele. Então disse Eärendel que não desejava nunca mais ver as ruas de Gondolin e chorou amargamente, mas Tuor disse que ele não veria de novo aquelas ruas, 'pois Gondolin não existe mais'.

"Depois disso, perto da hora do pôr do sol por trás dos montes, Tuor mandou que a companhia se levantasse e eles avançaram por caminhos agrestes. Logo então a grama sumiu e deu lugar a pedras cheias de musgo, e as árvores escassearam, e até os pinheiros e abetos tornaram-se esparsos. Na hora da descida do sol, o caminho serpenteou de tal modo por trás de um flanco dos montes que eles não podiam mais olhar na direção de Gondolin. Ali toda a companhia parou, e eis que a planície está clara e sorridente na última luz do dia, como outrora; mas muito longe, conforme observavam, um grande fogo ergueu-se contra o norte escurecido — e aquela era a queda da última torre de Gondolin, aquela mesma que ficara bem ao lado do portão sul e cuja sombra sempre caía sobre os muros da casa de Tuor. Então caiu o sol e eles não viram mais Gondolin.

"Ora, o passo de Cristhorn, que é a Fenda das Águias, é de perigosa travessia, e aquela hoste não se aventuraria lá no escuro, sem lanternas e sem tochas, e muito cansada e cheia de crianças e mulheres e homens doentes e feridos, se não fosse por seu grande medo dos batedores de Melko, pois era uma grande companhia e não conseguiria avançar em muito segredo. A escuridão se aprofundava rapidamente conforme se aproximavam daquele lugar alto e eles precisavam se espalhar em uma fila comprida e lenta. Galdor e um grupo de homens armados de lanças foram na frente, e Legolas com eles, cujos olhos eram como os de gatos para o escuro, mas não conseguiam ver muito adiante. Depois seguiam as menos exaustas das mulheres, dando apoio aos doentes e aos feridos que conseguiam ir a pé. Idril estava com elas e com Eärendel, que suportava bem a marcha, mas Tuor estava no meio, atrás deles, com todos os seus homens da Asa, e eles carregavam alguns que estavam severamente feridos e Egalmoth estava com ele, mas ele recebera um ferimento naquela sortida na praça. Atrás deles vinham muitas mulheres com criancinhas e meninas e homens que tinham ficado aleijados, mas o ritmo era lento o suficiente para eles. Na retaguarda ia o maior grupo de homens capazes de lutar, e lá estava Glorfindel dos cabelos dourados.

"Assim chegaram eles a Cristhorn, que é um lugar ruim por causa de sua altitude, pois essa é tão grande que nem a primavera nem o verão jamais chegavam lá e faz muito frio. De fato, enquanto o vale dança ao sol, ali todo o ano a neve habita naqueles lugares desolados, e na hora em que chegaram lá o vento uivava, vindo do norte, atrás deles e era muito cortante. A neve caía e girava em redemoinhos e caía nos olhos deles, e isso não era bom, pois ali o caminho é estreito e do lado direito, ou do oeste, uma muralha altíssima levanta-se setenta braças do caminho, até que forma, lá no alto, pináculos escarpados onde há muitos ninhos. Ali habita Thorndor, Rei das Águias, Senhor dos Thornhoth, a quem os Eldar chamam de Sorontur. Mas do outro lado está uma queda não tão alta, mas terrivelmente íngreme e lá embaixo há longos dentes de rocha apontados para cima, de modo que se pode descer escalando — ou talvez caindo —, mas de modo algum subir. E daquela profundeza não há escapatória em nenhuma das pontas, não mais do que pelos lados, e o Thorn Sir corre no fundo. Esse rio cai lá vindo do sul, descendo um grande precipício, mas com escassa água, pois ele é um riacho fino naquelas alturas, e sai ao norte depois de fluir não mais que uma milha pedregosa acima do chão, através de uma passagem estreita que entra na montanha, e um único peixe mal poderia se espremer junto com a água.

"Galdor e seus homens haviam chegado agora à ponta próxima de onde o Thorn Sir cai no abismo, e os outros se demoravam, apesar de todos os esforços de Tuor, lá atrás, espalhados pela maior parte da milha de caminho perigoso entre despenhadeiro e encosta, de modo que o povo de Glorfindel mal havia chegado ao começo do trecho, quando se ouviu um urro na noite que ecoou naquela região sombria. Eis que os homens de Galdor estavam sendo atacados de repente, no escuro, por formas que saltavam de detrás de rochas onde tinham se escondido até mesmo do olhar de Legolas. Tuor achava que eles tinham topado com uma das companhias de batedores de Melko e ele não temia muito mais do que um embate rápido no escuro, mas mandou as mulheres e os doentes junto com ele para a retaguarda e uniu seus homens aos de Galdor e houve uma refrega na trilha perigosa. Então, porém, rochas começaram a cair da encosta acima e as coisas pareciam ir mal, pois as pedras causaram duros danos, mas a situação pareceu a Tuor ainda pior quando o barulho de luta veio da retaguarda, e um homem da Andorinha lhe deu a notícia de que Glorfindel estava em desvantagem contra os homens que o atacavam naquele ponto, e que um Balrog estava com eles.

"Então ele temeu muito que se tratasse de uma armadilha, e isso foi o que em verdade ocorrera, pois vigias tinham sido dispostos por Melko em todos os montes circundantes. Contudo, tanto tinha o valor dos Gondothlim forçado a se juntar ao assalto antes que a cidade fosse tomada, que esses estavam espalhados esparsamente e estavam em menor número ali no sul. Mesmo assim, um desses havia espiado a companhia conforme eles tinham começado a subida vindo do vale de aveleiras, e o máximo possível de bandos do inimigo se juntou contra eles, e planejaram cair sobre os exilados pela frente e por trás, justamente no caminho perigoso de Cristhorn. Ora, Galdor e Glorfindel ficaram firmes apesar da surpresa do ataque, e muitos dos Orques foram lançados no abismo, mas o desabamento das rochas parecia prestes a acabar com toda a coragem deles e a condenar à ruína a fuga de Gondolin. A lua, por volta daquela hora, ergueu-se acima do passo, e a treva diminuiu um pouco, pois a luz pálida filtrava-se pelos lugares escuros; contudo, não iluminou o caminho, por causa da altura dos penhascos. Então se levantou Thorndor, Rei das Águias, e ele não amava Melko, pois Melko prendera muitos de sua gente e os acorrentara contra rochas pontiagudas para arrancar deles as palavras mágicas com as quais ele poderia aprender a voar (pois sonhava enfrentar Manwë até mesmo no ar), e, quando se recusaram a contar, ele lhes cortou as asas e buscou fazer com elas um par poderoso de asas para seu uso, o que de nada lhe valeu.

"Então, quando o clamor vindo do passo chegou a seu grande ninho, ele disse: 'Donde essas coisas imundas, esses Orques dos montes, subiram para perto de meu trono e por que os filhos dos Noldoli gritam nos lugares baixos por medo das crias de Melko, o amaldiçoado? Levantai-vos, ó Thornhoth, cujos bicos são de aço e cujas garras são espadas!'

"Em seguida houve um ruído como o de um grande vento em lugares rochosos e os Thornhoth, o povo das Águias, caíram sobre aqueles Orques que tinham escalado a encosta acima do caminho e rasgaram seus rostos e suas mãos e os lançaram nas rochas do Thorn Sir, muito abaixo. Então ficaram contentes os Gondothlim e, em dias que vieram depois, fizeram da Águia uma insígnia de sua gente em sinal de júbilo e Idril a portava, mas Eärendel amava antes a Asa de Cisne de seu pai. Agora desembaraçados, os homens de Galdor contra-atacaram os que se opunham a eles, pois não eram muitos, e a chegada dos Thornhoth atemorizara-os muito, e a companhia seguiu em frente de novo, embora Glorfindel ainda tivesse que lutar bastante na retaguarda. Já metade deles tinha atravessado o caminho perigoso e as quedas do Thorn Sir, quando o Balrog que estava com o inimigo na retaguarda saltou com grande força sobre certas rochas elevadas que ficavam no caminho do lado esquerdo, na beira do abismo, e de lá, com outro salto furioso, passou adiante dos homens de Glorfindel e chegou às mulheres e aos doentes mais à frente, vibrando seu açoite de chama. Então Glorfindel saltou na direção dele, e sua armadura dourada brilhava estranhamente à luz da lua, e golpeou aquele demônio, de modo que ele saltou de novo sobre uma grande pedra e Glorfindel o seguiu. Naquela hora houve um combate mortal naquela rocha alta acima do povo, e esses, pressionados atrás e com um obstáculo à frente, tinham ficado tão próximos uns dos outros que todos podiam ver, mas tudo acabou antes que os homens de Glorfindel pudessem saltar para o lado dele. O ardor de Glorfindel levava o Balrog de uma ponta à outra da pedra, e sua cota de malha defendia-o do açoite e das garras da criatura. Uma vez assestou-lhe um grande golpe em seu elmo de ferro, em outra decepou o braço da criatura que carregava o açoite na altura do cotovelo. Então saltou o Balrog, no tormento de sua dor e de seu medo, sobre o corpo de Glorfindel, que o golpeou com a rapidez de uma serpente, mas acertou apenas o ombro e foi agarrado, e eles começaram a perder o equilíbrio. Então a mão esquerda de Glorfindel procurou uma adaga, e com essa ele golpeou para cima, de modo que perfurou o ventre do Balrog, que estava perto de seu rosto (pois aquele demônio tinha o dobro de sua estatura), e a criatura gritou e caiu para trás da rocha e, caindo, agarrou as madeixas louras de Glorfindel debaixo de seu capacete, e aqueles dois caíram no abismo.

"Ora, essa foi uma coisa muito triste, pois Glorfindel era o mais amado — e eis que o baque da queda deles soou à volta das montanhas, e o abismo de Thorn Sir ecoou. Então, diante do grito de morte do Balrog, os Orques na frente e atrás hesitaram e foram mortos ou fugiram para longe, e o próprio Thorndor, uma ave poderosa, desceu até o abismo e trouxe para cima o corpo de Glorfindel, mas o Balrog ali jazeu, e a água do Thorn Sir correu negra por muitos dias lá embaixo, em Tumladin.

"Ainda dizem os Eldar quando veem uma bela luta com grande disparidade de forças contra uma fúria maligna: 'Ai de nós! É Glorfindel contra o Balrog', e seus corações ainda estão feridos por causa daquele belo homem dos Noldoli. Por causa desse amor, apesar da pressa e do medo da chegada de novos inimigos, Tuor mandou que se erguesse um grande marco de pedras sobre o corpo de Glorfindel, bem ali, depois do caminho perigoso e ao lado do precipício da Torrente-das-Águas, e Thorndor não deixou que nenhum mal afetasse aquele monumento, mas flores amarelas para lá foram e florescem de vez em quando naquela tumba, naqueles lugares inclementes, mas o povo da Flor Dourada chorou durante a construção e não conseguia secar suas lágrimas."

"Ora, quem contará as andanças de Tuor e dos exilados de Gondolin nos ermos que jaziam além das montanhas, ao sul do vale de Tumladin? Misérias e morte sofreram, frios e fomes, e vigílias incessantes. Que eles tenham enfim vencido aquelas regiões infestadas do mal de Melko explica-se pela grande mortandade e pelo grande dano feito ao poder dele naquele assalto, e pela velocidade e pelo cuidado com que Tuor os conduziu, pois seguramente Melko sabia daquela fuga e estava furioso por ela. Ulmo tinha ouvido notícias nos oceanos distantes sobre os feitos que tinham se passado, mas ainda não podia auxiliá-los, pois estavam longe de águas e rios — e, de fato, passaram dura sede e não conheciam o caminho.

"Mas depois de um ano e mais de andanças, durante o qual muitas vezes viajaram por longo tempo enredados na magia daquelas regiões, apenas para voltar sobre seus próprios passos, mais uma vez o verão veio, e perto de seu ápice[37] eles chegaram enfim a um riacho e seguindo-o foram parar em terras melhores e se confortaram um pouco. Ali Voronwë os guiou, pois percebera um sussurro de Ulmo naquele riacho no fim de uma noite de verão — e sempre obtinha muita sabedoria do som das águas. Então os liderou até que desceram ao Sirion, onde aquele riacho desaguava, e então Tuor e Voronwë viram que não estavam longe da saída mais distante de outrora da Via de Escape e estavam mais uma vez naquele vale profundo de amieiros. Ali estavam todos os arbustos pisoteados e as árvores queimadas e as paredes do vale com cicatrizes de chama, e eles choraram, pois pensaram que sabiam o destino daqueles que muito antes tinham se separado deles na boca do túnel.

"Então viajaram rio abaixo, mas de novo sofriam com o medo de Melko e enfrentaram escaramuças com seus bandos de Orques e corriam perigo por causa dos ginetes-de-lobos, mas os dracos-de--fogo não os buscavam, tanto pela grande exaustão de seus fogos na tomada de Gondolin quanto pelo poder crescente de Ulmo conforme o rio engrossava. Assim chegaram depois de muitos dias — pois iam devagar e conseguiam seu sustento com muita dificuldade — àquelas grandes charnecas e charcos acima da Terra dos Salgueiros, e Voronwë não conhecia aquelas regiões. Ora, ali o Sirion desce por um grande trecho debaixo da terra, mergulhando na grande caverna dos Ventos Tumultuosos, mas correndo ao ar livre de novo acima das Lagoas do Crepúsculo, bem onde Tulkas[38] depois lutou com o próprio Melko. Tuor tinha viajado por aquelas regiões de noite e no poente, depois que Ulmo veio até ele entre os caniços, e não recordava os caminhos. Em certos lugares aquela terra é cheia de enganos e muito pantanosa, e ali a hoste demorou-se muito e foi afligida por moscas incômodas, pois era outono ainda, e tremedeiras e febres grassavam entre eles, e amaldiçoaram Melko.

"Contudo, chegaram enfim às grandes lagoas e às bordas daquela mui gentil Terra dos Salgueiros, e o mero hálito dos ventos dela trazia descanso e paz para eles, e graças ao conforto daquele lugar acalmou-se a tristeza dos que pranteavam os mortos naquele grande saque. Ali mulheres e meninas tornaram-se belas de novo e os doentes se curaram e velhas feridas deixaram de causar dor; contudo, apenas aqueles que tinham razão para temer que seus parentes ainda viviam em amarga servidão nos Infernos de Ferro não cantavam nem sorriam.

"Ali moraram por tempo bastante longo e Eärendel era um menino crescido antes que a voz das conchas de Ulmo arrastasse o coração de Tuor, que seu anseio pelo mar retornasse com sede ainda mais profunda por causa dos anos em que ficou abafado, e toda aquela hoste levantou-se a seu pedido e desceu o Sirion até o Mar.

"Ora, o povo que tinha passado pela Fenda das Águias e que vira a queda de Glorfindel contava perto de oito centenas — uma grande caravana, mas era apenas um remanescente triste de tão bela e numerosa cidade. Aqueles, porém, que se ergueram da grama da Terra dos Salgueiros nos anos que vieram depois e partiram para o mar, quando a primavera dispôs celidônias nas campinas, e tinham feito um triste festival em memória de Glorfindel, esses somavam apenas trezentos e vinte homens e meninos, e duzentas e sessenta mulheres e meninas. Ora, o número de mulheres era pequeno porque muitas tinham se escondido ou foram escondidas por seus parentes em lugares secretos da cidade. Lá foram queimadas ou mortas, ou capturadas e escravizadas, e os grupos de resgate encontraram pouquíssimas delas, e é grande a pena de se pensar nisso, pois as donzelas e mulheres dos Gondothlim eram belas como o sol e adoráveis como a lua e mais brilhantes que as estrelas. A glória habitava naquela cidade de Gondolin dos Sete Nomes e sua ruína foi a mais horrenda de todos os saques de cidades na face da Terra. Nem Bablon, nem Ninwi, nem as torres de Trui, nem todas as muitas capturas de Rûm, que é a maior entre os Homens, viram tal terror como o que caiu aquele dia sobre o Amon Gwareth da gente dos Gnomos, e consideram que essa foi a pior obra que Melko até hoje planejou no mundo.

"Contudo, agora aqueles exilados de Gondolin habitavam a foz do Sirion, perto das ondas do Grande Mar. Lá adotaram o nome de Lothlim, o povo da flor, pois Gondothlim era um nome duro demais para seus corações; e, belo entre os Lothlim, Eärendel cresce na casa de seu pai,[39] e o grande conto de Tuor é chegado a seu fim."

Então disse Coração-Pequeno, filho de Bronweg: "Ai de Gondolin!"

E ninguém em toda a Sala das Lenhas falou ou se moveu por longo tempo.

NOTAS

1. Evidentemente não se trata da grande jornada para o Mar desde as Águas do Despertar, mas da expedição dos Elfos de Kôr para resgatar os Gnomos (ver I. 38-39).
2. Um *korin* está definido em *O Chalé do Brincar Perdido* (I. 27) como "um grande cercado circular, seja de pedra ou espinheiros ou mesmo de árvores, que contorna um relvado verdejante"; Meril-i-Turinqi morava "em um grande *korin* de olmeiros".
3. *Tôn a Gwedrin* é o Fogo-do-Conto.
4. Aqui há uma instrução: "Depois disso, ver o Nauglafring", mas isso foi riscado.
5. Acerca de Heorrenda, ver p. 350 e seguintes, e p. 389. Um espacinho foi deixado após as palavras "ela é assim" para indicar o lugar do poema em inglês antigo que deveria ser inserido, mas não há indicação de qual teria sido.

    (Nas notas seguintes, "o texto original" se refere ao texto em Tuor A, *e ao de* Tuor B *antes da emenda em questão. Isso não implica que o texto de* Tuor A *poderia, ou não poderia, ser encontrado no texto original a lápis (o que não se pode afirmar na maioria dos casos).)*
6. Esse trecho, começando com as palavras "E Tuor entrou naquela caverna [...]" na p. 184, é uma substituição tardia escrita em um retalho de papel (ver p. 180). O trecho original era muito similar em sentido, mas continha o seguinte:

    > Ora, na escavação daquele curso de rio sob as colinas os Noldoli trabalharam escondidos de Melko, que naqueles dias profundos ainda os mantinha ocultos e escravizados sob sua vontade. Em vez disso, eles foram instigados por Ulmo, que sempre contendia com Melko; e por meio de Tuor ele esperava devisar para os Gnomos uma libertação do terror do mal de Melko.

7. "três dias": "três anos" em todos os textos, mas "dias?" escrito a lápis acima de "anos" em *Tuor B*.
8. A "evolução" das aves marinhas por intermédio de Ossë está descrita no conto *A Vinda dos Elfos*, I. 154; mas a frase aqui deriva do texto original a lápis de *Tuor A*.
9. No texto datilografado *Tuor C*, um espaço em branco foi deixado aqui (ver p. 181), e subsequentemente preenchido com "Ulmo" e não "Ainur".
10. O texto original dizia: "Ó Tuor do coração solitário, os Valar não desejam que habites para sempre em belos lugares de aves e flores; nem te levariam por esta terra agradável [...]".
11. *Tuor C* acrescenta aqui: "com auxílio de Ulmo".
12. A referência à Batalha das Lágrimas Inumeráveis é um acréscimo posterior a *Tuor B*. O texto original dizia: "que sozinha escapou do poder de Melko quando ele capturou o povo deles [...]".
13. Em *Tuor A* e *B*, o nome *Voronwë* é usado no texto todo, mas essa frase, com a forma *Bronweg*, é um acréscimo a *Tuor B* (e substitui o original "Ora, depois de muitos dias esses dois encontraram um vale profundo").
14. O texto datilografado *Tuor C* traz neste ponto:

    > [...] que ninguém, caso não fossem do sangue dos Noldoli, poderia topar com ela, nem por acaso e nem depois de longa procura. Assim ela estava

segura de toda sorte maligna, salvo apenas de traição, e Tûr jamais teria chegado até ali se não fosse pela firmeza daquele Gnomo Voronwë.

Na frase seguinte, *Tuor C* diz: "contudo, não poucos dos mais arrojados entre os Gnomos escravizados escapuliam rio abaixo pelo Sirion desde aquelas montanhas cruéis".

[15] O texto original dizia: "a fala dele eles compreenderam, ainda que a língua dos Noldoli livres naqueles dias fosse um tanto diversa da dos infelizes escravos de Melko." O texto datilografado *Tuor C* diz: "eles o compreenderam pois eram Noldoli. Então falou Tûr também na mesma língua [...]".

[16] O texto original dizia: "Era cedo de manhã quando se aproximaram dos portões e muitos olhos os miravam [...]". Mas quando Tuor e Voronwë viram Gondolin pela primeira vez, foi "na luz nova da manhã" (p. 193), e cruzaram a planície depois de "um dia de marcha leve", daí a alteração feita posteriormente em *Tuor B*.

[17] "Maligno": no texto original "Ainu".

[18] Esse trecho, a partir de "Rude era seu aspecto [...]", é uma substituição em um pedaço de papel à parte. O texto original dizia:

> Tuor era belo em semblante, mas de cabelos rudes e desalinhados e estava vestido com peles de ursos, contudo sua estatura não era demasiada entre seu próprio povo, mas os Gondothlim, ainda que não fossem curvados como eram não poucos de seus parentes que labutavam sem descanso ao escavar e martelar para Melko, eram pequenos e delgados e ágeis.

No trecho original, afirma-se que os Homens eram por natureza mais altos que os Elfos de Gondolin. Ver pp. 175, 265.

[19] "chegado ali": "escapado de Melko" em *Tuor C*.

[20] "povo": no texto original, "homens". Este é o único lugar em que "homens" em referência a Elfos foi alterado. O uso é constante em *A Queda de Gondolin*, e ocorre uma vez até mesmo em uma referência estranha às hostes de Melko: "Naquele momento, porém, os homens de Melko reuniram suas forças" (p. 183).

[21] O trecho que começa com as palavras "Então o coração de Tuor ficou pesaroso [...]" (p. 222) e termina aqui foi colocado entre colchetes por meu pai em *Tuor B*, e em uma folha solta referente a esse mesmo trecho, ele escreveu:

> (Se nec[essário]): Então se conta como Idril, filha do rei, acrescentou suas palavras à sabedoria do rei, de modo que Turgon pediu a Tuor que repousasse por um tempo em Gondolin e, sendo presciente, persuadiu-o [a] morar ali, no fim. Como ele veio a amar a filha do rei, Idril dos Pés de Prata, e como lhe ensinaram profundamente o saber daquele grande povo e aprendeu sua história e a história dos Elfos. Como Tuor cresceu em sabedoria e poder nos conselhos dos Gondothlim.

A única diferença narrativa aqui em relação ao texto propriamente dito está na introdução da filha do rei, Idril, como uma influência na decisão de Tuor de permanecer em Gondolin. Em outros aspectos, o trecho é uma sinopse extremamente abreviada do relato acerca da instrução que Tuor recebeu em Gondolin, omitindo-se o que está dito no texto sobre os preparativos dos Gondothlim contra ataques; mas não penso que isso fosse uma proposta para reduzir o conto escrito: as palavras "Se necessário" sugerem fortemente que meu pai tinha em mente apenas uma redução para a leitura em voz alta — o que aconteceu quando o conto foi lido no Clube de Ensaios do Exeter College na primavera de 1920; ver p. 180. Outra abreviação proposta se encontra na nota 32.

[22] Esse trecho que começa com "Grande também era o amor que Idril tinha por Tuor [...]" foi escrito em um pedaço de papel à parte e substituiu o seguinte texto original:

> O rei ao ouvir isso, e descobrindo que sua filha Idril, a quem os Eldar chamam de Irildë, retribuía o amor de Tuor, consentiu com que se casassem, visto que não tinha filho, e era provável que Tuor se tornasse um parente de força e que o confortaria. Ali Idril e Tuor se casaram diante do povo naquele Lugar dos Deuses, Gar Ainion, ao lado do palácio do rei; e aquele foi um dia de júbilo para a cidade de Gondolin, mas da (etc.)

O trecho substitutivo afirma que o casamento de Tuor e Idril foi a primeira, mas não a última, das uniões de Homem e Elfo, enquanto na Lista de Nomes de *A Queda de Gondolin* está dito que Eärendel era "o único ser que é metade da gente dos Eldalië e metade dos Homens" (ver p. 259).

[23] A frase "e essa história de Isfin e Eöl não pode ser contada aqui" foi acrescentada a *Tuor B*. Ver pp. 265–66.

[24] Texto original: "um nome feito a partir da língua dos Gondothlim".

[25] As safiras que os Noldoli deram a Manwë são mencionadas no conto *A Vinda dos Elfos*, I. 159. O texto original a lápis de *Tuor A* pode ser lido aqui: "mais azul do que as safiras de Súlimo".

[26] O trecho que começa com "Desse modo aquele inverno amargo passou [...]" e vai até este ponto foi inserido em uma folha separada em *Tuor B* (mas não faz parte da camada mais recente de emendas); ele substitui um trecho muito mais curto que remonta ao texto primário de *Tuor A*:

> Ora, no dia do meio-do-inverno, o sol descia cedo além das montanhas, e eis que, quando ele partira, uma luz se ergueu para lá dos montes ao norte, e os homens espantaram-se (etc.).

Ver notas 34 e 37.

[27] O Coração Escarlate: o coração de Finwë Nólemë, pai de Turgon, foi arrancado por Orques na Batalha das Lágrimas Inumeráveis, mas recuperado por Turgon, e tornou-se seu emblema; ver I. 290 e nota 11.

[28] Essa passagem que descreve os petrechos e os emblemas das casas do Gondothlim foi relativamente pouco afetada pela revisão posterior em *Tuor A*; a maior parte dela consta no texto original a lápis, o qual foi deixado, e todos os nomes parecem ser originais.

[29] A palavra "burg" [burgo] está sendo usada no sentido em inglês antigo, uma cidade murada e fortificada.

[30] O trecho sobre a morte de Ecthelion está legível no texto primário de *Tuor A*; a revisão introduziu algumas mudanças no fraseado e nada mais.

[31] Essa frase, a partir de "e os homens estremeceram", foi acrescentada a *Tuor B*. Sobre a profecia, ver I. 210.

[32] Em *Tuor B*, o trecho que vai de "Agora chega Tuor, à frente deles, ao Lugar das Bodas" (p. 225) até este ponto está entre colchetes, e um pedaço de papel inserido aí com referência a essa passagem diz:

> Como Tuor e seu povo se deparam com Idril vagando desesperada no Lugar dos Deuses. Como Tuor e Idril viram daquele local elevado o saque ao Salão do Rei e a ruína da Torre do Rei e a morte do rei, razão pela qual o inimigo não os perseguiu. Como Tuor ouviu de Voronwë notícias de que Idril mandara Eärendel e sua guarda pela via oculta e adentrara a cidade procurando o marido; como, sob a ameaça do inimigo, haviam resgatado muitos dos que fugiam, mandando-os para a via oculta. Como Tuor conduziu sua hoste com a sorte dos Deuses até a entrada daquela passagem e como todos desceram planície adentro, selando completamente a entrada atrás de si. Como a pesarosa companhia saiu por uma depressão dentro do vale de Tumladin.

Isso é simplesmente um resumo do texto como ele está; suponho que foi um recorte proposto para a recitação do conto, caso parecesse estar se alongando demais (ver nota 21).

[33] Esse trecho, a partir de "Ali reunia-se […]", substituiu em *Tuor B* o texto original: "Ali descansam de bom grado, mas, sem encontrar sinais de Eärendel e sua escolta, Tuor está desalentado, e Idril chora." Isso foi reescrito em parte por razões narrativas, mas também para colocar o trecho no pretérito. Na frase seguinte, o texto foi corrigido a partir de "Lamentação há […]" e "acima deles ergue-se […]", mas a frase seguinte ("Dracos-de-fogo estão em volta") permaneceu intocada; e penso que era a intenção de meu pai, apenas casualmente indicada e nunca empreendida, reduzir o volume de "presente histórico" na narrativa.

[34] "pois o verão está próximo": o texto original dizia "apesar de ser inverno". Ver notas 26 e 37.

[35] O texto original dizia:

> Ora, as Montanhas ficavam daquele lado a sete léguas menos uma milha de Gondolin, e Cristhorn, a Fenda das Águias, a outra légua de subida desde o começo das Montanhas; portanto, ainda estavam a duas léguas e parte de uma terceira do passo, e estavam muito cansados.

[36] "eis que seu rosto brilha como uma estrela no ermo" foi acrescentado a *Tuor B*.

[37] Esse trecho, a partir de "Mas depois de um ano e mais de andanças […]", substituiu o original "Mas depois de meio ano de andanças, próximo ao meio-do-verão". Essa emenda se fundamenta na alteração da época do ataque a Gondolin, do meio-do-inverno para os "Portões do Verão" (ver notas 26 e 34). Portanto, na versão revisada, o verão foi mantido como a estação em que os exilados chegaram às terras próximas ao Sirion, mas eles levaram um ano inteiro e mais para alcançá-las, e não meio ano.

[38] "bem onde Tulkas": texto original: "bem onde Noldorin e Tulkas". Ver p. 336.

[39] O texto original a lápis de *Tuor A* dizia: "Belo entre os Lothlim cresce Eärendel em Sornontur, a casa de Tuor". A quarta letra desse nome pode ser lida também como *u*.

Alterações feitas a nomes em
A Queda de Gondolin

Ilfiniol < *Elfriniol* nas três primeiras ocorrências do nome no trecho de ligação inicial, e *Ilfiniol* assim escrito na quarta.

(Em *O Chalé do Brincar Perdido* (I. 26), o Guardião-do--Gongo de Mar Vanwa Tyaliéva é chamado apenas de *Coração--Pequeno*; na *Ligação* à *Música dos Ainur*, seu nome élfico é *Ilverin* < *Elwenildo* (I. 63, 71); e na *Ligação* ao *Conto de Tinúviel*, ele é *Ilfiniol* < *Elfriniol*, como aqui, ao passo que o texto datilografado diz *Ilfrin* (p. 18).

Na nota introdutória à Lista de Nomes de *A Queda de Gondolin*, ele é *Elfrith* < *Elfriniel*, e esse é o único lugar em que se explica o nome "Coração-Pequeno" (p. 182); a Lista de Nomes possui um verbete que diz: "*Elf* significa 'coração' (como o élfico *Elben*): *Elfrith* é Coração-Pequeno" (ver I. 309, verbete *Ilverin*). Em outra lista de nomes projetada, mas abandonada quando apenas poucos verbetes tinham sido escritos, encontramos novamente a forma *Elfrith*, e também *Elbenil* > *Elwenil*.

Essa mudança constante de nomes deve ser compreendida com base na rápida alteração de ideias e formulações fonológicas, mas, mesmo assim, é bem extraordinária.)

Nas notas seguintes, é necessário entender, pelo bem da concisão, que nomes em Tuor B *(antes da emenda) são encontrados na mesma forma em* Tuor A; *por exemplo* "Mithrim < Asgon *em* Tuor B" *implica que* Tuor A *possui* Asgon *(inalterado).*

Tuor Embora ocasionalmente emendado para *Tûr* em *Tuor B*, e invariavelmente grafado *Tûr* no texto datilografado *Tuor C*, eu coloquei *Tuor* em todos os lugares; ver p. 182.

Dor Lómin Esse nome foi assim grafado pela primeira vez em *Tuor B*. Nas três primeiras ocorrências, *Tuor A* possui *Aryador* > *Mathusdor*; na quarta, *Aryador* > *Mathusdor* > *Dor Lómin*.

Mithrim < *Asgon* ao longo de *Tuor B*; *Tuor C* possui *Asgon* inalterado.

Glorfalc ou Cris Ilbranteloth (p. 184) *Tuor A* possui *Glorfalc ou Teld Quing Ilon*; *Tuor B*, da maneira que foi escrito, não possuía nomes élficos, sendo *Glorfalc ou Cris Ilbranteloth* um acréscimo posterior.

Ainur Assim como no primeiro rascunho de *A Música dos Ainur* (I. 81), o texto original de *Tuor A* possuía *Ainu* como plural.

Falasquil em ambas as ocorrências (p. 187) em *Tuor A*, esse nome substitui um original agora ilegível que começa com *Q*; em *Tuor B*, minha mãe deixou espaços em branco e acrescentou o nome depois, a lápis; em *Tuor C*, lacunas foram deixadas no texto datilografado e não preenchidas.

Arlisgion Esse nome foi acrescentado posteriormente a *Tuor B*.

Orques Tuor A e *B* possuíam *Orqui* ao longo de todo o texto; meu pai emendou isso em *Tuor B* para *Orques*, mas não de modo consistente e, na porção final do conto, não emendou em absoluto. Apenas em um lugar (p. 233, na fala de Thorndor), ambos os textos possuem *Orques*. Assim como o nome *Tuor/Tûr*, coloco em todo o texto a forma que haveria de prevalecer.

Na única ocorrência em singular, a palavra está escrita com *k* tanto em *Tuor A* quanto *B* ("sangue de Ork", p. 201).

Gar Thurion < *Gar Furion* em *Tuor B* (*Gar Furion* em *Tuor C*).

Loth < *Lôs* em *Tuor B* (*Lôs* em *Tuor C*).

Lothengriol < *Lósengriol* em *Tuor B* (*Lósengriol* em *Tuor C*).

Taniquetil Na ocorrência da p. 197, foi acrescentado ao texto original de *Tuor A*: (*Danigwiel*), mas isso foi riscado.

Kôr Ao lado desse nome (p. 197), está escrito a lápis em *Tuor B*: *Tûn*. Ver I. 222, II. 292.

Gar Ainion < *Gar Ainon* em *Tuor B* (p. 201; não emendado na ocorrência da p. 186, mas eu escrevi *Gar Ainion* em ambos os locais).

Nost-na-Lothion < *Nost-na-Lossion* em *Tuor B*.

Duilin Na primeira ocorrência (p. 210) < *Duliglin* no texto original de *Tuor A*.

Rog Em *Tuor A*, grafado *Rôg* nas primeiras ocorrências e *Rog* nas últimas; em *Tuor B*, grafado *Rôg* em todas as ocorrências, mas majoritariamente alteradas depois para *Rog*.

Dramborleg Na ocorrência da p. 219 < *Drambor* no texto original de *Tuor A*.

Bansil Apenas na ocorrência da p. 223, *Bansil* > *Banthil* em *Tuor B*.

Cristhorn Escrito *Cristhorn* (e não *Cris Thorn*) a partir da primeira ocorrência na p. 228 em *Tuor A*; *Cris Thorn* ao longo de todo o texto de *Tuor B*.

Bad Uthwen < *Bad Uswen* em *Tuor B*. O nome original em *Tuor A* era (aparentemente) *Bad Usbran*.

Sorontur < *Ramandur* em *Tuor B*.

Bablon, Ninwi, Trui, Rûm O texto original de *Tuor A* possuía *Babylon, Nineveh, Troy* e (provavelmente) *Rome*.* Esses nomes foram alterados para as formas dadas no texto, exceto *Nineveh* > *Ninwë*, alterado para *Ninwi* em *Tuor B*.

Comentário a
A Queda de Gondolin

§1. *A narrativa primária*

Assim como no *Conto de Turambar*, desmembro meu comentário a este conto em seções. Faço frequente referência à versão muito posterior (que vai apenas até o momento em que Tuor e Voronwë avistam Gondolin do outro lado da planície), publicada em *Contos Inacabados*, pp. 35–80 ("De Tuor e sua Chegada a Gondolin"); aqui, chamarei essa versão de "o *Tuor* tardio".

(i) *A jornada de Tuor para o Mar e a visitação de Ulmo* (pp. 183–91)

Em alguns lugares, o *Tuor* tardio (cujo abandono é um dos fatos mais infelizes em toda a história dos textos incompletos) é tão próximo em fraseado à *Queda de Gondolin*, escrito mais de trinta anos antes, a ponto de ser quase certo que meu pai o tinha diante de si, ou que no mínimo o havia relido recentemente. Exemplos notáveis da versão tardia (p. 36) são: "O sol erguia-se às suas costas e se punha diante do seu rosto, e lá onde a água espumava entre os rochedos, ou se precipitava em súbitas cascatas, pela manhã e ao entardecer teciam-se arco-íris de um lado a outro da torrente"; "Ora dizia: 'É uma voz-de-fata'; ora: 'Não, é um bicho pequeno que geme nos ermos'"; "[Tuor] passou ainda alguns dias vagando em uma região acidentada, desprovida de árvores. Era varrida por um vento do mar, e tudo que lá crescia, capim ou touceira, inclinava-se sempre para onde o sol nascia por causa da preponderância daquele vento Oeste" — tais passagens são muito semelhantes ou quase idênticas a trechos do conto (p. 185). Mas as diferenças na narrativa são profundas.

A origem de Tuor é deixada vaga na história antiga. Há uma referência no *Conto de Turambar* (p. 112) "àqueles clãs próximos às águas do Asgon, donde depois ergueu-se Tuor, filho de Peleg",

---

* Ou seja, Babilônia, Nínive, Troia e Roma. [N.T.]

mas aqui se diz que Tuor não morava com seu povo (o qual "vagava pelas florestas e montes"), mas "vivia sozinho perto daquele lago chamado Mithrim [< Asgon]", pelo qual viajava em um pequeno barco de proa feita à semelhança do pescoço de um cisne. De fato, quase não há referência a outros eventos e, é claro, nenhum indício dos Elfos-cinzentos de Hithlum que o criaram na história posterior, ou de sua proscrição e caçada pelos Lestenses; mas há "Noldoli errantes" em Dor Lómin (Hisilómë, Hithlum) — a respeito dos quais, ver p. 85 — de quem Tuor aprendeu muito, incluindo seu idioma, e foram eles que o guiaram pela escura passagem do rio sob as montanhas. Tem-se aí uma antecipação de Gelmir e Arminas, os Elfos noldorin que guiaram Tuor pelo Portão dos Noldor (*Tuor* tardio, pp. 40–1), e a história de que os Noldoli abriram "aquele caminho escondido" pela vontade de Ulmo sobreviveu no contexto histórico muito mais rico da lenda posterior, em que "o Portão dos Noldor [...] foi feito pela habilidade dessa gente, muito tempo atrás, nos dias de Turgon" (*Tuor* tardio, p. 36).

O *Tuor* tardio aproxima-se muito da história antiga em certo trecho, quando Tuor emerge do túnel para dentro da ravina (posteriormente chamada de Cirith Ninniach, mas mesmo assim um nome cunhado pelo próprio Tuor); muitas características se repetem, como as estrelas brilhando "na escura faixa de céu lá no alto", os ecos de seu harpear (é claro que, no conto, sem as ressonâncias literárias do grito de Morgoth e das vozes da hoste de Fëanor que aportaram ali), suas dúvidas quanto ao grito lamentoso das gaivotas, o estreitamento da ravina na qual a maré que entrava (feroz devido ao vento oeste) chocou-se com a água do rio, e a fuga de Tuor escalando até o topo do penhasco (mas, no conto, não se faz a conexão entre a curiosidade de Tuor pelas gaivotas e o salvamento de sua vida: ali ele escalou o penhasco em resposta à incitação dos Ainur). É notável a manutenção da ideia de que Tuor foi o primeiro dos Homens a alcançar o Mar, de pé sobre o penhasco com os braços abertos, e de seu "anseio pelo mar" (*Tuor* tardio, p. 60). Mas a história de sua estadia na cava de Falasquil, adornando-a com entalhes (e, é claro, da madeira que os Noldoli de Dor Lómin faziam flutuar rio abaixo até ele) foi abandonada; na lenda posterior, Tuor encontra no litoral as ruínas das antigas obras portuárias dos Noldor datando dos dias do senhorio de Turgon em Nevrast, e no conto antigo não há indício da antiga morada de

Turgon nessas regiões antes de ele partir para Gondolin. Portanto, todo o episódio de Vinyamar está ausente aí, e apesar da frequente lembrança de que Ulmo estava guiando Tuor como instrumento de seus desígnios, falta o elemento essencial da lenda posterior: o armamento que lhe foi deixado por Turgon seguindo a instrução de Ulmo (*O Silmarillion*, pp. 179, 319).

Os cisnes que voavam para o sul (eram sete, e não três, no *Tuor* tardio) desempenham essencialmente o mesmo papel em ambas as narrativas, levando Tuor a prosseguir sua jornada; mas o emblema do Cisne recebeu depois uma origem distinta, sendo "o emblema de Annael e de seu povo adotivo", os Elfos-cinzentos de Mithrim (*Tuor* tardio, p. 46).

Tanto em relação à rota tomada (ver p. 261 para a geografia) quanto às estações do ano, meu pai em larga medida usou, posteriormente, a história original da jornada de Tuor a Gondolin como ponto de partida. No *Tuor* tardio, foi no Fero Inverno depois da queda de Nargothrond — o inverno em que Túrin retornou a Hithlum — que ele e Voronwë viajaram na neve e no frio mordente para o leste, sob as Montanhas de Sombra. Aqui a jornada leva muito mais tempo: ele deixou Falasquil nos "últimos dias do verão" (assim como no *Tuor* tardio), mas desceu toda a costa de Beleriand até as fozes do Sirion, e era verão do ano seguinte quando se demorou na Terra dos Salgueiros. (Sem dúvida a geografia era menos definida do que se tornou depois, mas a semelhança geral com o mapa posterior parece assegurada pela descrição (pp. 187–88) de que a costa progredia após um tempo para o leste e não para o sul).

Somente neste lugar da estrutura narrativa há semelhança entre a visita de Ulmo a Tuor na Terra dos Salgueiros num crepúsculo de verão e a sua tremenda epifania ao emergir da procela na costa de Vinyamar. Contudo, é muitíssimo notável que a antiga visão da Terra dos Salgueiros e sua beleza soporífera de flores aquáticas e borboletas não tenha se perdido, embora depois tenha sido Voronwë, e não Tuor, quem vagou ali cunhando nomes, encantado e "submerso em relva até os joelhos" (*Tuor* tardio, p. 77, e p. 155 no presente conto), até que seu fado — ou Ulmo, Senhor das Águas — o levou para o Mar. Possivelmente há aqui uma tênue reminiscência da antiga história nas palavras de Ulmo (*Tuor* tardio, p. 50): "Precisas aprender a te apressares e *a estrada agradável que te projetei* precisa ser mudada".

No conto, a fala de Ulmo a Tuor (ou pelo menos a porção dela que está relatada) é muito mais simples e breve, e não há sugestão ali de que Ulmo estivesse se opondo "à vontade de seus irmãos, os Senhores do Oeste"; mas dois elementos essenciais sobreviveram na mensagem posterior: que Tuor encontraria as palavras certas para falar quando estivesse diante de Turgon e a referência ao filho ainda não nascido de Tuor (no *Tuor* tardio, p. 47, isso é muito menos explícito: "Mas não é apenas por teu valor que te envio, mas sim para trazeres ao mundo uma esperança além da tua visão e uma luz que há de penetrar as trevas").

(ii) *A jornada de Tuor e Voronwë a Gondolin* (pp. 191–93)

Da jornada de Tuor até Gondolin, com exceção da sua permanência na Terra dos Salgueiros, pouco é dito no conto, e Voronwë só aparece tarde no decorrer da jornada como o único Noldo que não estava temeroso demais para acompanhá-lo adiante; não há uma só palavra da história de Voronwë conforme relatada posteriormente e ele não é um Elfo de Gondolin.

É notável que os Noldoli que guiaram Tuor para o norte desde a Terra dos Salgueiros chamem a si mesmos de servos de Melko. Em relação a isso, os *Contos* dão um retrato consistente. Está dito no *Conto de Tinúviel* (p. 20) que

todos os Eldar, tanto os que permaneceram na escuridão como os que foram perdidos na marcha desde Palisor, e também aqueles Noldoli que voltaram ao mundo perseguindo [Melko] em busca de seu tesouro roubado, caíram sob seu poder, tornando-se escravos.

Em *A Queda de Gondolin*, conta-se que os Noldoli prestavam serviço a Ulmo em segredo e, "por medo de Melko, vacilavam muito" (p. 189), e Voronwë falou a Tuor do "cansaço da servidão" (p. 192); Melko enviou seu exército de espiões para "procurar a morada dos Noldoli que tinham escapado da servidão" (p. 202). Esses "Noldoli escravizados" são representados como se se movessem livremente, por assim dizer, pelas terras, até mesmo às fozes do Sirion, mas eles "vagavam como se num sonho de medo, cumprindo suas ordens cruéis [de Melko], pois o encanto do pavor insondável estava sobre eles, e sentiam os olhos de Melko abrasando-os de longe" (*Conto de*

Turambar, p. 99). Essa expressão é usada com frequência: Voronwë regozijou-se em Gondolin por não temer mais Melko com um "terror que o entorpecesse" — "e em verdade aquele feitiço que Melko lançara sobre os Noldoli era de terror sem fundo, de modo que parecia estar sempre perto deles, mesmo quando estavam longe dos Infernos de Ferro, e seus corações estremeciam e eles não fugiam nem quando podiam" (p. 194). O encanto do pavor insondável foi lançado também em Meglin (p. 206).

Há pouco em tudo isso que não possa ser mais ou menos harmonizado com as narrativas posteriores e, de fato, pode-se ouvir um eco nas palavras de *O Silmarillion* (p. 217):

Mas sempre os Noldor temiam mormente a traição daqueles de sua própria gente que tinham sido servos em Angband; pois Morgoth usava alguns desses para seus propósitos malignos e, fingindo dar-lhes liberdade, mandava-os para longe, mas suas vontades estavam acorrentadas à dele, e saíam apenas para retornar a ele de novo.

Ainda assim, tem-se a impressão de que naquela época meu pai concebia o poder de Melko no auge como se operasse nas Grandes Terras de maneira mais difusa e intangível, e talvez também mais universal. Enquanto em *O Silmarillion* os Noldor que não são livres são prisioneiros em Angband (de onde alguns podem escapar, e outros com as vontades escravizadas podem ser mandados para longe), aqui todos exceto os Gondothlim são "servos" ou "escravos", controlados de longe por Melko, e Melko assevera que todos os Noldoli, pela própria existência deles nas Grandes Terras, são seus escravos por direito. É uma distinção difícil de definir, mas o fato de que há uma diferença na história tardia pode ser visto na improbabilidade de Tuor ser guiado em seu caminho a Gondolin por Noldor que em qualquer sentido fossem escravos de Morgoth.

A entrada em Gondolin tem alguma semelhança geral com o relato muito mais completo e mais precisamente visualizado do *Tuor* tardio: um profundo desfiladeiro com um rio, arbustos emaranhados, a entrada de uma caverna — mas o rio é certamente o Sirion (ver a passagem ao final do conto, p. 235, em que os exilados voltam à entrada), e a entrada para o caminho secreto fica em uma das margens íngremes do rio, bem diferente da descrição do

Rio Seco, cujo antigo leito era ele próprio o caminho secreto (*Tuor* tardio, pp. 68–70). O longo túnel que Tuor e Voronwë atravessam no conto acaba por levá-los não apenas para a Guarda, mas também para a luz do sol, e eles se veem no "sopé de montes íngremes" e conseguem ver a cidade: em outras palavras, há uma concepção simples de uma planície, uma muralha circundante de montanhas e um túnel que a atravessa e leva ao mundo de fora. No *Tuor* tardio, a aproximação à cidade é muito mais estranha, pois o túnel da Guarda leva à ravina de Orfalch Echor, uma grande fenda rasgando de cima a baixo as Montanhas Circundantes (suas laterais eram "escarpadas como se cortadas a machado", p. 74), e sua estrada subia pelos portões sucessivos até chegar ao Sétimo Portão, barrando o cimo da fenda. Somente quando esse último portão foi aberto e Tuor o cruzou ele conseguiu ver Gondolin, e devemos supor (embora a narrativa não chegue a esse ponto) que os viajantes precisariam descer novamente a partir do Sétimo Portão para alcançar a planície.

É notável que Tuor e Voronwë sejam recebidos pela Guarda sem nenhum sinal da desconfiança ou ameaça que encontraram na história posterior (p. 60).

(iii) *Tuor em Gondolin* (pp. 194–200)
Compare essa seção da narrativa com *O Silmarillion*, pp. 179–80:

Mas, atrás do círculo das montanhas, o povo de Turgon cresceu, e prosperou, e usou de seu engenho em labor incessante, de modo que Gondolin, sobre o Amon Gwareth, se tornou bela de fato, e digna de ser comparada até mesmo com a élfica Tirion, no além-mar. Altas e alvas eram suas muralhas, e lisas, suas escadas, e alta e forte era a Torre do Rei. Lá fontes luzentes brincavam, e nos pátios de Turgon estavam imagens das Árvores de outrora que o próprio Turgon fizera com arte-élfica; e a Árvore que fizera d'ouro ele chamou de Glingal e à Árvore cujas flores fizera com prata ele deu o nome de Belthil.

A imagem de Gondolin perdurou, e reaparece nos vislumbres dados em notas para a continuação do *Tuor* tardio (*Contos Inacabados*, p. 85): "das escadarias até sua alta plataforma, e seu grande portão [...] da Praça da Fonte, da torre do Rei sobre uma arcada com colunas, da casa do Rei [...]". De fato, a única diferença verdadeira que emerge do relato original diz respeito às Árvores de Gondolin que, inicialmente, eram imarcescíveis, "mudas geradas outrora das árvores gloriosas de Valinor", mas em *O Silmarillion* eram imagens feitas de metais preciosos. Sobre as Árvores de Gondolin, ver os verbetes *Bansil* e *Glingol* da Lista de Nomes incluída adiante, pp. 258–60. A doação dessas "mudas" pelos Deuses (que "floriam eternamente sem esmorecer") para Inwë e Nólemë quando da construção de Kôr, sendo que cada um recebeu uma muda de cada Árvore, é mencionada no conto *A Vinda dos Elfos* (I. 153), e em *A Ocultação de Valinor* há uma referência ao desenraizamento daquelas dadas a Nólemë, que foram "levadas ninguém sabia para onde, e outras jamais existiram" (I. 257).

Mas uma profunda mudança subjacente na história de Gondolin separa os relatos inicial e tardio: pois enquanto nos *Contos Perdidos* (e depois) Gondolin só foi descoberta *após* a Batalha das Lágrimas Inumeráveis, quando a hoste de Turgon se retirou para o sul, descendo o Sirion, em *O Silmarillion* ela foi fundada por Turgon de Nevrast mais de quatrocentos anos antes (442 anos antes de Tuor chegar a Gondolin no Fero Inverno, após a queda de Nargothrond, no ano 495 do Sol). No conto, meu pai imaginava uma grande era se passando *entre* a Batalha das Lágrimas Inumeráveis e a destruição da cidade ("labor incessante *por anos e eras* não tinha sido suficiente para construí-la e adorná-la, no que o povo ainda labutava", p. 199); depois, com mudanças radicais na cronologia da Primeira Era após a ascensão do Sol e da Lua, esse período foi reduzido para não mais do que trinta e oito anos (na última versão remanescente do "Conto dos Anos" da Primeira Era). Mas a antiga concepção ainda pode ser sentida no trecho da p. 321 de *O Silmarillion*, que descreve o isolamento do povo de Gondolin de todas as preocupações do mundo de fora após as Nirnaeth Arnoediad, com um ar de que longos anos se passaram.*

Em *O Silmarillion*, está explícito que Turgon construiu a cidade para que fosse "um memorial de Tirion sobre Túna" (p. 178), e que ela se tornou "tão bela quanto uma memória da élfica Tirion" (p. 321).

---

*Acerca da história de Gondolin a partir da chegada de Tuor até sua destruição, meu pai não escreveu nada depois da versão de "O Silmarillion" feita (muito provavelmente) em 1930; e ali a antiga concepção de sua história ainda estava presente. Isso foi a base para grande parte do Capítulo 23 na obra publicada.

Isso não é dito na história antiga e, de fato, nos *Contos Perdidos*, o próprio Turgon nunca conheceu Kôr (ele nasceu nas Grandes Terras depois do retorno dos Noldoli de Valinor, I. 204, 286, 289); ainda assim, é possível sentir que a torre do Rei, as fontes e escadarias, e os mármores brancos de Gondolin incorporam uma reminiscência de Kôr conforme descrita em *A Vinda dos Elfos e a Criação de Kôr* (I. 152–53).

Afirmei anteriormente que "apesar da frequente lembrança de que Ulmo estava guiando Tuor como instrumento de seus desígnios, falta o elemento essencial da lenda posterior: o armamento que lhe foi deixado por Turgon seguindo a instrução de Ulmo". Agora, contudo, parece que vemos o gérmen dessa concepção nas palavras de Turgon para Tuor (p. 196): "tua vinda estava disposta nos nossos livros de sabedoria e está escrito que viriam a acontecer muitas e grandes coisas nos lares dos Gondothlim quando aqui chegasses". No entanto, fica claro pela resposta de Tuor que a fundação de Gondolin ainda não fazia parte do desígnio de Ulmo, visto que "chegaram aos ouvidos de Ulmo sussurros sobre vossa morada e vosso monte de vigilância contra o mal de Melko e isso o agrada".

No conto, Ulmo previu que Turgon relutaria em pegar em armas contra Melko, e ele recorreu a um segundo conselho, falando pela boca de Tuor: que Turgon mandasse Elfos de Gondolin descendo o Sirion até as costas para que lá construíssem barcos que portariam mensagens a Valinor. A isso Turgon respondeu, decisiva e irrefutavelmente, que "por anos incontáveis" enviara mensageiros por aquele grande rio com esse exato propósito, e que como tudo isso fora infrutífero, não mais o faria. Ora, isso claramente está relacionado a um trecho de *O Silmarillion* (p. 221) em que se diz que Turgon, após a Dagor Bragollach e o rompimento do Cerco de Angband,

> enviou companhias dos Gondolindrim em segredo para as fozes do Sirion e para a Ilha de Balar. Ali construíram navios e içaram vela para o extremo Oeste a mando de Turgon, buscando a Valinor para pedir o perdão e o auxílio dos Valar; e imploraram às aves do mar que os guiassem. Mas os mares eram selvagens e vastos, e sombra e encantamento jaziam sobre eles; e Valinor estava oculta. Portanto, nenhum dos mensageiros de Turgon chegou ao Oeste, e muitos se perderam, e poucos retornaram.

Na verdade, Turgon fez isso ainda outra vez, após a Batalha das Lágrimas Inumeráveis (*O Silmarillion*, p. 266), e o único sobrevivente dessa última expedição para o Oeste foi Voronwë de Gondolin. Assim, apesar de profundas alterações na cronologia e um grande desenvolvimento na narrativa dos últimos séculos da Primeira Era, a ideia de que houve tentativas desesperadas de Turgon para levar uma mensagem até Valinor remonta ao início.

Outra característica original é a de que Turgon não tinha filho homem; mas (curiosamente) não há absolutamente nenhuma menção no conto à sua esposa, mãe de Idril. Em *O Silmarillion* (p. 133), sua esposa Elenwë se perdeu na travessia do Helcaraxë, mas essa história obviamente pertence a um período posterior, quando Turgon passou a ser natural de Valinor.

A história da permanência de Tuor em Gondolin sobreviveu nas breves palavras de *O Silmarillion* (p. 321):

E Tuor permaneceu em Gondolin, pois sua ventura e sua beleza e a sabedoria de seu povo o tinham cativado; e ele se tornou poderoso em estatura e em mente e aprendeu profundamente o saber dos Elfos exilados.

No presente conto, ele "ouviu falar de Ilúvatar, Senhor para Sempre, que habita para além do mundo", e da Música dos Ainur. O conhecimento da própria existência de Ilúvatar era, ao que parece, uma prerrogativa dos Elfos: muito tempo depois, no jardim de Mar Vanwa Tyaliéva (I. 67), Eriol perguntou a Rúmil: "Quem era Ilúvatar? Era um dos Deuses?" e Rúmil respondeu: "Não, isso não era, pois ele os fez. Ilúvatar é o Senhor para Sempre que habita além do mundo".

(iv) *O cerco a Gondolin; a traição de Meglin* (pp. 200–08)

Desde o início a filha do rei era chamada de "Idril dos Pés de Prata" (Irildë na língua dos "Eldar", nota 22); Meglin (posteriormente Maeglin) era seu sobrinho, embora o nome de sua mãe (irmã de Turgon), Isfin, tenha sido alterado depois.

Nessa seção da narrativa, a história em *O Silmarillion* (pp. 321–22) preservou todos os elementos essenciais da versão original, com uma exceção importante. O casamento de Tuor e Idril se deu com consentimento e completo favor do rei, e houve grande júbilo em

Gondolin entre todos, exceto Maeglin (cujo amor por Idril é relatado anteriormente em *O Silmarillion*, p. 196, e ali se enfatiza o entrave de serem parentes próximos, não mencionado no conto). O poder de Idril de previsão, e seu presságio do mal que haveria de chegar, a via secreta que concebeu (mas, no conto, ela levava ao sul da cidade, e a Fenda das Águias ficava nas montanhas meridionais), a perda de Meglin nos montes enquanto buscava minério, sua captura por Orques, sua traição para salvar a pele, e seu retorno a Gondolin para não levantar suspeitas (com o detalhe da sua mudança de humor após isso, e seu "rosto sorridente") — tudo permaneceu. É claro que muita coisa está ausente (seja por rejeição ou por mera negligência) no relato sucinto composto para *O Silmarillion* — em que não se menciona, por exemplo, o sonho de Idril com Meglin, os vigias que puseram atrás dele quando ia para os montes, a formação de uma guarda, seguindo o conselho de Idril, que portasse o emblema de Tuor, a recusa de Turgon em duvidar da invulnerabilidade da cidade e sua confiança em Meglin, a descoberta, por parte de Meglin, da via secreta,* ou a notável história de que foi o próprio Meglin quem concebeu a ideia de monstros de fogo e ferro e a comunicou a Melko — realmente um desertor valioso!

A grande diferença entre as versões está, é claro, na natureza do conhecimento que Melko/Morgoth tinha de Gondolin. No conto, ele já havia descoberto a cidade por meio de um vasto exército de espiões** antes mesmo de Meglin ser capturado, e as criaturas de Melko haviam encontrado a "Via de Escape" e observaram Gondolin das alturas circundantes. A traição de Meglin na história antiga acontece por ele ter fornecido um relato exato da estrutura da cidade e dos preparativos feitos para sua defesa — e no seu conselho a Melko a respeito dos monstros de chama. Em *O Silmarillion*, por outro lado, há um elemento concebido muito mais tarde: a traição involuntária de Húrin que revelou aos espiões

---

* De fato, isso é especificamente negado em *O Silmarillion* (p. 322): "ela fez com que o trabalho só fosse conhecido de poucos e que nenhum sussurro sobre ele chegasse aos ouvidos de Maeglin".
** Aparentemente, as "criaturas de sangue" (de quem se diz que o povo de Gondolin não gostava, p. 203) — serpentes, lobos, doninhas, corujas e falcões — são tidas aqui como serviçais e aliados naturais de Melko.

de Morgoth a região geral em que Gondolin deveria ser procurada, na "terra montanhosa entre Anach e as águas do alto Sirion, onde seus serviçais [de Morgoth] nunca tinham passado" (p. 322); mas "nenhum espião ou criatura saída de Angband podia chegar ali por causa da vigilância das águias" — e desse papel das águias das Montanhas Circundantes (ainda que fossem hostis a Melko, p. 233) não há sugestão na história original.

Portanto, em *O Silmarillion* Morgoth continuava a ignorar a localização precisa de Gondolin até a captura de Maeglin, e a informação que ele lhe deu foi proporcionalmente mais valiosa e mais danosa para a cidade. Assim, a história dos últimos anos de Gondolin tem uma atmosfera um tanto diferente no conto, pois os Gondothlim foram informados de que Melko havia "cercado o vale de Tumladin" (p. 203), e Turgon faz preparativos para guerra e reforça a vigia e a guarda nos montes. A retirada de todos os espiões de Melko logo antes do ataque a Gondolin de fato renovou o otimismo entre os Gondothlim, e não menos no próprio Turgon, de modo que quando o ataque chegou as pessoas estavam desprevenidas; mas na história posterior o choque do assalto súbito é muito maior, pois jamais houve razão para supor que a cidade corresse perigo imediato, e o presságio de Idril lhe é peculiar e mais misterioso.

(v) *Os paramentos dos Gondothlim* (pp. 208–12)

Embora a imagem central dessa parte da história tenha sobrevivido — o povo de Gondolin olhando das suas muralhas para saudar o sol nascente na festa dos Portões do Verão, mas notando uma luz vermelha se erguendo no norte e não no leste —, nos escritos posteriores quase nada se encontra de toda a heráldica desse trecho. Sem dúvida, se meu pai tivesse continuado o *Tuor* tardio, muito teria ressurgido, conquanto alterado, a julgar pelas ricas descrições "heráldicas" dos grandes portões e seus guardas na Orfalch Echor (pp. 95–104). Entretanto no conciso relato em *O Silmarillion*, os únicos vestígios são os títulos Ecthelion "da Fonte"[*] e Glorfindel "chefe da Casa da Flor Dourada de Gondolin". Ecthelion e Glorfindel são também mencionados em *O Silmarillion* (p.

---

[*] No *Tuor* tardio (p. 102), ele é o "Senhor das Fontes", no plural (a grafia no manuscrito é indubitável).

264) como capitães de Turgon que guardavam os flancos da hoste de Gondolin na retirada das Nirnaeth Arnoediad pelo Sirion, mas não há menção posterior a outros capitães nomeados no conto* — embora seja significativo que o décimo oitavo Regente Governante de Gondor se chamasse Egalmoth e que o décimo sétimo e o vigésimo quinto se chamassem Ecthelion (*O Senhor dos Anéis*, Apêndice A (I, ii)).**

Glorfindel "dos cabelos dourados" (p. 232) permaneceu como "Glorfindel dos cabelos louros" em *O Silmarillion*, e esse era desde o início o significado de seu nome.

(vi) *A batalha de Gondolin* (pp. 212–28)

Praticamente a história inteira da luta em Gondolin é única ao conto *A Queda de Gondolin*; toda a narrativa é resumida em poucas linhas em *O Silmarillion* (pp. 323–24):

Das façanhas de valor desesperado que lá se fizeram pelos chefes das casas nobres e seus guerreiros e, não menos, por Tuor, muito está contado n'*A Queda de Gondolin*: da batalha de Ecthelion da Fonte com Gothmog, Senhor de Balrogs, na praça mesma do Rei, onde um matou ao outro, e da defesa da torre de Turgon pelo povo de sua casa até que a Torre foi derrubada; e magna foi sua queda e a queda de Turgon em sua ruína.

---

*Na versão de "O Silmarillion" escrita em 1930 (ver nota de rodapé na p. 208), o último relato da Queda de Gondolin a ser escrito e base para o capítulo 23 da obra publicada, o texto na verdade diz: "[...] muito está contado n'*A Queda de Gondolin*: da morte de Rog fora dos muros, e da batalha de Ecthelion da Fonte [...]". Eu removi a referência a Rog (*O Silmarillion*, p. 324) porque era absolutamente certo que meu pai não teria mantido esse nome como sendo de um senhor de Gondolin.

**Em uma nota muito tardia escrita em um dos textos que constituem o capítulo 16 de *O Silmarillion* ("De Maeglin"), meu pai estava pensando em fazer de Glorfindel, Ecthelion e Egalmoth os "três senhores de sua casa" que Turgon designou para sair cavalgando com Aredhel de Gondolin (*O Silmarillion*, p. 186). Ele observa que Ecthelion e Egalmoth "derivam da primitiva Q[ueda de]G[ondolin]", mas que "soam bem e apareceram em forma impressa" (referindo-se aos nomes dos Regentes de Gondor). Subsequentemente, decidiu não dar nome para a escolta de Aredhel.

Tuor buscou resgatar Idril do saque da cidade, mas Maeglin tinha deitado mãos sobre ela e sobre Eärendil; e Tuor lutou com Maeglin nas muralhas e o lançou longe, e seu corpo, enquanto caía, bateu-se contra as encostas rochosas do Amon Gwareth três vezes antes que tombasse nas chamas lá embaixo. Então Tuor e Idril levaram tais remanescentes do povo de Gondolin como os que conseguiram reunir na confusão do incêndio pela via secreta que Idril tinha preparado.

> (Nesse relato altamente comprimido, o detalhe de que o corpo de Maeglin bateu três vezes nas encostas do Amon Gwareth antes que "tombasse" nas chamas foi mantido). Pode parecer, pelo relato em *O Silmarillion*, que o atentado de Maeglin a Idril e Eärendil aconteceu bem tardiamente no decorrer da luta e até mesmo pouco antes do escape dos fugitivos pelo túnel; mas penso que isso é muito mais provavelmente resultado da compressão do que de uma alteração na narrativa da batalha.
>
> No conto, Gondolin é visualizada muito claramente como uma cidade, com seus mercados e grandes praças, das quais há apenas vestígios em escritos posteriores (ver p. 249); e não há nada de vago na descrição da batalha. A concepção inicial dos Balrogs faz deles menos terríveis e certamente mais destrutíveis do que se tornaram depois: eles existiam "às centenas" (p. 207),* e foram mortos por Tuor e pelos Gondothlim em grandes números: dessa forma, cinco deles caíram pelo grande machado de Tuor, Dramborleg, três pela espada de Ecthelion e duas vintenas foram mortas pelos guerreiros da casa do rei. Os Balrogs são "demônios de poder" (p. 219); são capazes de sentir dor e medo (p. 234); usam armaduras de ferro (pp. 219, 234) e têm açoites de chama (uma característica nunca perdida) e garras de aço (pp. 206, 217).
>
> Em *O Silmarillion* (p. 323), os dragões que assolaram Gondolin eram "da ninhada de Glaurung, e eles tinham se tornado agora muitos e terríveis", ao passo que no conto a linguagem empregada (p. 207) sugere que pelo menos alguns dos "Monstros" eram "mecanismos" inanimados construídos pelos ferreiros nas forjas de

---

* A ideia de que Morgoth dispunha de uma "hoste" de Balrogs perdurou por muito tempo, mas, em uma nota tardia, meu pai afirmou que pouquíssimos jamais existiram: "no máximo sete".

Angband. Mas mesmo as "criaturas de ferro" que se abriam "na parte do meio" para desembuchar bandos de Orques são chamadas de "feras impiedosas", e Gothmog "mandou que se empilhassem" (p. 214); "foram dados corações e espíritos de fogo" às que eram feitas de bronze ou cobre, e o "draco-de-fogo" que Tuor golpeou gritou e chicoteou com a cauda (p. 220).

Um pequeno detalhe da narrativa é curioso: que "mensageiros" Meglin enviou a Melko para aconselhá-lo a colocar uma guarda na saída da Via de Escape, no local em que supunha que o túnel secreto ia dar? Em quem Meglin confiaria o bastante? E quem se atreveria a ir?

(vii) *O escape dos fugitivos e a batalha em Cristhorn* (pp. 228–35)

Da forma que é contada em *O Silmarillion* (p. 324), a história é um tanto mais completa na parte do escape dos fugitivos da cidade e da emboscada na Fenda das Águias (ali chamada de Cirith Thoronath) do que no relato do ataque e do saque em si, mas em um único ponto as duas narrativas estão realmente em desacordo — como já foi mencionado, a Fenda das Águias foi posteriormente removida das porções meridionais das Montanhas Circundantes para as setentrionais, e o túnel de Idril seguia rumo ao norte a partir da cidade (comenta-se que "não se pensava que fugitivos fossem seguir um caminho na direção do norte e das partes mais altas das montanhas, mais próximas de Angband"). O conto fornece riqueza de detalhes e um imediatismo que falta à versão curta, em que desapareceram coisas como o tropeçar em corpos no calor e na fumaça debaixo da terra; e não há menção aos Gondothlim que, contrariando o conselho de Idril e Tuor, seguiram para a Via de Escape e lá foram destruídos pelo dragão que estava no aguardo,[*] ou da luta para resgatar Eärendel.

Aparece no conto Legolas Verdefolha, o Elfo de olhos agudos, primeiro dentre os nomes da Sociedade do Anel a surgir nos escritos de meu pai (sobre esse Legolas primitivo, ver p. 261), seguido por Gimli (um Elfo) no *Conto de Tinúviel*.

---

[*] Esse elemento na história na verdade ainda estava presente no "Silmarillion" de 1930 (ver a nota de rodapé na p. 208), mas eu o excluí da obra publicada em virtude da evidência, em um texto muito posterior, de que a antiga entrada de Gondolin à essa época tinha sido bloqueada — um fato que foi então incluído no texto do capítulo 23 de *O Silmarillion*.

Em um ponto, a história da emboscada em Cristhorn parece difícil de acompanhar: trata-se da afirmação na p. 233 de que a lua "não iluminou o caminho, por causa da altura dos penhascos". Os fugitivos estavam se movendo para o sul, atravessando as Montanhas Circundantes, e o paredão rochoso vertical sobre o caminho na Fenda das Águias estava "do lado direito, ou do oeste", enquanto do lado esquerdo havia "uma queda [...] terrivelmente íngreme". Então não é certo que a lua, erguendo-se no leste, iluminaria o caminho?

O nome *Cristhorn* aparece no desenho de meu pai "Gondolin and the Vale of Tumladin from Cristhorn" [Gondolin e o Vale de Tumladin visto de Cristhorn], de setembro de 1928 (*Pictures by J.R.R. Tolkien*, 1979, n. 35).

(viii) *As andanças dos Exilados de Gondolin* (p. 235–37)

Em *O Silmarillion* (p. 325), conta-se que, "liderado por Tuor, filho de Huor, o remanescente de Gondolin atravessou as montanhas e desceu ao Vale do Sirion". É de se supor que entraram em Dimbar e depois, "fugindo para o sul por regiões difíceis e perigosas, chegaram afinal a Nan-tathren, a Terra dos Salgueiros". Parece estranho que no conto os exilados tenham vagado no ermo por mais de um ano e ainda assim tenham chegado apenas até a saída da Via de Escape; mas a geografia dessa região devia ser mais vaga quando *A Queda de Gondolin* foi escrita.

Em *O Silmarillion*, quando Tuor e Idril desceram de Nan-tathren para as fozes do Sirion, "juntaram seu povo à companhia de Elwing, filha de Dior, que tinha fugido para lá pouquíssimo tempo antes". Não há menção disso aqui, mas deixo para depois as considerações sobre essa parte da narrativa.

§2. *Verbetes na Lista de Nomes de A Queda de Gondolin*

Sobre essa lista, ver p. 182, em que se encontra a nota introdutória a ela. Informações especificamente linguísticas da lista, incluindo significados, estão incorporadas no Apêndice de Nomes, mas recolho aqui algumas afirmações de outro tipo ali contidas (organizadas em ordem alfabética).

Bablon "era uma cidade dos Homens, e mais corretamente seria *Babilônia*, mas tal é o nome dado pelos Gnomos como eles agora o usam e o receberam de tempos de outrora."

Bansil "Ora, esse era o nome que os Gondothlim tinham para aquela árvore diante da porta do seu rei que dava flores prateadas e não murchava — e seu nome Elfriniel soube pelo pai, Voronwë, e significa "Lindobrilho". Ora, aquela árvore da qual era muda (trazida de Valinor pelos Noldoli nas eras profundas) tinha propriedades semelhantes, mas maiores, visto que por metade das vinte e quatro horas iluminava toda Valinor com luz prateada. Essa os Eldar ainda chamam de *Silpion* ou "Lua-de-Cerejeira", pois sua flor era como a da cerejeira na primavera — mas essa árvore não tem nome em Gondolin, e somente os Noldoli falam dela."

Dor Lómin "ou 'Terra das Sombras' era a região chamada pelos Eldar Hisilómë (e isto significa Crepúsculos Sombreados), onde Melko confinou os Homens, e chama-se assim em virtude do escasso sol que pouco espia sobre as Montanhas de Ferro a leste e ao sul — lá habita agora o Povo da Sombra. De lá Tuor foi para Gondolin."

Eärendel "era o filho de Tuor e Idril e, conta-se, o único ser que é metade da gente dos Eldalië e metade dos Homens. Foi o primeiro e maior de todos os marinheiros entre os Homens, e viu regiões que os Homens ainda não encontraram e nem contemplaram, em que pese a profusão de seus barcos. Singra agora com Voronwë por sobre os ventos do firmamento, e não volta jamais para além de Kôr, doutro modo morreria como outros Homens, pois esse tanto de mortalidade tem dentro de si."

(Sobre essas últimas afirmações acerca de Eärendel, ver pp. 318–19. A afirmação de que Eärendel era "o único ser que é metade da gente dos Eldalië e metade dos Homens" é muito notável. Presumivelmente, isso foi escrito quando Beren era um Elfo, e não um Homem (ver p. 172); Dior, filho de Beren e Tinúviel, aparece no *Conto do Nauglafring*, mas ali Beren é um Elfo, e Dior não é Meio-Elfo. No próprio conto da *Queda de Gondolin* se diz — mas em um trecho substitutivo posterior, p. 200 e nota 22 — que Tuor foi o primeiro, mas não o último, a se casar com "uma filha de Elfinesse". Sobre a extraordinária afirmação no *Conto de Turambar* de que Tamar Manquitola era Meio-Elfo, ver p. 160).

Ecthelion "era aquele senhor da casa da Fonte que tinha a mais bela voz e era o mais habilidoso em músicas de todos os Gondothlim. Ganhou renome para sempre por matar Gothmog, filho de

Melko, com o que Tuor foi salvo da morte, mas Ecthelion se afogou com seu adversário na fonte do rei."

Egalmoth era "senhor da casa do Arco Celestial, e escapou do incêndio de Gondolin, e habitou depois na foz do Sirion, mas foi morto ali em uma horrenda batalha quando Melko capturou Elwing".
(Ver p. 310).

Galdor "era aquele valente Gnomo que liderou os homens da Árvore em muitos ataques e, ainda assim, conseguiu sair de Gondolin e até mesmo do assalto de Melko aos habitantes da foz do Sirion, e voltou às ruínas com Eärendel. Habita ainda em Tol Eressëa (disse Elfriniel), e ainda alguns de seu povo chamam-se a si mesmos de *Nos Galdon*, pois *Galdon* é árvore, e o nome de Galdor é cognato." A última frase foi corrigida para "*Nos nan Alwen*, pois *Alwen* é uma Árvore."

(Sobre o retorno de Galdor às ruínas de Gondolin com Eärendel, ver p. 310).

Glingol "significa 'ouro-cantante' (conta-se), e esse era o nome que os Gondothlim tinham para aqueloutra das duas árvores imarcescíveis na praça do rei, e que dava flores douradas. Também era uma muda das árvores de Valinor (veja ali onde Elfrith falou de Bansil), mas de Lindeloktë (que é 'racimo-cantante') ou Laurelin [*emendado de* Lindelaurë] (que é 'ouro-cantante') que iluminava toda Valinor com luz dourada por metade das 24 horas."

(Para o nome *Lindeloktë*, ver I. 33, 312 (verbete *Lindelos*)).

Glorfindel "liderou a Flor Dourada e era o mais amado dos Gondothlim, a menos que fosse Ecthelion, mas quem haveria de escolher? Contudo, foi desafortunado, e tombou ao matar um Balrog na grande luta em Cristhorn. Seu nome significa Mecha-d'ouro pois seus cabelos eram dourados e o nome de sua casa em noldorissa é *Los'lóriol*" (emendado de *Los Glóriol*).

Gondolin "significa pedra da canção (com o que os Gnomos figuradamente queriam dizer pedra que fora esculpida e trabalhada até atingir grande beleza), e esse era o mais usual dos Sete Nomes que deram para sua cidade de refúgio secreto de Melko naqueles dias antes da libertação."

Gothmog "era um filho de Melko com a ogra Fluithuin, e seu nome é Contenda-e-ódio, e era Capitão dos Balrogs e senhor das hostes de Melko até ser morto pelo formoso Ecthelion na tomada de Gondolin. Os Eldar o chamavam de *Kosmoko* ou *Kosomok(o)*, mas esse é um nome que não se ajusta de modo algum ao idioma deles e tem um som ruim mesmo na nossa fala mais rude, disse Elfrith [*emendado de* Elfriniel]."

(Em uma lista de nomes dos Valar associada com o conto *A Vinda dos Valar* (I. 119), afirma-se que Melko tinha um filho "de Ulbandi" chamado *Kosomot*; o dicionário "qenya" primitivo inclui *Kosomoko* = gnômico *Gothmog*, I. 311. No conto, Gothmog é chamado de "marechal" das hostes de Melko (p. 223)).

No desenvolvimento posterior das lendas, Gothmog foi o assassino de Fëanor e na Batalha das Lágrimas Inumeráveis foi ele quem matou Fingon e capturou Húrin (*O Silmarillion*, pp. 156, 263, 265). Ele evidentemente deixou de ser chamado de "filho de Melko"; os "Filhos dos Valar" eram uma característica da mitologia mais antiga que meu pai descartou.

Na Terceira Era, *Gothmog* era o nome do lugar-tenente de Minas Morgul (*O Retorno do Rei*, livro V, capítulo 6)).

Hendor "era um serviçal de Idril e era idoso, mas carregou Eärendel pela passagem secreta."

Idril "era aquela mui formosa filha do rei de Gondolin que Tuor amou quando era apenas uma pequena donzela, e que lhe deu Eärendel. Os Elfos a chamam de *Irildë*; e nós falamos dela como *Idril Tal--Celeb*, ou Idril dos Pés de Prata, mas eles, como *Irildë Taltelepta*."

Ver Apêndice de Nomes, verbete *Idril*.

Indor "era o nome do pai do pai de Tuor, porquanto os Gnomos chamavam Eärendel de *Gon Indor* e os Elfos, de *Indorildo* ou *Indorion*."

Legolas "ou Verde-folha era um homem da Árvore, que liderou os exilados por sobre Tumladin no escuro, tendo visão noturna, e ainda vive em Tol Eressëa, lá chamado pelos Eldar de *Laiqalassë*; mas o livro de Rúmil fala mais sobre isso."

(Ver I. 321, verbete *Tári-Laisi*).

§3. *Miscelânea*

(i) *A geografia de A Queda de Gondolin*

Observei anteriormente (p. 246) que, na jornada de Tuor ao longo de toda a costa do que depois se tornou Beleriand até as fozes do Sirion, há uma semelhança inquestionável com o mapa posterior na progressão da costa de norte-sul para leste-oeste. Afirma-se também que, após deixar Falasquil, "os montes distantes iam ficando cada vez mais perto da margem do mar", e que as encostas das Montanhas de Ferro "chegam até mesmo ao mar" (pp. 187–88). Essas afirmações podem da mesma forma ser relacionadas bem facilmente com o mapa, onde a longa extensão ocidental das Montanhas de Sombra (Ered Wethrin), que forma a fronteira meridional de Nevrast, alcançava o mar em Vinyamar (para a correlação entre as Montanhas de Ferro e as Montanhas de Sombra, ver I. 83).

Arlisgion, "o lugar dos caniços" (p. 188) acima das fozes do Sirion, sobreviveu em Lisgardh, "a terra dos juncos nas Fozes do Sirion" no *Tuor* tardio (p. 57); e a característica de que o grande rio passava por debaixo da terra em uma porção do seu curso remonta ao período mais antigo, assim como os Alagados do Crepúsculo, Aelin-uial ("as Lagoas do Crepúsculo", p. 236). Há aqui, contudo, uma diferença substancial no conto em relação a *O Silmarillion* (p. 174), em que Aelin-uial era a região de grandes lagoas e charcos onde "a corrente do Sirion se detinha"; *ao sul dos Alagados*, o rio "descia do norte em uma grande queda d'água [...] e então mergulhava, de repente, debaixo da terra, em grandes túneis que o peso de suas águas que caíam tinha aberto". Aqui, por outro lado, os Alagados do Crepúsculo estão claramente *abaixo* da "caverna dos Ventos Tumultuosos" (jamais mencionada depois), onde o Sirion mergulha para debaixo da terra. Mas a Terra dos Salgueiros, abaixo da região da passagem subterrânea do Sirion, está no lugar em que haveria de permanecer.

Assim, a visão que expressei (p. 173) acerca das indicações geográficas no *Conto de Turambar* também se aplica às indicações em *A Queda de Gondolin*.

(ii) *Ulmo e os outros Valar em A Queda de Gondolin*
No discurso de Tuor inspirado por Ulmo que ele fez quando do seu primeiro encontro com Turgon (p. 197), ele disse: "enraivecidos estão os corações dos Valar [...] vendo a tristeza da servidão dos Noldoli e as andanças dos Homens". Isso discorda muito do que se conta em *A Ocultação de Valinor*, especialmente do seguinte (I. 251–52):*

---

*Também parece estar em desacordo com a história de que todos os Homens foram fechados em Hithlum pelo decreto de Melko após a Batalha das Lágrimas Inumeráveis; mas "andanças" é uma palavra estranha no contexto, já que as palavras seguintes são "pois Melko os aprisiona na Terra das Sombras".

A maioria dos Valar, além do mais, amava sua antiga quietude e queria apenas a paz, não desejando nem ouvir rumores de Melko e sua violência nem que o murmúrio dos Gnomos inquietos viesse jamais de novo entre eles a perturbar sua felicidade; e, por tais razões, também eles clamavam pelo encobrimento da terra. Não menores entre esses eram Vána e Nessa, ainda que a maioria, até mesmo entre os grandes Deuses, fosse da mesma opinião. Em vão Ulmo, por sua presciência, pleiteou diante deles piedade e perdão para os Noldoli [...]

> Subsequentemente, Tuor disse (p. 197): "os Deuses sentam-se em Valinor, embora seu regozijo esteja diminuído pela tristeza e pelo temor de Melko e eles ocultem sua terra e teçam à sua volta magia inacessível para que nenhum mal chegue a suas costas". Turgon, em sua resposta, ironicamente ecoa e altera as palavras: "eles que lá dentro [*ou seja, em Valinor*] se sentam em divertimento pouco cuidam do terror de Melko ou do pesar do mundo, mas escondem sua terra e tecem à volta dela magia inacessível para que nenhuma notícia sobre o mal chegue jamais a seus ouvidos."
>
> Como se deve entender isso tudo? Seria a "diplomacia" de Ulmo? Decerto o entendimento de Turgon acerca dos motivos dos Valar harmoniza melhor com o que se diz deles em *A Ocultação de Valinor*.
>
> Mas os Gnomos de Gondolin reverenciavam os Valar. Havia as "pompas dos Ainur" (p. 201); uma grande praça e o ponto mais alto da cidade era Gar Ainion, o Lugar dos Deuses, onde eram celebrados casamentos (pp. 201, 225); e o povo do Martelo da Ira "reverenciava Aulë, o Ferreiro, mais do que todos os outros Ainur" (p. 211).
>
> De particular interesse é o trecho (p. 202) em que se dá uma razão para Ulmo escolher um Homem como agente de seus desígnios: "Ora, Melko não tinha muito receio da raça dos Homens naqueles dias de seu grande poder e por essa razão Ulmo agiu por meio de um dessa gente para melhor iludir Melko, vendo que nenhum dos Valar e quase nenhum dos Eldar ou dos Noldoli podia se deslocar sem ser percebido pela vigilância dele". Este é o único lugar em que uma razão é fornecida explicitamente, exceto por uma antiga nota isolada, na qual se dá duas razões:

1. "a ira dos Deuses" (isto é, contra os Gnomos);
2. "Melko não temia os Homens — caso pensasse que quaisquer mensageiros estivessem chegando a Valinor, teria redobrado sua vigilância e sua crueldade, e escondido completamente os Gnomos".

Mas isso é evasivo demais para ser útil.

A concepção da "sorte dos Valar" ocorre novamente neste conto (pp. 227, 241 nota 32), assim como no *Conto de Turambar*: ver p. 141. Os Ainur "puseram em seu coração [*de Tuor*]" a ideia de escalar a garganta para fora da ravina da Fenda Dourada, salvando a sua vida (p. 185).

É muito estranho o trecho acerca do nascimento de Eärendel (p. 201): "Nesses dias veio a se dar a plenitude do tempo do desejo dos Valar e da esperança dos Eldalië, pois em grande amor Idril deu a Tuor um filho e ele foi chamado de Eärendel". Devemos entender que a união de Elfa e Homem mortal, e o nascimento de seu filho foi "o desejo dos Valar"? Que os Valar previram, ou esperaram por isso, como a realização de um desígnio de Ilúvatar a partir do qual grande bem haveria de chegar? Não há indício ou sugestão de tal ideia em outros lugares.

(iii) *Orques*

Há uma observação notável no conto (p. 195) a respeito da origem dos Orques (ou *Orqui* como são chamados em *Tuor A*, e em *Tuor B* conforme escrito inicialmente): "toda aquela raça foi gerada por Melko dos calores e do limo subterrâneos". Não há ainda traços da visão posterior de que "nada que tivesse vida por si mesmo, nem a semelhança de vida, podia Melkor jamais criar desde sua rebelião no Ainulindalë antes do Princípio", ou de que os Orques surgiram de Quendi escravizados depois do Despertar (*O Silmarillion*, p. 82). Há concebivelmente um primeiro indício dessa ideia de sua origem nas palavras do conto nessa mesma passagem: "a menos que certos dos Noldoli tenham sido distorcidos pelo mal de Melko e misturados entre esses Orques", embora da maneira que está, isso seja, é claro, muito diferente da noção de que os Orques foram de fato criados a partir de Elfos.

Aqui também ocorre o nome *Glamhoth* para os Orques, o qual reaparece no *Tuor* tardio (*Contos Inacabados*, pp. 64 e 83, nota 18).

Sobre os Balrogs e Dragões em *A Queda de Gondolin*, ver p. 256.

(iv) *Noldorin na Terra dos Salgueiros*

"Pois não aconteceu que, mesmo depois dos dias de Tuor, Noldorin e seus Eldar foram até lá procurando por Dor Lómin e pelo rio oculto e pelas cavernas do aprisionamento dos Gnomos e, no entanto, assim perto do fim da demanda, quase a abandonaram? De fato, dormindo e dançando aí [...] foram dominados por gobelins enviados por Melko das Montanhas de Ferro e Noldorin escapou dali por um triz." (p. 189). Essa foi a Batalha de Tasarinan, mencionada no *Conto de Turambar* (pp. 91, 172) durante a grande expedição dos Elfos a partir de Kôr. Compare com a observação de Lindo em *O Chalé do Brincar Perdido* (I. 27) que seu pai Valwë "foi com Noldorin encontrar os Gnomos".

Também se diz no conto que Noldorin (Salmar, companheiro de Ulmo) lutou ao lado de Tulkas nas Lagoas do Crepúsculo contra o próprio Melko, embora o seu nome tenha sido riscado (p. 236 e nota 38); isso se deu depois da Batalha de Tasarinan. Sobre essas batalhas, ver p. 334 e seguintes.

(v) *A estatura de Elfos e Homens*

A passagem a respeito da estatura de Tuor na p. 195, antes de ser reescrita (ver nota 18), só pode significar que, enquanto Tuor não era incomumente alto para um Homem, ainda assim era mais alto do que os Elfos de Gondolin, e isso está de acordo com afirmações feitas no *Conto de Turambar* (ver p. 175). No trecho reescrito, contudo, o sentido é que Homens e Elfos não eram muito diferentes em estatura.

(vi) *Isfin e Eöl*

A versão mais antiga desse conto está no caderninho dos *Contos Perdidos* (ver I. 208), e diz o seguinte:

Isfin e Eöl

Isfin, filha de Fingolma, amada à distância por Eöl (Arval), da gente da Toupeira dos Gnomos. Ele é forte e tem a benevolência de Fingolma e dos Filhos de Fëanor (de quem é parente), porque é líder dos Mineiros e escava em busca de joias escondidas, mas é de má aparência, e Isfin o despreza.

(Fingolma como nome de Finwë Nólemë aparece em esboços do *Conto de Gilfanon*, I. 287-88). Temos aqui um mineiro de má aparência chamado Eöl "da gente da Toupeira" que ama Isfin, mas é rejeitado por ela com desprezo; e isso obviamente tem paralelo próximo em *A Queda de Gondolin* com o mineiro de má aparência Meglin, e seu emblema da toupeira negra, querendo a mão de Idril, que o rejeita. É difícil saber como interpretar isso. A explicação mais simples é de que a história adumbrada no caderninho é, na realidade, mais antiga que a da *Queda de Gondolin*, que Meglin ainda não existia, e que subsequentemente a imagem do "mineiro feio — pretendente malsucedido" passou para o filho, e o objeto de seu desejo se tornou Idril (sobrinha de Isfin), enquanto uma nova história foi desenvolvida para o pai, Eöl, o Elfo escuro da floresta que enredou Isfin. Mas não fica claro em absoluto onde estava Eöl, o mineiro, enquanto ele amava "à distância" Isfin, filha de Fingolma. Parece não haver razão para pensar que ele tivesse relação com Gondolin; mais provavelmente, a ideia do mineiro portando o emblema da Toupeira entrou em Gondolin com Meglin.

4

O Nauglafring

Chegamos agora ao último dos *Contos Perdidos* originais a receber uma forma narrativa consecutiva. Ele está contido em um caderno separado e está intitulado *O Nauglafring: O Colar dos Anãos*.

O início deste conto é um tanto confuso. Antes de *A Queda de Gondolin* ser narrada, Lindo disse a Coração-Pequeno que "é o desejo de todos que nos contes os contos de Tuor e de Eärendel tão logo seja possível" (p. 177), e Coração-Pequeno responde: "É um magno conto, e sete vezes o povo há de se reunir no Fogo-do--Conto até que ele seja contado apropriadamente; e é tão entretecido com as estórias do Nauglafring e da Marcha dos Elfos que, para contá-lo, eu gostaria do auxílio de Ailios aqui [...]". Assim, o fato de Coração-Pequeno ceder a cadeira do contador para Ailios no começo do presente texto, de modo que Ailios pudesse falar sobre o Nauglafring, está bem adequado ao contexto geral; mas não se esperaria que um novo conto fosse introduzido com as palavras "Mas depois de um tempo o silêncio acabou", já que *A Queda de Gondolin* termina com "E ninguém em toda a Sala das Lenhas falou ou se moveu por longo tempo". De todo modo, depois do longuíssimo *A Queda de Gondolin*, o próximo conto certamente teria de esperar até a noite seguinte.

Este conto é, novamente, um manuscrito a tinta sobre um original a lápis completamente apagado, mas somente até as palavras "saciar sua ganância", na página 277. Desse ponto até o fim há apenas um manuscrito inicial a lápis no primeiro estágio da composição, feito com pressa — em alguns lugares jogado na página, com um bom número de palavras não decifráveis com certeza, e uma parte foi amplamente reescrita enquanto o conto ainda progredia (ver nota 13).

O Nauglafring
O Colar dos Anãos

Mas depois de um tempo o silêncio acabou, e as pessoas murmuraram "Eärendel", e outros disseram "Não — e quanto ao Nauglafring, o Colar dos Anãos?" Portanto, disse Ilfiniol, deixando a cadeira do contador: "Sim, melhor seria para o conto se Ailios narrasse as coisas a respeito desse colar", e Ailios, sem qualquer mau grado, começou assim, olhando para a companhia.

"Lembrai-vos todos de como Úrin, o Resoluto, lançou o ouro de Glorund aos pés de Tinwelint, e não se dispôs a tocá-lo de novo após isso, partindo pesaroso de volta a Hisilómë e lá morrendo?" E todos disseram que aquele conto ainda estava fresco em seus corações.

"Pois vede," disse Ailios, "com grande tristeza o rei fitou Úrin conforme deixava o paço, e ele estava exausto pelo mal de Melko que enganava assim todos os corações; e, no entanto, o conto diz que tão potentes eram os feitiços que Mîm, o sem-pai, havia tecido em volta daquele tesouro que mesmo enquanto jazia no piso dos paços do rei, brilhando estranhamente à luz das tochas que ali ardiam, todos os que punham os olhos nele já eram tocados por seu mal sutil.

"Ora, aqueles do bando de Úrin murmuraram, portanto, e um disse ao rei: 'Vede, senhor, nosso capitão Úrin, um homem velho e insano, partiu, mas não estamos dispostos a renunciar ao nosso ganho.'

"Então disse Tinwelint, pois ele mesmo não estava intocado pelo feitiço dourado: 'Ora, então não sabeis que esse ouro pertence à gente dos Elfos em comum, pois os Rodothlim que o retiraram da terra há muito tempo não mais existem, e ninguém tem direito especial[1] a um punhado sequer, salvo apenas Úrin, por causa de seu filho Túrin, que matou a Serpe, espoliadora dos Elfos; mas Túrin está morto, e Úrin não quer nada dele, e Túrin era meu vassalo.'

"A essas palavras os proscritos ficaram mui irados, ao que o rei disse: 'Ide embora, e não tenteis, ó tolos, querelar com os Elfos da floresta, para que a morte ou os encantamentos pavorosos de Valinor não vos encontrem nas matas. E nem vituperais o nome de Tinwelint, seu rei, pois recompensar-vos-ei ricamente por vossa labuta e por haverdes trazido o ouro. Que cada um de vós se aproxime agora e leve o que puder carregar com as duas mãos, e então parta em paz.'

"Ora, por sua vez, os Elfos da floresta ficaram desgostosos, eles que estavam por perto há um bom tempo fitando o ouro; mas o povo selvagem fez como foi ordenado e mais ainda, pois alguns foram até a pilha duas e três vezes, e gritos raivosos se ergueram naquele paço. Então os Elfos da floresta procuraram impedi-los de roubar, e deu-se uma grande dissensão, de modo que, embora o rei tentasse detê-los, ninguém lhe dava atenção. Então aqueles proscritos, sendo uma gente feroz e destemida, sacaram espadas e desferiram golpes à sua volta, e logo havia uma grande luta mesmo sobre os degraus do alto-assento do rei. Intrépidos eram aqueles proscritos e grandes manejadores de espada e machado devido às suas guerras com Orques,[2] de modo que muitos foram mortos até que o rei, vendo que não havia espaço para paz e perdão, convocou uma hoste de seus guerreiros, e aqueles proscritos, desorientados pelas magias mais fortes do rei[3] e confusos nos caminhos escuros dos paços de Tinwelint, foram todos mortos lutando amargamente; e corria sangue no salão do rei, e o ouro que jazia diante de seu trono, espalhado e pisoteado pelo tropel de pés, estava encharcado de sangue. Assim a maldição de Mîm, o Anão, começou seu curso, e ainda outra tristeza semeada pelos Noldoli outrora em Valinor deu fruto.[4]

"Então os corpos dos proscritos foram lançados fora, mas os Elfos da floresta que foram mortos Tinwelint mandou enterrar perto do montículo de Tinúviel, e conta-se que o grande morro está lá ainda em Artanor, e por longo tempo as fadas o chamaram de Cûm an-Idrisaith, o Morro da Avareza.

"Veio então Gwenniel ter com Tinwelint e disse: 'Não toques neste ouro, pois meu coração me diz que é maldito em tresdobro. Maldito, decerto, pelo hálito do dragão, e maldito pelo sangue dos teus vassalos que o lenteja, e pela morte daqueles[5] que mataram; mas penso que há um mal mais amargo e mais atador sobre ele, o qual não consigo enxergar.'

"Então, lembrando-se da sabedoria de sua esposa Gwenniel, o rei lhe deu ouvidos, e mandou que se o ajuntasse e que fosse lançado na torrente diante dos portões. E mesmo assim não pôde deitar fora seu feitiço, e disse a si mesmo: 'Primeiro hei de fitar sua beleza uma última vez antes de lançá-lo para longe mim para sempre.' Portanto, mandou que o lavassem das manchas de sangue em águas límpidas e que o dispusessem diante de si. Ora, montes de ouro tamanhos jamais foram ajuntados num único lugar desde então; e algo desse ouro era trabalhado em taças, bacias e travessas, e havia cabos de espadas e estojos e bainhas para adagas; mas a maior parte era de ouro rubro virgem jazendo em montes ou em barras. O valor daquele tesouro homem nenhum poderia calcular, pois em meio ao ouro havia muitas gemas, e eram mui belas de se olhar, pois os pais dos Rodothlim as haviam trazido de Valinor, uma porção daquele erário sem fim que os Noldoli lá possuíam.

"Ora, conforme olhava, Tinwelint disse: 'Que glorioso é esse tesouro! E eu não tenho um décimo dele, e nenhuma das gemas de Valinor, salvo a Silmaril que Beren conquistou de Angamandi.' Mas Gwenniel, que estava ao lado, falou: 'E que valeria tudo o que aqui jaz, mesmo que fosse três vezes maior.'

"Então ergueu-se alguém no meio da companhia, e era Ufedhin, um Gnomo, e ele tinha vagado mais pelo mundo do que qualquer um do povo do rei, e habitara longamente com os Nauglath e os Indrafangs, parentes deles. Os Nauglath são uma raça estranha, e ninguém sabe por certo donde vêm; e não servem nem a Melko nem a Manwë e não fazem caso de Elfo ou Homem, e uns dizem que não ouviram falar de Ilúvatar ou que, se ouviram, desacreditam. Todavia, em trabalhos manuais e ciências e no conhecimento das virtudes de todas as coisas que há na terra[6] ou sob a água ninguém os supera; mas eles moram debaixo do solo em cavernas e cidades de túneis, e outrora Nogrod era a mais magna delas. São velhos, e jamais uma criança nasce entre eles, e nem riem. São de estatura atarracada, mas são fortes, e suas barbas chegam mesmo aos dedos dos pés, mas as barbas dos Indrafangs são as mais longas de todas, e bifurcadas, e eles as amarram perto da cintura quando andam longe. Todas essas criaturas os Homens chamaram de 'Anãos', e dizem que seus ofícios e sua destreza superam as dos Gnomos em realizações maravilhosas, mas em verdade há pouca beleza nas suas próprias obras, pois nessas coisas formosas que fizeram em eras passadas sempre houve a mão de Gnomos renegados como Ufedhin. Ora, há muito tempo esse Gnomo tinha abandonado seu povo, tornando-se aliado dos Anãos de Nogrod, e àquela época viera aos reinos de Tinwelint com alguns outros Noldoli de mente semelhante, portando espadas e cotas de malha e outros objetos forjados de refinado engenho que os Nauglath naqueles dias comerciavam muito com os Noldoli livres e, conta-se, com os Orques e soldados de Melko também.

"Enquanto estava naquele lugar, o feitiço do ouro penetrara o coração de Ufedhin mais fundo do que o coração de qualquer um ali, e ele não podia suportar a ideia de que tudo seria lançado fora, e estas foram suas palavras: 'É um malfeito esse que Tinwelint, o rei, tenciona; e quem depois há de dizer que os clãs dos Eldalië amam coisas de beleza se um rei dos Eldar deita fora tamanha abundância de formosidade nas águas escuras da floresta, onde ninguém senão os peixes poderá depois contemplá-la? Melhor seria, em vez disso, suplico-vos, ó Rei, permitir que os artífices dos Anãos provem seu engenho neste ouro virgem, para que o nome do erário dourado de Tinwelint seja ouvido em todas as terras e lugares. Isso hão de fazer, prometo, por pequena paga, se ao menos puderem salvar o monte da ruína.'

"Então olhou o rei para o ouro e olhou para Ufedhin, e aquele Gnomo estava trajado mui ricamente, vestindo uma túnica de tecido dourado e um cinto de ouro engastado com pequeninas gemas; e sua espada era ornamentada de modo estranho,[7] e um colar de ouro e prata entrelaçados de modo mui intricado cingia--lhe o pescoço, e as vestes de Tinwelint de modo algum se comparavam ao do viajante em seus paços. De novo Tinwelint fitou o ouro, e ele refulgiu com beleza ainda mais sedutora, e nem jamais o faiscar das gemas pareceu tão brilhante, e Ufedhin disse outra vez: 'Ou de que maneira, ó Rei, guardais aquela Silmaril da qual o mundo inteiro ouviu falar?'

"Ora, Gwenniel a guardava numa arca de madeira cintada de ferro, e Ufedhin disse que era vergonha deixar assim uma joia que não deveria tocar nada menos valioso do que o mais puro ouro. Então Tinwelint ficou vexado e cedeu, e foi este o acordo que fez com Ufedhin. Metade do ouro o rei haveria de medir e dar nas mãos de Ufedhin e sua companhia, e eles haveriam de levá-lo embora até Nogrod, às moradas dos Anãos. Ora, elas ficavam a grandíssima distância para o sul, além da vasta floresta nas fímbrias daquelas grandes charnecas perto de Umboth-muilin, as Lagoas do Crepúsculo, nas marcas de Tasarinan. No entanto, depois de apenas sete luas cheias, os Anãos voltariam trazendo o empréstimo do rei, todo trabalhado em obras da maior destreza, mas de maneira nenhuma o peso e a pureza do ouro seriam apoucados. Então falariam a Tinwelint e, se não gostasse do trabalho, eles retornariam e nada mais diriam; mas, se lhe parecesse bom, então do restante eles fariam coisas de tal maravilha para seu ataviamento e de Gwenniel, a Rainha, como jamais tinha feito Gnomo ou Anão.

"'Pois,' disse Ufedhin, 'a destreza dos Nauglath eu aprendi, e conheço a beleza dos traços que só os Noldoli podem conceber — mas a paga por nosso labor há de ser deveras pequena, e apresentar-vo-la-emos quando tudo estiver feito.'

"Então, por causa do encantamento do ouro, o rei arrependeu-se de seu acordo com Ufedhin, e não gostou nada de suas palavras, e não permitiria que tamanho estoque de ouro fosse levado embora das suas vistas sem garantia por sete luas às moradas distantes dos Anãos; e, no entanto, desejava ainda assim beneficiar-se do engenho deles. Portanto, subitamente mandou que capturassem Ufedhin e seu povo, e lhes disse: 'Aqui haveis de permanecer como reféns em meus paços até que eu veja novamente meu erário.' Ora, Tinwelint pensava em seu coração que Ufedhin e seus Gnomos eram do maior serviço para os Anãos, e que nenhuma cobiça seria forte o bastante que os levasse a abandoná-lo; mas aquele Gnomo irou-se deveras, dizendo: 'Os Nauglath não são ladrões, ó Rei, e nem o são seus amigos'; mas Tinwelint replicou: 'Mas a luz de ouro sobejo criou muitos ladrões que não o eram antes', e Ufedhin teve de consentir, mas não perdoou Tinwelint em seu coração.

"Então o ouro foi assim levado a Nogrod por gente do rei, guiada por apenas um dos companheiros de Ufedhin, e o acordo de Ufedhin e Tinwelint foi passado a Naugladur, o rei daqueles lugares.

"Ora durante o tempo de espera Ufedhin foi tratado com gentileza nas cortes de Tinwelint, mas teve de ficar indolente, e por dentro se agitava. Em seu ócio, ponderava sempre que maneira de coisas formosas de ouro e joias criaria depois para Tinwelint, mas apenas para iludir ainda mais o rei, pois já começara a urdir tramas sombrias da mais profunda avareza e vingança.

"No exato dia do sétimo plenilúnio depois disso, os vigias na ponte do rei exclamaram: 'Eis que chega uma grande companhia pela mata, e toda ela parece ser de homens velhos, e trazem cargas mui pesadas nas costas!' Mas, ao ouvir, o rei disse: 'São os Nauglath honrando o tratado: agora podes sair livre, Ufedhin, e leva a eles meus cumprimentos, e traze-os diretamente ao meu paço'; e Ufedhin saiu contente, mas seu coração não se esqueceu do ressentimento. Assim, em colóquio privado com os Nauglath, convenceu-os a exigir no fim grandíssima recompensa, uma que o rei não pudesse pagar sem humilhação; e mais dos seus desígnios ele revelou pelos quais aquele ouro pudesse, ao final, ser levado a Nogrod para sempre.

"Agora contudo os Anãos passam por sobre a ponte e chegam diante do assento de Tinwelint, e vede, as coisas de sua feitura eles as levaram até lá em tecidos sedosos e caixas de rara madeira habilmente entalhadas. Doutro modo havia Úrin arrastado o tesouro até ali, e metade dele jazia ainda em suas sacas rudes e arcas canhestras; mas quando o ouro foi uma vez mais revelado, então ergueu-se uma exclamação de assombro, pois as coisas que os Nauglath haviam feito eram muito mais maravilhosas do que os escassos vasos e os ornamentos que os Rodothlim outrora fizeram. Taças e cálices o rei contemplou, e algumas tinham concavidades duplas ou curiosas asas entrelaçadas, e cornos de estranho formato havia; travessas e escudelas, jarros e cântaros, e todos os pertences para um banquete real. Castiçais havia e tocheiras para os fachos, e ninguém seria capaz de contar os anéis e pulseiras, braceletes e colares, e as coroas de ouro; e tudo isso fora feito tão sutilmente e tão habilmente adornado que Tinwelint estava satisfeito para além do que Ufedhin esperava.

"Mas, por ora, os desígnios de Ufedhin não deram em nada, pois de maneira alguma Tinwelint permitiu que ele ou os Nauglath partissem para Nogrod com ou sem a porção do ouro virgem que ainda restava, e ele disse: 'O que se haveria de pensar se, depois da exaustão de vossa viagem cheia de carga até aqui, eu vos deixasse partir assim tão cedo, para alardear a falta de cortesia de Tinwelint em Nogrod? Ficai um pouco, repousai e banqueteai-vos, e depois tereis o ouro que restou para trabalhar ao vosso bel-prazer; e nem faltará ao vosso labor toda a ajuda que eu ou meu povo puder dispensar, e uma recompensa mais rica e mais do que justa vos aguarda ao final.'

"Mas eles sabiam, contudo, que foram feitos prisioneiros e, testando discretamente as saídas, encontraram-nas fortemente guardadas. Portanto, sem melhor alvitre, curvaram-se diante do rei, e os rostos do povo anânico de raro mostram o que pensam. Ora, após um tempo de descanso deu-se aquela última ourivesaria num local fundo da morada de Tinwelint que ele mandou que fosse separada para uso deles, e o que lhes carecia no coração, o medo supria, e em toda aquela obra Ufedhin tinha grande parte.

"Fizeram uma coroa dourada para Tinwelint, que até então não usava nada além de uma guirlanda de folhas escarlates, e fizeram um elmo também, mui glorioso; e uma espada de aço anânico trazido de longe ganhou cabo de ouro brilhante, ornamentado em ouro e prata com estranhos relevos em que se representava claramente a caçada ao lobo Karkaras Presa-de-Punhal, pai de lobos. Era uma espada mais maravilhosa do que qualquer outra que Tinwelint vira antes, e superava o brilho da espada no cinto de Ufedhin que o rei cobiçara. Essas coisas vieram do engenho de Ufedhin, mas os Anãos fizeram uma cota de malha encadeada de aço e ouro para Tinwelint, e um cinto de ouro. Então o coração do rei estava alegre, mas eles disseram: 'Não terminamos tudo', e Ufedhin fez uma coroa de prata para Gwenniel e, auxiliado pelos Anãos, fez sandálias de prata incrustadas de diamantes, e essa prata foi trabalhada em escamas delicadas para se ajustar ao pé como couro macio, e um cinto ele fez também de prata misturada com ouro pálido. E, no entanto, essas coisas não passavam de um décimo do trabalho deles, e conto nenhum dá um relato completo delas.

"Ora, quando tudo estava terminado e seus trabalhos foram entregues ao rei, Ufedhin disse: 'Ó Tinwelint, dos reis mais rico, pensais serem belas essas coisas?' E ele disse: 'Sim'; mas Ufedhin falou: 'Sabei, pois, que grande estoque de vosso melhor e mais puro ouro ainda resta, pois nós o poupamos, tendo esta mercê a vos pedir: queremos fazer para vós um colar e, nessa feitura, empregar todo nosso engenho e habilidade, e desejamos que seja o ornamento mais maravilhoso que a Terra já viu, e a maior das obras de Elfos e Anãos. Portanto, suplicamos a vós que nos concedeis a Silmaril que entesourais, para que possa brilhar assombrosamente no meio do Nauglafring, o Colar dos Anãos.'

"Então Tinwelint novamente duvidou do propósito de Ufedhin, mas concedeu a mercê, caso deixassem que ele estivesse presente nessa forjadura.

"Não há ninguém que ainda viva," disse Ailios,[8] "que tenha visto aquela coisa mui gloriosa, salvo apenas[9] Coração-Pequeno, filho de Bronweg, mas muitas coisas são ditas sobre ela. Não apenas era trabalhada com a maior habilidade e sutileza do mundo, mas tinha um poder mágico, e não havia pescoço tão grande ou tão delgado em que não se assentasse com graça e formosura. Ainda que um peso inacreditável de ouro tenha sido usado na feitura, pendia leve em quem a usasse como se fosse um fio de linho; e todos os que a prendessem em volta do pescoço pareceriam, conforme repousava em seu peito, ter o semblante gracioso, e as mulheres pareciam belíssimas. Gemas sem conta havia naquele colar de ouro, mas apenas como guarnição que preparava para sua grande glória central e encaminhava o olhar a ela, pois bem no meio jazia como uma pequena lamparina de fogo límpido a Silmaril de Fëanor, joia dos Deuses. Mas, ai!, mesmo se o ouro dos Rodothlim não tivesse feitiço maligno, aquele colar seria uma coisa de pouca sorte, pois os Anãos estavam cheios de amargura, e todos os elos foram entrelaçados com pensamentos perniciosos. Contudo, eles o levaram então diante do rei em seu esplendor recém-abrilhantado, ao que o júbilo de Tinwelint, rei dos Elfos da floresta, chegou ao ápice, e ele colocou o Nauglafring em volta do pescoço, e de pronto a maldição de Mîm caiu sobre ele. Então disse Ufedhin: 'Agora, ó Senhor, que estais satisfeito além da vossa esperança, quiçá concedereis aos artífices vossa régia recompensa e permitireis que partam também em júbilo para suas próprias terras.'

"Mas a Tinwelint, desorientado pelo feitiço dourado e a maldição de Mîm, não agradou a lembrança de seu tratado; contudo, dissimulando, mandou que os artífices viessem até ele e elogiou seu trabalho com régias palavras. Ao cabo, falou: 'Foi-me dito por Ufedhin que, ao final, a recompensa que desejais ser-me-ia apresentada, mas que seria bem pequena, visto que a lide era por amor e pelo desejo de Ufedhin de que o monte de ouro não fosse lançado fora e se perdesse. O que então desejais que eu conceda?'

"Então disse Ufedhin com escárnio: 'Para mim, nada, ó Senhor; em verdade, a hospitalidade de vossos paços por sete luas e três já é mais do que desejo.' Mas os Anãos disseram: 'Isto nós pedimos. Por nossos labores durante sete luas, sete joias de Valinor para cada, e sete vestes de magia que somente Gwendelin[10] pode tecer, e uma saca de ouro para cada; mas por nosso grande labor durante três luas a contragosto em vossos paços, pedimos para cada um três sacas de prata e uma taça de ouro com a qual brindar a vossa saúde, ó Rei, e a cada um uma formosa donzela dos Elfos da floresta para partir conosco aos nossos lares.'

"Então o Rei Tinwelint irou-se deveras, pois o que os Anãos pediam era por si só um considerável tesouro, visto que sua companhia era bem grande; e ele não pensava em consumir dessa forma o monte do dragão, e jamais poderia entregar donzelas élficas a Anãos disformes sem que tivesse vergonha imorredoura.

"Ora, essa demanda eles fizeram apenas pelo desígnio de Ufedhin, mas vendo a raiva no rosto do rei, falaram: 'Não, isso não é tudo, pois como paga pelo cativeiro de Ufedhin por sete luas, sete Elfos robustos devem vir conosco e morar por sete vezes sete anos entre nós como escravos e serviçais em nosso labor.'

"A isso Tinwelint ergueu-se do assento e convocou seus capitães e guerreiros armados para que cercassem os Nauglath e aqueles Gnomos. Então falou: 'Por vossa insolência, cada um de vós há de receber três lanhadas com vimes mordentes, e Ufedhin sete, e depois falaremos de recompensa.'

"Quando isso foi feito, e uma flama de amarga vingança se acendeu naqueles corações profundos, ele falou: 'Vede, por vosso labor de sete meses, seis peças de ouro e uma de prata haveis de ganhar cada um, e por vossos labores em meus paços cada um terá três peças de ouro e alguma pequena gema de que eu puder dispor. Por vossa jornada até aqui, haveis de comer um grande banquete e de partir com grandes provisões para vosso retorno e, antes de irdes, hão de beber vinho élfico a Tinwelint, mas atentai-vos: pelo sustento de Ufedhin por sete ociosos meses em meus paços, cada um de vós há de pagar uma peça de ouro, e de prata, duas, pois ele mesmo não tem nada e não há de receber nada, visto que não deseja e, contudo, parece-me que ele está na base de vossa arrogância.'

"Então os Anãos receberam sua recompensa como artífices comuns de bronze e ferro, e foram constrangidos a ceder parte dela novamente como paga por Ufedhin — 'doutro modo,' disse o rei, 'jamais haveis de tirá-lo daqui'. Então eles se sentaram para um grande banquete e disfarçaram seu humor; mas, afinal, a hora de sua partida chegou, e eles beberam vinho élfico a Tinwelint, mas o maldisseram em suas barbas, e Ufedhin não engoliu e cuspiu o vinho na soleira.

"Ora, o conto diz que os Nauglath voltaram ao seu lar, e se sua ganância fora ateada quando trouxeram o ouro pela primeira vez a Nogrod, agora se tornara uma flama feroz de desejo, e eles ademais ardiam pelos insultos do rei. De fato, todo aquele povo ama o ouro e a prata mais do que a qualquer coisa na Terra, mas aquele erário era assombrado por um feitiço e de modo algum estavam eles armados contra isso. Ora, havia um deles, Fangluin,* o idoso, que os aconselhara desde o início a nunca devolver o empréstimo do rei, pois dizia: 'Ufedhin podemos tentar libertar depois por meio de ardil, se parecer bom', mas naquela época isso não parecia ser a política de seu senhor Naugladur, que não desejava guerra com os Elfos. Mas agora Fangluin escarneceu muito deles quando retornaram, dizendo que haviam desperdiçado seu labor pela paga de um sarrafaçal e um gole de vinho, e que disso obtiveram desonra, e atiçou a cobiça deles, e Ufedhin juntou suas palavras amargas a isso. Portanto, Naugladur promoveu um concílio secreto dos Anãos de Nogrod, e procurou saber como poderia de uma vez só vingar-se de Tinwelint e saciar sua ganância.[11]

"Contudo, depois de longo ponderar, não viu como conseguiria alcançar esse propósito a não ser por força, e havia pouca esperança nisso, tanto por causa do grande poder dos numerosos Elfos de Artanor naqueles dias quanto pela magia tecida por Gwenniel que guardava todas aquelas regiões, de modo que homens de coração hostil perdiam-se e não chegavam àquelas matas; e nem de fato poderia qualquer um chegar até lá a não ser ajudado por traição de dentro.

"Ora, enquanto aqueles idosos sentavam-se em seus salões sombrios e roíam as barbas, eis que houve um som de trompas e chegaram mensageiros de Bodruith dos Indrafangs, um clã dos Anãos que morava em outros reinos. Ora, eles traziam notícias da morte de Mîm, o sem-pai, pelas mãos de Úrin e do saque ao ouro de Glorund, cuja história acabara de chegar aos ouvidos de Bodruith. Ora, até então os Anãos não sabiam toda a história daquele tesouro, apenas o que Ufedhin pôde contar ao ouvir o colóquio nos paços de Tinwelint, e Úrin não contou tudo antes de partir. Ouvindo, portanto, essas notícias, nova ira se acrescentou à sua cobiça, e um clamor ergueu-se entre eles, e Naugladur jurou não descansar até que Mîm fosse triplamente vingado — 'e mais,' disse ele, 'parece-me que o ouro pertence por direito ao povo dos Anãos.'

"Este então foi o desígnio, e por seus feitos os Anãos foram separados em faida para sempre dos Elfos desde aqueles dias, e levados à amizade mais próxima com a gente de Melko. Secretamente

---

*Na margem do manuscrito há: *Fangluin: Barbazul.*

mandou mensagem aos Indrafangs para que preparassem sua hoste para um dia que ele havia de indicar, quando o momento chegasse; e houve forjadura oculta de aço mordaz em Belegost, a morada dos Indrafangs. Ademais, juntou a si uma grande hoste dos Orques, e gobelins errantes, prometendo-lhes boa paga e mais o contentamento de seu Mestre, e um rico butim ao final; e todos esses ele apetrechou com suas próprias armas. Ora, chegou um Elfo até Naugladur, e ele era da gente de Tinwelint, e se ofereceu para conduzir aquela hoste através das magias de Gwendelin, pois fora mordido pela cobiça-do-ouro do monte de Glorund, e assim a maldição de Mîm caiu sobre Tinwelint, e a traição apareceu pela primeira vez em meio aos Elfos de Artanor. Então Naugladur [?sorriu] cruelmente, pois sabia que o momento havia chegado, e Tinwelint o entregara a ele. Ora, todo ano, por volta da época da grande caçada ao lobo de Beren, Tinwelint soía guardar a memória daquele dia com uma caçada nas matas, e era uma magna perseguição com uma multidão de gente, e havia na floresta noites de festa e banquete. Ora, Naugladur soube por aquele Elfo, Narthseg, cujo nome ainda é amargo para os Eldar, que o rei sairia para caçar dali a duas luas altas, e de pronto ele enviou a Bodruith em Belegost o sinal combinado: um punhal manchado de sangue. Ora, toda aquela hoste se reuniu nos confins das matas, e nenhuma palavra chegara ainda ao rei.

"Ora, o conto diz que alguém se aproximou de Tinwelint, e Tinwelint não o reconheceu por causa das grenhas compridas, mas eis que era Mablung, e ele disse: 'Vede, mesmo nas profundas da floresta ouvimos dizer que este ano celebrareis a morte de Karkaras com um festival maior do que jamais houve, ó Rei — e eis que voltei para vos fazer companhia.' E o rei estava jubiloso e de bom grado recebeu Mablung, o bravo; e às palavras de Mablung de que Huan, capitão dos Cães, também estava em Artanor, ficou mesmo contente.

"Eis que agora Tinwelint, o rei, cavalgou para a caçada, e mais gloriosas eram suas vestes do que jamais haviam sido, e o elmo de ouro sobrepunha-se aos seus cabelos esvoaçantes, e com ouro eram adornados os arreios do seu corcel; e a luz solar em meio às árvores recaía em seu rosto e parecia, àqueles que o contemplavam, a face gloriosa do sol pela manhã; pois em volta do seu pescoço estava preso o Nauglafring, o Colar dos Anãos. Ao seu lado cavalgava Mablung, o Mão-Pesada, no lugar de honra em virtude dos seus feitos naquela grande caçada de outrora — mas Huan dos Cães estava à frente dos caçadores, e os homens acharam que aquele grande cão portava-se estranhamente, mas quiçá houvesse algo de que não gostou no vento aquele dia.

"Agora o rei está embrenhado nas matas com toda sua companhia, e o som das trompas fica débil na floresta profunda, mas Gwendelin está sentada em seu quarto de dormir e há presságio em seu coração e olhos. Então disse Nielthi, uma donzela-élfica: 'Por que, ó Senhora, estais pesarosa quanto ao festival do rei?' E Gwendelin respondeu: 'O Mal procura nossa terra, e meu coração pressente que meus dias em Artanor correm para o fim, mas se acaso eu perdesse Tinwelint, então desejaria jamais ter saído de Valinor.' Mas Nielthi disse: 'Não, ó Senhora Gwendelin, não tecestes grande magia em toda nossa volta, para que não temêssemos?' Mas a rainha deu resposta: 'Mas parece-me que há um rato a roer os fios, e toda a trama se desfiou.' Justo àquelas palavras houve um grito às portas e de súbito tornou-se um ruído feroz . . . pelo choque de aço. Então Gwendelin saiu destemida de seu quarto, e eis que uma repentina multidão de Orques e Indrafangs tomara a ponte, e havia combate dentro dos portões cavernosos; mas naquele lugar escorria sangue, e uma grande pilha de mortos jazia ali, pois o ataque tinha sido secreto e de todo insabido.

"Então bem soube Gwendelin que seu presságio era verdadeiro, e que a traição afinal encontrara seu reino, e ainda assim ela encorajava aqueles poucos guardas que haviam ficado com ela e não haviam partido para a caçada, e valentemente eles protegeram o palácio do rei, até que a maré da multidão os forçou para trás [e] fogo e sangue acharam todos os salões e vias profundas daquela grande fortaleza dos Elfos.

"Então os Orques e Anãos reviraram todas as câmaras em busca de tesouro, e eis que veio alguém e sentou-se no alto assento do rei, gargalhando alto, e Gwendelin viu que era Ufedhin, e, zombando, ele mandou que se sentasse no seu antigo trono, ao lado daquele do rei. Então Gwendelin o encarou, de modo que o olhar dele baixou, e ela disse: 'Por que, ó renegado, conspurcas o assento do meu senhor? Pouco pensava em ver qualquer um dos Elfos sentado aí, um ladrão, maculado de morte, aliado dos impiedosos inimigos da sua gente. Ou pensas ser uma façanha gloriosa assaltar uma casa mal armada quando seu senhor está longe?' Mas Ufedhin nada disse, evitando o os olhos brilhantes de Gwendelin, ao que ela tornou a falar: 'Vai-te embora com teus Orques imundos, para que, ao voltar, Tinwelint não retribua cruelmente.'

"Então por fim Ufedhin respondeu, e riu-se, mas embaraçado, e não olhou para a rainha, mas falou ouvindo um som do lado de fora: 'Ora, pois ele já chegou.' E eis que Naugladur entrou agora, e uma hoste dos Anãos estava à sua volta, mas ele trazia a cabeça de Tinwelint coroada e com elmo de ouro; mas o colar de todo assombro estava preso ao pescoço de Naugladur. Então Gwendelin viu em seu coração tudo o que se passara, e como a maldição do ouro caíra no reino de Artanor, e desde aquela hora sombria nunca mais dançou ou cantou; mas Naugladur mandou que juntassem todas as coisas de ouro ou prata ou de pedras preciosas e que levassem a Nogrod — 'e tudo o que restar de bens ou de gente os Orques podem tomar ou matar conforme lhes aprouver. Mas a Senhora Gwendelin, Rainha de Artanor, há de vir comigo.'

"Então disse Gwendelin: 'Ladrão e assassino, filho de Melko, ainda és tolo, pois não consegues ver o que pende sobre tua própria cabeça.' Em virtude da angústia de seu coração, sua visão tornara-se claríssima, e ela viu com sua sabedoria de fata a maldição de Mîm e muito do que ainda ocorreria.

"Então Naugladur, em seu triunfo, gargalhou até a barba chacoalhar, e mandou que a agarrassem: mas ninguém o pôde fazer, pois conforme se aproximavam dela, tateavam como se numa escuridão súbita, ou tropeçavam e caíam, pisando uns nos outros, e Gwendelin saiu dos locais de sua morada, e seu pranto amargo encheu a floresta. Agora uma grande escuridão caiu sobre sua mente, e seu alvitre e seu saber a abandonaram, e ela errou sem saber aonde ia por muito tempo; e isso era por causa do seu amor por Tinwelint, o rei, por quem escolhera jamais voltar para Valinor e para a beleza dos Deuses, morando para sempre nas florestas bravias do Norte; e agora parecia-lhe não haver nem beleza e nem júbilo, seja em Valinor, seja nas Terras de Fora. Em suas jornadas errantes, encontrou muitos dos Elfos dispersos, e eles se apiedaram dela, mas ela não lhes dava atenção. Contos contavam a ela, mas ela não lhes dava muito ouvido, pois Tinwelint estava morto; contudo, deveis saber como, justo na hora em que a hoste de Ufedhin invadia o palácio e o espoliava, e outras companhias tão grandes e tão terríveis dos Orques e Indrafangs abatiam-se com morte e fogo sobre todo o reino de Tinwelint, os valentes caçadores do rei repousavam em meio a júbilo e riso, mas Huan espreitava a sós. Então de súbito as matas se encheram de ruído e Huan ladrou alto; mas o rei e sua companhia foram todos cercados por adversários armados. Por longo tempo eles lutaram amargamente ali no meio das árvores, e os Nauglath — pois eram eles os adversários — receberam muitos ferimentos deles antes de serem mortos. Mas, no fim, todos foram sobrepujados, e Mablung e o rei tombaram lado a lado — mas foi Nauglad ur quem decapitou Tinwelint quando estava morto, pois se estivesse vivo não ousaria aproximar-se muito de sua brilhante espada ou do machado de Mablung.[12]

"Ora, do conto nada mais se sabe para dizer de Huan, salvo que enquanto as espadas ainda cantavam, aquele grande cão partia veloz pela terra, e seu caminho o levou como o [?vento] à terra de i-Guilwarthon, os mortos-que-vivem, onde reinavam Beren e Tinúviel, a filha de Tinwelint. Em nenhuma moradia fixa aqueles dois moravam, e nem tinha o seu reino fronteiras bem marcadas — e, de fato, nenhum outro mensageiro, salvo Huan a quem todos os caminhos eram conhecidos, jamais encontrara Beren e obtivera seu auxílio tão prontamente.[13] De fato, o conto diz que enquanto aquela hoste dos Orques incendiava toda a terra de Tinwelint, e os Nauglath e os Indrafangin voltavam para casa completamente carregados com espólios de ouro e coisas preciosas, Huan chegou ao abrigo de Beren, e era o pôr do sol. Ora, Beren estava sentado numa raiz de árvore e Tinúviel dançava num relvado verde no ocaso enquanto ele a observava, quando de súbito Huan postou-se diante deles, e Beren deu um grito de júbilo e assombro, pois fazia muito tempo que haviam caçado juntos. Mas Tinúviel, olhando para Huan, viu que ele sangrava, e havia uma história a ser lida em seus grandes olhos. E ela disse subitamente: 'Que mal, então, abateu-se sobre Artanor?' e Huan disse: 'Fogo e morte e o terror de Orques; mas Tinwelint está morto.'

"Então Beren e Tinúviel choraram lágrimas amargas; e nem toda a história de Huan secou-lhes os olhos. Quando ela foi contada até o fim, Beren saltou de pé em branca ira e, agarrando uma trompa que pendia do cinto, tocou um som alto e claro que ecoou por todos os montes próximos, e um povo élfico trajado todo de verde e pardo apareceu como se por mágica vindo até ele de toda clareira e souto, regato e charneca.

"Ora, nem mesmo Beren sabia a história dessa miríade de gente que seguia sua trompa nas matas de Hisilómë, e antes mesmo de a lua estar alta sobre os montes, a hoste reunida na clareira em que morava era mui grande, mas estavam pouco armados, e a maioria só portava punhais e arcos. 'No entanto,' disse Beren, 'é de rapidez que mais precisamos agora', e certos Elfos ao seu comando partiram como cervos antes dele, buscando novas da marcha dos Anãos e Indrafangs, mas quando a aurora chegou, ele seguiu na dianteira dos Elfos verdes, e Tinúviel ficou na clareira e chorou a sós pela morte de Tinwelint, e por Gwendelin lamentou também como se estivesse morta.

"Ora, é preciso dizer que a hoste carregada dos Anãos deixou o lugar do saque, e Naugladur estava na dianteira, e ao lado dele, Ufedhin e Bodruith; e a todo momento, enquanto cavalgava, Ufedhin procurava tirar da cabeça os olhos terríveis de Gwendelin, mas não conseguia, e toda a felicidade deixou seu coração, que secou à memória daquele olhar; e essa não era a única inquietação que o torturava, pois se acaso erguesse os olhos, eis que eles pousavam no Colar dos Anãos brilhando em volta do pescoço idoso de Naugladur, e então todos os outros pensamentos, exceto o desejo insondável por sua beleza, eram banidos.

"Assim viajavam aqueles três e com eles toda sua hoste, mas tamanho tornou-se o tormento da mente de Ufedhin que, no fim, não pôde mais suportar e, à noite, quando anunciaram uma parada, esgueirou-se furtivamente ao lugar onde Naugladur dormia e, indo para cima daquele idoso envolto em sonolências, estava para matar o Anão e botar as mãos no maravilhoso Nauglafring. Ora, no momento em que procurou fazê-lo, eis que alguém de súbito agarrou seu pescoço por trás, e era Bodruith que, tomado pela mesma cobiça, também quis pegar para si aquela bela coisa; mas, deparando-se com Ufedhin, ele o teria matado por seu parentesco com Naugladur. Então Ufedhin pungiu a esmo para trás no escuro com um punhal afiado e esguio que trazia consigo para matar Naugladur, e aquele punhal perfurou as vísceras de Bodruith, Senhor de Belegost, de modo que caiu morto em cima de Naugladur, e a garganta de Naugladur e o colar mágico foram novamente encharcados de sangue.

"Nisso Naugladur acordou com grande urro, mas Ufedhin fugiu arfando daquele lugar, pois os dedos longos do Indrafang quase o estrangularam. Ora, quando rapidamente trouxeram tochas até lá, Naugladur pensou que somente Bodruith quisera roubá-lo da joia, e admirou-se da tempestividade com que foi morto, e anunciou uma rica recompensa ao matador de Bodruith se ele se adiantasse e contasse tudo o que vira. Foi assim que ninguém percebeu a fuga de Ufedhin por um tempo, e a ira despertou entre os Anãos de Nogrod e os Indrafangs, e muitos foram mortos antes que os Indrafangs, em menor número, se dispersassem e fugissem da melhor forma que puderam para Belegost, levando consigo escasso tesouro. Disso adveio a duradoura faida entre aqueles clãs dos Anãos que se espalhou por muitas terras e foi motivo de muitos contos dos quais os Elfos têm pouca informação e os Homens de raro ouviram. E, contudo, é possível ver como a maldição de Mîm chegou cedo em casa para repousar no meio da sua própria gente, e quisera que, de fato, não tivesse ido além e que nunca mais tivesse visitado os Eldar.

"Eis que quando a fuga de Ufedhin também veio a lume, então Naugladur irou-se e mandou matar todos os Gnomos que restavam na hoste. Então falou: 'Agora estamos livres de Indrafangs e Gnomos e todos os traidores, e nada mais temo, em absoluto.'

"Mas Ufedhin percorreu as terras ermas em grande temor e angústia, pois pensava haver se tornado um traidor de sua gente, culpado pelo sangue de Elfos, e assombrado pelos [?ardentes] olhos de Gwendelin, a Rainha, sem recompensa senão o exílio e a miséria, e nem a mais ínfima parte ou quinhão ele tinha do ouro de Glorund, por mais que seu coração estivesse inflamado de cobiça; mas poucos têm pena dele.

"Ora, o conto diz que se deparou com os caminheiros do povo de Beren, e estes — sabendo por ele informações precisas sobre toda a hoste e disposição de Naugladur, e as vias que ele pretendia tomar — voltaram céleres como o vento entre as árvores até seu senhor; mas Ufedhin não revelou quem era, fingindo ser um Elfo de Artanor que escapara do cativeiro na sua hoste. Ora, assim eles o trataram bem, e foi mandado de volta para Beren para que seu capitão pudesse . . . . nas suas palavras, e ainda que Beren se espantasse com seu . . . . . . [?acovardado]¹⁴ e seu olhar baixo, parecia-lhe que trazia palavras seguras, e montou uma armadilha para Naugladur.

"'Parou de seguir intensamente no encalço dos Anãos e, sabendo que eles tentariam ir pela passagem do rio Aros em determinado momento, deu meia-volta, partindo rápido com seus Elfos de pés ágeis por trilhas mais retas para alcançar Sarnathrod, o Vau Pedregoso, antes deles. Ora, o Aros é uma torrente feroz — e não é aquela mesma água que, mais perto da nascente, corre rapidamente pelas antigas portas das cavernas dos Rodothlim e os covis sombrios de Glorund?[15] E naquelas regiões mais baixas, não pode de modo algum ser atravessado por uma hoste grande de homens carregados senão neste vau, e mesmo aí não é muito fácil. Jamais teria Naugladur tomado aquele caminho se soubesse de Beren — mas, cego pelo feitiço e pelo ouro deslumbrante, nada temia que viesse de dentro ou de fora de sua hoste, e estava com pressa de chegar a Nogrod e suas cavernas sombrias, pois os Anãos não gostam de ficar longamente à luz brilhante do dia.

"Então toda aquela hoste chegou às margens do Aros, e sua disposição era esta: primeiro um certo número de Anãos sem carga, armados do modo mais completo, e no meio a grande companhia dos que traziam o erário de Glorund, além de muitos belos objetos que haviam obtido nos paços de Tinwelint; e atrás destes estava Naugladur e ele montava o cavalo de Tinwelint e semelhava um estranho vulto, pois as pernas dos Anãos são curtas e curvas, mas dois Anãos conduziam esse cavalo, pois ele não avançava de bom grado e estava carregado de pilhagem. Mas atrás desses vinha uma massa de homens armados com pouquíssima carga; e nessa disposição buscaram atravessar o Sarnathrod em seu dia de sina.

"Era manhã quando chegaram à margem mais próxima, e o meio-dia os encontrou ainda atravessando em filas extensas, vadeando devagar pelos trechos rasos do rio de correnteza veloz. Ali ele se alargava e descia por canais estreitos cheios de rochas, entre longos bancos de seixos e pedras menores. Então Naugladur apeou de seu cavalo carregado e se aprestou para atravessar, pois a hoste armada da vanguarda já escalara a margem oposta, e esta era grande e íngreme e apinhada de árvores, e alguns dos portadores do ouro já pisavam nela e alguns estavam em meio à correnteza, mas os homens armados da retaguarda repousavam um pouco.

"De súbito todo aquele lugar se encheu do som de trompas élficas, e uma. . . . . [16] com clangor mais nítido acima das demais, e era a trompa de Beren, o caçador das matas. O ar então ficou denso com as esbeltas setas dos Eldar que não erram, nem o vento as sopra para o lado, e eis que de cada árvore e rochedo saltam de súbito os Elfos pardos e os verdes, e disparam sem cessar das aljavas cheias. Então houve pânico e barulho na hoste de Naugladur, e os que vadeavam no vau lançaram as cargas douradas às águas e buscaram, temerosos, alcançar alguma das margens, mas muitos foram atingidos por aqueles dardos implacáveis e caíram, junto com seu ouro, nas correntezas do Aros, manchando as águas límpidas com seu sangue escuro.

"Então os guerreiros da margem oposta foram [?enleados] em batalha e, reagrupando-se, tentaram acometer os inimigos, mas estes fugiam ágeis diante deles, enquanto que [?outros] ainda derramavam neles o granizo de flechas, e assim os Eldar pouco se feriam, e a gente dos Anãos caía morta sem cessar. Foi então o grande combate do Vau Pedregoso . . . . . . junto a Naugladur, pois apesar de Naugladur e seus capitães conduzirem seus bandos intrepidamente, jamais conseguiam dominar o inimigo, e a morte caiu como chuva sobre suas fileiras, até a maior parte se desgarrar e fugir, e com isso um ruído de límpido riso ecoou desde os Elfos, e se abstiveram de disparar mais, pois os vultos disformes dos Anãos ao fugirem, de barbas brancas arrebatadas pelo vento, os enchiam [de] alegria. Mas então Naugladur estava de pé, e poucos ao seu redor, e ele recordou as palavras de Gwendelin, pois eis que Beren chegou até ele, e lançou fora o arco e sacou uma espada reluzente; e Beren tinha grande estatura entre os Eldar, mesmo que sem a amplidão e largura de Naugladur dos Anãos.

"Então disse Beren: 'Guarda tua vida se puderes, ó assassino de pernas tortas, do contrário a tomarei', e Naugladur ofereceu-lhe até o Nauglafring, o colar assombroso, para que lhe permitisse sair ileso, mas Beren disse: 'Não, esse ainda posso tomar quando estiveres abatido', e com isso avançou sozinho contra Naugladur e seus companheiros e, quando matou o mais avançado deles, os demais fugiram em meio ao riso élfico, e assim Beren chegou junto a Naugladur, matador de Tinwelint. Então o velho se defendeu com denodo e foi uma luta amarga, e muitos dos Elfos que assistiam dedilhavam as cordas dos arcos, por amor e temor pelo capitão, mas Beren mesmo enquanto combatia exclamou que mantivessem as mãos quietas.

"Ora, pouco diz o conto das feridas e dos golpes desse combate, exceto que Beren recebeu ali muitos ferimentos, e muitos dos seus golpes mais hábeis pouco dano causaram a Naugladur em virtude da [?arte] e magia de sua malha anânica; e dizem que por três horas combateram e os braços de Beren ficaram exaustos, mas não os de Naugladur, acostumado a brandir seu enorme martelo na forja, e é mais que provável que o resultado teria sido diverso não fosse pela maldição de Mîm; pois, notando o quanto Beren enfraquecia, Naugladur o acometeu cada vez de mais perto, e a arrogância que era parte daquele feitiço atroz lhe penetrou o coração, e pensou: 'Hei de matar este Elfo, e sua gente fugirá amedrontada diante de mim', e agarrando a espada desferiu um poderoso golpe, exclamando: 'Toma aqui tua ruína, ó rapazinho das matas!', e nesse momento seu pé deu de encontro a uma pedra pontiaguda e ele tropeçou para diante, mas Beren desviou do golpe e, enganchando-se na barba, sua mão encontrou a corrente de ouro, e com ela repentinamente derrubou Naugladur de rosto para baixo; a espada de Naugladur foi arrancada de seu punho, mas Beren a agarrou e o matou com ela, pois disse: 'Não empanarei minha lâmina brilhante com teu sangue escuro, pois não é preciso.' Mas o corpo de Naugladur foi lançado no Aros.

"Então desprendeu o colar e o fitou assombrado — e contemplou a Silmaril, a mesma joia que conquistara em Angband, ganhando glória imorredoura com esse feito, e disse: 'Nunca meus olhos te contemplaram, ó Lâmpada de Feéria, ardendo com metade da beleza de agora, engastada em ouro e gemas e a magia dos Anãos'; e mandou lavar o colar das suas manchas e não o lançou fora, nada sabendo do seu poder, mas o trouxe consigo de volta para as matas de Hithlum.

"Mas as águas do Aros fluíam continuamente por cima do tesouro submerso de Glorund, e ainda o fazem, pois em dias posteriores vieram Anãos de Nogrod e buscaram a ele e ao corpo de Naugladur; mas uma enchente ergueu-se vinda das montanhas e nela os que buscavam pereceram; e tamanha agora é a treva e o terror daquele Vau Pedregoso que ninguém procura o tesouro que ele guarda e nem se atreve a cruzar a torrente mágica naquele lugar encantando.

"Mas nos vales de Hithlum houve contentamento quando os Elfos voltaram, e grande foi o júbilo de Tinúviel ao ver seu senhor uma vez mais retornando em meio às companhias, mas pouco abrandou seu pesar pela morte de Tinwelint o fato de que Naugladur fora morto e muitos Anãos além dele. Então Beren procurou confortá-la e, pegando-a nos braços, pôs o glorioso Nauglafring em volta do seu pescoço, e todos foram cegados pela grandiosidade de sua beleza; e Beren disse: 'Contempla a Lâmpada de Fëanor que tu e eu conquistamos do Inferno', e Tinúviel sorriu, lembrando-se dos primeiros dias do seu amor e daqueles dias de sofrimento no ermo.

"Ora, é preciso dizer que Beren mandou buscar Ufedhin e recompensou-o bem por suas palavras de instrução verdadeira pelas quais os Anãos foram sobrepujados, e pediu-lhe que morasse em . . . . entre seu povo, e Ufedhin pouco relutou; mas, certa vez, não muito depois, aconteceu a coisa que menos desejava. Pois chegou um som de mui pesaroso cantar nas matas, e eis que era Gwendelin errando desvairada, e seus pés a levaram para o meio da clareira onde Beren e Tinúviel se sentavam; e àquela hora era uma nova manhã, mas a esse som todos quase cessaram de falar e ficaram muito quietos. Então Beren fitou Gwendelin assombrado, mas Tinúviel exclamou subitamente com tristeza misturada de júbilo: 'Ó mãe, Gwendelin, para onde teus pés te levam, pois eu pensava que estavas morta?'; mas a recepção daqueles dois sobre o relvado verde foi muito doce. E Ufedhin fugiu do meio dos Elfos, pois não conseguia suportar olhar nos olhos de Gwendelin, e foi tomado de loucura, e ninguém pode dizer qual foi sua sina infeliz depois; e do Ouro de Glorund obteve pouco mais que um coração torturado.

"Ora, ouvindo os gritos de Ufedhin, Gwendelin olhou para ele espantada, e conteve suas ternas palavras, e a memória voltou aos seus olhos, de modo que gritou como se assombrada, olhando o Colar dos Anãos que pendia no pescoço alvo de Tinúviel. Então perguntou feroz a Beren o que significava isso e por que ele permitiu que aquela coisa maldita tocasse Tinúviel; e contou Beren[17] toda a história conforme Huan lhe havia contado, de fato ou por suposição, e da perseguição e da luta no vau ele também contou, dizendo por fim: 'E de fato não vejo — agora que o Senhor Tinwelint se foi para Valinor — em quem haveria de cair tão bem essa joia dos Deuses quanto em Tinúviel.' Mas Gwendelin falou da maldição do dragão sobre o ouro e da [?maculação] de sangue nos paços do rei, 'e ainda outra maldição, mais potente, cuja origem eu desconheço, está tecida nele', falou ela, 'e nem penso que o labor dos Anãos esteja livre de feitiços da malícia mais duradoura.' Mas Beren riu-se, dizendo que a glória da Silmaril e sua sacralidade poderiam vencer todos esses males, assim como queimou a carne [?imunda] de Karkaras. Disse: 'Nem jamais vi minha

O NAUGLAFRING

Tinúviel mais linda do que está agora, envolta na graça dessa coisa de ouro', mas Gwendelin disse: 'No entanto, a Silmaril residiu na Coroa de Melko, e essa é obra de ferreiros deveras malignos.'

"Então, disse Tinúviel que não desejava objetos de valor nem pedras preciosas, mas sim o contentamento élfico da floresta e, para agradar a Gwendelin, ela o tirou do pescoço; mas Beren se desagradou disso e não permitiu que fosse lançado fora, mas o conservou em seu . . . .[18]

"Depois Gwendelin morou na mata com eles por algum tempo e se curou; e por fim retornou melancólica à terra de Lórien e nunca mais foi mencionada nos contos dos moradores da Terra; mas sobre Beren e Lúthien abateu-se depressa a sina da mortalidade que Mandos proferira quando os despachou de seus paços — e nisso talvez a maldição de Mîm tivesse [?potência], em fazê-la alcança-los mais rapidamente; nem dessa vez os dois percorreram juntos a estrada, mas quando seu filho, Dior,[19] o Belo, ainda era pequeno, Tinúviel minguou lentamente, bem como os Elfos de dias posteriores por todo o mundo, e desapareceu na floresta, e ninguém mais a viu dançando ali. Mas Beren a buscou, percorrendo todas as terras de Hithlum e de Artanor; e jamais um dos Elfos teve maior solidão que a dele, antes que ele também se apagasse da vida, e seu filho Dior foi deixado como soberano dos Elfos pardos e dos verdes e Senhor do Nauglafring.

"Quem sabe seja verdade o que dizem todos os Elfos, que aqueles dois agora caçam na floresta de Oromë em Valinor, e Tinúviel dança nos verdes relvados de Nessa e Vána, filhas dos Deuses, para sempre; porém foi grande o pesar dos Elfos quando os Guilwarthon desapareceram dentre eles e, visto que estavam sem líder e diminuídos na magia, seu número minguou; e muitos partiram para Gondolin, o rumor de cujo poder e glória crescentes corria em sussurros secretos entre todos os Elfos.

"Dior, atingindo a idade adulta, reinava ainda sobre um povo numeroso e amava a floresta como Beren a amara; e a maior parte das canções o chamam Ausir, o Opulento, por possuir a maravilhosa gema engastada no Colar dos Anãos. Ora, os relatos de Beren e Tinúviel empanaram-se em seu coração e ele passou a usá-la ao pescoço e a apreciar intensamente sua graça, e a fama dessa joia espalhou-se como fogo por todas as regiões do Norte, e os Elfos diziam entre si: 'Uma Silmaril arde nos bosques de Hisilómë.'

"E agora se passam os longos dias de Elfinesse até o tempo em que Tuor morou em Gondolin; e então rebentos teve Dior, o Elfo,[20] Auredhir e Elwing, e Auredhir era muito parecido com o pai de seu pai, Beren, e todos o amavam, porém não tanto quanto Dior o amava; mas Elwing, a fada, todas as poesias diziam ser tão bela quanto Tinúviel, se é que isso é possível, mas é difícil dizer, tendo em vista a grande beleza doutrora do povo élfico. Ora, aqueles foram dias de felicidade nos vales de Hithlum, pois havia paz com Melko e os Anãos que tinham somente um pensamento enquanto tramavam contra Gondolin, e Angband estava cheia de labor; mas é preciso dizer que a amargura penetrou nos corações dos sete filhos de Fëanor, lembrando-se de seu juramento. Ora, Maidros, a quem Melko mutilara, era seu líder; e ele chamou seus irmãos Maglor e Dinithel, e Damrod, e Celegorm, Cranthor e Curufin, o Matreiro, e disse-lhes que sabia agora que uma Silmaril daquelas que seu pai Fëanor havia feito era agora orgulho e glória de Dior nos vales do sul, 'e sua filha Elwing a leva onde quer que vá — mas não vos esqueceis', falou, 'que juramos não dar paz a Melko e a ninguém de seu povo, e a nenhum dos outros moradores da Terra que mantivesse as Silmarils de Fëanor longe de nós. Por qual fim', disse Maidros, 'enfrentamos exílio e andança e o governo de um povo minguado e esquecido, se outros juntam ao seu tesouro as heranças que são nossas?'

"Assim foi que mandaram Curufin, o Matreiro, até Dior, e ele lhe contou do seu juramento e mandou-lhe que devolvesse aquela bela joia aos que tinham direito sobre ela; mas Dior, olhando a beleza de Elwing, não quis fazê-lo, e disse que não poderia suportar que o Nauglafring, mais bela de toda a arte terrena, fosse assim espoliada. 'Então', disse Curufin, 'o Nauglafring inteiro deve ser dado aos filhos de Fëanor', e Dior irou-se, mandando que fosse embora e não ousasse reclamar o que seu pai, Beren, o de Uma--Mão, conquistou com sua própria mão das [?mandíbulas] de Melko — 'há outras duas no mesmíssimo lugar', falou, 'se vossos corações forem audazes o bastante.'

"Então Curufin foi ter com os irmãos e, por causa do juramento inquebrável e da [?ânsia] deles por aquela Silmaril (e nem estava ausente o feitiço de Mîm e do dragão), planejaram guerra a Dior — e os Eldar os repudiam por esse feito, a primeira guerra premeditada de povo élfico contra povo élfico, deles cujo nome doutro modo era glorioso entre os Eldalië pelos seus sofrimentos. Pouco bem lhes veio disso; pois abateram-se de surpresa sobre Dior, e Dior e Auredhir foram mortos, mas vede, Evranin, a ama de Elwing, e Gereth, um Gnomo, tomaram-na à força numa fuga rápida e súbita daquelas terras, e levaram consigo o Nauglafring, de modo que os filhos de Fëanor não o viram; mas uma hoste do povo de Dior, vindo com toda velocidade, e ainda assim tarde, acometeu de súbito sua retaguarda, e houve grande batalha, e Maglor foi morto com espadas, e Mai . . . .[21] morreu dos ferimentos no ermo, e Celegorm foi perfurado por cem flechas, e Cranthor ao lado dele. Mas no fim os filhos de Fëanor saíram vencedores do campo dos mortos, e os Elfos pardos e os verdes se dispersaram por todas as terras infelizes, pois não se dispunham a dar ouvidos a Maidros, o mutilado, e nem a Curufin e Damrod, que mataram seu senhor; e conta-se que justo no dia dessa batalha dos Elfos, Melko atacou Gondolin, e as fortunas dos Elfos chegaram ao seu mais extremo minguar.

"Agora nada restava da semente de Beren Ermabwed, filho de Egnor, salvo Elwing, a Graciosa, e ela vagou na floresta, e alguns poucos dos Elfos pardos e dos verdes se uniram a ela e partiram para sempre das clareiras de Hithlum e rumaram para o sul, para as águas fundas do Sirion, e para as terras amenas.

"E assim todos os destinos das fadas foram então entretecidos em um filamento, e esse filamento é o grande conto de Eärendel; e ao verdadeiro começo desse conto chegamos agora."

Então disse Ailios: "E penso que esse conto já basta para este momento de contação."

NOTAS

[1] Essa frase é uma reescritura do texto, que originalmente dizia:

"Ora, então não sabeis que esse ouro pertence à gente dos Elfos que o retirou da terra há muito tempo, e ninguém dos Homens tem direito […]"

O restante dessa cena, que termina com a matança do bando de Úrin, foi reescrita em diversos pontos com a mesma finalidade do trecho recém-mencionado: mudar o bando de Úrin de Homens para Elfos, assim como foi feito no final do conto de Eltas (ver p. 144, nota 33). Assim, a expressão original "Elfos" foi alterada para "Elfos da floresta", e a expressão "Homens" para "gente, proscritos"; ver notas 2, 3, 5.

[2] A frase original dizia:

Intrépidos eram aqueles Homens e grandes manejadores de espada e machado, e naqueles dias não desvanecidos ainda podiam armas mortais ferir os corpos da gente-élfica.

Ver nota 1.

3   A frase original era aqui: "e aqueles Homens, desorientados por magias". Ver nota 1.
4   Essa frase, começando em "e ainda outra tristeza [...]", foi acrescentada ao texto em um momento posterior.
5   "daqueles": o texto diz "dos Homens", obviamente deixado sem alteração por deslize. Ver nota 1.
6   "na terra" é uma emenda do original "sobre a terra".
7   "damasked in strange wise" [ornamentada de modo estranho], isto é, incrustada de maneira ornamental com padrões de ouro e prata. A palavra "damascened" é usada para descrever a espada de Tinwelint feita pelos Anãos, na qual havia imagens da caçada ao lobo (p. 274), e para as armas de Glorfindel (p. 211). [Ver o *Glossário de Palavras Obsoletas, Arcaicas e Raras*].
8   O texto diz "Eltas", mas "Ailios" está escrito acima, a lápis. Como Ailios é apresentado como narrador no começo do conto, e não é resultado de emenda, "Eltas" aqui provavelmente não passa de um deslize.
9   "salvo apenas" é uma emenda posterior do original "nem mesmo". Ver p. 308.
10 É estranho que *Gwendelin* apareça, e não *Gwenniel*, como vinha acontecendo até aqui neste conto. Como a primeira parte do conto está à tinta sobre um texto apagado a lápis, a explicação óbvia é que o texto apagado tinha *Gwendelin* e que meu pai alterou para *Gwenniel* conforme prosseguia, mas negligenciou essa ocorrência. Mas a questão é provavelmente mais complexa — um desses pequenos enigmas abundantes nos textos dos *Contos Perdidos* — porque após o manuscrito a tinta ser interrompido, a forma *Gwenniel* ocorre, embora apenas uma vez, e *Gwendelin* é então empregado no restante do conto. Ver *Alteração a nomes*, p. 292.
11 Aqui termina o manuscrito a tinta; ver p. 267.
12 Ao lado dessa frase, meu pai escreveu uma instrução de que a história seria que o Nauglafring se enroscou nos arbustos e deteve o rei.
13 Um trecho rejeitado no manuscrito, neste ponto, fornece uma versão anterior dos acontecimentos, segundo a qual foi Gwendelin, e não Huan, quem levou as notícias a Beren:

> [...] e seu pranto amargo encheu a floresta. Ora, ali Gwendeling [*sic*] reuniu junto de si muitos dos Elfos da floresta dispersos, e deles ouviu como as coisas se deram, justo como ela suspeitara: como o grupo de caçadores fora cercado e sobrepujado pelos Nauglath enquanto os Indrafangs e os Orques abatiam-se de súbito com morte e fogo sobre todo o Reino de Tinwelint, e não era de menor monta a hoste de Ufedhin que matou os guardiões da ponte; e foi dito que Naugladur matara Tinwelint quando ele foi derrubado pelas multidões, e o povo achava que Narthseg, um Elfo selvagem, levara os inimigos até ali, e ele fora morto na luta.

> Então, sem ver esperança, Gwendelin e seus companheiros partiram com extrema velocidade daquela terra de tristeza até o reino de i-Guilwarthon em Hisilómë, onde reinavam Beren e Tinúviel, sua filha. Ora, Beren e Tinúviel não moravam em nenhuma moradia fixa, e nem tinha o seu reino fronteiras bem marcadas, e nenhum outro mensageiro, salvo Gwendelin filha dos Vali, teria com certeza encontrado esses dois, os mortos-que-vivem, tão prontamente.

Fica claro pelo manuscrito que o retorno de Mablung e Huan a Artanor e sua presença na caçada (mencionada em termos gerais no fim do *Conto de Tinúviel*, p. 54) foram acrescentadas ao conto, e com esse novo elemento juntou-se a mudança nos movimentos de Gwendelin imediatamente após o desastre. Mas embora a história textual seja aqui extremamente difícil de interpretar por conta de rasuras e acréscimos em folhas soltas, penso ser quase certo que essa reformatação foi feita enquanto a composição original do conto ainda progredia.

14 A primeira dessas lacunas que deixei no texto contém duas palavras, a primeira possivelmente "acreditar" e a segunda, provavelmente "melhor". Na segunda lacuna, a palavra poderia concebivelmente ser "palor".

15 Essa frase, a partir de "e não é aquela mesma água [...]", foi completamente riscada e posta entre colchetes, e na margem meu pai rabiscou: "Não, [?aquele] é o Narog."

16 A palavra ilegível talvez seja "berrou": a palavra "nítido" é uma emenda de "áspero".

17 "and told Beren" [e contou Beren], ou seja, "and Beren told" [e Beren contou]. O texto escrito inicialmente era "Then told Beren" [Então contou Beren].*

18 A palavra ilegível talvez seja "tesouro", mas não penso que seja.

19 *Dior* substituiu o nome *Ausir*, o qual ocorre abaixo, contudo, como um outro nome de Dior.

20 "Dior, o Elfo" é uma emenda de "Dior, na época um Elfo idoso".

21 A última parte desse nome está bem pouco clara: pode ser lido como *Maithog*, ou *Mailweg*. Ver *Alterações feitas a nomes*, verbete *Dinithel*.

Alterações feitas a nomes em
O Conto do Nauglafring

Ilfiniol (p. 268) aqui escrito dessa forma desde o começo: ver p. 241. *Gwenniel* é usado ao longo de toda a porção revisada do conto, exceto na última ocorrência (p. 275), em que a forma é *Gwendelin*. Na parte a lápis do conto, a primeira ocorrência do nome da rainha é novamente *Gwenniel* (p. 277), mas dali em diante sempre *Gwendelin* (ver nota 10).

O nome da rainha nos *Contos Perdidos* varia tanto quanto o de Coração-Pequeno. Em *O Acorrentamento de Melko* e em *A Vinda dos Elfos*, ela é *Tindriel* > *Wendelin*. No *Conto de Tinúviel*, ela é *Wendelin* > *Gwendeling* (ver p. 66); no texto datilografado de *Tinúviel*, *Gwenethlin* > *Melian*; no *Conto de Turambar*, *Gwendeling* > *Gwedheling*; no presente conto, *Gwendelin/Gwenniel* (a forma

---

*Christopher Tolkien está aqui explicando uma ambiguidade do inglês: "and told Beren" poderia, nesse contexto, significar tanto que Gwendelin contou a história a Beren quanto que Beren a contou para Gwendelin. [N. T.]

Gwendeling ocorre no trecho rejeitado incluído na nota 13); e, no dicionário gnômico, *Gwendeling* > *Gwedhiling*.
Belegost Na primeira ocorrência (p. 278), o manuscrito tem *Ost Belegost*, com *Ost* circulado, como se indicasse exclusão, e *Belegost* é o nome que aparece subsequentemente.
(*i.*)*Guilwarthon* No *Conto de Tinúviel*, p. 54, a forma é *i·Cuilwarthon*. Na ocorrência da p. 288, o final do nome não parece ser *-on*, mas como não consigo dizer o que é, coloquei *Guilwarthon* no texto.
Dinithel também poderia ser lido como *Durithel* (p. 289). O nome foi acrescentado depois a caneta por cima de um nome anterior a lápis, pouco legível agora, embora claramente seja o mesmo que aquele começado por *Mai* . . . . que aparece subsequentemente para o filho de Fëanor em questão (ver nota 21).

Comentário a
O Conto do Nauglafring

Neste comentário, não vou comparar em detalhes o *Conto do Nauglafring* com a narrativa em *O Silmarillion* (Capítulo 22, *Da Ruína de Doriath*). As histórias são profundamente diferentes nos elementos essenciais, sobretudo na redução do tesouro trazido por Húrin de Nargothrond a um único objeto, o Colar dos Anãos, que já existia há muito tempo (embora, é claro, sem conter a Silmaril), ao mesmo tempo em que a história da relação entre Thingol e os Anãos foi alterada. Meu pai nunca reescreveu qualquer parte desta história em uma escala remotamente comparável, e a formação do texto publicado foi de extrema dificuldade aqui. Espero relatá-la posteriormente.

Embora seja com frequência difícil diferenciar aquilo que meu pai omitiu em suas versões mais concisas (exatamente para mantê-las concisas) daquilo que ele rejeitou, parece claro que grande parte da elaborada narrativa do *Conto do Nauglafring* foi abandonada cedo. Em escritos subsequentes, a história da luta entre o bando de Úrin e os Elfos de Tinwelint desapareceu, e não há vestígio posterior de Ufedhin ou dos outros Gnomos que viviam entre os Anãos, da história de que os Anãos levaram metade do ouro virgem ("o empréstimo do rei") a Nogrod para fazer dela objetos preciosos, do cativeiro de Ufedhin, da recusa de Tinwelint em permitir que os Anões partissem, de suas exigências ultrajantes, seu açoitamento e do seu pagamento insultuoso.

Vemos aqui novamente a forte ênfase no amor de Tinwelint por tesouro e sua carência dele, em contraste com a concepção posterior de sua vasta riqueza (ver minhas observações, pp. 157–58). A Silmaril é guardada em uma arca de madeira (p. 271), Tinwelint não tem coroa, apenas uma guirlanda de folhas escarlates (p. 274), e suas vestes e seus apetrechos são muito menos ricos do que os de Ufedhin, o "viajante em seus paços". Isso por si só está bem — o Elfo da Floresta corrompido pelo encanto do esplendor dourado —, mas não há necessidade de observar novamente como essa representação está em estranha desarmonia com aquela de Thingol, Senhor de Beleriand, que tinha um vasto erário em seu maravilhoso reino subterrâneo de Menegroth, as Mil Cavernas, — ele mesmo em grande medida feito pelos Anãos de Belegost no passado distante (*O Silmarillion*, pp. 136–37) — e que certamente não precisou da ajuda dos Anãos, dessa vez, para lhe fazer uma coroa e uma fina espada, ou vasos para adornar seus banquetes. Na concepção posterior, Thingol é soberbo e severo; é também sábio e poderoso, e de estatura e conhecimento muito maiores por meio de sua união com uma Maia. Será possível que um rei assim tenha se rebaixado ao nível de um trapaceiro avarento como o representado no *Conto do Nauglafring*?

De fato, grande ênfase é colocada na enormidade do tesouro — "montes de ouro tamanhos jamais foram ajuntados num único lugar desde então", p. 269 —, que é descrito como sendo de tal vastidão que fica difícil acreditar que um bando de proscritos errantes conseguiria trazê-lo aos salões dos Elfos da floresta, mesmo considerando-se que "um tanto se perdeu no caminho" (p. 141). Há talvez alguma diferença aqui em relação à narrativa dos Rodothlim e suas obras no *Conto de Turambar* (p. 104), em que certamente não há sugestão de que os Rodothlim possuíam tesouros trazidos de Valinor — embora a ideia tenha sobrevivido a todas as vicissitudes dessa parte da história: diz-se do Senhor de Nargothrond em *O Silmarillion* (p. 165) que "Finrod trouxera mais tesouros de Tirion do que qualquer outro dos príncipes dos Noldor".

Mais importante, os elementos de "feitiço" e "maldição" são dominantes neste conto a tal ponto que quase se pode dizer que são os principais agentes. A maldição de Mîm sobre o ouro é sentida em cada reviravolta da narrativa. Vingá-lo é um dos motivos da decisão de Naugladur de atacar os Elfos de Artanor (p. 277).

Sua maldição se cumpre na "duradoura faida" entre os clãs dos Anãos (p. 283), da qual todos os vestígios foram apagados depois, quando se perdeu toda a história da intenção de Ufedhin de roubar o Colar de Naugladur enquanto ele dormia, da morte de Bodruith, Senhor de Belegost, e da luta entre os dois clãs dos Anãos. Naugladur estava "cego pelo feitiço" quando tomou um caminho tão imprudente para fora de Artanor (p. 284); e, por fim, o "feitiço de Mîm" é um elemento presente no ataque dos Fëanorianos a Dior (p. 289). Outro elemento importante no conto é a natureza perniciosa do Nauglafring, pois os Anãos o fizeram com amargura; e dentro do complexo de maldições e feitiços é introduzida também "a maldição do dragão sobre o ouro" (p. 287) e o "feitiço do dragão" (p. 289). Não se diz no *Conto de Turambar* que Glorund o havia amaldiçoado ou enfeitiçado; mas Mîm disse a Úrin (p. 140): "Pois Glorund refestelou-se por longos anos sobre ele, e a malignidade dos dracos de Melko está nele, e nenhum bem ele pode trazer a Homem ou Elfo". Muito notavelmente, Gwendelin dá a entender que a própria Silmaril fora profanada, pois "residiu na Coroa de Melko", contrariando a afirmação de Beren de que "sua sacralidade poderia vencer todos esses males" (p. 287). No mais tardio dos dois "esquemas" para os *Contos Perdidos* (ver I. 135, nota 3), conta-se que o Nauglafring "trouxe doença a Tinúviel".*

No entanto, por mais que os principais atores neste conto estejam "enfeitiçados" ou cumprindo cegamente as imposições misteriosas de uma maldição, não há dúvidas de que, na concepção original, os Anãos eram completamente mais ignóbeis do que se tornaram depois, mais propensos a fazerem o mal para atingirem os seus fins e mais exclusivamente impelidos pela ganância; o fato de que Doriath foi devastada por Orques mercenários a mando de pagadores anânicos (p. 230) seria incrível e impossível depois. É dito até mesmo que, pelos feitos de Naugladur, "os Anãos foram separados em faida para sempre dos Elfos desde aqueles dias, e levados à amizade mais próxima com a gente de Melko" (p. 278); e, nos esboços para o *Conto de Gilfanon*, os Nauglath são um povo maligno, aliados dos gobelins (I. 285). Em um esboço rejeitado para o *Conto do Nauglafring* (p. 168), o Colar foi feito por "certos Úvanimor (Nautar

---

*Está dito no dicionário gnômico que a maldição de Mîm foi "apaziguada" quando o Nauglafring se perdeu no mar; ver o Apêndice de Nomes, verbete *Nauglafring*.

ou Nauglath)", sendo que Úvanimor são definidos em outro lugar como "monstros, gigantes e ogros". Compare tudo isso com *O Senhor dos Anéis*, Apêndice F (I): "[os Anãos] não são maus por natureza, e poucos jamais serviram ao Inimigo de livre vontade, não importa o que tenham alegado as histórias dos Homens".

O relato acerca dos Anãos neste conto é de excepcional interesse em outros aspectos. "As barbas dos Indrafangs" foram mencionadas no "encanto de alongamento" de Tinúviel (pp. 31, 62); mas essa é a primeira descrição dos Anãos nos escritos de meu pai — já com a grafia que ele manteve apesar da incessante oposição dos revisores* — e eles são principalmente reconhecíveis por sua natureza obstinada e secreta, por sua "fealdade" (*O Silmarillion*, p. 163) e pelo seu "engenho maravilhoso para lidar com metais" (*ibid.*, p. 135). A estranha afirmação de que "jamais uma criança nasce entre eles" talvez deva ser relacionada à "tola opinião entre os Homens" mencionada em *O Senhor dos Anéis*, Apêndice A (III), "de que não há anãos mulheres, e de que os Anãos 'crescem da pedra'". No mesmo lugar se diz que "é por causa da escassez de mulheres entre eles que a gente dos Anãos cresce devagar".

Também se diz no conto que alguns pensam que os Anãos "não ouviram falar de Ilúvatar". Sobre o conhecimento dos Homens acerca de Ilúvatar, ver p. 252.

De acordo com o dicionário gnômico, *Indrafang* era "um nome especial dos *Nauglath* ou Anãos", mas no conto fica bem claro que os Barbas-longas eram, ao contrário, os Anãos de Belegost; os Nauglath eram os Anãos de Nogrod, com seu rei Naugladur. Deve-se admitir, contudo, que o uso dos termos é às vezes confuso, ou confundido: assim, a descrição dos Nauglath em p. 270 parece ser uma descrição de todos os Anãos, incluindo os Indrafangs, embora isso não possa ter sido intencional. A referência à "marcha dos Anãos e Indrafangs" (p. 282) deve ser entendida como uma elipse, ou seja: "dos Anãos de Nogrod e Indrafangs". Afirma-se que Naugladur de Nogrod e Bodruith de Belegost eram aparentados (p. 283), embora isso talvez signifique apenas que ambos eram Anãos, enquanto Ufedhin era Elfo.

---

*Isto é, a grafia *dwarves* [anãos] que Tolkien usava no lugar de *dwarfs* [anões]. Para uma explicação detalhada, ver *O Hobbit Anotado*, de Douglas A. Anderson, HarperCollins Brasil, 2021, p. 41. [N.T.]

Afirma-se no conto que a cidade-anânica de Nogrod fica "a grandíssima distância para o sul, além da vasta floresta nas fímbrias daquelas grandes charnecas perto de Umboth-muilin, as Lagoas do Crepúsculo, nas marcas de Tasarinan" (p. 271). Pode-se interpretar isso como se a própria Nogrod ficasse "nas fímbrias daquelas grandes charnecas perto de Umboth-muilin", mas acho que isso está fora de questão. Seria um lugar muito improvável para Anãos, que "moram debaixo do solo em cavernas e cidades de túneis, e outrora Nogrod era a mais magna delas" (p. 270). Embora não se mencione montanhas especificamente aqui em conexão com os Anãos, penso ser extremamente provável que meu pai, nessa época, concebeu as cidades deles como sendo nas montanhas, da maneira que vieram a ser depois. Ademais, não parece haver nada que contradiga a visão de que a configuração das terras nos *Contos Perdidos* era essencialmente similar à dos mapas inicial e tardio do "Silmarillion", e neles a indicação "grandíssima distância para o sul" é totalmente incompatível com a distância entre as Mil Cavernas e as Lagoas do Crepúsculo.

O significado deve ser, portanto, simplesmente que ficava "a grandíssima distância para o sul, além da vasta floresta", e o que se segue diz respeito à localização da floresta e não de Nogrod, sendo que a floresta é, de fato, a Floresta de Artanor.

As Lagoas do Crepúsculo são descritas em *A Queda de Gondolin*, mas o nome élfico não aparece ali (ver pp. 236, 262).

Não fica claro se Belegost era perto ou longe de Nogrod. Afirma-se nessa passagem que o ouro deveria ser levado embora "até Nogrod, às moradas dos Anãos", mas depois (p. 271) os Indrafangs são descritos com o "um clã dos Anãos que morava em outros reinos".

Em sua associação com os Anãos, Ufedhin lembra Eöl, pai de Maeglin, de quem se diz em *O Silmarillion* (p. 188) que "pelos Anãos tinha mais gosto do que qualquer outro do povo-élfico de outrora"; e ver *ibid.*, p. 135: "Poucos dos Eldar jamais foram a Nogrod e Belegost, salvo Eöl de Nan Elmoth e Maeglin, seu filho". Na versão inicial da história de Eöl e Isfin (mencionada em *A Queda de Gondolin*, p. 201), Eöl não está associado aos Anãos. No presente conto, há menção a grande comércio dos Anãos "com os Noldoli livres" (e com os serviçais de Melko) naqueles dias: podemos nos perguntar quem eram esses Noldoli livres, já que os Rodothlim haviam sido destruídos e Gondolin estava oculta. Talvez isso se refira aos filhos de Fëanor, ou a Egnor, pai de Beren (ver p. 85).

A ideia de que os Anãos de Nogrod é que estavam primariamente envolvidos na ruína de Doriath sobreviveu na narrativa posterior, mas eles ficaram sozinhos, e os Anãos de Belegost explicitamente lhes negaram ajuda (*O Silmarillion*, p. 313).

Passando agora para os Elfos, aqui Beren ainda é evidentemente um Elfo (ver p. 171), e no seu segundo período de vida ele é o governante, em Hithlum-Hisilómë, de um povo élfico tão numeroso que "nem mesmo Beren sabia a história dessa miríade de gente" (p. 282); eles são chamados de "Elfos verdes" e "os Elfos pardos e os verdes", pois o povo era "trajado todo de verde e pardo", e Dior os governou em Hithlum depois da partida final de Beren e Tinúviel. Quem são eles? Está longe de ser clara a maneira com que devem ser encaixados na concepção dos Elfos das Grandes Terras que aparece em outros Contos. Podemos comparar com o trecho em *A Vinda dos Elfos* (I. 148–49):

Muito depois de o júbilo de Valinor ter tornado essa lembrança esmaecida [ou seja, a lembrança da jornada através de Hisilómë], os Elfos ainda cantavam dela tristemente, e contavam contos de muitos de sua gente que diziam, e dizem, terem se perdido naquelas antigas florestas e que vagavam sempre pesarosos por elas. E ainda estavam lá muito depois, quando os Homens foram presos em Hisilómë por Melko, e ainda hoje dançam lá, tendo os Homens vagado para longe, por lugares mais iluminados da Terra. Hisilómë foi chamada pelos Homens de Aryador, e os Elfos Perdidos eles chamaram de Povo da Sombra, e os temiam.

Mas naquele conto a concepção ainda era a de que Tinwelint governava os "Elfos desgarrados de Hisilómë", e nos esboços para o *Conto de Gilfanon* o "Povo da Sombra" deixou de ser composto por Elfos (ver p. 83). De todo modo, a expressão "Elfos verdes", somada ao fato de que na história posterior foram os Elfos-verdes de Ossiriand que Beren liderou na emboscada aos Anãos em Sarn Athrad (*O Silmarillion*, p. 315), mostra qual povo élfico eles haveriam de se tornar, ainda que não haja ainda indício de Ossiriand para lá do rio Gelion e da história da origem dos Laiquendi (*ibid.*, pp. 138, 141).

Era inevitável que "a terra dos mortos que vivem" deixasse de ser em Hisilómë (que parecia correr o risco de ficar superpopulosa), e uma nota no manuscrito do *Conto do Nauglafring* diz: "Beren deve estar em 'Doriath além do Sirion' em uma . . . . . não em Hithlum". Doriath além do Sirion era a região chamada em *O Silmarillion* (p. 174) de Nivrim, a Marca Oeste, os bosques na margem oeste do rio entre o encontro do Teiglin e do Sirion e os Alagados do Crepúsculo, Aelin-uial. No *Conto de Tinúviel*, Beren e Tinúviel, chamados de i·Cuilwarthon, "tornaram-se fadas poderosas nas terras junto ao norte de Sirion" (p. 55).

Gwendelin/Gwenniel parece uma figura um tanto frágil e ineficaz em comparação a Melian de *O Silmarillion*. É possível que um aspecto disso seja a proteção muito mais débil que a magia dela provê para o reino de Artanor em relação à da muralha impenetrável e dos labirintos de engano do Cinturão de Melian (ver p. 82). Mas a natureza da proteção é muito obscura na concepção antiga. No *Conto do Nauglafring*, a chegada dos Anãos de Nogrod só se torna conhecida quando eles se aproximam da ponte diante das cavernas de Tinwelint (p. 272); por outro lado, afirma-se (p. 277) que a "magia tecida" por Gwendelin era uma defesa contra "homens de coração hostil" que jamais encontrariam o caminho pelas matas a não ser que fossem auxiliados por um traidor de dentro. Talvez isso sirva de explicação para como os Anãos, trazendo o tesouro de Nogrod, conseguiram entrar nos paços de Tinwelint sem obstáculo e, aparentemente, sem serem detectados (ver também a chegada do bando de Úrin no *Conto de Turambar*, p. 140). Na verdade, a magia protetora foi facilmente — muito facilmente — sobrepujada pelo simples artifício de um único Elfo de Artanor traidor que "se ofereceu para conduzir aquela hoste através das magias de Gwendelin". Evidentemente isso não era satisfatório, mas não vou me aprofundar nesta questão aqui. Dificuldades extraordinárias na estrutura narrativa foram causadas por esse elemento da inviolabilidade de Doriath, como espero descrever futuramente.

Pode-se pensar que a história da submersão do tesouro no Vau Pedregoso (caindo nas águas do rio junto com os Anãos que o carregavam) evoluiu do que se diz na conclusão rejeitada do *Conto de Turambar* (p. 167) — Tinwelint, "ouvindo a maldição [que Úrin colocou no tesouro], fez com que o ouro fosse lançado num profundo remanso do rio diante de suas portas". No *Conto do Nauglafring*, contudo, influenciado pelas palavras agourentas da rainha, Tinwelint tem a mesma intenção de fazê-lo, mas acaba não realizando seu propósito (p. 269).

O relato da segunda partida de Beren e Tinúviel (p. 288) traz novamente à tona a questão extremamente complicada do fado peculiar que lhes foi decretado pelo édito de Mandos, o qual discuti nas p. 79. Ali, sugeri que

a peculiar dispensa de Mandos no caso de Beren e Tinúviel, conforme concebida aqui, é de que o destino completamente "natural" como Elfos foi alterado: tendo morrido da maneira que os Elfos podem morrer (de ferimentos ou pesar), eles não renasceram como novos seres, mas retornaram de Mandos como eles mesmos — mas agora "mortais, bem como os Homens".

Aqui, contudo, Tinúviel "minguou" e desapareceu na floresta, e Beren buscou por ela em toda Hithlum e Artanor, até que ele também "se apagasse da vida". Visto que esse apagamento é aqui muito explicitamente o modo pelo qual a "sina da mortalidade que Mandos proferira" abateu-se sobre eles (p. 288), é bastante notável que esse modo seja comparado — e até mesmo, ao que parece, identificado — com o desvanecer dos "Elfos de dias posteriores por todo o mundo", como se na ideia original o minguar dos Elfos fosse uma forma de mortalidade. De fato, isso é afirmado explicitamente em uma versão posterior.

Os sete Filhos de Fëanor, seu juramento (feito não em Valinor, mas depois da chegada dos Noldoli às Grandes Terras), e a mutilação de Maidros aparecem nos esboços do *Conto de Gilfanon*; e no mais tardio desses esboços, os Fëanorianos são colocados em Dor Lómin (= Hisilómë, Hithlum), ver I. 286–87, 289, 293. Aqui no *Conto do Nauglafring* surgem pela primeira vez os nomes dos Filhos de Fëanor, cinco dos quais (Maidros, Maglor, Celegorm, Cranthor, Curufin) já no formato, ou quase no formato, em que permaneceriam, e Curufin já tem a alcunha "o Matreiro". Os nomes Amrod e Amras em *O Silmarillion* foram uma alteração tardia: por muito tempo esses dois filhos de Fëanor foram Damrod (como aqui) e Díriel (aqui Dinithel ou Durithel, ver *Alterações a nomes*, p. 293).

Ademais, aqui aparece Dior, o Belo — também chamado de Ausir, o Opulento — e sua filha Elwing; seu filho Auredhir desapareceu cedo no desenvolvimento das lendas. Mas Dior governava nos "vales do sul" (p. 289) de Hisilómë e não em Artanor, e não há indício de qualquer renovação do reino de Tinwelint após sua morte, em contraste com o que se diz depois (*O Silmarillion*, p. 316); ademais, os Fëanorianos, como se observou anteriormente, também moravam em Hisilómë, mas sou incapaz de dizer como isso pode ser relacionado ao que se diz dos habitantes dessa região (ver o *Conto de Tinúviel*, p. 21: "Hisilómë onde moravam Homens e onde Noldoli escravizados laboravam, e aonde poucos Eldar livres iam").

Uma afirmação muito curiosa é feita na porção final do conto, que "aqueles foram dias de felicidade nos vales de Hithlum, pois havia paz com Melko e os Anãos que tinham somente um pensamento enquanto tramavam contra Gondolin" (p. 289). Presumivelmente "paz com Melko" significa apenas que Melko desviara sua atenção daquelas terras; mas em nenhum outro lugar há qualquer referência aos Anãos tramando contra Gondolin.

Na versão datilografada do *Conto de Tinúviel* (p. 57), afirma-se que se Turgon, Rei de Gondolin, era o mais glorioso dentre os reis dos Elfos que desafiavam Melko, "por um tempo o mais poderoso *e o que permaneceu por mais tempo livre* era Thingol das Florestas". A interpretação mais natural dessa expressão é, certamente, que Gondolin caiu antes de Artanor, enquanto em *O Silmarillion* (p. 321) "Notícias foram trazidas por Thorondor, Senhor das Águias, sobre a queda de Nargothrond e, depois, sobre a morte de Thingol e de Dior, seu herdeiro, e sobre a ruína de Doriath; mas Turgon fechou seus ouvidos ao que se dizia das dores do mundo lá fora". No presente conto, vemos a mesma cronologia, pois muitos dos Elfos que seguiam Beren foram, após sua partida, para Gondolin, "o rumor de cujo poder e glória crescentes corria em sussurros secretos entre todos os Elfos" (p. 288), embora aqui se afirme que a destruição de Gondolin aconteceu no exato dia em que Dior foi atacado pelos Filhos de Fëanor (p. 290). Assim, para evitar essa discrepância, devemos entender que o trecho no *Conto de Tinúviel* quer dizer que Thingol permaneceu livre por um período maior de anos do que Turgon, sem levar em consideração as datas de suas quedas.

Por fim, as afirmações de que Cûm an-Idrisaith, o Morro da Avareza, "está lá ainda em Artanor" (p. 269) e de que as águas do Aros ainda fluem por sobre o tesouro submerso (p. 286) são notáveis como indicação de que nada comparável à Submersão de Beleriand estava presente na concepção original.

∽ 5 ∾

O Conto de Eärendel

O "verdadeiro começo" do *Conto de Eärendel* seria a estadia dos Lothlim na foz do Sirion (o ponto em que *A Queda de Gondolin* termina: "e, belo entre os Lothlim, Eärendel cresce na casa de seu pai", p. 237) e a chegada de Elwing até lá (o ponto em que o *Conto do Nauglafring* termina: "partiram para sempre das clareiras de Hithlum e rumaram para o sul, para as águas fundas do Sirion, e para as terras amenas. E assim todos os destinos das fadas foram então entretecidos em um filamento, e esse filamento é o grande conto de Eärendel; e ao verdadeiro começo desse conto chegamos agora", p. 290). Contudo, a questão se complica, como se verá num instante, pois meu pai também fez do *Nauglafring* a primeira parte do *Conto de Eärendel*.

Mas o grande conto jamais foi escrito e, para saber a história como ele a concebia então, dependemos completamente de esboços muito condensados e frequentemente contraditórios. Há também muitas notas isoladas e os muito antigos poemas sobre Eärendel. Enquanto os poemas podem ser datados com precisão, as notas e esboços não podem, e não parece possível arranjá-los em uma ordem de modo a fornecer uma linha clara de desenvolvimento.

Um dos esboços do *Conto de Eärendel* é o mais antigo de dois "esquemas" para os *Contos Perdidos*, os quais formam o material principal para o *Conto de Gilfanon*; e repito aqui o que disse sobre isso na primeira parte (I. 280):

> Não há dúvidas de que [o primeiro dos dois esquemas] foi composto quando os *Contos Perdidos* haviam chegado ao último ponto de desenvolvimento, conforme representado pelos textos e arranjos finais incluídos neste livro. Ora, quando esse esboço chega ao assunto do *Conto de Gilfanon*, ele imediatamente se torna muito mais completo, mas, então, contrai-se novamente na forma de referências apressadas aos contos de Tinúviel, Túrin, Tuor, o Colar dos Anãos e, uma vez mais, avoluma-se no conto de Eärendel.

Esse esquema B (como continuarei a chamá-lo) fornece um plano narrativo coerente, ainda que muito apressado, e divide a história em sete partes, das quais a primeira (assinalada como "Contado") é "O Nauglafring até a fuga de Elwing". Essa divisão em sete partes é mencionada por Coração-Pequeno no início de *A Queda de Gondolin* (p. 177-78):

É um magno conto, e sete vezes o povo há de se reunir no Fogo-do-Conto até que ele seja contado apropriadamente; e é tão entretecido com as estórias do Nauglafring e da Marcha dos Elfos que, para contá-lo, eu gostaria do auxílio [...]

Se as seis partes seguintes ao *Conto do Nauglafring* tivessem comprimentos equiparáveis, o *Conto de Eärendel* inteiro teria tido cerca da metade da extensão de todos os contos que de fato foram escritos; mas meu pai jamais retornou depois a ele em escala abrangente.

Incluo agora a parte que conclui o Esquema B.

O Conto de Eärendel começa, no qual estão entretecidos o Nauglafring e a Marcha dos Elfos. Para mais detalhes, ver o Caderno C.*

Primeira parte. O conto do Nauglafring até a fuga de Elwing.

Segunda parte. A habitação no Sirion. Chegada de Elwing até lá, e o seu amor e de Eärendel quando eram crianças. Envelhecimento de Tuor — sua partida secreta em Ala-de-cisne seguindo as conchas de Ulmo.

Eärendel iça velas para o Norte buscando Tuor, e até a Mandos se for preciso. Navega em Eärámë. Naufraga. Ulmo aparece. Salva-o, ordenando-lhe que navegue até Kôr — "pois para isto foste retirado da Ruína de Gondolin".

Terceira parte. Segunda tentativa de Eärendel de chegar a Mandos. Destruição de Falasquil e resgate pelos Oarni.[1] Avista a Ilha das Aves Marinhas "aonde de tempos em tempos vão todas as aves de todas as águas". Volta ao Sirion por terra.

---

*Para o "Caderno C", ver p. 304.

Idril desapareceu (içou velas à noite). As conchas de Ulmo chamam Eärendel. Último adeus de Elwing. Construção de Wingilot.

Quarta parte. Eärendel navega para Valinor. Suas muitas errâncias que ocupam vários anos.

Quinta parte. Chegada das aves de Gondolin a Kôr com notícias. Alvoroço dos Elfos. Concílios dos Deuses. Marcha dos Inwir (morte de Inwë), Teleri e Solosimpi.
 Ataque ao Sirion e cativeiro de Elwing.
 Pesar e ira dos Deuses, e um véu baixado entre Valmar e Kôr, pois os Deuses não se dispõem a destrui-la, mas não suportam olhar para ela.
 Chegada dos Eldar. Melko atado. Partida para a Ilha Solitária. Maldição do Nauglafring e morte de Elwing.

Sexta parte. Eärendel alcança Kôr e a encontra vazia. Parte para casa pesaroso (e avista Tol Eressëa e a frota dos Elfos, mas um grande vento e escuridão o levam para longe, e perde o caminho e viaja para o leste).
 Chegando afinal ao Sirion, encontra-o vazio. Vai para as ruínas de Gondolin. Ouve notícias. Navega para Tol Eressëa. Navega para a Ilha das Aves Marinhas.

Sétima parte. Sua viagem para o firmamento.

Escrito ao final do texto está: "Rest[ante] do Esquema no Caderno C". Essas referências, no Esquema B, ao "Caderno C" são ao caderninho que data de 1916–17, mas que foi usado para notas e sugestões durante todo o período dos *Contos Perdidos* (ver I. 208). No começo dele há um esboço (chamado aqui de "C"), intitulado "Conto de Eärendel, filho de Tuor", que está em bastante harmonia com o Esquema B:

- Eärendel mora com Tuor e Irildë[2] na foz do Sirion junto ao mar (nas Ilhas do Sirion). Elwing dos Gnomos de Artanor[3] foge para eles com o Nauglafring. Eärendel e Elwing amam um ao outro quando crianças.
- Grande amor de Eärendel e Tuor. Tuor envelhece, as conchas de Ulmo no longínquo oeste sobre o mar chamam por ele cada vez

mais alto, até que numa noite ele parte em seu barco iluminado de crepúsculo com velas roxas, Ala-de-cisne, Alqarámë.[4] Idril o vê tarde demais. A canção dela na praia do Sirion.
- Pesar de Eärendel e Idril quando ele não retorna. Eärendel (instado também por Idril, que é imortal) deseja içar velas em busca dele, mesmo até Mandos. [*Acréscimo na margem*:] Maldição do Nauglafring recai sobre suas viagens. Ossë é seu inimigo.
- Fiorde da Sereia. Naufrágio. Ulmo aparece no naufrágio e os salva, dizendo-lhes que ele deve ir até Kôr e foi salvo por isso.
- Pesar de Elwing quando descobre a ordem de Ulmo. "Pois homem nenhum pode trilhar as ruas de Kôr ou deitar os olhos sobre os lugares dos Deuses e morar outra vez em paz nas Terras de Fora".
- Eärendel parte assim mesmo e naufraga pelo ardil de Ossë, e é salvo apenas pelas Oarni (que o amam) com Voronwë e arrastado até Falasquil.
- Eärendel volta por terra com Voronwë. Descobre que Idril desapareceu.[5] Seu pesar. Roga a Ulmo e ouve as conchas. Ulmo ordena que construa um novo e maravilhoso navio da madeira de Tuor vinda de Falasquil. Construção de Wingilot.

Há quatro itens intitulados "Acréscimos" nesta página do caderno:

- Construção de Eärámë (Ala-de-águia).
- Os Noldoli somam sua súplica à ordem de Ulmo.
- Eärendel visita a primeira habitação de Tuor em Falasquil.
- A viagem até Mandos e os Mares Gélidos.

O esboço continua:

- Voronwë e Eärendel içam velas em Wingilot. Levados para o sul. Regiões sombrias. Montanhas de fogo. Homens-árvores. Pigmeus. Sarqindi ou ogros-canibais.
- Levados para oeste. Ungweliantë. Ilhas Mágicas. Ilha [*sic*] do Crepúsculo. O gongo de Coração-Pequeno desperta o Adormecido na Torre de Pérola.[6]
- Kôr é encontrada. Vazia. Eärendel lê contos e profecias nas águas. Desolação de Kôr. Os sapatos de Eärendel e ele próprio ficam empoados com poeira de diamante, de modo que refulgem.

- Aventuras de volta para casa. Levados para o leste — os desertos e palácios rubros onde mora o Sol.[7]
- Chega ao Sirion apenas para encontrá-lo saqueado e vazio. Eärendel desesperado vaga com Voronwë e chega às ruínas de Gondolin. Homens desgraçados estão acampados ali. Também Gnomos ainda procurando por gemas perdidas (ou alguns Gnomos voltaram a Gondolin).
- Do atamento de Melko.[8] As guerras com os Homens e a partida para Tol Eressëa (os Eldar incapazes de suportar a contenda do mundo). Eärendel navega para Tol Eressëa e fica sabendo da submersão de Elwing e do Nauglafring. Elwing se torna uma ave marinha. O pesar dele é muito grande. Seus trajes e seu corpo brilham como diamantes, e seu rosto está em flama prateada devido ao pesar e ....
- Iça velas com Voronwë e habita na Ilha das Aves Marinhas nas águas do norte (não muito longe de Falasquil) — e ali espera que Elwing retorne entre as aves marinhas, mas ela o está buscando, gritando por todas as praias e especialmente em meio aos destroços de navios.
- Depois de três vezes sete anos, ele navega novamente aos salões de Mandos com Voronwë — chega até lá porque [?apenas] os que ainda .... e haviam sofrido podem fazê-lo — Tuor se foi para Valinor e nada se sabe de Idril ou de Elwing.
- Chega à barra na margem do mundo e iça velas em oceanos do firmamento para olhar sobre a Terra. O marinheiro da Lua o persegue por seu brilho e ele se mete pela Porta da Noite. De como ele não pode retornar agora ao mundo, ou morrerá.
- Encontrará Elwing na Partida Afora.

Tuor e Idril, dizem alguns, agora navegam no Ala-de-cisne e podem ser vistos céleres pelo vento na aurora e no ocaso.

Acontecimentos coevos ao Conto de Eärendel

- Assalto ao Sirion pelos Orques de Melko e cativeiro de Elwing.
- Aves contam aos Elfos sobre a Queda de Gondolin e os horrores do fado dos Gnomos. Conselhos dos Deuses e alvoroço dos Elfos. Marcha dos Inwir e Teleri. Os Solosimpi partem também, mas seguem ao longo de todas as praias do mundo, pois relutam em ficar longe do som do mar — e somente consentem em ir

com os Teleri sob essas condições — pois os Noldoli mataram alguns de sua gente em Kópas.

Esse esboço então passa para os eventos após a chegada dos Elfos de Valinor às Grandes Terras, os quais serão considerados no capítulo seguinte.

Embora muito mais completo, parece haver pouca coisa em C que seguramente contradiz B, e há elementos neste que estão ausentes naquele. Faço a discussão desses esboços seguindo a divisão do conto conforme B.

Segunda Parte. Um pouco mais é dito em C sobre a partida de Tuor do Sirion (em B não há menção a Idril), e aparece o motivo da hostilidade de Ossë em relação a Eärendel e a maldição do Nauglafring como instrumental nos seus naufrágios. O lugar do primeiro naufrágio é chamado de Fiorde da Sereia. A palavra "os" em vez de "o" em "Ulmo *os* salva" está clara no manuscrito, o que possivelmente sugere que Idril ou Elwing (ou ambas) estavam com Eärendel.

Terceira parte. Em B, a segunda viagem de Eärendel, assim como a primeira, é explicitamente uma tentativa de chegar até Mandos (buscando seu pai), enquanto em C parece que a segunda viagem é empreendida para cumprir a ordem de Ulmo de que ele deveria navegar até Kôr (para tristeza de Elwing). Em C, Voronwë é nomeado como companheiro de Eärendel na segunda viagem, que terminou em Falasquil, mas a Ilha das Aves Marinhas não é mencionada nesse ponto. Em C, Wingilot foi construída "da madeira de Tuor vinda de Falasquil"; em *A Queda de Gondolin*, a madeira de Tuor era cortada para ele pelos Noldoli nas florestas de Dor Lómin e posta para flutuar descendo o rio oculto (p. 186).

Quarta parte. Enquanto B simplesmente faz menção às "muitas errâncias [de Eärendel] que ocupam vários anos" em sua busca por Valinor, C inclui alguns vislumbres de quais elas seriam, conforme Wingilot foi levada para o sul e depois para o oeste. O encontro com Ungweliantë na viagem para o oeste é curiosa: está dito em *O Conto do Sol e da Lua* que "Melko detinha o Norte e Ungweliant, o Sul" (ver I. 220, 241).

Em C, vemos novamente o Adormecido na Torre de Pérola (que se diz ser Idril, embora isso tenha sido riscado, nota 6), que o gongo de Coração-Pequeno desperta. Ver o relato sobre Coração-Pequeno em *O Chalé do Brincar Perdido* (I. 26):

Navegou em Wingilot com Eärendel naquela última viagem em que buscaram Kôr. Foi o soar de seu Gongo nos Mares Sombrios que despertou o Adormecido na Torre de Pérola que fica ao longínquo oeste das Ilhas do Crepúsculo.

Em *A Vinda dos Valar*, está dito que as Ilhas do Crepúsculo "flutuam" nos Mares Sombrios "e a Torre de Pérola se ergue pálida no cabo mais ocidental" (I. 89; ver I. 156). Mas em C não há outra menção a Coração-Pequeno, filho de Voronwë, como companheiro de Eärendel, embora se diga no esboço, em uma frase rejeitada, que ele estava presente nas Fozes do Sirion (ver nota 5) e, no *Conto do Nauglafring* (p. 274), Ailios diz que ninguém que ainda estivesse vivo vira o Nauglafring, "salvo apenas Coração-Pequeno, filho de Bronweg" (nessa frase, "salvo apenas" é uma correção de "nem mesmo").

Quinta e sexta parte. Em C, encontramos a imagem dos sapatos de Eärendel brilhando com o pó dos diamantes em Kôr, uma imagem que haveria de sobreviver (*O Silmarillion*, p. 330):

Andou pelos caminhos desertos de Tirion, e a poeira em sua vestimenta e seus sapatos era uma poeira de diamantes, e ele brilhava e faiscava enquanto subia as longas escadas brancas.

Mas, em *O Silmarillion*, Tirion estava deserta porque era "um tempo de festival, e quase todas as gentes-élficas tinham ido para Valimar ou haviam se reunido nos salões de Manwë, no alto de Taniquetil"; por outro lado, parece que aqui está fortemente subentendido, tanto em B quanto em C, que Kôr estava vazia porque os Elfos de Valinor haviam partido para as Grandes Terras devido às notícias trazidas pelas aves de Gondolin. Nesses esquemas narrativos muito antigos, não há menção a Eärendel falando com os Valar como embaixador de Elfos e Homens (*O Silmarillion*, p. 331), e só podemos concluir — por mais extraordinária que essa conclusão seja — que a grande viagem de Eärendel para o oeste, ainda que ele tenha chegado ao seu destino, foi infrutífera, que ele não foi o agente do auxílio que de fato chegou de Valinor aos Elfos das Grandes Terras e (o mais curioso) que os desígnios de Ulmo para Tuor não tiveram consequência. De fato, meu pai realmente escreveu na versão de 1930 de "O Silmarillion":

Assim foi que os muitos emissários dos Gnomos em dias que vieram depois jamais alcançaram Valinor — salvo um, e ele chegou tarde demais.

As palavras "e ele chegou tarde demais" foram alteradas para "o mais poderoso marinheiro das canções", e é essa a frase que se encontra em *O Silmarillion*, p. 149. Infelizmente, nunca fica claro nos primeiros escritos qual era o propósito de Ulmo ao mandar que Eärendel navegasse até Kôr, propósito pelo qual ele fora salvo da ruína de Gondolin. Para além do que realmente aconteceu depois da chegada das notícias de Gondolin — a Marcha dos Elfos para as Grandes Terras —, o que ele teria conquistado caso tivesse chegado "a tempo" em Kôr? Em uma nota curiosa em C, não associada ao presente esboço, meu pai perguntou: "Como os mensageiros do Rei Turgon chegaram a Valinor ou conseguiram a anuência dos Deuses?"; e respondeu: "Seus mensageiros nunca chegaram até lá. Ulmo [sic] mas os pássaros trouxeram notícias aos Elfos do fado de Gondolin (as pombas e pombos de Turgon) e eles [?se armam e marcham]."

A chegada da mensagem foi seguida por "concílios [em C, 'conselhos'] dos Deuses e o alvoroço dos Elfos", mas nada se diz em C acerca do "pesar e ira dos Deuses" ou do "véu baixado entre Valmar e Kôr", mencionados em B: a explicação para isso certamente só pode ser que a Marcha dos Elfos saindo de Valinor foi empreendida em oposição direta à vontade dos Valar e que os Valar se opunham asperamente à intervenção dos Elfos de Valinor nos acontecimentos das Grandes Terras. Bem poderia haver uma conexão aqui com as palavras de Vairë (I. 31): "quando as fadas deixaram Kôr, aquela vereda [ou seja, a Olórë Mallë que passava pelo Chalé do Brincar Perdido] *foi bloqueada para sempre com grandes rochas intransponíveis*". Além dessa, há somente uma referência em outro lugar ao efeito da mensagem que chegou do outro lado do mar, qual seja as palavras de Lindo a Eriol em *O Chalé do Brincar Perdido* (I. 27):

Inwë, a quem os Gnomos chamam Inwithiel [...] foi Rei de todos os Eldar quando moravam em Kôr. Isso foi nos dias antes de Inwë, ouvindo o lamento do mundo [ou seja, as Grandes Terras], levá-los adiante para as terras de Homens.

Posteriormente, Meril-i-Turinqi disse a Eriol (I. 160) que Inwë, pai de seu avô, pereceu "naquela marcha para o mundo", mas Ingil, filho dele, "há muito voltou para Valinor e está com Manwë"; e há uma referência à morte de Inwë em B.

Em C, os Solosimpi só concordaram em acompanhar a expedição com a condição de permanecerem perto do mar, e a relutância do Terceiro Clã por causa do Fratricídio em Porto-cisne sobreviveu (*O Silmarillion*, p. 333). Mas não há sugestão de que os Elfos de Valinor foram transportados de navio; ao contrário, pois os Solosimpi "seguem ao longo de todas as praias do mundo", e a expedição é uma "Marcha", embora não haja indicação de como eles chegaram às Grandes Terras.

Ambos os esboços mencionam que Eärendel foi impelido para o leste em sua viagem a partir de Kôr de volta para casa, e que encontrou as habitações na foz do Sirion devastadas quando finalmente retornou; mas B não diz quem foi responsável pelo saque e pela captura de Elwing. Em C, foi um assalto por Orques de Melko; ver o verbete na Lista de Nomes em *A Queda de Gondolin* (p. 260): "*Egalmoth* [...] escapou do incêndio de Gondolin, e habitou depois na foz do Sirion, mas foi morto ali em uma horrenda batalha quando Melko capturou Elwing".

Nenhum dos dois esboços fala da fuga de Elwing do cativeiro. Ambos mencionam a volta de Eärendel às ruínas de Gondolin — em C, ele retorna com Voronwë e encontra Homens e Gnomos; outro verbete na Lista de Nomes de *A Queda de Gondolin* (p. 260) fala disso: "*Galdor* [...] conseguiu sair de Gondolin e até mesmo do assalto de Melko aos habitantes da foz do Sirion, e voltou às ruínas com Eärendel."

Os dois esboços falam da partida dos Elfos das Grandes Terras para Tol Eressëa após o atamento de Melko, e C acrescenta uma menção a "guerras com os Homens" e à incapacidade dos Eldar "de suportar a contenda do mundo", e ambos fazem referência à subsequente partida de Eärendel para lá; mas a ordem dos eventos parece diferente: em B, Eärendel, na viagem de volta de Kôr, "avista

Tol Eressëa e a frota dos Elfos" (presumivelmente as frotas retornando das Grandes Terras), enquanto em C a partida dos Elfos não é mencionada até depois da volta de Eärendel ao Sirion. Mas não é possível representar a natureza desses esboços em um livro impresso: foram escritos em grande velocidade, capturando pensamentos fugidios, e não se pode exigir demais deles. No entanto, B e C parecem claramente divergir quanto ao fado de Elwing: em B há uma simples referência à morte dela, aparentemente associada à maldição do Nauglafring e, a julgar pela ordem com que os eventos estão dispostos, pode-se presumir que a morte dela se deu na jornada para Tol Eressëa; C faz menção específica à "submersão" de Elwing e do Nauglafring — mas diz que Elwing se tornou uma ave marinha, ideia que sobreviveu (*O Silmarillion*, pp. 328–29). Isso provavelmente dá mais sentido para a viagem de Eärendel à Ilha das Aves Marinhas mencionada tanto em B quanto em C: nesse último, ele "espera que Elwing retorne entre as aves marinhas".

Sétima parte. Em B, a parte conclusiva do conto é meramente resumida nas palavras "Sua viagem para o firmamento", com uma referência ao outro esboço, C, no qual temos alguns vislumbres de uma narrativa. Parece haver uma sugestão de que o brilho de Eärendel (sem ligação com a Silmaril) vinha da "poeira de diamante" de Kôr, mas também, em certo sentido, da exaltação de seu pesar. Um rabisco isolado em outro lugar de C coloca a pergunta: "O que aconteceu com as Silmarils depois da captura de Melko?" Meu pai não deu resposta à pergunta nesse momento; mas a pergunta é por si só um testemunho da importância relativamente pequena das joias de Fëanor, ainda que talvez também um sinal de sua consciência de que isso não seria para sempre, de que havia nelas um significado central para a mitologia que ainda estava para ser descoberto.

Parece também que Eärendel navegou rumo ao céu em uma busca contínua por Elwing ("iça velas em oceanos do firmamento para olhar sobre a Terra"); e que sua passagem pela Porta da Noite (a entrada feita pelos Deuses na Muralha das Coisas no Oeste, ver I. 260) não foi planejada, mas se deu porque ele estava sendo perseguido pela Lua. Compare essa última ideia com I. 232, onde se diz que Ilinsor, timoneiro da Lua, "caça as estrelas".

O último dos dois esquemas para os *Contos Perdidos*, que dá um esboço bem substancial para o *Conto de Gilfanon*, lá chamado de "D" (ver I. 281), não nos ajuda aqui, pois o trecho que o encerra é muito condensado, parcialmente apagado, e termina abruptamente logo no início do *Conto de Eärendel*. Coloco-o aqui, começando num ponto ligeiramente anterior na narrativa:

Da morte de Tinwelint e fuga de Gwenethlin [ver p. 68]. Como Beren vingou Tinwelint e como o Colar passou a ser seu. Como ele trouxe doença a Tinúviel [ver p. 295] e como Beren e Tinúviel minguaram da Terra. Como seus filhos* [*sic*] habitaram depois deles e como os filhos de Fëanor os atacaram com uma hoste por causa da Silmaril. Como foram todos mortos, mas Elwing, filha de Daimord [ver p. 171], filho de Beren, fugiu com o Colar.
    Do navio de Tuor com velas brancas.

Como o povo dos Lothlim habitou na Foz do Sirion. Eärendel tornou-se o mais belo de todos os Homens que já existiram ou existem. Como as sereias (Oarni) o amavam. Como Elwing chegou até os Lothlim, e sobre o amor de Elwing e Eärendel. Como Tuor envelheceu, e como Ulmo o chamou numa noite e ele partiu pelas águas e se perdeu. Como Idril foi a nado atrás dele.
    (Na passagem seguinte, meu pai parece ter escrito primeiro: "Eärendel. . . . . . . Oarni, construiu Wingilot e partiu em busca de . . . . deixando Voronwë com Elwing", em que a primeira lacuna talvez dissesse "com a ajuda de", embora nada esteja agora visível; mas ele então escreveu "Eärendel construiu Ala-de-cisne", e então apagou parcialmente o trecho: é impossível ver agora qual era a sua intenção).
    O lamento de Elwing. Como Ulmo proibiu sua demanda, mas Eärendel ainda assim queria navegar para encontrar uma passagem até Mandos. Como Wingilot naufragou em Falasquil e como Eärendel encontrou a casa com entalhes de Tuor ali.

Aqui o Esquema D termina. Há também uma referência em um ponto anterior a "mensageiros enviados de Gondolin. Os pombos de Gondolin voam até Valinor quando da queda da cidade."
    Esse esboço parece mostrar um movimento de redução na complexidade da narrativa, sendo que Wingilot é o navio no qual Eärendel tentou navegar até Mandos e no qual naufragou em Falasquil; mas o

---

* No original "sons", ou seja, filhos homens. [N.T.]

esboço é curto demais e é interrompido cedo demais para tirarmos quaisquer conclusões seguras.

Um quarto esboço, que chamarei de "E", encontra-se numa folha à parte. Nele, Tuor é chamado de "Tûr" (ver p. 182).

- Queda de Gondolin. O festival de Glorfindel. A habitação junto às águas da foz do Sirion. As sereias chegam a Eärendel.
- Tûr fica ansioso pelo mar — sua canção para Eärendel. Numa noite, chama Eärendel e eles vão para a praia. Há um esquife. Tûr diz adeus a Eärendel e pede que impulsione o esquife — o esquife toca para o Oeste. Eärendel ouve uma grande canção intensificando-se, vinda do mar conforme o esquife de Tûr passa por sobre a borda do mundo. Seu arroubo de lágrimas na praia. O lamento de Idril.
- A construção de Earum.[9] A chegada de Elwing. A relutância de Eärendel. O encorajamento de Idril. A viagem e naufrágio de Earum no Norte, e o desaparecimento de Idril. Como as donzelas-do-mar resgataram Eärendel e o trouxeram à baía de Tûr. Sua jornada rumo à costa.
- O rapto de Elwing. Eärendel descobre o ataque à foz do Sirion.
- A construção de Wingelot. Ele busca por Elwing e é impelido longe para o Sul. Wirilómë. Foge para o leste. Volta para oeste; divisa a Baía de Feéria. A Torre de Pérola, as ilhas mágicas, as grandes sombras. Encontra Kôr vazia; navega de volta, incrustado de poeira e seu rosto inflamado. Descobre do afogamento de Elwing. Senta-se na Ilha das Aves Marinhas. Elwing chega até ele como gaivota. Ele iça velas por sobre a margem do mundo.

Exceto pelo relato mais completo sobre a partida de Tuor das fozes do Sirion, não se descobre muito a partir desse esboço — é condensado demais. Mas, mesmo levando em conta a pressa e a compressão, parece haver diferenças essenciais em relação a B e C. Assim, nesse esboço (E), Elwing, ao que parece, chega ao Sirion num momento posterior da história, depois da partida de Tuor; mas o ataque e captura de Elwing parecem se dar num momento anterior, enquanto Eärendel está voltando ao Sirion do seu naufrágio no Norte (e não, como em B e C, enquanto ele está na grande viagem em Wingilot que o levou até Kôr). Parece que aqui haveria apenas uma jornada para o norte, acabando no naufrágio de

Eärämë/Earum próximo a Falasquil. Embora isso não possa ser demonstrado, inclino-me a pensar que o esboço E sucedeu B e C, em parte porque a redução de duas viagens ao norte terminando em naufrágio para uma viagem parece ser mais provável do que o inverso, e em parte por causa da forma *Tûr*, que substituiu *Tuor* por um tempo (p. 182), embora não tenha sobrevivido.

Um ou dois outros pontos podem ser observados nesse esboço. A grande aranha, chamada *Ungweliantë* em C, mas *Wirilómë* aqui ("Tecelã-de-Treva", ver I. 187), é encontrada por Eärendel no longínquo Sul, e não em sua viagem para oeste, como em C (ver p. 307). Nessa versão, Elwing chega até Eärendel como uma ave marinha (assim como em *O Silmarillion*, pp. 328-29), o que não está dito — e parece até mesmo ser negado — em C.

Outra página isolada (associada ao poema "O Pedido ao Menestrel", ver p. 324 adiante) fornece um relato muito curioso sobre a grande viagem de Eärendel:

O barco de Eärendel atravessa o Norte. Islândia [*Acréscimo na margem*: atrás do Vento Norte.] Groenlândia, e as ilhas ermas: um vento possante e crista de grande onda o levam a paragens mais quentes, para trás do Vento Oeste. Terra de homens estranhos, terra de magia. O lar da Noite. A Aranha. Ele escapa das redes da Noite com alguns companheiros, vê uma grande ilha-montanha e uma cidade dourada [*acréscimo na margem*: Kôr] — vento o sopra rumo ao sul. Homens-árvores. Habitantes do sol, especiarias, montanhas de fogo, mar vermelho: Mediterrâneo (perde o barco (viaja a pé pelos ermos da Europa?)) ou Atlântico.* Lar. Torna-se idoso. Constroem para ele um novo navio. Dá adeus para sua terra do norte. Navega para oeste novamente, para a beira do mundo, bem quando o Sol está mergulhando no mar. Iça velas para o céu e não retorna mais à terra.

A cidade dourada era Kôr e ele entreouvira a música dos Solosimpë, e volta para encontrá-la, apenas para descobrir que as

---

* As palavras nesse trecho ("Homens-árvores, Habitantes do sol […]") estão claras, mas a pontuação não está, e o arranjo aqui pode não ser o que ele pretendia.

fadas partiram de Eldamar. Ver caderninho. Empoado com poeira
de diamantes subindo as ruas desertas de Kôr.

Seria de se supor, com certeza, que esse relato é anterior a tudo o
que foi considerado até agora (tanto pelo fato de que a história de
Eärendel depois de seu retorno da grande viagem parece não ter
relação com aquela contada em B e C, e pelo fato de que sua viagem foi colocada em terras e oceanos do mundo conhecido), não
fosse a referência ao "caderninho", que deve significar "Caderno
C", do qual foi retirado o esboço C apresentado anteriormente (ver
p. 304). Mas penso ser muito provável (e a aparência do manuscrito corrobora bastante isso) que o último parágrafo ("A cidade
dourada era Kôr [...]") foi acrescentado depois, e o resto do esboço
pertence à primeira escrita do poema, no inverno de 1914.

É notável que somente aqui entre os primeiros escritos fica claro
que a "poeira de diamantes" que cobria Eärendel vinha das ruas de
Kôr (compare com o trecho de *O Silmarillion* citado na p. 257).

Outro dos antigos poemas sobre Eärendel, "As Costas de Feéria",
tem um breve prefácio em prosa que, se não for tão antigo quanto
a composição do poema em si (julho de 1915, ver p. 326), certamente não é muito posterior:

Eärendel, o Viandante, que explorava os Oceanos do Mundo
em seu alvo navio Wingelot, sentou-se por longo tempo em sua
velhice na Ilha das Aves Marinhas nas Águas do Norte antes de
partir em sua última viagem.

Passou Taniquetil e até mesmo Valinor, e levou sua barca por
sobre a barra na margem do mundo, e a lançou nos Oceanos do
Firmamento. De suas aventuras homem nenhum contou, salvo
que, caçado pela Lua esférica, fugiu de volta para Valinor e,
escalando as torres de Kôr sobre os rochedos de Eglamar, fitou
os Oceanos do Mundo. A Eglamar ele sempre vai no plenilúnio
quando a Lua navega rapinhando entre Taniquetil e Valinor.*

---

*Esse prefácio se encontra em todos os textos do poema, exceto no mais antigo,
e as versões diferem apenas nas formas dos nomes: *Wingelot/Vingelot* e *Eglamar/
Eldamar* (e variam igualmente nas versões do poema que o acompanham, ver
notas textuais p. 328), e *Kôr* > *Tûn* no terceiro texto, *Tûn* no quarto. Para *Egla* =
Elda, ver I. 304 e II. 407, e para *Tûn*, ver p. 352.

Tanto aqui quanto no esboço associado a "O Pedido ao Menestrel", Eärendel foi concebido como um homem idoso quando viajou para o firmamento.

Não existe nenhum outro relato "conectado" do *Conto de Eärendel* no período mais antigo. Há, contudo, várias notas separadas, majoritariamente na forma de frases isoladas, algumas no caderninho C, outras rabiscadas em papeizinhos. Colijo essas referências aqui, mais ou menos na sequência do conto.

(i) "Habitação na Ilha do Sirion em uma casa de pedra branca como a neve." — Em C (p. 304) conta-se que Eärendel morava com Tuor e Idril na foz do Sirion junto ao mar "nas Ilhas do Sirion".

(ii) "As Oarni dão a Eärendel um maravilhoso manto brilhante de prata que não molha. Elas amam Eärendel, apesar de Ossë, e lhe ensinam o saber da construção de navios e da natação enquanto ele brinca com elas pelas praias do Sirion." — Nos esboços encontram-se referências ao amor das Oarni por Eärendel (D, p. 311–12), à vinda das sereias até ele (E, p. 313), e à inimizade de Ossë (C, p. 304).

(iii) Eärendel era menor que a maioria dos homens, mas de pés ágeis e um nadador veloz (mas Voronwë não sabia nadar).

(iv) "Idril e Eärendel veem o barco de Tuor passando para o crepúsculo e um som de canção." — Em B, a partida de Tuor é "secreta" (p. 303), em C, "Idril o vê tarde demais" (p. 304) e, em E, Eärendel está presente na partida de Tuor e impulsiona o barco ao mar: ele "ouve uma grande canção intensificando-se, vinda do mar" (p. 313).

(v) "Morte de Idril? — vai secretamente atrás de Tuor." — Em C, nega-se que Idril tenha morrido: "Tuor e Idril, dizem alguns, agora navegam no Ala-de-cisne [...]" (p. 306); em D, Idril vai a nado atrás dele (p. 313).

(vi) "Tuor navegou de volta a Falasquil e assim subindo Ilbranteloth até o Asgon onde se assenta tocando sua harpa solitária na rocha ilhada." — Isso está assinalado com um ponto de interrogação e um "X", sugerindo rejeição à ideia. Há referências curiosas à "rocha ilhada" no Asgon nos esboços para o *Conto de Gilfanon* (ver I. 286).

(vii) "O fiorde da Sereia: encantamento dos seus marinheiros. Sereias não são Oarni (mas são terráqueas, ou fatas? — ou ambos)." — Em D (p. 312), Sereias e Oarni são postas como iguais.

(viii) O navio Wingilot foi construído da madeira de Falasquil com "ajuda das Oarni". — Isso também foi provavelmente dito em D: ver p. 313.

(ix) Wingilot foi "feita no formato de um cisne de pérolas".

(x) "As pombas e pombos do pátio de Turgon levam mensagem a Valinor — apenas aos Elfos." — Outras referências às aves que partiram de Gondolin também dizem que elas chegaram aos Elfos, ou a Kôr (pp. 303, 306, 309).

(xi) "Durante suas viagens, Eärendel avista os muros brancos de Kôr brilhando ao longe, mas é arrebatado pelos ventos e ondas adversos de Ossë." — o mesmo se diz em B (p. 303) sobre a visão que Eärendel teve de Tol Eressëa em sua viagem de volta para casa a partir de Kôr.

(xii) "O Adormecido na Torre de Pérola é despertado pelo gongo de Coração-Pequeno: um mensageiro que foi despachado anos antes por Turgon e enredado em magias. Mesmo agora ele não consegue deixar a Torre e os adverte sobre a magia." — Em C há uma afirmação rejeitada de que o Adormecido na Torre de Pérola era a própria Idril (ver nota 6).

(xiii) "Proteção de Ulmo removida do Sirion, irado pela segunda tentativa de Eärendel de alcançar Mandos, e assim Melko o sobrepuja." — Essa nota está riscada e há um "X" ao lado; mas em D (p. 312) conta-se que "Ulmo proibiu sua demanda, mas Eärendel ainda assim queria navegar para encontrar uma passagem até Mandos". O significado disso deve ser que era contrário ao propósito de Ulmo que Eärendel fosse até Mandos procurar o pai, e que deveria, em vez disso, tentar alcançar Kôr.

(xiv) "Eärendel desposa Elwing antes de içar velas. Quando ouve que ela se perdeu, ele diz que os seus filhos hão de ser, 'daqui para frente, todos os homens que enfrentarem os grandes mares em navios'." — Compare isso com *O Chalé do Brincar Perdido* (I. 23): "mesmo um filho de Eärendel, como era esse viandante" e (I. 28–9): "um homem de viagens vastas e excelentes, um filho, parece-me, de Eärendel". Em um esboço da vida de Eriol (I. 35), conta-se que era um filho de Eärendel, nascido sob a luz dele e que se um raio de luz de Eärendel recai em um recém-nascido, ele se torna "um filho de Eärendel" e um viandante. No antigo dicionário de qenya, há um verbete: *Eärendilyon* "filho de Eärendel (usado para qualquer marinheiro)" (I. 303).

(xv) "Eärendel vai até mesmo aos Salões de Ferro vazios buscando Elwing." — Eärendel deve ter ido a Angamandi (vazios após a derrocada de Melko) na mesma época em que voltou às ruínas de Gondolin (pp. 303, 306).

(xvi) A perda do navio que levava Elwing e o Nauglafring se deu na viagem a Tol Eressëa com o êxodo dos Elfos das Grandes Terras. — Ver minhas observações, p. 312. Sobre o "apaziguamento" da maldição de Mîm com a submersão do Nauglafring, ver o Apêndice de Nomes, verbete *Nauglafring*. A partida dos Elfos para Tol Eressëa é discutida no capítulo seguinte (pp. 336–37).

(xvii) "Eärendel e a torre setentrional na Ilha das Aves Marinhas." — Em C (p. 306), Eärendel "iça velas com Voronwë e habita a Ilha das Aves Marinhas nas águas do norte (não muito longe de Falasquil) — e ali espera que Elwing retorne entre as aves marinhas"; em B (p. 303), ele "avista a Ilha das Aves Marinhas 'aonde de tempos em tempos vão todas as aves de todas as águas'." Há uma reminiscência disso em *O Silmarillion*, p. 332: "Portanto, foi erigida para [Elwing] uma torre branca ao norte, nas fronteiras dos Mares Divisores; e para ali, por vezes, todas as aves marinhas da Terra se dirigiam."

(xviii) Quando Eärendel chega a Mandos, descobre que Tuor "*não* está em Valinor, nem em Erumáni, e nem Elfos nem Ainu sabem onde ele está. (Está com Ulmo.)" — Em C (p. 306), Eärendel, ao alcançar os Salões de Mandos, descobre que Tuor "se foi para Valinor". Sobre a possibilidade de Tuor estar em Erumáni ou Valinor, ver I. 116 e seguintes.

(xix) Eärendel "retorna do firmamento de quando em quando com Voronwë até Kôr para ver se o Sol Mágico foi aceso e se as fadas retornaram — mas a Lua o rechaça". — Sobre o retorno de Eärendel do firmamento, ver (xxi) adiante; sobre o Reacender do Sol Mágico, ver p. 344.

Duas afirmações sobre Eärendel citadas anteriormente podem ser acrescentadas aqui:

(xx) No conto *O Roubo de Melko* (I. 174), conta-se que "nos muros de Kôr havia muitos contos sombrios escritos em símbolos pintados, e runas de grande beleza foram pintadas lá também, ou entalhadas em pedras, e Eärendel leu vários contos maravilhosos lá, há muito tempo".

(xxi) A Lista de Nomes em *A Queda de Gondolin* possui o seguinte verbete (citado na p. 259): "*Eärendel* era o filho de Tuor e Idril e, conta-se, o único ser que é metade da gente dos Eldalië e metade dos Homens. Foi o primeiro e maior de todos os marinheiros entre os Homens, e viu regiões que os Homens ainda não encontraram e nem contemplaram, em que pese a profusão de seus barcos. Singra agora com Voronwë por sobre os ventos do firmamento, e não volta jamais para além de Kôr, doutro modo morreria como outros Homens, pois esse tanto de mortalidade tem dentro de si." — No esboço associado ao poema "O Pedido ao Menestrel", Eärendel "iça velas para o céu e não retorna mais à terra" (p. 314); no prefácio em prosa a "As Costas de Feéria", "a Eglamar ele sempre vai no plenilúnio quando a Lua navega rapinhando entre Taniquetil e Valinor" (p. 315); no esboço C, "ele não pode retornar agora ao mundo, ou morrerá" (p. 306); e na citação (xix) acima, ele "retorna do firmamento de quando em quando com Voronwë até Kôr".

Em *O Silmarillion* (p. 331), o veredicto de Manwë é de que Eärendil e Elwing "não hão de caminhar de novo nunca mais entre Elfos ou Homens nas Terras de Fora"; mas também se diz que Eärendil voltava a Valinor "de viagens além dos confins do mundo" (*ibid.*, p. 332), assim como está dito na Lista de Nomes em *A Queda de Gondolin* que ele não vai para além de Kôr. A afirmação seguinte na Lista de Nomes, de que se o fizesse ele morreria como outros Homens "pois esse tanto de mortalidade tem dentro de si", foi de alguma forma ecoada muito tempo depois em uma carta que meu pai escreveu em 1967: *Eärendil*, sendo em parte descendente de Homens, não teve permissão para colocar novamente os pés na Terra, e tornou-se uma Estrela a brilhar com a luz da Silmaril" (*As Cartas de J.R.R. Tolkien*, carta nº 297).

Isso encerra todos os materiais "em prosa" que têm relevância para a forma mais antiga do *Conto de Eärendel* (com exceção de algumas outras referências a ele que aparecem no próximo capítulo). Com esses esboços e notas, encontramo-nos num estágio muito antigo da composição, quando as concepções estavam fluidas e não tinham recebido nem mesmo uma forma narrativa preliminar: o mito estava presente em certas imagens que haveriam de perdurar, mas essas imagens não haviam sido articuladas.

Já mencionei (p. 308) o notável fato de que não há indício da ideia de que foi pela intercessão de Eärendel que a ajuda veio do Oeste; igualmente, não há sugestão de que os Valar abençoaram seu navio e o ergueram ao céu, e nem de que a sua luz era a da Silmaril. Contudo, já estão presentes a chegada de Eärendel a Kôr (Tirion), encontrando-a deserta, a poeira de diamantes em seus sapatos, a transformação de Elwing em ave marinha, a passagem de seu navio pela Porta da Noite, e a sanção contra o seu retorno às terras a leste do Mar. O ataque aos Portos do Sirion aparece nos esboços iniciais, ainda que fosse um ato de Melko e não dos Fëanorianos; e também a partida de Tuor, mas sem Idril, que foi deixada para trás. Seu navio era *Alqarámë*, Ala-de-cisne; depois, seu nome se tornou *Eärrámë*, significando "Ala-do-mar" (*O Silmarillion*, p. 326), o que manteve na forma, mas não no sentido, o nome do primeiro navio de Eärendel, *Eärámë*, "Ala-de-águia" (pp. 304–05, e ver nota 9).

É interessante ler o que meu pai disse, cerca de meio século depois (na carta de 1967 mencionada acima), sobre as origens de Eärendil:

Este nome na verdade (como é óbvio) é derivado da palavra anglo-saxã *éarendel*. Ao estudar profissionalmente o anglo-saxão pela primeira vez (1913–) — eu o havia feito como um passatempo infantil quando deveria estar aprendendo grego e latim — fiquei impressionado pela grande beleza dessa palavra (ou nome), inteiramente coerente com o estilo normal do anglo-saxão, mas eufônico em um grau peculiar naquele agradável, mas não "deleitável" idioma. Além disso, sua forma sugere fortemente que em origem foi um nome próprio e não um substantivo comum. Isso é sustentado pelas formas obviamente relacionadas em outros idiomas germânicos, a partir dos quais, entre as confusões e corrupções de tradições tardias, ao menos parece certo que ele pertencia a mitos astronômicos e era o nome de uma estrela ou grupo de estrelas. Na minha opinião, os usos em anglo-saxão parecem indicar claramente que era uma estrela que anunciava o amanhecer (ao menos na tradição inglesa): isto é, aquela que agora chamamos de *Vênus* — a estrela-d'alva tal como pode ser vista reluzindo brilhantemente na aurora, antes do nascer do Sol propriamente dito. De qualquer modo, é como o compreendi. Antes de 1914, escrevi um "poema" sobre Eärendel que lançava seu navio como uma centelha brilhante dos portos do Sol. W-o em minha mitologia — na qual ele tornou-se uma figura principal como um marinheiro, e, por fim, como uma estrela anunciadora e um sinal de esperança aos homens. *Aiya Eärendil Elenion*

Ancalima ([*O Senhor dos Anéis*] II 329)* "salve Eärendil, a mais brilhante das Estrelas" é remotamente derivada de Éalá Éarendel engla beorhtast.† Mas o nome não podia ser simplesmente adotado dessa forma: ele tinha de ser acomodado à situação linguística élfica, ao mesmo tempo em que um lugar para essa pessoa era criado nas lendas. Disso, há muito tempo na história do "élfico", que após muitos começos experimentais na mocidade estava começando a tomar uma forma definida à época da adoção do nome, por fim surgiu (a) o radical e[ldarin]c[omum] *AYAR "mar", aplicado primeiramente ao Grande Mar do Oeste, que se situava entre a Terra-média e *Aman*, o Reino Abençoado dos Valar; e (b) o elemento ou base verbal (N)DIL, "amar, ser devotado a" — que descreve a atitude de alguém a uma pessoa, coisa, causa ou ocupação à qual se dedica por conta própria. Eärendil tornou-se um personagem na primeira das principais lendas a ser escrita (1916-17): *A Queda de Gondolin*, o maior dos *Pereldar* "Meio-Elfos", filho de *Tuor*, da mais renomada Casa dos Edain, e de *Idril*, filha do Rei de Gondolin.

> Meu pai não disse aqui de fato que o seu *Eärendel* continha os elementos que, combinados, significariam algo como "Amante-do-mar"; mas fica claro, de todo modo, que à época dos primeiros escritos que restaram sobre o assunto o nome estava associado à palavra élfica *ea* "águia" — ver p. 320 sobre o nome do primeiro navio de Eärendel, *Eärámë*, "Ala-de-águia". Na Lista de Nomes em *A Queda de Gondolin*, isso fica explícito: "*Earendl* [*sic*], embora seja possível que tivesse algum parentesco com o élfico *ea* e *earen*, 'águia' e 'ninho [de águia]' (donde vem à mente a passagem de Cristhorn e o uso da insígnia da Águia por Idril [ver p. 234]), conjectura-se que foi feito a partir daquela língua secreta dos Gondothlim [ver p. 201]."

చొ

Por fim, incluo quatro poemas antigos de meu pai em que Eärendel aparece.

---

* *As Duas Torres*, p. 1027. [N. T.]
† Do poema em inglês antigo *Crist*: *éalá! éarendel engla beorhtast ofer middangeard monnum sended*.

I
Éalá Éarendel Engla Beorhtast

Restam poucas dúvidas de que, como Humphrey Carpenter supõe (*Biografia*, p. 102), esse foi o primeiro poema acerca de Eärendel que meu pai compôs, e que ele foi escrito na Phoenix Farm, Gedling, Nottinghamshire, em setembro de 1914.[10] Era a esse poema que ele estava se referindo na carta de 1967 que acabei de mencionar — "escrevi um 'poema' sobre Eärendel que lançava seu navio como uma centelha brilhante": compare com o verso 5: "Lançou a barca, faiscante e argêntea arca".

Há umas cinco versões diferentes, cada uma incorporando emendas feitas à anterior, embora apenas a primeira estrofe tenha sido substancialmente reescrita. O título era originalmente "A Viagem de Éarendel, a Estrela Vespertina", junto com uma versão em inglês antigo (como de costume): *Scipfæreld Éarendeles Æfensteorran*; isso foi alterado em uma cópia posterior para *Éalá Éarendel Engla Beorhtast*, "A Última Viagem de Eärendel", e em cópias ainda posteriores o título em inglês moderno foi removido. Incluo aqui a última versão, cuja data não pode ser determinada, embora a escrita mostre que é substancialmente posterior à composição original, e coloco todas as variantes da primeira versão que restou após o poema.

   Éarendel se ergueu onde a sombra escorreu
    Na borda do Mar calado;
   Pela boca noturna, qual luz diurna,
4   No litoral escarpado
   Lançou a barca, faiscante e argêntea arca,
    Das derradeiras areias,
   No alento de sol do fogoso arrebol,
8   Do Ocidente foi sem peias.

   Numa rota se pôs, a que vem depois
    Dos esplendores do Sol,
   Por estrelas passou, longe viajou
12   Num galeão qual farol.
   Nas crescentes marés de escuro, galés
    O firmamento carrega,
   Com fulgente véu iluminam o céu
16   Conforme a estrela navega.

Passa suave pelas fúlgidas naves,
    O espírito errante o urge
Ao Oeste em escura e longa procura,
20   Da margem do mundo surge;
E no ermo de joias à beça se apressa,
    No ocaso as velas desata.
Com coração em brasa, a gana extravasa,
24   No rosto, chamas de prata.

E da Lua o Navio no Leste se viu
    Vindo do Porto Solar,
Cujo alvo portão brilha com o clarão
28   Do argênteo vaso a passar.
Sob nuvem gorducha, a âncora puxa,
    Na escuridão desatraca.
Com remo fulgente sai da praia ardente
32   Na sua prateada barca.

Eárendel deixa pra trás aquele Arrais,
    E passa a borda da terra,
Pelo Oceano fundo e por detrás do mundo
36   A sua vela descerra;
Ouve o riso contente de toda a gente,
    Também o pranto caindo:
O mundo descia à ruína sombria
40   No curso dos anos findos.

E passou para o vasto espaço sem astro
    Qual lamparina no mar;
Sai do alcance, afinal, do homem mortal,
44   Pois parte a sozinho errar.
Seu navio veleja enquanto o Sol traqueja
    No firmamento sem trilha,
Té que em gélido abismo, a luz perde o viço,
48   E a chama já não mais brilha.[A]

Variantes da primeira versão:
    1–8   Foi Éarendel saltar da taça do Mar
              Na atra beira do médio-mundo;

Do portão Noturno veio, raio diurno,
   Saltando o bordo tão fundo.
Lançou sua barca, argêntea arca,
   Da areia de brilho dourado
Pelo alento de sol do fogoso arrebol
   Do Ocidente voou apressado.

10	esplendores] glórias
11	passou] andou
16	a estrela] o Véspero
17	Passa] Mas passa
18	errante] andante
19	longa] mágica escura] obscura
20	Da margem] À margem
22	No ocaso] Ao ocaso
25	E da Lua] Pois da Lua
31	ardente] imponente
32	prateada] redonda
38	Também] E escuta
46–8	Singrou pelos céus afora.

Seu fulgor findou quando a Manhã chegou,
   E morreu co' a luz d'Aurora.

Há toda razão para pensar que esse poema precedeu todos os esboços e notas incluídos neste capítulo, e que semelhanças verbais que se encontram neles em relação ao poema são ecos (p. ex. "no rosto, chamas de prata", esboço C, p. 323; "da margem do mundo surge", esboço E, p. 313).

Na quarta estrofe do poema, o Navio-da-Lua irrompe do Porto do Sol; no conto *A Ocultação de Valinor* (I. 259), Aulë e Ulmo construíram dois portos no leste, o do Sol (que era "amplo e dourado") e o da Lua (que era "branco, com portões de prata e pérola"), mas ambos ficavam "no mesmo ancoradouro". Assim como no poema, no *Conto do Sol e da Lua* a Lua é impelida por "brilhantes remos" (I. 235).

II
O Pedido ao Menestrel

Este poema, de acordo com uma nota que meu pai rabiscou em uma das cópias, foi escrito na St. John's Street, em Oxford (ver I. 40) no inverno de 1914; não há qualquer outra evidência de data.

Neste caso, os primeiros trabalhos sobrevivem, e no verso de uma das folhas está o esboço do relato sobre a grande viagem de Eärendel incluído na pp. 313–14. O poema era muito mais longo naquela época do que se tornou depois, mas os trabalhos são demasiadamente mal-acabados e não têm título. Ao primeiro texto finalizado um título foi acrescentado rapidamente depois, e ao que parece diz "O Menestrel renuncia à canção". O título tornou-se então "A Balada de Eärendel", o que foi alterado no texto mais recente para "O Pedido ao Menestrel, da Balada de Eärendel".

Há quatro versões que seguem o descuidado rascunho original, mas as alterações feitas nelas são pequenas, e apresento o poema aqui na sua versão mais recente, observando apenas que, originalmente, o menestrel parece ter atendido ao "pedido" muito antes, já no verso 5, que dizia "Eis o conto do anseio por mar, incessante"; e que "Eldar" no verso 6 e "élficos" no verso 23 são emendas feitas no texto mais recente a partir de "fadas", "feérico".

      "Do errar de Eärendel canta-nos mais,
      E um lai do navio com remos de alvor,
      De engenho maior que sabem mortais,
      No abisso, espumoso, em doce clamor.
5   E um conto de anseio por mar, incessante,
      Que os Eldar fizeram à luz saudosa,
      Fiando um feitiço rubro, e abrasante
      Portento de espuma, e noite olorosa;
      De múrmuro ocaso em mar arredado;
10   De como lançava, em ilhota sozinha,
      Âncora em ondas do oceano agitado;
      Da vela enfunada quando o vento vinha;
      E o som das borbulhas em cálido mar
      Tinindo debaixo da roda-de-proa,
15   Mil milhas fizeram o navio se tornar
      Ave marinha, alva gema que voa,
      Em longa viagem vai majestoso,
      E volta num voo de mar repleto,
      Singrando infesso, tortuoso, moroso,
20   Chegando no porto à noite, discreto."

      "Mas semiesquecidos música e versos,
      O sol se extinguiu e a lua minguou,

       Nas algas, navios élficos submersos,
       O fogo nos corações esfriou.
25   E quem, com qual harpa, então contaria?
       Com música estranha e ricas toadas,
       Palente à magia de cava harmonia,
       Ruidoso com som na areia espraiada;
       Do esbelto navio, brilhosa madeira,
30   Das velas argênteas, do mastro esguio,
       Valuma de prata espumosa, e a bueira
       Flanqueando, qual cisne passando, fluiu!
       Só canto os pedaços ainda lembrados
       De uma áurea ilusão quem em sono se fez,
35   Um conto em cicios junto às brasas contado
       De antigas coisas que uns guardam, talvez."[B]

III

As Costas de Feéria

A versão mais antiga deste poema foi incluída por Humphrey Carpenter na *Biografia*, pp. 109–10.[11] Ele existe em quatro versões, cada uma incorporando pequenas mudanças, como de costume; meu pai escreveu a data da composição em três das cópias, a saber: "8–9 de julho, 1915"; "Moseley e Edgbaston, Birmingham, julho de 1915 (a pé e de ônibus). Retocado com frequência desde — espec. 1924"; e "Primeiro poema de minha mitologia, Valinor . . . . 1910". A intenção dessa última não deve ter sido fornecer a data da composição, e as palavras ilegíveis imediatamente antes talvez possam ser lidas como "pensado por volta de". Mas este, contudo, não parece ser "o primeiro poema da mitologia": acredito que o primeiro seja *Éalá Éarendel Engla Beorhtast* — e a menção de meu pai na carta de 1967 (ver p. 320) parece sugerir o mesmo.

    O título em inglês antigo era *Ielfalandes Strand* (As Costas de Terradelfos). Ele é precedido por um curto prefácio em prosa, incluído anteriormente na p. 315. Eu o reproduzo aqui na versão mais recente (impossível de datar), com todas as variantes das versões mais antigas após o poema.

       A leste da Lua, oeste do Sol
       Há um morro isolado
       C'os pés no mar de verde claro,

```
           Torre alva em cada lado:
      5    Além-Taniquetil
           Em Valinor.
           O astro que foge diante da Lua
           É o único que aparecia;
           E as Duas Árvores estão nuas
      10   Donde a flor da Noite pendia
           E o fruto do Meio-dia
           Em Valinor.
           De Feéria é a praia ali,
           Costa de seixos ao luar,
      15   De espuma, música de prata
           No piso opalescente
           Além do mar, da grande sombra
           A areia a margear
           Que longe se estende
      20   Até o dracônico batente,
           Junto ao portão da Lua,
           Além-Taniquetil
           Em Valinor.
           A oeste do Sol, leste da Lua
      25   Angra da estrela está;
           O branco burgo do Errante
           E as rochas de Eglamar.
           Lá é de Wingelot o porto,
           Earëndel longe a fitar
      30   Sobre as águas escuras
           Daqui até Eglamar —
           Bem longe, além-Taniquetil,
           Lá Valinor está.$^C$
```

Variantes da primeira versão:

      1   leste . . . . . oeste] Oeste . . . . . Leste
      7   Ali um astro apenas desce,
      8   foge diante da Lua] E co'a Lua disputa
      9   Nas Duas Árvores nuas cresce
      10   Da Noite a flor de prata
      11   Do Dia-a-Pino a fruta
      18   margear] ladear

20-21   Até o dracônico batente, Junto ao portão da Lua,] De Kôr aos pés de ouro luzente —
24   A oeste do Sol, leste da Lua] Oh! A Oeste da Lua, Leste do Sol
28   Wingelot] *Primeiro texto* Wingelot > Vingelot; *segundo texto* Vingelot; *terceiro texto* Vingelot > Wingelot; *último texto* Wingelot
30   Sobre as águas escuras] A magia e o assombro
31   até] pra

No último texto, a expressão *Terra-élfica* está escrita de leve acima de *Feéria*, no verso 13, e *Eldamar* ao lado de *Eglamar* no verso 27 (apenas); *Eglamar* > *Eldamar* no segundo texto.

Há algumas conexões interessantes entre este poema e o conto *A Vinda dos Elfos e a Criação de Kôr*. O "morro isolado" do segundo verso é a colina de Kôr (compare com o conto, I. 152: "Na ponta dessa angra longa, há uma colina solitária olhando para as montanhas mais altas"), ao passo que "De Kôr aos pés de ouro luzente" (um verso substituído nas versões mais recentes do poema) e muito provavelmente a "areia a margear Que longe se estende" são explicadas pelo trecho que se segue no conto:

Aulë levou para lá [ou seja, para Kôr] toda a poeira de metais mágicos que produzira e ajuntara de suas grandes obras, e empilhou-a nos sopés daquela colina, e a maior parte dessa poeira era de ouro, e uma areia dourada se estendia para longe das bases de Kôr até a distância onde floresciam as Duas Árvores.

Compare o "dracônico batente" (verso 20) com a descrição da Porta da Noite em *A Ocultação de Valinor* (I. 260):

Seus pilares são do mais forte basalto, assim como seu lintel, mas grandes dragões de pedra preta estão esculpidos nela, e sombria fumaça derrama-se lentamente de suas mandíbulas.

Nessa descrição, contudo, a Porta da Noite não fica "junto ao portão da Lua", pois é o Sol que passa por lá para a escuridão de fora, enquanto a Lua "não ousa enfrentar a solidão extrema da escuridão de fora em virtude de sua luz e majestade menores, e viaja ainda sob o mundo [ou seja, pelas águas de Vai]".

IV

Os Felizes Marinheiros

Incluo por último este poema cujo assunto é a Torre de Pérola nas Ilhas do Crepúsculo. Foi escrito em julho de 1915,[12] e há seis textos precedendo a versão que foi publicada (juntamente com "Por que o Homem da Lua desceu cedo demais") em Leeds em 1923.* Essa versão é a primeira das duas incluídas aqui.

(1)
Em torre ocidental há uma janela
Aberta a um celestial mar,
E o vento que sopra em meio às estrelas
Junto às cortinas vem se aninhar.
5 Nas Ilhas do Crepúsculo ergue-se em brancura
Onde na sombra assenta-se a Noitinha;
Brilhando como nacarada agulha,
Refletindo os raios de luz fraquinha;
O mar lava a rocha onde está postada,
10 E a terras de ocaso vão barcos de fada
Cheios. Na treva brilham sós,
Com chispas de rubente chama
Pegas por mergulhadores n'água do Sol —
Quem sabe é uma lira argêntea que chama
15 Ou voz de cinzentos nautas ecoando,
Que nas sombras do mundo se revela
Em barco sem remo e enrizada vela;
Às vezes se escutam pés e canção,
Ou de um trêmulo gongo a cintilação.

20 Felizes marinheiros que ao longe se vão!
Às praias d'Oeste e aos seus portais partem,

---

*A Northern Venture [Uma Aventura no Norte]: ver I. 246, nota de rodapé. O Sr. Douglas A. Anderson gentilmente me forneceu uma cópia do poema nesta versão, que havia sido muito ligeiramente alterada em relação à que foi publicada na *The Stapeldon Magazine* (Exeter College, Oxford), em junho de 1920 (*Biografia*, Carpenter, p. 362). No verso 5 da versão de Leeds, a palavra *Twilight* é quase certamente um erro para *Twilit*, como está em todos os textos originais.

Onde saltam muitas fontes distantes,
Nas portas dracônicas da Noite se batem
Caindo em espuma d'estrelas brilhantes.
25 Sou eu que atrás da Lua vos vigia,
Desta torre ventosa e alvar,
Sem por momento nenhum esperar,
Entoando uma oculta melodia,
Cruzando sombras, marés arriscadas,
30 Terra escura, aos prados das fadas,
Onde os astros, no muro azul do espaço,
Quebrando-se, enredam-se em laço.
No Oeste, Eärendel vai à vossa frente,
Às Ilhas benditas, nauta luzente;
35 E daquela fímbria sombria, um vento
Retorna a esta cristálea vidraça
Falando de uma áurea chuva que grassa
Nos turvos espaços a todo momento.[D]

Em *A Ocultação de Valinor* (I. 259) conta-se que, quando o vaso do Sol foi criado, os Valar queriam puxá-lo por debaixo da Terra, mas

era frágil e ágil demais; e muita radiância preciosa foi derramada em suas tentativas pelas águas mais profundas, a qual escapou e tornou-se como centelhas secretas em muitas cavernas oceânicas ignotas. Muitos mergulhadores élficos e mergulhadores das fatas procuraram por elas durante muito tempo para lá do extremo Leste, como se canta na canção do Adormecido na Torre de Pérola.

Parece assegurado pelos versos 10–13 do poema que "Os Felizes Marinheiros" era de fato a "canção do Adormecido na Torre de Pérola".

Sobre as "portas dracônicas da Noite", ver acima. O significado de *jacinth* em "the jacinth wall of space" [no muro azul do espaço] (verso 31) é "azul": compare com as "muralhas de azul-profundo" em *A Ocultação de Valinor* (I. 260).

Muitos anos depois, meu pai reescreveu o poema, e incluo essa versão aqui. Ainda mais tarde ele se voltou novamente para o poema e fez algumas alterações (registradas aqui após o poema); nesse momento, ele observou que a versão revisada datava de "1940?".

(2)
Em torre Ocidental há uma janela
Aberta a um celestial mar,
Lá, de poços negros detrás d'estrelas
Há brisa estranha e fria sempre a soprar.
5   É uma torre branca em Crepusculares Ilhas
Erguendo-se em sombras que não perecem,
Qual casa de perla sozinha brilha
Abrigando as luzes que se esvanecem.

Os seus pés a incessante ondada encharca
10 E vão para Oeste as silentes barcas
Reluzindo no escuro, carregadas
Com chispas de rubente chama, capturadas
Por mergulhadores
N'água do Sol de que se ouviu rumores.
15 Lá às vezes se tange uma harpa de prata
E a música aguda o cor arrebata;
Ou sob as montanhas íngremes, altas,
Ecoa a voz dos cinzentos nautas
Que nas sombras do mundo se revela
20 Em barco sem remo e enrizada vela,
Toando um adeus e canção pomposa
Pois vasto é o mar, e a jornada é morosa.

Ó felizes marinheiros a navegar
Por cinzentas ilhas, por Gondobar,
25 Às praias finais e aos seus portais partem
Onde saltam muitas fontes distantes
Nas portas dracônicas da Noite se batem
Caindo em espuma d'estrelas brilhantes!
Sou eu quem detrás da lua vigia
30 Desta torre ventosa e alvar,
Vós partirdes sem a hora esperar
Com canto solene e com melodia,
Por mares sombrios e vagas escuras
Té a plaga final das Árvores duas,
35 O sol e a lua, seu fruto e flor,
Da terra o começo e o fim do fulgor.

Eärendel seguis incansavelmente,
Para além do Oeste, o nauta luzente
Depois que a boca da noite cruzou,
40   Nos mares de fora a barca lançou.
Aqui vem às vezes somente uma aragem
Voltando escura por vossa passagem
De sublimes árvores olorante.
Por essa vidraça de longe espio
45   De aurífica chuva o brilho arredio
Que em mares de fora cai incessante.[E]

Revisões finais
3   Lá *omitido*
4   e fria sempre a soprar] ali sempre a soprar
17   montanhas] montanha
22   e a jornada] sua jornada
29   Sou eu que a sós detrás da lua vigia
30   Preso em torre ventosa e alvar
31   Vós partirdes] Vocês partirem
33–6 *riscado*
37   seguis] seguem
40   de fora *omitido*
41–3 *riscado*
46   em] nos
     Verso acrescentado ao fim: além do país de Árvores brilhantes.

Não consigo explicar a referência (apenas na versão revisada, verso 24) à jornada dos marinheiros "Por cinzentas ilhas, por Gondobar". *Gondobar* ("Cidade de Pedra") era um dos sete nomes de Gondolin (p. 193).

NOTAS

[1] Falasquil era o nome da habitação de Tuor na costa (p. 186); Oarni, juntamente com os Falmaríni e as Wingildi, são "espíritos da espuma e do marulho do oceano" (I. 87).

[2] *Irildë*: o nome "élfico" que corresponde ao gnômico *Idril*. Ver o Apêndice de Nomes, verbete *Idril*.

[3] "Elwing dos *Gnomos* de Artanor" talvez seja um mero deslize.

[4] Para a Asa de Cisne como emblema de Tuor, ver pp. 187, 200, 210, 233.

5   As palavras "Idril desapareceu" substituíram um texto anterior: "O Sirion foi saqueado e restou apenas Coração-Pequeno (Ilfrith), que narra o conto". *Ilfrith* é ainda outra versão do nome élfico de Coração-Pequeno (ver p. 242).
6   Riscado aqui: "O Adormecido é Idril, mas ele não sabe".
7   Ver *Kortirion entre as Árvores* (I. 51, versos 129–30): "Não quero o deserto ou o rubro paço onde mora / O sol". Esses versos foram mantidos com leve alteração na segunda versão, de 1937 (I. 55).
8   Esse trecho, a partir de "Eärendel desesperado [...]" substituiu o seguinte: "[*nome ilegível, possivelmente* Orlon] está [?aguardando] ali e conta a ele sobre o saque ao Sirion e o cativeiro de Elwing. A partida dos Koreldar e o atamento de Melko." Talvez as palavras "A partida dos Koreldar" tenham sido rasuradas por engano (ver Rascunho B).
9   *Earum* foi emendado a partir de *Earam* (apenas na primeira ocorrência); e depois dele havia o nome *Earnhama*, mas isso foi riscado. *Earnhama* é inglês antigo, "Capa-de-águia", "Veste-de-águia".
10 Assim datado nos dois textos mais antigos, um deles com o acréscimo "Clube de Ensaios Ex[eter] Coll[ege], dez. 1914", e em um terceiro está escrito "Gedling, Notts. [Nottinghamshire], set. 1913 [um erro para 1914] e depois". Meu pai fez menção à leitura de "Eärendel" no Clube de Ensaios em uma carta para minha mãe datada de 27 de novembro de 1914.
11 Mas *rocks*, no verso 27 (26) deveria ser *rock* [no original em inglês].
12 De acordo com uma nota, ele foi escrito em "Barnt Green [ver *Biografia*, p. 53], julho de 1915 e Bedford e depois", e outra nota diz "24 de julho [1915], reescrito em 9 de set.". Os trabalhos originais estão no verso de uma carta não enviada, datada de 11 julho de 1915, em Moseley (Birmingham); meu pai começou o treinamento militar em Bedford em 19 de julho.

6

A HISTÓRIA DE ERIOL, OU ÆLFWINE, E O FIM DOS CONTOS

Neste último capítulo, chegamos à parte mais difícil — embora, como espero demonstrar, não de todo insolúvel — da mitologia em sua forma mais antiga: o final, que está enredado na história de Eriol/Ælfwine, e com ela, a história e importância original de Tol Eressëa. Para elucidá-la, dispomos de alguns espécimes breves de narrativas conectadas, mas que dependem muito dos mesmos materiais que constituem o *Conto de Gilfanon* e a história de Eärendel: enredos apressadamente esboçados, com intermináveis variações, escritos em pedaços soltos de papel ou em páginas do caderninho "C" (ver pp. 303-04). Neste capítulo, há muito material a se considerar e, por ser mais conveniente em termos de referências internas ao capítulo, numerarei as várias citações consecutivamente. Mas é preciso dizer que nenhum artifício de apresentação é capaz de diminuir muito a complexidade e obscuridade inerentes à matéria.

O relato mais completo (por mais simples que seja) da Marcha dos Elfos de Kôr e dos eventos que se seguiram está contido no caderno C, continuando do ponto em que interrompi o esboço na p. 306, depois da chegada dos pássaros de Gondolin, dos "conselhos dos Deuses e alvoroço dos Elfos" e da "Marcha dos Inwir e Teleri", a qual os Solosimpi só concordaram em acompanhar com a condição de ficarem junto ao mar. O esboço prossegue:

1. Vinda dos Eldar. Acampamento da primeira hoste na Terra dos Salgueiros. Noldorin e Valwë subjugados. Andanças de Noldorin com sua harpa.

- Tulkas derrota Melko na batalha das Lagoas Silentes. Amarrado em Lumbi e vigiado por Gorgumoth, o mastim de Mandos.
- Libertação dos Noldoli. Guerra com Homens assim que Tulkas e Noldorin retornam a Valinor.
- Noldoli conduzidos até Valinor por Egalmoth e Galdor.

Já houve referências anteriores nos *Contos Perdidos* a uma batalha em Tasarinan, a Terra dos Salgueiros: no *Conto de Turambar* (pp. 91, 172) e, mais notavelmente, em *A Queda de Gondolin* (p. 189), em que, durante a permanência de Tuor naquela terra, há menção a eventos que se passariam futuramente naquele lugar:

Pois não aconteceu que, mesmo depois dos dias de Tuor, Noldorin e seus Eldar foram até lá procurando por Dor Lómin e pelo rio oculto e pelas cavernas do aprisionamento dos Gnomos e, no entanto, assim perto do fim da demanda, quase a abandonaram? De fato, dormindo e dançando aí, e fazendo bela música de sons do rio e do murmurar da grama, e fiando ricos tecidos de teias e das asas de insetos alados, eles foram dominados por gobelins enviados por Melko das Montanhas de Ferro e Noldorin escapou dali por um triz.

Valwë foi mencionado uma vez anteriormente, por Lindo, na primeira noite de Eriol em Mar Vanwa Tyaliéva (I. 27): "Meu pai, Valwë, que foi com Noldorin encontrar os Gnomos". De Noldorin sabemos também que ele era o Vala Salmar, irmão gêmeo de Ómar-Amillo, que entrou no mundo com Ulmo e que em Valinor ele tocava a harpa e a lira e amava os Noldoli (I. 86, 97, 119, 157).

Uma nota isolada afirma:

2. Noldorin escapa da derrocada da Terra dos Salgueiros, pega sua harpa e vai para as Montanhas de Ferro procurar por Valwë e os Gnomos, até encontrar o local de seu aprisionamento. Tulkas segue. Melko chega e o encontra.

O único dos grandes Valar mencionado nessas notas que participou da expedição às Grandes Terras é Tulkas; mas seja qual for a história que subjaz à sua presença, apesar da raiva e tristeza dos Valar quanto à Marcha dos Elfos (ver p. 309), ela é sobremaneira irrecuperável. (Um indício muito tênue acerca disso se encontra em duas notas isoladas: "Tulkas fornece, ou os Elfos levam *limpë* consigo", e "*Limpë* fornecido pelos Deuses (Oromë? Tulkas?) quando os Elfos deixaram Valinor"; ver *A Fuga dos Noldoli* (I. 203): "mas [os Noldoli] não tinham ainda *limpë* para levar, pois ele não foi dado às fadas até muito depois, quando a Marcha da Libertação foi empreendida"). De acordo com (1) acima, Tulkas lutou com Melko e o derrotou "na batalha das Lagoas Silentes"; e as Lagoas Silentes são as Lagoas do Crepúsculo, "bem onde Tulkas depois lutou com o próprio Melko" (*A Queda de Gondolin*, p. 195; o texto original dizia, nesse ponto, "Noldorin e Tulkas").

O nome *Lumbi* se encontra em outro lugar também (em uma lista de nomes associada ao conto *A Vinda dos Valar*, I. 119), na qual se diz que foi a terceira morada de Melko; e uma anotação no caderno C, bastante misteriosa, diz: "Lumfad. A morada de Melko após libertação. Castelo de Lumbi". Mas esse conto também está perdido.

É notável que os Noldoli tenham sido levados de volta a Valinor por Egalmoth e Galdor, como se diz em (1). Isso é, no detalhe, contradito por uma afirmação na Lista de Nomes em *A Queda de Gondolin*, que afirma (p. 260) que Egalmoth foi morto no ataque à habitação na foz do Sirion, quando Elwing foi capturada; e é contraditório de maneira geral pela citação (3) a seguir, que nega que os Elfos tenham recebido permissão para habitar em Valinor.

A única outra afirmação a respeito desses eventos se encontra no primeiro dos quatro esboços que constituem o *Conto de Gilfanon*, que lá chamei de "A" (I. 281). Ele diz:

3. Marcha dos Elfos para o mundo.
- A captura de Noldorin.
- O acampamento na Terra dos Salgueiros.
- Exército de Tulkas nas Lagoas do Crepúsculo . . . . . . e [?muitos] Gnomos, mas os Homens os atacam na saída de Hisilómë.
- Derrota de Melko.
- Destruição de Angamandi e libertação dos cativos.
- Hostilidade dos Homens. Os Gnomos tomam algumas das joias.
- Elwing e a maioria dos Elfos volta a habitar em Tol Eressëa. Os Deuses não os deixam habitar em Valinor.

Isso parece divergir de (1) quanto à captura de Noldorin e o ataque dos Homens de Hisilómë antes da derrocada de Melko; mas a afirmação mais notável diz respeito à recusa dos Deuses em permitir que os Elfos habitassem em Valinor. Não há razão para pensar que essa interdição recaía apenas, ou principalmente, sobre os Noldoli. O texto (3) não faz referência específica aos Gnomos nesse aspecto, e a interdição certamente deve ser relacionada ao "pesar e ira dos Deuses" à época da Marcha dos Elfos (p. 304). Ademais, está dito em *O Chalé do Brincar Perdido* (I. 27) que Ingil, filho de Inwë, retornou a Tol Eressëa com "a maior parte dos mais belos e mais sábios; a maior parte dos mais alegres e mais gentis de todos os Eldar", e que a cidade que construiu ali foi chamada de "Koromas, ou 'o Repouso dos Exilados de Kôr'". Isso muito claramente deve ser ligado à afirmação em (3) de que "a maioria dos Elfos volta a habitar em Tol Eressëa" e com o que está dito na p. 306: "As guerras com os Homens e a partida para Tol Eressëa (os Eldar incapazes de suportar a contenda do mundo)". Consideradas em conjunto, essas indicações não deixam dúvidas, penso eu, de que a concepção original de meu pai era de que os Eldar de Valinor empreenderam a expedição para as Grandes Terras contra a vontade dos Valar; junto com os Noldoli resgatados, eles retornaram por sobre o Oceano mas, sem permissão para entrar novamente em Valinor, estabeleceram-se em Tol Eressëa, como "os Exilados de Kôr". Pode-se concluir que alguns deles de fato retornaram a Valinor no fim pelas palavras de Meril-i-Turinqi (I. 160) de que Ingil, que construiu Kortirion, "há muito voltou para Valinor e está com Manwë". Mas Tol Eressëa continuou sendo a terra das fadas na concepção antiga, e os Exilados de Kôr, Eldar e Gnomos, falavam tanto *eldarissa* quanto *noldorissa*.

Parece que não há mais nada para se encontrar ou para falar a respeito da história original da chegada do auxílio do Oeste e do renovado ataque a Melko.

༻༺

A conclusão de toda a história conforme planejada originalmente seria inteiramente rejeitada. Para conhecê-la, dependemos muitíssimo do esboço no caderno C, que retoma a partir da citação (1) acima. Ele é extremamente descuidado e desconjuntado, e está incluído aqui em uma forma ligeiramente editada.

4. Após a partida de Eärendel e a chegada dos Elfos a Tol Eressëa (e a maior parte disso pertence à história dos Homens) grandes eras se passam; os Homens se espalham e prosperam, e os Elfos das Grandes Terras se desvanecem. Conforme a estatura dos Homens cresce, a deles diminui. Homens e Elfos eram de igual estatura outrora, embora os Homens sempre fossem mais robustos.[1]

- Melko foge novamente, com ajuda de Tevildo (que depois de longas eras rói suas amarras); há dissensão entre os Deuses sobre Homens e Elfos, uns favorecendo estes e outros, aqueles. Melko vai a Tol Eressëa e tenta incitar a discórdia em meio aos Elfos (entre Gnomos e Solosimpi), que ficam consternados e mandam enviados a Valinor. Nenhuma ajuda chega, mas Tulkas manda secretamente Telimektar (Taimonto), seu filho.[2]
- Telimektar da espada de prata e Ingil surpreendem Melko e o ferem, e ele foge e escala o grande Pinheiro de Tavrobel. Antes de os Inwir deixarem Valinor, Belaurin (Palúrien)[3] lhes deu uma semente, e disse que ela deveria ser protegida, pois grandes novas viriam um dia de seu crescimento. Mas ela foi esquecida e lançada no jardim de Gilfanon, e um magno pinheiro cresceu, e ele chegava até mesmo a Ilwë e às estrelas.[4]
- Telimektar e Ingil o perseguem, e eles permanecem agora no céu para guardá-lo, e Melko espreita no alto por cima do ar, querendo sempre ferir o Sol, a Lua e as estrelas (eclipses, meteoros). Continuamente se frustra, mas na primeira tentativa — dizendo que os Deuses haviam roubado o seu fogo para criá-lo — ele revirou o Sol, de modo que Urwendi caiu no Mar, e o Navio caiu até perto do chão, abrasando regiões da Terra. A claridade da radiância do Sol nunca mais foi tão grande, e algo de mágico o abandonou. Por isso, e é assim há muito tempo, as fadas dançam e cantam mais docemente, e podem ser mais bem vistas, à luz da Lua — por causa da morte de Urwendi.
- O "Reacender do Sol Mágico" se refere em parte às Árvores e em parte a Urwendi.
- Ira e pesar de Fionwë. No fim, ele matará Melko.
- "Órion" é a única imagem de Telimektar no céu? [*sic*] Varda lhe deu estrelas, e ele as porta no alto para que os Deuses saibam que está vigiando; tem diamantes na bainha, e ela brilhará rubra quando ele desembainhar a espada no Grande Fim.

- Mas agora Telimektar e Gil,[5] que o segue como uma Abelha Azul, rechaçam o mal, e Varda imediatamente substitui quaisquer estrelas que Melko afrouxe e derrube.
- Ainda que pesarosos, por ordem dos Deuses o Pinheiro é cortado, e Melko, portanto, está agora fora do mundo — mas um dia ele encontrará um caminho de volta, e os últimos grandes tumultos começarão antes do Grande Fim.

Os males que ainda acontecem chegam desta maneira. Os Deuses podem fazer com que coisas entrem nos corações dos Homens, mas não dos Elfos (daí seus tratos difíceis nos dias antigos do Exílio dos Gnomos) e, ainda que Melko se assente do lado de fora, roendo os dedos e fitando o mundo com raiva, ele consegue sugerir o mal aos Homens assim inclinados — mas as mentiras que plantou antigamente ainda crescem e se espalham.

Daí que Melko pode agora causar feridas e danos e mal no mundo apenas por intermédio dos Homens, e ele tem mais poder e sutileza com os Homens do que Manwë ou qualquer um dos Deuses, por causa de sua longa permanência no mundo e em meio aos Homens.

Nesses esquemas iniciais, encontramo-nos em uma mitologia primitiva, com Melko reduzido a uma figura grotesca perseguida pinheiro acima, o qual é depois cortado para mantê-lo fora do mundo, onde ele "espreita no alto por cima do ar" ou se assenta "do lado de fora, roendo os dedos"; ele tomba o Navio-do-Sol, de modo que Urwendi cai no Mar — e, muito estranhamente, ela acaba morrendo.

É certo que Ingil (Gil), que persegue Melko com Telimektar, deve ser identificado como o Ingil, filho de Inwë, que construiu Kortirion, e isso aparece em diversas notas; ver o Apêndice de Nomes no Volume I, verbetes *Ingil* e *Telimektar*. Essa é a mais completa afirmação sobre o mito de Órion, ao qual se faz menção no *Conto do Sol e da Lua* (ver I. 220, 240–41):

de Nielluin [Sirius] também, que é a Abelha Azurina, Nielluin a quem todos os homens ainda podem ver no outono ou no inverno ardendo junto ao pé de Telimektar, filho de Tulkas, cujo conto ainda está para ser contado.

Conta-se no dicionário gnômico (I. 309) que Gil se ergueu aos céus e, "na forma de uma grande abelha carregando mel de flama", seguiu Telimektar. Isso presumivelmente representa uma concepção diferente da mencionada acima, em que Ingil "há muito voltou para Valinor e está com Manwë" (I. 160).

Compare a referência a Fionwë matando Melko "no fim" com a conclusão de *A Ocultação de Valinor* (I. 264):

Fionwë Úrion, filho de Manwë, por amor a Urwendi há de ser, no fim, a ruína de Melko, e há de destruir o mundo para destruir seu inimigo, e assim todas as coisas hão de chegar ao fim.

Ver também o *Conto de Turambar*, p. 142, onde se diz que Turambar "há de estar ao lado de Fionwë na Grande Vindita".

Para as profecias e esperanças dos Elfos quanto ao Reacender do Sol Mágico, ver pp. 343–44.

O esboço em C continua e se encerra da seguinte forma (novamente, com alguma edição superficial e insignificante):

5. Eras mais longas se passam. Gilfanon é agora o Elfo mais velho e mais sábio de Tol Eressëa, mas não é dos Inwir — portanto Meril-i-Turinqi é Senhora da Ilha.
- Eriol chega a Tol Eressëa. Permanece em Kortirion. Vai a Tavrobel ver Gilfanon e mora na casa de cem chaminés — pois essa é a última condição para que ele beba *limpë*.
- Eriol bebe *limpë*. Gilfanon lhe diz coisas que hão de ser; que em sua mente (embora as fadas esperem o contrário) ele acredita que Tol Eressëa se tornará uma morada de Homens. Gilfanon também profetiza quanto ao Grande Fim e à Ruína das Coisas, e de Fionwë, Tulkas, Melko, e da última batalha nas Planícies de Valinor.
- Eriol termina a vida em Tavrobel, mas em seus últimos dias é consumido de anseio pelas falésias negras de suas costas, assim como Meril dissera.
- O livro jaz intocado na casa de Gilfanon por muitas eras dos Homens.
- O compilador do Livro Dourado retoma o Conto: um dos filhos dos pais dos pais dos Homens. [*Ao lado disso está escrito:*] Talvez seja muito melhor deixar que o próprio Eriol veja as últimas coisas e termine o livro.

- Levante dos Elfos Perdidos contra os Orques e Nautar.[6] Ainda não chegou o momento da Partida Afora, mas as fadas julgam-na necessária. Conseguem, por intermédio de Ulmo, a ajuda de Uin,[7] e Tol Eressëa é desarraigada e arrastada para perto das Grandes Terras, próximo ao promontório de Rôs. Uma ponte mágica é lançada de través no estreito. Ossë ira-se com o rompimento das raízes da ilha que há tanto tempo ele havia disposto — e muitos dos seus raros tesouros-marinhos crescem à sua volta —, de modo que ele tenta puxá-la de volta; e a metade ocidental se arrebenta, e agora essa é a Ilha de Íverin.
- A Batalha de Rôs: os Elfos Ilhéus e os Elfos Perdidos contra Nautar, Gongues,[8] Orques e alguns Homens malignos. Derrota dos Elfos. Os Elfos desvanecentes retiram-se para Tol Eressëa e se escondem nas matas.
- Os Homens chegam a Tol Eressëa, e também Orques, Anãos, Gongues, Trols etc. Após a Batalha de Rôs, os Elfos se haviam desvanecido de pesar. Não conseguem viver no ar que é respirado por um número de Homens igual ou maior que o deles; e conforme os Homens se tornam mais poderosos e numerosos, as fadas se desvanecem e diminuem e atenuam-se, tornando-se translúcidas e transparentes, mas os Homens se tornam maiores, mais robustos e mais grosseiros. Por fim, os Homens, ou quase todos, não mais conseguem ver as fadas.
- Os Deuses agora habitam em Valinor, e quase nunca vêm ao mundo, satisfeitos em proteger os elementos de Homens totalmente destrutivos. Entristecem-se muito com o que veem; *mas Ilúvatar está acima de tudo.*

Na página oposta ao trecho sobre a Batalha de Rôs está escrito:

Uma grande batalha entre Homens na Charneca do Teto-do--Céu (agora a Charneca Seca), a cerca de uma légua de Tavrobel. Os Elfos e as Crianças fogem por sobre o Gruir e o Afros.
"Mesmo agora eles se aproximam, e nosso grande conto chega ao fim."
O livro é encontrado nas ruínas da casa de cem chaminés.

Que Gilfanon era o mais velho dos Elfos de Tol Eressëa, embora Meril detivesse o título de Senhora da Ilha, é afirmado também no *Conto do Sol e da Lua* (I. 213): mas o que é mais notável é que Gilfanon (e não Ailios, narrador do *Conto do Nauglafring*, substituído por Gilfanon, ver I. 237 nota 19 e I. 275 e seguintes) aparece nesse esboço, o qual deve, portanto, ter sido escrito tardiamente durante a composição dos *Contos Perdidos*.

São também notáveis as referências a Eriol bebendo *limpë* na "casa de cem chaminés" de Gilfanon. Em *O Chalé do Brincar Perdido* (I. 27), Lindo disse a Eriol que não poderia lhe dar *limpë* para beber:

somente Turinqi pode dispensá-la àqueles que não são da raça dos Eldar, e os que bebem devem habitar para sempre com os Eldar da Ilha até aquele tempo em que eles partam afora para achar as famílias perdidas da gente.

A própria Meril-i-Turinqi, quando Eriol a procurou para pedir um sorvo do *limpë*, foi severa (I. 124–25):

Se tu beberes essa bebida [...] mesmo na Partida Afora, se Eldar e Homens travarem guerra no fim, ainda assim deves lutar ao nosso lado, contra os filhos de tua terra e gente, mas, até lá, jamais poderias voltar ao teu lar por mais que a saudade te corroesse [...]

No texto descrito em I. 276 e seguintes, Eriol lamenta a Lindo a recusa em ter seu desejo atendido, e Lindo, apesar de alertá-lo a não "pensar em cruzar as fronteiras que Ilúvatar dispôs", diz que Meril não negou o desejo dele irrevogavelmente. Em uma nota a esse texto, meu pai escreveu: "Eriol [parte] para Tavrobel — depois de Tavrobel, ele bebe do *limpë*."

A afirmação nesse trecho do esboço C, de que Eriol "em seus últimos dias é consumido de anseio pelas falésias negras de suas costas, assim como Meril dissera", claramente se refere ao trecho em *O Acorrentamento de Melko*, do qual citei anteriormente:

num dia de outono chegarão os ventos, e uma gaivota impelida, talvez, lamentará no alto, e eis que te encherás de desejo, lembrando das costas escuras de teu lar. (I. 123).

A referência de Lindo, no trecho de *O Chalé do Brincar Perdido* citado acima, à partida afora dos Eldar de Tol Eressëa "para achar as famílias perdidas da gente" deve igualmente ser relacionada às menções em (5) à Partida Afora (embora ainda não fosse o momento certo), ao "levante dos Elfos Perdidos contra os Orques e Nautar" e aos "Elfos Ilhéus e os Elfos Perdidos" na Batalha de Rôs. Não está claro quem exatamente se deve entender por "Elfos Perdidos"; mas no *Conto de Gilfanon* (I. 278) todos os Elfos das Grandes Terras "que nunca viram a luz de Kôr" (Ilkorins), quer tenham deixado as Águas do Despertar, quer não, são chamados de "as fadas perdidas do mundo", e parece provável que esse seja o sentido aqui. Deve-se supor, então, que em Tol Eressëa habitavam apenas os Eldar de Kôr (os "Exilados") e os Noldoli libertados da escravidão de Melko. A Partida Afora seria a grande expedição desde Tol Eressëa para resgatar aqueles que nunca haviam saído das Grandes Terras.

Em (5) encontramos a ideia de que Tol Eressëa foi arrastada de volta para o leste pelo Oceano até a posição geográfica da Inglaterra — ela se torna a Inglaterra (ver I. 39); o fato de que a parte que foi arrebentada por Ossë, a Ilha de Íverin, é a Irlanda está explicitamente afirmado no dicionário qenya. O promontório de Rôs talvez seja a Bretanha.

Aqui também há uma clara definição do "desvanecimento" dos Elfos, sua diminuição física e crescente tenuidade e transparência, até que se tornam invisíveis (e, por fim, inacreditáveis) à grosseira gente dos Homens. Essa é uma concepção central da mitologia inicial: as "fadas", conforme concebidas agora pelos Homens (na proporção em que são concebidas corretamente), *tornaram-se* assim. Elas não foram sempre assim. E talvez o mais notável nessa já notável passagem é que vemos o retraimento final e virtualmente completo dos Deuses (a quem os Eldar são "mais semelhantes em natureza", I. 77) quanto às preocupações "do mundo", isto é, as Grandes Terras de além-Mar. Aparentemente eles observam, visto que se entristecem, e, portanto, não estão completamente indiferentes ao que se passa nas terras dos Homens, mas dali em diante estão completamente remotos, ocultos no Oeste.

Outros elementos de (5), o Livro Dourado de Tavrobel e a Batalha da Charneca do Teto-do-Céu, serão explicados em breve. Incluo a seguir um trecho separado encontrado no caderno C com o título "Reacender do Sol Mágico. Partida Afora."

6. A profecia dos Elfos é a de que um dia eles partirão afora de Tol Eressëa e, quando chegarem ao mundo, reunirão todos da sua gente desvanecente que ainda vivem no mundo e marcharão rumo a Valinor pelas terras do sul. Isso farão apenas com a ajuda dos Homens. Se os Homens os ajudarem, as fadas levarão os Homens a Valinor — os que desejarem ir —, travarão uma grande batalha com Melko em Erumáni e abrirão Valinor.[9] Laurelin e Silpion serão reacesas e, uma vez destruída a grande muralha de montanhas, suave radiância se espalhará por todo o mundo, e o Sol e a Lua serão convocados de volta. Caso os Homens se oponham a elas e ajudem Melko, isso resultará na Ruína dos Deuses e no fim das fadas — e talvez no Grande Fim.

Na página ao lado está escrito:

Se as Árvores fossem reacesas, todos os caminhos até Valinor tornar-se-iam claros para trilhar — e os Mares Sombrios abrir-se-iam, claros e desimpedidos — os Homens, assim como os Elfos, provariam da bem-aventurança dos Deuses, e Mandos seria esvaziada.

Essa profecia claramente está por trás das palavras de Vairë a Eriol (I. 31): "[...] a Partida Afora, quando, se tudo correr bem, as estradas de Arvalin até Valinor encher-se-ão de filhos e filhas de Homens."

Visto que "o Sol e a Lua serão convocados de volta" quando as Duas Árvores fornecerem luz novamente, parece que aqui o "Reacender do Sol Mágico" (ao qual se brinda em Mar Vanwa Tyaliéva, I. 27, 85) refere-se ao reacender das Árvores. Mas na citação (4) acima, afirma-se que "o 'Reacender do Sol Mágico' se refere em parte às Árvores e em parte a Urwendi", enquanto no *Conto do Sol e da Lua* (I. 217), Yavanna parece fazer distinção entre as duas ideias:

"Muitas coisas hão de ser feitas e de passar, e os Deuses hão de envelhecer, e os Elfos chegarão a quase esvanecer antes de verdes o reflagrar destas Árvores ou o Sol Mágico reaceso", e os Deuses não souberam o que ela queria dizer, falando do Sol Mágico, e nem o souberam por muito tempo depois.

A citação (xix) na p. 318 não deixa a referência clara: Eärendel "retorna do firmamento de quando em quando com Voronwë até Kôr para ver se o Sol Mágico foi aceso e se as fadas retornaram", mas na nota isolada a seguir, o Reacender do Sol Mágico explicitamente significa o reerguer de Urwendi:

7. Urwendi aprisionada por Móru (tombou para fora do barco por causa de Melko e somente a Lua continuou a ser mágica desde então). A Partida Afora e a Batalha de Erumáni a libertariam e reacenderiam o Sol Mágico.

Esse "tombamento" do Navio-do-Sol por Melko e a perda da "magia" do Sol são mencionados também em (4), onde se acrescenta que Urwendi caiu no mar e ali encontrou sua "morte". No conto *O Roubo de Melko*, afirma-se (I. 186) que a caverna em que Melko encontrou Ungoliant era o lugar onde o Sol e a Lua foram posteriormente aprisionados, pois "espírito primevo, Móru" de fato era Ungweliant (ver I. 314–15). A Batalha de Erumáni também está mencionada em (6), e possivelmente deve ser a "última batalha nas Planícies de Valinor" profetizada por Gilfanon em (5). Mas a última parte de (5) mostra que a Partida Afora não deu em nada, e as profecias não foram cumpridas.

Não há outras referências ao arrastar de Tol Eressëa pelo Oceano por Uin, a grande Baleia, à Ilha de Íverin ou à Batalha de Rôs; mas um escrito notável sobrevive, e diz respeito às consequências da "grande batalha entre Homens na Charneca do Teto-do-Céu (agora a Charneca Seca), a cerca de uma légua de Tavrobel" (final da citação (5)). Trata-se de um texto escrito muito apressadamente a lápis e extraordinariamente difícil intitulado *Epílogo*. Ele começa com uma breve nota prefacial:

8. Eriol foge com os Elfos desvanecentes da Batalha da Charneca Alta (Ladwen-na-Dhaideloth) e atravessa o Gruir e o Afros.
   As últimas palavras do livro de Contos. Escritas por Eriol em Tavrobel antes de ele selar o livro.

Isso representa o desenvolvimento indicado como desejável em (5): que o próprio Eriol deveria ver as últimas coisas e terminar o livro; mas uma nota isolada em C mostra que meu pai ainda estava incerto quanto a isso, mesmo depois de o *Epílogo* já existir: "Prólogo pelo escritor de Tavrobel [*isto é, um Prólogo assim é necessário*] contando como ele encontrou os escritos de Eriol e os coligiu. O epílogo dele depois da batalha de Ladwen Daideloth está escrito."

Os rios Gruir e Afros também aparecem no trecho sobre a batalha ao final de (5). Como se diz ali que a Charneca ficava a cerca de uma légua de Tavrobel, os dois rios são claramente aqueles mencionados no *Conto do Sol e da Lua*: "a Torre de Tavrobel ao lado dos rios" (I. 212 e ver I. 236 nota 2). Em notas dispersas, a batalha também é chamada de "a Batalha do Teto do Firmamento" e "a Batalha de Dor-na-Dhaideloth".[10]

Coloco agora o texto do *Epílogo*:

E agora está muito próximo o fim dos belos tempos, e vede, toda a beleza que ainda havia na terra — fragmentos do inimaginável encanto de Valinor donde veio o povo dos Elfos há muito, muito tempo — agora se desfaz em fumaça. Aqui estão uns poucos contos, memórias mal contadas, de toda aquela magia e maravilha entre este lugar e Eldamar das quais tornei-me mais conhecedor do que qualquer homem mortal desde que meus passos viandantes chegaram pela primeira vez a esta triste ilha.

Daquela última batalha da charneca alta que tem o vasto céu por teto — e não havia nenhum outro lugar sob as dobras azuis das vestes de Manwë tão perto dos céus, ou tão ampla e tão completamente dosselado —, tudo o que de doloroso eu vi, contei.

Já desvanecem os Elfos em pesar, e a Partida Afora acabou em ruína, e somente Ilúvatar sabe se algum dia as Árvores hão de ser reacendidas enquanto o mundo perdurar. Vede, saí furtivo à noitinha da charneca arruinada, e meu caminho desceu sinuoso o vale do Riacho de Vidro, mas o pôr do Sol foi enegrecido com os fumos de fogos, e as águas do regato foram conspurcadas com a guerra dos homens e a fuligem da contenda. Meu coração ficou então amargurado por ver os ossos da boa terra postos a nu com ventos onde as mãos destrutivas dos homens haviam dilacerado a urze e as avencas e as queimado para fazer sacrifício a Melko e por desejo de devastação; e os locais em que se aglomeravam as abelhas — que zumbiam o dia todo por entre o tojo e os arbustos de mirtilo há muito tempo, descendo com seu rico mel a Tavrobel —, estes tornaram-se agora fossos e [?montes] de árida terra vermelha, e nada cantava ali, nem dançava, senão ares insalubres e moscas de pestilência.

Agora o Sol morreu e eis que cheguei ao mais mágico dos bosques onde outrora os carvalhos imemoriais postavam-se firmes em meio às faias e esguias bétulas que cresceram depois, mas todas caíram sob os machados impiedosos de homens insensatos. Ai de mim, aqui o caminho era batido com feitiços, trilhado com músicas e encantamento que meandravam por lá, e por esta vereda soíam os Elfos sair à caça. Ali muitas vezes os vi, e Gilfanon estava lá, e eles cavalgavam qual reis na direção da caça, e a beleza de seus rostos no sol era como a manhã nova, e o vento em seus cabelos dourados, como a glória de brilhantes flores tremulando na aurora, e a música poderosa de suas vozes era como o mar e trombetas e como o som de muitíssimas violas e de inumeráveis harpas douradas. E ainda outra vez vi o povo de Tavrobel sob a Lua, e eles se punham a cavalgar ou dançar pelo vale dos dois rios, onde a ponte cinzenta atravessa as águas que se encontram; e eles passavam rapidamente, como se estivessem trajados de sonhos, salpicados de gemas como os orvalhos cinzentos em meio à relva, e suas brancas vestes capturavam a longa radiância da Lua . . . . e suas lanças bruxuleavam com flamas prateadas.

E agora o pesar e . . . . . abateu-se sobre os Elfos, Tavrobel está vazia e todos fugiram, [?temendo] o inimigo que se assenta sobre a charneca arruinada e que não está a uma légua de distância; cujas mãos estão rubras com o sangue d'Elfos e maculadas com as vidas de sua própria gente, que fez de si mesmo aliado de Melko e Senhor do Ódio, que lutou ao lado de Orques e Gongues e dos monstros nocivos do mundo — cego, e tolo, e somente a destruição ele conhece. As trilhas das fadas ele transformou em estradas poeirentas onde a sede [?tarda fatigada] e homem nenhum cumprimenta o outro no caminho, mas passa direto, arrispidado.

Assim desvanecem os Elfos, e há de passar que, por causa das águas que envolvem esta ilha, e ainda mais por causa do seu amor insaciável por ela, poucos hão de fugir, mas, conforme os homens se avultam ali e engordam, e ficam ainda mais cegos, tanto mais os Elfos hão de desvanecer e apoucar-se; e aqueles dos dias posteriores hão de escarnecer, dizendo Quem são as fadas? Mentiras contadas às crianças por mulheres ou homens tolos — quem são essas fadas? E uns poucos hão de responder: Memórias

que se turvaram, um espectro de evanescente beleza nas árvores, um farfalhar da relva, um cintilar de orvalho, uma sutil entoação do vento; e outros, ainda em menor número, hão de dizer......
"Muito pequenas e delicadas as fadas são agora e, no entanto, temos olhos para ver e ouvidos para ouvir, e Tavrobel e Kortirion ainda estão repletas [?deste] doce povo. A Primavera as conhece, e o Verão também, e no Inverno ainda estão entre nós, mas é sobretudo no Outono que elas saem, pois o Outono é a sua estação, decaídas que estão no Outono de seus dias. Como hão de estar os sonhadores da terra quando seu inverno chegar.

Ouvi, ó meus irmãos — dirão elas —, as pequenas trombetas soando; ouvimos um som de instrumentos inimaginavelmente pequenos. Como fios de vento, como semitransparências místicas, Gilfanon, Senhor de Tavrobel, cavalga esta noite em meio ao seu povo, e caça o cervo élfico sob o céu palescente. Uma música de pés esquecidos, um brilho de folhas, uma repentina ondulação da relva,[11] e vozes melancólicas murmurando na ponte, e se vão.

Mas vede, Tavrobel não há de saber seu nome, e toda a terra há de se alterar, e mesmo estas minhas palavras escritas perder-se-ão todas; e, assim, deponho a pena, e dessarte deixo de falar das fadas.

> Outro texto que tem relevância para esses assuntos é o prefácio em prosa a *Kortirion entre as Árvores* (1915), que foi incluído na Parte I, p. 25–6, mas que eu repito aqui:

9. Ora, certa vez as fadas habitaram na Ilha Solitária após as grandes guerras com Melko e a ruína de Gondolin; e erigiram uma bela cidade no centro daquela ilha, e era cingida de árvores. Ora, essa cidade eles chamaram de Kortirion, tanto em memória de sua antiga morada de Kôr, em Valinor, quanto porque a cidade ficava também sobre uma colina e tinha uma grande torre, alta e cinzenta, que Ingil, filho de Inwë, seu senhor, fez erguerem.

Muito bela era Kortirion e as fadas a amavam, e tornou-se rica em canção e poesia e em luz de risos; mas certa vez a grande Partida Afora foi realizada, e as fadas teriam reflagrado o Sol Mágico de Valinor, não fosse a traição e os corações fracos dos Homens. Mas acontece que o Sol Mágico está morto e a Ilha Solitária, retirada para os confins das Grandes Terras, e as fadas estão espalhadas por todos os largos sendeiros hostis do mundo; e agora os Homens vivem até mesmo nessa ilha desvanecente, e não se importam ou não sabem de seus dias antigos. Ainda assim, há alguns dos Eldar e dos Noldoli de outrora que permanecem na ilha, e suas canções são ouvidas junto às praias dessa terra que certa vez foi a morada mais bela do povo imortal.

E parece às fadas, e parece-me a mim que conheço aquela cidade e amiúde trilhei seus caminhos desfigurados, que o outono e o cair das folhas é a estação do ano quando, talvez aqui ou ali, algum coração entre os Homens possa estar aberto, e algum olho possa perceber como o estado do mundo decaiu do riso e do encanto de outrora. Pensai em Kortirion e entristecei-vos — mas, ainda assim, não haveria esperança?

∽

Neste ponto, podemos nos voltar para a história do próprio Eriol. Novamente aqui, as concepções iniciais de meu pai acerca do marinheiro que chegou a Tol Eressëa não passam de esboços alusivos em páginas do caderninho C, e não é possível reproduzir de maneira útil parte desse material. Talvez o mais antigo seja um grupo de notas intitulado "Estória da Vida de Eriol", que incluí no Volume I. 35, mas omitindo algumas características que não eram relevantes ali. Eu o coloco novamente aqui, acrescentando as afirmações anteriormente omitidas.

10. O nome original de Eriol era Ottor, mas ele chamava a si mesmo de *Wǽfre* (inglês antigo: "irrequieto, vagante") e passava a vida nas águas. Seu pai se chamava *Eoh* (inglês antigo: "cavalo"); e Eoh foi morto por seu irmão Beorn, ou "no cerco" ou "em uma grande batalha". Ottor Wǽfre assentou-se na ilha da Heligolândia, no Mar do Norte, e casou-se com uma mulher chamada Cwén; tiveram dois filhos, chamados Hengest e Horsa "para vingar Eoh".

O anseio pelo mar então se abateu sobre Ottor Wǽfre (ele era "um filho de Eärendel", nascido sob sua luz), e após a morte de Cwén, deixou seus jovens filhos. Hengest e Horsa vingaram Eoh e tornaram-se grandes chefes; mas Ottor Wǽfre partiu para buscar e encontrar Tol Eressëa (*se uncúpa holm*, "a ilha desconhecida").

Em Tol Eressëa se casou, tendo rejuvenescido pelo *limpë* (aqui também chamado pela palavra em inglês antigo *líp*), com Naimi (Éadgifu), sobrinha de Vairë, e tiveram um filho chamado Heorrenda.

Conta-se então, sem desdobramentos (embora o assunto em si seja de grande interesse e não é reiterado em nenhum outro lugar), que Eriol falou às fadas sobre *Wóden, Þunor, Tíw* etc. (sendo esses os nomes em inglês antigo para os deuses germânicos que, na forma escandinava antiga são *Óðinn, Þórr, Týr*), e eles os identificaram com Manweg, Tulkas e um terceiro cujo nome está ilegível, mas não se parece com o nome de nenhum dos grandes Valar.

Eriol adotou o nome *Angol*.

Assim foi que, por meio de Eriol e seus filhos, os *Anglos* (isto é, os ingleses) possuem a verdadeira tradição das fadas, de quem os *Íras* e os *Wéalas* (os irlandeses e os galeses) contam coisas deturpadas.

Assim nasceu uma tradição especificamente inglesa sobre as fadas, mais verdadeira do que qualquer coisa que se encontra em terras célticas.

O casamento de Eriol em Tol Eressëa jamais é aludido em qualquer outro lugar; mas seu filho Heorrenda é mencionado (embora não como filho de Eriol) na ligação no início de *A Queda de Gondolin* (p. 178) como alguém que depois verteu uma canção das donzelas de Meril para a língua do seu povo. Um pouco mais de luz se joga sobre Heorrenda no decorrer deste capítulo.

A essas notas estão associados uma folha de rosto e um prólogo que é interrompido após algumas linhas:

11. O Livro Dourado de Heorrenda
  sendo este o livro dos
   Contos de Tavrobel

  Heorrenda de Hægwudu

Este livro escrevi usando os escritos que meu pai Wǽfre (cujo nome os Gnomos deram por conta das regiões de seu lar, Angol) compôs em sua estadia na ilha sagrada nos dias dos Elfos; e muito mais acrescentei daquelas coisas que seus olhos não viram depois; mas tais coisas ainda não serão contadas. Pois sabei

Aqui, portanto, o Livro Dourado foi compilado a partir dos escritos de Eriol por seu filho Heorrenda — em oposição a (5), em que foi compilado por um anônimo, e também em oposição ao *Epílogo* (8), segundo o qual o próprio Eriol concluiu e selou o livro.

Como eu mencionei anteriormente (I. 36), *Angol* se refere ao antigo lar dos "ingleses" antes de atravessarem o Mar do Norte (para a etimologia de *Angol/Eriol* "falésias de ferro" ver I. 36, 304–05).

12. Há também uma tabela genealógica acompanhando o esboço (10) e em completa concordância com ele. A tabela foi escrita em duas versões que são idênticas a não ser por um ponto: onde em uma delas está Beorn, irmão de Eoh, na outra há *Hasen de Isenóra* (inglês antigo: "costa de ferro"). Mas ao final da tabela está apresentado o fato principal de todos esses materiais primitivos acerca de Eriol e Tol Eressëa: Hengest e Horsa, filhos de Eriol com Cwén na Heligolândia, e Heorrenda, seu filho com Naimi em Tol Eressëa, estão reunidos entre colchetes e, sob o nome deles, está escrito:

> conquistaram Íeg
> ("seo unwemmede Íeg")
> agora chamada de Englaland*
> e ali habitam os Angolcynn ou Anglos.

Íeg é inglês antigo, "ilha"; *seo unwemmede Íeg* "a ilha imaculada". Mencionei anteriormente (I. 37, nota de rodapé) um poema que meu pai escreveu em Étaples em junho de 1916, chamado "A Ilha Solitária" e dirigido à Inglaterra: esse poema tem o título em inglês antigo *seo Unwemmede Íeg*.

13. Seguem-se, no caderno C, algumas anotações que identificam precisamente lugares em Tol Eressëa com lugares na Inglaterra.

---

* Uma das variantes do nome da Inglaterra em inglês antigo. [N.T.]

Primeiro, o nome *Kortirion* é explicado. O elemento *Kôr* deriva do nome mais antigo *Qorä*, e do ainda mais antigo *Guorä*, mas a partir de *Guorä* também derivou (isto é, em gnômico) a forma *Gwâr*. (Essa formulação está de acordo com o dicionário gnômico, ver I. 310-11). Assim, *Kôr* = *Gwâr*, e *Kortirion* = **Gwarmindon* (o asterisco implica uma forma hipotética e não atestada). O nome que era de fato usado em gnômico tinha os elementos invertidos, *Mindon-Gwar*. (*Mindon*, assim como *Tirion*, significava e continuou a significar sempre "torre". O significado de *Kôr/Gwâr* não é dado aqui, mas tanto no conto *A Vinda dos Elfos* (I. 153) e no dicionário gnômico (I. 310-11), explica-se que o nome faz referência à *rotundidade* da colina de Kôr).

A nota continua (usando formas em inglês antigo): "In Wíelisc *Caergwâr*, in Englisc *Warwíc*". Portanto, o elemento *War-* em *Warkwick* teria a mesma origem élfica de *Kor-* em *Kortirion* e *Gwar* em *Mindon-Gwar*.[12] Por fim, afirma-se que "A capital de Hengest era Warwick".

A seguir, Horsa (irmão de Hengest) é associado a *Oxenaford* (inglês antigo: Oxford), que recebe os equivalentes em q[enya] *Taruktarna* e o gnômico **Taruithorn* (ver o Apêndice de Nomes, p. 417).

Afirma-se que o terceiro dos filhos de Eriol, Heorrenda, tinha sua "capital" em Great Haywood (o vilarejo de Staffordshire onde meus pais moraram em 1916-17, ver I. 37), e ela recebe os equivalentes em qenya *Tavaros(së)* e *Taurossë*, e os gnômicos *Tavrobel* e *Tavrost*; e também "Englisc [isto é, inglês antigo] *Hægwudu se gréata, Gréata Hægwudu*".[13]

Essas notas se encerram com a afirmação de que "Heorrenda chamava Kôr, ou Gwâr, de 'Tûn'". No contexto dessas concepções, isso é obviamente a palavra em inglês antigo *tún*, uma habitação cercada, da qual desenvolveu-se a palavra moderna *town* [vila, cidade] e o sufixo toponímico *-ton*. *Tûn* apareceu várias vezes nos *Contos Perdidos* como uma correção tardia ou como alternativa de *Kôr*, alterações que sem dúvida foram feitas na época da situação posterior (ou em antecipação a ela) em que a cidade era *Tûn* e o nome *Kôr* se restringia à colina em que ela estava. Ainda mais tarde, *Tûn* tornou-se *Túna* e, quando a cidade dos Elfos foi chamada de *Tirion*, a colina tornou-se *Túna*, como em *O Silmarillion*. Nessa época, ela deixou de ter qualquer conotação de "local de moradia" e libertou-se de todas as conexões com a real origem que vemos aqui, no inglês antigo *tún*, a "cidade" de Heorrenda.

Será que todo esse material poderia ser reunido e formar uma narrativa coerente? Acredito que sim (levando-se em conta que há certas diferenças irreconciliáveis quanto à vida de Eriol), e eu a reconstruiria da seguinte forma:

- Os Eldar e os Noldoli resgatados partiram das Grandes Terras e chegaram a Tol Eressëa.
- Em Tol Eressëa, construíram muitas cidades e aldeias, e em Alalminórë, a região central da ilha, Ingil, filho de Inwë, construiu a cidade de Koromas, "o Repouso dos Exilados de Kôr" ("Exilados" porque não poderiam voltar a Valinor); e a grande torre de Ingil deu à cidade o seu nome, *Kortirion*. (Ver I. 27).
- Ottor Wǽfre veio da Heligolândia a Tol Eressëa e morou no Chalé do Brincar Perdido em Kortirion; os Elfos deram-lhe o nome de *Eriol*, ou *Angol* em homenagem às "falésias de ferro" de seu lar.
- Depois de um tempo, tendo aprendido muito acerca da história antiga de Deuses, Elfos e Homens, Eriol foi visitar Gilfanon no vilarejo de Tavrobel, e lá registrou o que aprendera; também lá, por fim, bebeu *limpë*.
- Em Tol Eressëa, Eriol casou-se e teve um filho chamado Heorrenda (Meio-Elfo!). (De acordo com (5), Eriol morreu em Tavrobel, consumido de anseio "pelas falésias negras de suas costas"; mas, conforme (8), certamente posterior, ele viveu para ver a Batalha da Charneca do Teto-do-Céu).
- Os Elfos Perdidos das Grandes Terras ergueram-se contra o domínio dos serviçais de Melko; e a prematura Partida Afora aconteceu, momento no qual Tol Eressëa foi arrastada de volta ao leste pelo Oceano e ancorada para lá das costas das Grandes Terras. A metade ocidental foi arrebentada quando Ossë tentou arrastar a ilha de volta, e tornou-se a Ilha de Íverin (= Irlanda).
- Tol Eressëa estava agora na posição geográfica da Inglaterra.
- A grande batalha de Rôs terminou com a derrota dos Elfos, que se ocultaram em Tol Eressëa.
- Homens malignos entraram em Tol Eressëa, acompanhados de Orques e outros seres hostis.

- A Batalha da Charneca do Teto-do-Céu se deu não muito longe de Tavrobel e, de acordo com (8), foi testemunhada por Eriol, que completou o Livro Dourado.
- Os Elfos se desvaneceram e tornaram-se invisíveis aos olhos de quase todos os Homens.
- Os filhos de Eriol — Hengest, Horsa e Heorrenda — conquistaram a ilha e ela se tornou a "Inglaterra". Eles não eram hostis aos Elfos, e por meio deles os ingleses adquiriram a "verdadeira tradição das fadas".
- Kortirion, antiga morada das fadas, passou a ser conhecida como Warwick no idioma dos ingleses; Hengest morava ali, enquanto Horsa morava em Taruithorn (Oxford) e Heorrenda, em Tavrobel (Great Haywood). (De acordo com (11), Heorrenda completou o Livro Dourado.)

Talvez essa reconstrução não esteja "correta" em todas as partes: de fato, é possível que qualquer tentativa do tipo seja artificial por tratar todas as notas e rabiscos como se tivessem peso equivalente, e todas as ideias como se fossem estritamente contemporâneas e relacionadas umas às outras. Contudo, acredito que isso demonstre corretamente, nos elementos essenciais, como meu pai planejava ordenar a narrativa dentro da qual os *Contos Perdidos* seriam inseridos; e acredito também que essa era a concepção que ainda subjazia aos *Contos* da maneira que sobreviveram e que foram incluídos nesses volumes.

Por conveniência, farei referência a esse fio narrativo como "a narrativa *Eriol*". Suas características mais notáveis, em contraste com a história posterior, são a transformação de Tol Eressëa na Inglaterra e o surgimento precoce (em relação à história completa) do marinheiro e sua importância.

De fato, meu pai estava explorando (antes de decidir por uma transformação radical de toda a concepção) ideias pela qual a importância dele seria muito aumentada.

14. A partir de rabiscos muito descuidados, pode-se depreender que Eriol ficou atormentado de tal forma pela nostalgia que içou velas de Tol Eressëa com seu filho, Heorrenda, contrariando a ordem de Meril-i-Turinqi (ver o trecho de *O Acorrentamento de Melko* citado na p. 342); mas o propósito dele ao fazê-lo era também

"apressar a Partida Afora", que ele "apregoava" nas terras do Leste. Tol Eressëa foi arrastada de volta para os confins das Grandes Terras, mas de imediato povos hostis chamados de *Guiðlin* e *Brithonin* (e, em uma dessas notas, também os *Rúmhoth*, Romanos) invadiram a ilha. Eriol morreu, mas seus filhos, Hengest e Horsa, sobrepujaram os Guiðlin. Contudo, pela desobediência de Eriol ao comando de Meril, retornando antes do momento certo da Partida Afora, "tudo estava amaldiçoado"; e os Elfos desvaneceram diante do ruído e do mal da guerra. Uma frase isolada faz menção a "uma estranha profecia de que um homem de boa vontade e, no entanto, devido ao anseio pelas coisas dos Homens, pode levar a nada a Partida Afora".

Assim, o papel de Eriol se tornaria central na história dos Elfos; mas não há indício de que essas ideias jamais foram além desse estágio exploratório.

※

Afirmei que penso que a reconstrução fornecida anteriormente ("a narrativa *Eriol*") é, nos elementos essenciais, a concepção que subjaz a moldura dos *Contos Perdidos*. Isso se dá por razões positivas e negativas: positivas porque ele ainda é chamado aí de *Eriol* (ver p. 361), e porque Gilfanon, que entra tardiamente (substituindo Ailios) no desenvolvimento dos *Contos*, também aparece na citação (5), uma das principais fontes desta reconstrução; negativas porque realmente não há nada que contradiga essa que é a suposição mais fácil. Não há afirmação explícita em lugar algum dos *Contos Perdidos* de que Eriol tenha vindo da Inglaterra. No começo (I. 23), ele é somente "um viajante vindo de terras distantes"; e o fato de que a história que contou a Vëannë sobre sua vida pregressa (pp. 14–18) combina bem com outros relatos, segundo os quais seu lar é explicitamente na Inglaterra, não faz nada além de mostrar que a história permaneceu enquanto a geografia foi alterada — assim como as "costas escuras" de seu lar sobreviveram nos escritos posteriores e tornaram-se as costas ocidentais da Grã-Bretanha, ao passo que a referência mais antiga a elas é a etimologia de *Angol* "falésias de ferro" (seu próprio nome, = *Eriol*, da terra "entre os mares", Angeln na península dinamarquesa, de onde ele veio: ver I. 305). De fato, há um esboço rejeitado muito antigo da vida de Eriol em que características essenciais da mesma história são delineadas — o ataque à morada de seu pai (neste caso, a destruição do castelo de Eoh por seu irmão Beorn, ver citação (10)), o cativeiro e fuga de Eriol — e, nessa nota, afirma-se que Eriol depois "vagou pelos ermos das Terras Centrais até o Mar Interior, *Wendelsæ* [inglês antigo, o Mediterrâneo], e de lá para as praias do Mar do Oeste", de onde seu pai originalmente viera. A menção no texto datilografado da *Ligação* ao *Conto de Tinúviel* (p. 17) a homens selvagens vindos das Montanhas do Leste, *que o duque conseguia ver de sua torre*, parece igualmente implicar que, nessa época, o lar original de Eriol ficava em alguma região "continental".

O único indício, até onde consigo ver, de que essa visão poderia não estar correta se encontra em um antigo poema com uma história complexa, e alguns textos dele eu incluo aqui.

Os primeiros rascunhos descuidados desse poema sobrevivem; o título original era "A Fidelidade do Errante" e não está claro se foi concebido inicialmente como um poema em três partes. Meu pai subsequentemente escreveu subtítulos nesses rascunhos, dividindo o poema em três: *Prelúdio*, *A Cidade Interior* e *A Cidade Pesarosa*; e acrescentou uma data, 16–18 de março de 1916. Na única cópia tardia que restou do poema completo, o título geral é *A Vila dos Sonhos e a Cidade do Pesar Presente*, com as três partes intituladas *Prelúdio* (inglês antigo *Foresang*), *A Vila dos Sonhos* (inglês antigo *Þæt Slǣpende Tún*) e *A Cidade do Pesar Presente* (inglês antigo *Seo Wēpende Burg*). O texto inclui as datas "março de 1916, Oxford e Warwick; reescrito em Birmingham em novembro de 1916". "A Vila dos Sonhos" é Warwick, no Rio Avon, e "A Cidade do Pesar Presente" é Oxford, no Tâmisa, durante a Primeira Guerra. Não há associação evidente de nenhum tipo com Eriol ou com os *Contos Perdidos*.

Prelúdio

Os pais dos meus pais, num tempo incerto
Chegaram, e filho após filho
Arraigou-se entre os pomares e os prados,
Na longa relva do campo fragrante:
Os verões os viram fazer fogos de perto
Com íris nos juncos curvados,
E as flores virando frutos de fulvo brilho
Em meio aos jardins da campina grande.

Entre as árvores, narcisos fremiam
Na primavera; os homens gargalhavam,
Na labuta, faziam lais ditosos
E canções de beber os refrescavam.
O sono era fácil, as abelhas zumbiam
Aos montes nas jardineiras floridas;
Amando os solares dias formosos,
Em quietas horas passavam as vidas
Já tanto tempo atrás;
Não cantam, colhem, nem semeiam mais.
E morei em muitas cidades dessa ilha
Por um tempo em minha vida andarilha.

A Vila dos Sonhos

Dias gentis se passaram aqui
Nessa urbe de antigo esquecimento;
E emaranhado em sonhos eu dormi
Sem eco ouvir do mundo em sofrimento
No farfalhar das folhas dos olmeiros,
E enquanto o Avon cantava nos baixios,
A manhã e o entardecer, faceiros,
Corriam n'água até o Outono vir,
(Tal como folhas de dourado lume
Qual jorros flamejantes a partir
Morosamente pelo escuro flume).

Pois aqui o castelo e a torre pujante,
Mais grises que a chuva em novembro
Que os olmeiros mais elevados,
Dormem; e nem a luz, nem hora triunfante,
Nem a passagem de estações ou Sol
Acorda os senhores em sono atados.

Seus sonhos vigília alguma atrapalha;
Nem mesmo a luz que pelo rio gargalha;

Quer trajados de neve ou lanhados por chuvas,
Quer março levante o pó de sendas e curvas,
O olmo se veste e despe de folhas milhões —
Momentos colhidos num ano cheio —
Mas impassíveis são seus corações,
Não compreendem tal maré de maldade,
De Hoje o pesar, de Amanhã o receio:
Ecos se perdem nos salões dormentes
E o dia se faz, nos muros, luzente.

⁂

A Cidade do Pesar Presente

Há uma cidade em remoto lugar
E um vale escavado em dias saudosos —
Lá a grama era larga e o olmedal minuía
E no ar desse vale um senso de rio havia.
A terra e os céus os salgueiros vieram a alterar,
Na plaga onde os rios eram sinuosos,
E, curvados, os seus troncos antigos
À margem do Tâmisa davam abrigo;
N'água se viam matizes sutis
Nos remansos onde as folhas quedavam:
Uma colcha de joias que brilhavam,
Lampejos filtrados, verdes e anis.

⁂

Ó cidade antiga, de tão breve estadia,
Nas tuas janelas, ardendo eu via
Velas e lâmpadas de homens finados.
Em vestes de noite e coroa estelar,
Possuis meu cor com magia sem par,
E voltam à vida os dias passados;
Auroras ou noites trazem os tons
Do velho ocaso daquela cidade.
Tu tens o cerne do deleite e do desejo,
A ti meu espírito em sono vai,
Tuas grandes ruas invade,
Ou à noite em viela clara o vejo,
Sem pensar noutras cidades que conheceu,

Do forte de árvores não lembra mais,
Nem da vila dos sonhos, já sem sons.
Pois teu cor sabe, e tu choras os danos
Que chegaram nesses malignos anos.
Os mil coruchéus e as torres ornadas
Luzem com ecos e chamas delgadas
Dos carrilhões de badalada infinda
Que trazem visões de anos opulentos
Dispersos em longes vias nos ventos;
E nos salões, tua alma canta ainda
Memórias passadas nos prantos presentes
E a esperança com medo dos dias à frente.
Ainda que o riso das trilhas suma,
Que a guerra os teus muitos filhos consuma,
Tua glória vence qualquer maldade,
Em coroa estelar, triste majestade.[A]

☙

Além disso, há dois textos em que um trecho de *A Cidade do Pesar Presente* é tratado como uma entidade à parte. Começa com o verso "Ó cidade antiga, de tão breve estadia," e é mais curta: depois de "Sem pensar noutras cidades que conheceu", ela termina assim:

Que todo homem chora não lembra mais,
Vagueia feliz e a ti canta os sons:
"Tua glória vence qualquer maldade,
Em coroa estelar, triste majestade!"[B]

O título inicial era *A Cidade Pesarosa*, mas foi então alterado para *Wínsele wéste, windge reste réte berofene* (*Beowulf*, versos 2456–457, adaptados muito levemente: "o salão dos banquetes vazio, os locais de descanso varridos pelo vento, despojados de riso").

Há também dois manuscritos em que *A Vila dos Sonhos* é tratado como um poema à parte, com o subtítulo *Uma antiga vila revisitada*; em um deles, o título primário foi posteriormente alterado para *A Vila dos Dias Mortos*.

Por fim, há um poema em duas partes chamado *A Canção de Eriol*. Ele se encontra em três manuscritos, cada um incorporando alterações menores feitas ao precedente (mas o terceiro manuscrito tem somente a segunda parte do poema).

A Canção de Eriol

Eriol compôs uma canção na Sala do Fogo-do-Conto relatando como seus pés se puseram a viandar, de modo que afinal encontrou a Ilha Solitária e aquela mui bela cidade de Kortirion.

1

Os pais dos meus pais, num tempo incerto
Chegaram, e filho após filho
Arraigou-se entre os pomares e os prados,
Na longa relva do campo fragrante:

Os verões os viram fazer fogos de perto
Com íris em meio aos juncos curvados,
E as flores virando frutos de fulvo brilho
Em meio aos jardins da campina grande.

Entre as árvores, narcisos fremiam
Na primavera; os homens gargalhavam,
Na labuta, faziam lais ditosos
E canções de beber os refrescavam.
O sono era fácil, as abelhas zumbiam
Aos montes nas jardineiras floridas;
Amando os solares dias formosos,
Em quietas horas passavam as vidas
    Já tanto tempo atrás;
  Não cantam, colhem, nem semeiam mais.
E morei em muitas cidades dessa ilha
Por um tempo em minha vida andarilha.

2

Choques de arsenais, grandes reis em guerras,
No punho, espadas inefáveis;
Como espigas de trigo, as incontáveis
Lanças rolaram pelas Grandes Terras;

No Mar o atroo das frotas, e detrás
Das tropas ardiam vilas, cultivos;
Cidades pilhadas, e em pira mordaz
Caíam; coroa e tesouro altivo,

Reis, seu povo, esposas, doces donzelas,
Consuntos. Quietas as cortes reais,
Torres no chão, quase nada mais delas,
E ninguém cruza os ruídos portais.

☙

Lá, em campo de sangue, meu pai morreu,
E em cerco voraz minha mãe tombou,
Eu, cativo, ouvi quando mar se ergueu
bramando, e meu espírito clamou

Pela costa oeste, há muito a terra dos pais
De minha mãe, e quebrei os grilhões,
Passei por vales e estéreis torrões,
Até meu pé encontrar o mar ocidental
E meus ouvidos não ouvirem mais
Pelo rugir do mar ocidental —
   Mas isso há tanto tempo.
     Às baías e às ondas estou atento,
     Aos cabos de ocaso e arquipélago nevoento,
     Aos desertos de sal e estreitos entre a magia
     Dessa ilha e as costas que eu conhecia.[C]

☙

Um dos manuscritos de *A Canção de Eriol* possui uma anotação posterior: "Easington 1917–18" (Easington, no estuário do Humber. Ver Humphrey Carpenter, *Biografia*, p. 137). Talvez a segunda parte de *A Canção de Eriol* tenha sido escrita em Easington e acrescentada à primeira parte (antes chamada de *Prelúdio*), a qual já existia.

Pouca coisa de natureza estritamente narrativa pode ser depreendida desse poema, exceto pelos contornos da mesma história: o pai de Eriol tombou em "um campo de sangue" quando as guerras dos "grandes reis [...] rolaram pelas Grandes Terras", e a mãe dele morreu "em cerco voraz" (a mesma expressão usada na *Ligação* ao *Conto de Tinúviel*, pp. 16-7); ele mesmo foi feito cativo, mas escapou e acabou chegando às praias do Mar do Oeste (de onde o povo de sua mãe viera).

O fato de que a primeira parte de *A Canção de Eriol* também faz as vezes de Prelúdio para um poema cujos objetos são Warwick e Oxford pode nos fazer suspeitar que o castelo com uma grande torre olhando por cima de um rio na história que Eriol contou a Vëannë era, novamente, Warwick. Mas não acho que seja o caso. De toda forma, permanece a objeção de que seria difícil acomodar o ataque a ela por homens vindos das Montanhas do Leste que o duque conseguia ver de sua torre; mas também penso estar claro que o poema original tripartite foi separado, e o *Prelúdio* recebeu outro propósito: os "pais dos pais" de meu pai tornaram-se "pais dos pais" de Eriol. Ao mesmo tempo, certas imagens poderosas eram simultaneamente dominantes e fluidas, e a grande torre do lar de Eriol de fato se tornaria a torre de Kortirion, ou Warwick, quando (como se verá em instantes) a estrutura da história do marinheiro foi radicalmente alterada. E nada poderia demonstrar isso mais claramente do que a evolução desse poema, de cuja complexa raiz emergiu a história.

Humphrey Carpenter, escrevendo em sua *Biografia* sobre a vida de meu pai após retornar a Oxford em 1925, afirma (pp. 231–32):

Depois de realizar inúmeras revisões e de reordenar as principais histórias do ciclo, decidiu abandonar a forma "Eriol", o nome do navegante original a quem eram contadas as histórias, e substituí-la por "Ælfwine", ou "amigo dos elfos".

É certeza que *Eriol* foi (por um tempo) substituído por *Ælfwine*. Mas embora seja bem possível que, na época dos textos que serão estudados agora, o nome *Eriol* tivesse realmente sido rejeitado, na primeira versão de "O Silmarillion" propriamente dito, escrita em 1926, *Eriol* reaparece, enquanto na primeira versão dos *Anais de Valinor*, escritos nos anos de 1930, afirma-se que foram traduzidos em Tol Eressëa "por Eriol de Leithien, que é Ælfwine dos Angelcynn". Por outro lado, nesse período inicial, parece inteiramente justificável, a julgar pelas evidências, tratar os dois nomes como indicadores de projeções narrativas diferentes: "a narrativa *Eriol*" e "a narrativa *Ælfwine*".

"Ælfwine", portanto, está associado a uma nova concepção, *subsequente* à composição dos *Contos Perdidos*. O marinheiro é Ælfwine, e não Eriol, no segundo "Esquema" para os *Contos*, o qual chamei de "um projeto não realizado para a revisão de toda a obra" (ver I. 281).

É possível agora deixar clara a diferença essencial, antes de citar as complicadas evidências: *Tol Eressëa agora não é identificada de maneira alguma com a Inglaterra*, e a história de que a Ilha Solitária foi arrastada de volta pelo mar foi abandonada. A Inglaterra ainda está no coração dessa concepção posterior, e é chamada de *Luthany*.[14] O marinheiro, Ælfwine, é um inglês viajando para oeste desde as costas da Grã-Bretanha, e seu papel diminuiu. Pois enquanto nos escritos estudados até agora ele chega a Tol Eressëa *antes* do desenlace e do desastre da Partida Afora, e ou ele ou seus descendentes testemunham a devastação de Tol Eressëa pela invasão dos Homens e seus aliados malignos (em um dos fios de desenvolvimento, foi ele próprio responsável por isso, pp. 354–55), nos esboços da narrativa posterior, ele só chega depois que toda a dolorosa história está encerrada. Seu papel é simplesmente o de aprender e registrar.[15]

Volto-me agora para várias passagens curtas e muito oblíquas, escritas em retalhos soltos, mas que se encontram juntos e claramente datam mais ou menos da mesma época.

15. Ælfwine da Inglaterra morava no Sudoeste; era da gente de Ing, Rei de Luthany. Sua mãe e seu pai foram mortos pelos piratas do mar e ele foi feito cativo.

  Sempre amou as fadas: seu pai lhe contara muitas coisas (da tradição de Ing). Ele foge. Percorre as águas setentrionais e ocidentais. Encontra o Marinheiro Ancião — e procura por Tol Eressëa (*seo unwemmede íeg*), para onde a maioria dos Elfos não desvanecidos se retiraram, fugindo do ruído, guerra e clamor dos Homens.

  Os Elfos lhe dão boas-vindas, e ainda mais quando descobrem quem é por ele mesmo. Chamam-no de *Lúthien*, o homem de Luthany. Ele descobre que sua própria língua, a antiga língua inglesa, é falada na ilha.

O "Marinheiro Ancião" já apareceu na história que Eriol contou a Vëannë (pp. 16, 17), e muito mais será dito sobre ele a seguir.

16. Ælfwine da Englaland, [*acrescentado depois*: impelido pelos normandos,] chega a Tol Eressëa, para onde a maioria dos Elfos desvanecentes se retiraram do mundo, e lá não mais desvanecem agora.

Descrição do porto na costa do sul. As fadas o recepcionam bem ao ouvir que ele vem da Englaland. Fica surpreso ao ouvi-los falando na língua de Ælfred de Wessex, embora uns com os outros falem um idioma doce e desconhecido.

Os Elfos dão-lhe o nome de Lúthien, pois ele vem de Luthany, como eles a chamam ("amigo" e "amizade"). Eldaros ou Ælfhâm. Ele vai até Rôs, sua capital. Ali encontra o Chalé do Brincar Perdido, e Lindo e Vairë.

Diz quem é e de onde vem, e por que buscou tanto tempo pela ilha (por causa das tradições entre a gente de Ing), e implora aos Elfos que voltem à Englaland.

Aqui começa (como uma explicação do porquê não podem) a série de histórias chamada de Livro dos Contos Perdidos.

Nesse trecho (16), Ælfwine está mais firmemente enraizado na história inglesa: ao que parece, é um homem da Wessex do século XI — mas, como em (15), ele é "da gente de Ing". A capital dos Elfos de Tol Eressëa não é Kortirion, mas Rôs, um nome agora empregado de modo bastante distinto da citação (5), em que Rôs era um promontório das Grandes Terras.

Não fui capaz de encontrar qualquer vestígio do processo pelo qual o nome *Lúthien* veio a ser empregado de maneira tão diferente depois (*Lúthien Tinúviel*). Outra nota desse período explica o nome de modo muito diverso: "Lúthien, ou Lúsion, era filho de Telumaith (Telumektar). Ælfwine amava o sinal de Órion, e fazia o sinal, pelo que as fadas o chamaram de Lúthien (Viandante)." Não há qualquer outra menção à associação peculiar de Ælfwine com Órion e nem dessa interpretação do nome Lúthien. Esse parece ser um desenvolvimento que meu pai não levou adiante.

Convém aqui incluir a passagem de abertura do segundo Esquema para os *Contos Perdidos* mencionado acima; ele claramente pertence à mesma época que o resto dessas notas acerca de Ælfwine, quando os *Contos* já haviam atingido o último estágio a que um dia chegaram dentro da primeira estrutura.

17. Ælfwine acorda em uma praia de areia. Ele ouve o mar, que está distante. A maré está baixa e se afastou.

    Ælfwine encontra os Elfos de Rôs; descobre que falam o idioma dos ingleses, além de sua própria doce língua. Porque o fazem — a morada dos Elfos em Luthany e sua ida para lá e de volta. Vestem-no e o alimentam, e ele sai andando pelas veredas floridas da ilha.

O esquema prossegue dizendo que, numa noite de verão, Ælfwine chegou a Kortirion, e nisso difere de (16), em que ele vai "até Rôs, sua capital", onde encontra o Chalé do Brincar Perdido. O nome Rôs parece ser usado aqui com ainda outro sentido — possivelmente um nome para Tol Eressëa.

18. Vai para Ælfhâm (Lardelfos) Eldos, onde Lindo e Vairë lhe contam muitas coisas: da feitura e maneira antiga do mundo: dos Deuses: dos Elfos de Valinor: dos Elfos Perdidos e Homens: da Labuta dos Gnomos: de Eärendel: da Partida Afora e da Perda de Valinor: do desastre da Partida Afora e da guerra com Homens malignos. A retirada para Luthany, onde Ingwë era rei. Da nostalgia dos Elfos e de como a maior parte quis voltar para Valinor. A perda de Elwing. Como um novo lar foi feito pelos Solosimpi e outros em Tol Eressëa. Como os Elfos continuamente deixam tristes o mundo e partem para lá.

Para a interpretação desse trecho é essencial perceber — e essa é a chave para a compreensão desse projeto de história — que a "Partida Afora" *não se refere* à Partida Afora no sentido que tem sido usado até agora — a que foi feita desde Tol Eressëa para o Reacender do Sol Mágico, que acabou em ruína —, mas à Marcha dos Elfos de Kôr e a "Perda de Valinor" que resultou da Marcha (ver pp. 303, 309, 312). Não fica clara a razão pela qual ela é aqui chamada de "desastre": mas isso deve ser associado, evidentemente, à "guerra com Homens malignos", e há menção nas citações (1) e (3) a uma guerra entre Elfos e Homens na época da Marcha de Kôr.

Na "narrativa *Eriol*" fica explícito que, depois da Marcha de Kôr, os Elfos partiram das Grandes Terras para Tol Eressëa; aqui, por outro lado, a "guerra com Homens malignos" é seguida de uma "retirada para Luthany, onde Ingwë era rei". A partida (parcial) para Tol Eressëa acontece de Luthany; a perda de Elwing parece se dar em uma dessas viagens. Como se verá, a "Partida Afora" da "narrativa *Eriol*" desapareceu como evento na história élfica e é mencionada apenas como uma profecia e uma esperança.

Esquematicamente, as divergências essenciais entre as duas estruturas narrativas podem ser dispostas assim:

(narrativa *Eriol*)	(narrativa *Ælfwine*)
Marcha dos Elfos de Kôr para as Grandes Terras	Marcha dos Elfos de Kôr para as Grandes Terras (chamada de "a Partida Afora")
Guerra com Homens nas Grandes Terras	Guerra com Homens nas Grandes Terras
Retirada dos Elfos para Tol Eressëa (perda de Elwing)	Retirada dos Elfos para Luthany (> Inglaterra), governada por Ingwë
	Partida de muitos Elfos para Tol Eressëa (perda de Elwing)
Eriol iça velas do Leste (região do Mar do Norte) para Tol Eressëa	Ælfwine iça velas da Inglaterra para Tol Eressëa
A Partida Afora, Tol Eressëa é arrastada para as Grandes Terras; no fim, Tol Eressëa > Inglaterra	

Evidentemente, isso não é de maneira alguma uma descrição completa da narrativa *Ælfwine*, e simplesmente indica as diferenças radicais na estrutura. Está ausente a história de Luthany, que aparece nos trechos a seguir.

> **19.** *Luthany* significa "amizade", *Lúthien*, "amigo". Luthany é a única terra onde Homens e Elfos certa vez habitaram uma era em paz e amor.
> Como por algum tempo após a vinda dos filhos de Ing os Elfos prosperaram novamente e deixaram de ir embora para Tol Eressëa.
> Como o inglês antigo tornou-se a única língua mortal que um Elfo se dispõe a falar com um mortal que não sabe élfico.
>
> **20.** Ælfwine da Inglaterra (cujo pai e mãe foram mortos pelos ferozes Homens do Mar que não conheciam os Elfos) tinha grande amor pelos Elfos, especialmente pelos Elfos das terras costeiras que permaneciam naquela terra. Ele procura por Tol Eressëa, para onde se diz que as fadas se retiraram.

Ele a alcança. As fadas o chamam de Lúthien. Ensinam-lhe sobre a criação do mundo, ... de Deuses e Elfos, de Elfos e Homens, até a partida para Tol Eressëa.

Como a Partida Afora não deu em nada, e as fadas se refugiaram em Albion ou Luthany (a Ilha da Amizade).

Sete invasões.

Da vinda dos Homens a Luthany, como cada raça rixou e as fadas desvaneceram, até que [?a maioria] içou velas para Oeste depois da chegada dos Rúmhoth. Por que os Homens da sétima invasão, os Ingwaiwar, são mais amigáveis.

Ingwë e Eärendel, que habitavam em Luthany antes de ela ser uma ilha e ser [*sic*] levada para o leste por Ossë para fundar os Ingwaiwar.

21. Todos os descendentes de Ing eram simpáticos aos Elfos; daí que os Elfos remanescentes de Luthany falavam com [?eles] na antiga língua dos ingleses, e como alguns partiram ..... para Tol Eressëa, esse idioma é compreendido lá, e todos os que desejam falar com os Elfos, caso não saibam ou não tenham meios de aprender falas élficas, devem conversar na antiga língua dos ingleses.

Em (20), o termo "Partida Afora" deve ser novamente empregado como em (18), sobre a Marcha de Kôr. Ali ela foi descrita como um "desastre" (ver p. 365), e aqui se diz que "não deu em nada": deve-se admitir que é difícil entender como se pode afirmar isso, uma vez que ela levou à prisão de Melko e à libertação dos Noldoli escravizados (ver (1) e (3)).

Também em (20) aparece pela primeira vez a ideia das Sete Invasões a Luthany. Uma delas foi a dos Rúmhoth (também mencionados em (14)), ou Romanos; e a sétima foi a dos Ingwaiwar, que não eram hostis aos Elfos.

Algo precisa ser dito aqui sobre o nome *Ing* (*Ingwë, Ingwaiwar*) nessas passagens. Assim como a introdução de Hengest e Horsa, a associação da mitologia com a antiga lenda inglesa é evidente. Mas acredito que seria desproposital entrar aqui nos obscuros e especulativos estudos das origens inglesas e escandinavas: o termo *Inguaeones* empregado pelos escritores romanos para os povos marítimos bálticos dos quais se originaram os ingleses; o nome *Ingwine* (interpretável como *Ing-wine* "os amigos de Ing" ou como contendo o mesmo elemento *Ingw-* que se vê em *Inguaeones*); ou o misterioso indivíduo *Ing* que aparece no *Poema Rúnico* em inglês antigo:

Ing wæs ærest   mid   East-Denum
Gesewen secgum   oþ he siþþan east
Ofer wæg gewat;   wæn æfter ran

O que poderia ser traduzido assim: "Ing foi visto pela primeira vez por homens entre os Danos do Leste, até que partiu para o leste por sobre as ondas; seu carro foi rápido atrás dele". Seria despropositado porque, embora a conexão entre o *Ing*, *Ingwë* de meu pai e o obscuro *Ing* (*Ingw-*) da lenda histórica setentrional seja certa e de fato óbvia, parece que a intenção dele não ia além de uma *associação* entre a sua mitologia e tradições conhecidas (embora as palavras do *Poema Rúnico* tenham tido clara influência). O assunto se torna particularmente obscuro pelo fato de que, nessas notas, os nomes *Ing* e *Ingwë* se entrelaçam, mas nunca são expressamente diferenciados ou identificados.

Assim, Ælfwine era "da gente de Ing, Rei de Luthany" (15, 16), mas os Elfos se retiraram "para Luthany, onde Ingwë era rei" (18). Os Elfos de Luthany prosperaram novamente "após a vinda dos filhos de Ing" (19), e os Ingwaiwar, sétimos invasores de Luthany, eram mais amigáveis com os Elfos (20), ao passo que Ingwë "fundou" os Ingwaiwar (20). Esse nome deve certamente ser igualado a Inguaeones (ver acima), e a invasão dos Ingwaiwar (ou "filhos de Ing") da mesma forma representa com certeza a invasão "anglo-saxônica" à Grã-Bretanha. Seria possível igualar *Ing*, *Ingwë*? No que diz respeito ao presente material, não vejo como eles não poderiam. Mas se esse ancestral-fundador deve ser igualado com o *Inwë* (cujo filho era *Ingil*) dos *Contos Perdidos* é outra história. É difícil acreditar que não haja qualquer ligação (especialmente porque *Inwë* em *O Chalé do Brincar Perdido*, é uma emenda de *Ing*, I. 34), mas é igualmente difícil de enxergar qual seria essa ligação, pois o Inwë dos *Contos Perdidos* é um Elda de Kôr (Ingwë, Senhor dos Vanyar em *O Silmarillion*), ao passo que Ing(wë) da "narrativa *Ælfwine*" é um Homem, Rei de Luthany e ancestral de Ælfwine. (Em esboços do *Conto de Gilfanon*, afirma-se que Ing, Rei de Luthany, descendia de Ermon, ou de Ermon e Elmir (os primeiros Homens, I. 283–84)).

Os seguintes esboços falam um pouco mais sobre Ing(wë) e os Ingwaiwar:

22. Como Ing içou velas na anciania [ou seja, na velhice] para o crepúsculo, e os Homens dizem que ele chegou aos Deuses, mas mora em Tol Eressëa, e guiará as fadas um dia de volta a Luthany, quando a Partida Afora acontecer.*

Como ele profetizou que sua gente haveria de voltar e tomar posse de Luthany até os dias da chegada dos Elfos.

Como a terra de Luthany foi invadida sete vezes por Homens, até que, na sétima, os filhos dos filhos de Ing voltaram aos seus.

Como, a cada nova guerra e invasão, os Elfos desvaneciam, e cada invasor amava menos os Elfos, até que os Rúmhoth chegaram — e eles nem sequer acreditavam que existiam, e os Elfos todos fugiram, de sorte que, exceto por uns poucos, a ilha ficou vazia de Elfos por trezentos anos.

23. Como Ingwë bebeu *limpë* pelas mãos dos Elfos e reinou por eras em Luthany.

Como Eärendel chegou a Luthany e descobriu que os Elfos tinham partido.

Como Ingwë o ajudou, mas não permitiram que fosse com ele. Eärendel abençoou toda a progênie dele, sendo o mais poderoso dos viajores-do-mar do mundo.[16]

Como Ossë fez guerra a Ingwë por causa de Eärendel, e Ing, saudoso dos Elfos, içou velas e todos vieram a pique depois de serem impelidos para o longínquo leste.

Como Ing, o imortal, chegou entre os Dani OroDáni Urdainoth, Danos do Leste.

Como ele se tornou rei semidivino dos Ingwaiwar e lhes ensinou muitas coisas de Elfos e Deuses, de modo que algum conhecimento verdadeiro dos Deuses e Elfos sobreviveu somente naquele povo.

Parte de outro esboço que não se conjunta às passagens anteriores, mas que cobre a mesma porção da narrativa que (23), pode ser incluído aqui:

---

* O termo "Partida Afora" é empregado aqui com sentido profético, e não como em (18) e (20).

24. Eärendel se refugia com [Ingwë] da ira de Ossë, e dá-lhe um sorvo de *limpë* (o bastante para garantir imortalidade). Dá-lhe novas dos Elfos e da habitação em Tol Eressëa.

Ingwë e uma hoste do seu povo iça velas para encontrar Tol Eressëa, mas Ossë os sopra de volta para o leste. Naufragam por completo. Somente Ingwë é resgatado em uma balsa. Torna-se rei dos Angali, Euti, Saksani e Firisandi,* que adotam o título de Ingwaiwar. Ensina-lhes muita magia e pela primeira vez incute nos corações dos homens a ideia de navegar para oeste. . . . . . .

Depois de uma grande [?era de governo] Ingwë iça velas num barquinho e não se ouve mais dele.

Fica claro que a intrusão de Luthany e Ing(wë) na concepção causou uma movimentação na história de Eärendel: enquanto na versão anterior ele foi para Tol Eressëa depois da partida dos Eldar e Noldoli das Grandes Terras (pp. 304, 306), agora ele vai para Luthany; e a ideia da inimizade de Ossë para com Eärendel (pp. 305, 316) é mantida, mas passa a ser associada com a origem dos Ingwaiwar.

Claramente a estrutura narrativa é:

- Ing(wë), Rei de Luthany.
- Eärendel busca refúgio com ele (depois que [muitos dentre] os Elfos partiram para Tol Eressëa).
- Ing(wë) busca Tol Eressëa, mas é impelido para o Leste.
- Sete invasões a Luthany.
- O povo de Ing(wë) é os Ingwaiwar, e eles "voltaram aos seus" quando invadiram Luthany atravessando o Mar do Norte.

(25) Luthany foi de onde as tribos embarcaram pela primeira vez na Ilha Solitária rumo a Valinor, e onde desembarcaram para a Partida Afora,** de onde [também] muitos navegaram com Elwing para encontrar Tol Eressëa.

O fato de Luthany ser o lugar de onde os Elfos, no fim da grande jornada de Palisor, embarcaram na Ilha Solitária para a Travessia a

---

*Anglos, saxões, jutos e frísios.
**No sentido da Marcha dos Elfos desde Kôr, como em (18) e (20).

Valinor deve provavelmente ser ligado à afirmação em (20) de que "Ingwë e Eärendel habitavam em Luthany antes de ela ser uma ilha".

26. Há outras referências ao canal que separa Luthany das Grandes Terras: em rabiscos apressados no caderno C, há menção a um istmo feito pelos Elfos, "temendo os Homens agora que Ingwë se fora" e "até as falésias brancas onde as pás prateadas dos Teleri trabalharam"; também na citação seguinte.

27. Os Elfos contam a Ælfwine da antiga maneira de Luthany, de Kortirion ou Gwarthyryn (Caer Gwâr),[17] de Tavrobel.
Como as fadas habitaram lá por cem eras antes de os Homens adquirirem o engenho da construção de barcos para cruzar o canal — de modo que a magia ainda permanece forte nas suas matas e montes.

Como eles renomearam muitos lugares em Tol Eressëa em homenagem ao seu lar em Luthany. Da Segunda Partida Afora e da esperança das fadas de reinar em Luthany e lá replantar as árvores mágicas — e isso depende principalmente do temperamento dos Homens de Luthany (já que primeiro elas precisam ir até lá) se tudo correr bem.

É notável a referência à "Segunda Partida Afora", o que corrobora fortemente minha interpretação da expressão "Partida Afora" em (18), (20) e (25); mas a profecia ou esperança dos Elfos a respeito da Partida Afora foi muito alterada quanto à natureza que tinha na citação (6): aqui, as Árvores seriam replantadas em Luthany.

28. Como Ælfwine desembarca em Tol Eressëa e ela lhe parece como sua própria terra feita . . . . trajada na beleza de um sonho feliz. Como o povo compreendeu [sua fala] e descobre de onde ele veio pelo favor de Ulmo. Como ele vai para Kortirion.

É interessante comparar essas duas passagens com (9), o prefácio em prosa a *Kortirion entre as Árvores*, de acordo com o qual Kortirion foi uma cidade construída pelos Elfos em Tol Eressëa; e quando Tol Eressëa foi arrastada pelo mar, tornando-se a Inglaterra, Kortirion foi renomeada no idioma dos ingleses como *Warwick* (13). Na nova história, Kortirion é igualmente uma antiga habitação dos

Elfos, mas, com a mudança na concepção fundamental, ela fica em Luthany; e a Kortirion à qual Ælfwine chega em Tol Eressëa é a segunda com esse nome (tendo sido nomeada "em homenagem ao seu lar em Luthany"). Portanto, houve uma curiosa transferência que pode ser esquematicamente disposta assim:

(I) Kortirion, habitação élfica em Tol Eressëa.

Tol Eressëa → Inglaterra.

Kortirion = Warwick.

(II) Kortirion, habitação élfica em Luthany (> Inglaterra).

Elfos → Tol Eressëa.

Kortirion (2) em Tol Eressëa nomeada em homenagem a Kortirion (1) em Luthany.

Com base nas passagens (15) a (28), podemos tentar reconstruir a narrativa relatando todos os elementos essenciais:

- Marcha dos Elfos de Kôr (chamada de "a Partida Afora" ou (por implicação em 27), "a Primeira Partida Afora") rumo às Grandes Terras, desembarcando em Luthany (25), e a Perda de Valinor (18).
- Guerra com Homens malignos nas Grandes Terras (18).
- Os Elfos se retiraram para Luthany (que ainda não era uma ilha), onde Ing(wë) era rei (18, 20).
- Muitos [mas não todos, de maneira alguma] dos Elfos de Luthany voltaram ao oeste por sobre o mar e se estabeleceram em Tol Eressëa; mas Elwing foi perdida (18, 25).
- Lugares em Tol Eressëa foram nomeados em homenagem a lugares em Luthany (27).
- Eärendel chegou a Luthany, refugiando-se com Ing(wë) da hostilidade de Ossë (20, 23, 24).
- Eärendel deu *limpë* para Ing(wë) beber (24), *ou* Ing(wë) recebeu *limpë* dos Elfos antes de Eärendel chegar (23).
- Eärendel abençoou a progênie de Ing(wë) antes de sua partida (23).
- A hostilidade de Ossë para com Eärendel também perseguiu Ing(wë) (23, 24).

- Ing(wë) içou velas (como muitos de seu povo, 24) para encontrar Tol Eressëa (23, 24).
- A viagem de Ing(wë), devido à inimizade de Ossë, acabou em naufrágio, mas Ing(wë) sobreviveu, e no distante Leste [isto é, depois de ser impelido pelo Mar do Norte] tornou-se Rei dos Ingwaiwar, ancestrais dos invasores anglo-saxônicos da Grã-Bretanha (23, 24).
- Ing(wë) ensinou aos Ingwaiwar o verdadeiro conhecimento dos Deuses e Elfos (23), e voltou seus corações para as navegações rumo ao oeste (24). Ele profetizou que sua gente haveria de retornar um dia para Luthany (22).
- Ing(wë) partiu por fim num barco (22, 24), e não se ouviu mais falar dele (24), *ou* ele chegou a Tol Eressëa (22).
- Depois da partida de Ing(wë) de Luthany, um canal foi aberto, de modo que Luthany se tornou uma ilha (26); mas os Homens cruzaram o canal em barcos (27).
- Sete invasões sucessivas aconteceram, incluindo a dos Rúmhoth, ou Romanos, e a cada nova guerra um número maior dos remanescentes dos Elfos de Luthany fugia por sobre o mar (20, 22).
- Contudo, a sétima invasão, dos Ingwaiwar, não era hostil aos Elfos (20, 21); e esses invasores estavam "voltando aos seus" (22), visto que eram do povo de Ing(wë).
- Os Elfos de Luthany (agora Inglaterra) prosperaram novamente e deixaram de ir embora de Luthany para Tol Eressëa (19), e falavam com os Ingwaiwar na sua própria língua, inglês antigo (21).
- Ælfwine era um inglês do período anglo-saxônico, um descendente de Ing(wë) que recebera o conhecimento e o amor pelos Elfos das tradições de sua família (15, 16).
- Ælfwine chegou a Tol Eressëa, descobriu que lá se falava inglês antigo, e foi pelos Elfos chamado de Lúthien, "amigo", o Homem de Luthany (a Ilha da Amizade) (15, 16, 19).

Não pretendo demonstrar com isso nada além do que me parece ser o único modo de se agrupar esses *disjecta membra* em um esquema narrativo abrangente. Mesmo assim, deve-se admitir que é necessário forçar um tanto a evidência para assegurar uma aparente harmonia. Por exemplo, parece haver visões diferentes sobre a relação dos Ingwaiwar com Ing(wë): eles são "filhos de Ing" (19), "sua gente" (22), "filhos dos filhos de Ing" (22), mas ele parece ter se tornado rei e professor dos povos do Mar do Norte que não tinham ligação com Luthany ou com os Elfos (23, 24). (Quem ele governava quando os Elfos se retiraram para Luthany pela primeira vez (18, 23)?). E mais, é muito difícil encaixar as "cem eras" durante as quais os Elfos moraram em Luthany antes de as invasões dos Homens começarem (27) no restante do esquema. Sem dúvida, meu pai estava "pensando com a caneta" quando rabiscou essas anotações, explorando caminhos narrativos independentes; a impressão que se tem é de uma fermentação de ideias e possibilidades rapidamente demovendo umas às outras, e das quais não se pode extrair um único núcleo narrativo estável. Portanto, uma "solução" completa é muito provavelmente um objetivo irreal, e essa reconstrução é, sem dúvida, tão artificial quanto a que foi ensaiada anteriormente para "a narrativa *Eriol*" (ver p. 354). Mas aqui, assim como lá, acredito que esse esboço mostre tão bem quanto é possível a direção do pensamento de meu pai naquela época.

Há muito pouco que indique o rumo posterior da "narrativa *Ælfwine*" depois de sua permanência em Tol Eressëa (como eu observei, p. 363, o papel do marinheiro é apenas de aprender e registrar os contos do passado), e praticamente tudo que se pode descobrir dessas notas se encontra em um papelzinho que diz:

29. Como Ælfwine bebeu do *limpë,* mas ansiava pelo seu lar e voltou a Luthany; e então ansiou com sofreguidão pelos Elfos, e retornou a Tavrobel, a Velha, e lá habitou na Casa das Cem Chaminés (onde ainda cresce o rebento do rebento do Pinheiro de Belawryn) e escreveu o Livro Dourado.

Há uma folha de rosto associada a isso:

30.   O Livro dos Contos Perdidos
e a História dos Elfos de Luthany
[?sendo]
O Livro Dourado de Tavrobel
o mesmo que Ælfwine escreveu e depositou na
Casa de Cem Chaminés em Tavrobel, onde ainda está
para ser lido pelos que podem.

Isso é muito curioso. Tavrobel, a Velha, deve ser a Tavrobel original em Luthany (em homenagem à qual a Tavrobel em Tol Eressëa foi nomeada, assim como Kortirion em Tol Eressëa recebeu seu nome de Kortirion = Warwick em Luthany); e a Casa das Cem Chaminés (e também o Pinheiro de Belawryn, sobre o qual ver p. 338 e nota 4) seria removida de Tol Eressëa para Luthany. Presumivelmente, meu pai pretendia reescrever essas passagens na "moldura" dos *Contos Perdidos*, em que se faz menção à Casa de Cem Chaminés em Tavrobel; a menos que fosse existir outra Casa de Cem Chaminés em Tavrobel, a Nova, em Tol Eressëa.

Por fim, um verbete interessante no dicionário qenya pode ser mencionado aqui: *Parma Kuluinen* "o Livro Dourado — a coletânea de lendas, especialmente sobre Ing e Eärendel".

ത

Na época, dentre todas essas projeções a história da juventude de Ælfwine e de sua viagem a Tol Eressëa foi a única que meu pai levou adiante até chegar em uma versão completa e polida, e a esse trabalho eu me volto agora. Contudo, antes disso convém reunir as passagens consideradas anteriormente que têm relevância para ela.

Na *Ligação* de abertura ao *Conto de Tinúviel*, Eriol afirmou que muitos anos antes, quando era criança, seu lar ficava "em uma velha cidade dos Homens, cercada por uma muralha agora esfacelada e rompida, e um rio corria por lá, sobre o qual erguia-se um castelo com uma grande torre".

Meu pai vinha dum povo costeiro, e o amor pelo mar, o qual eu jamais vira, estava em meus ossos, e meu pai aguçava meu desejo ao contar-me contos que seu pai lhe contara antes. Ora, minha mãe morreu em um cerco cruel e voraz àquela velha cidade, e meu pai foi morto numa luta implacável junto às muralhas e no fim eu, Eriol, escapei para a costa do Mar do Oeste.

Eriol então falou de

suas errâncias pelos portos ocidentais, [...] de como veio a pique em distantes ilhas ocidentais até que, afinal, em uma ilha solitária deparou-se com um velho marujo que lhe deu abrigo e, ao pé do fogo em sua cabana solitária, contou-lhe contos estranhos de coisas para lá dos Mares do Oeste, das Ilhas Mágicas e da mais solitária que ficava além. [...]

"Desde então", disse Eriol, "naveguei com mais curiosidade pelas ilhas ocidentais, procurando outras estórias do tipo, e assim foi que, de fato, após muitas grandes viagens, acabei chegando, por benção dos Deuses, a Tol Eressëa [...]."

Ademais, na versão datilografada dessa *Ligação* conta-se que na cidade onde os pais de Eriol viveram e morreram

habitava um poderoso duque, e, caso observasse das mais altas ameias, nunca conseguiria ver as fronteiras de seu vasto domínio, exceto no lugar em que, muito para o leste, estavam os contornos azulados das grandes montanhas — e, ainda assim, aquela torre era tida como a mais alta que se erguia nas terras dos Homens.

O cerco e saque à cidade foram obra "dos homens selvagens vindos das Montanhas do Leste".

Ao final da versão datilografada, o menino Ausir assegurou a Eriol que "aquele velho marujo perto do mar solitário não era ninguém menos que o próprio Ulmo, que não raro aparece assim aos navegantes que ama", mas Eriol não acreditou nele.

Anteriormente (pp. 355–56), dei minhas razões para acreditar que, na "narrativa *Eriol*", esse conto sobre a juventude dele não se passava na Inglaterra.

Voltando a atenção para as passagens relacionadas à posterior "narrativa *Ælfwine*", descobrimos em (15) que Ælfwine morava no Sudoeste da Inglaterra e que sua mãe e seu pai foram mortos "pelos piratas do mar"; em (20), que foram mortos "pelos ferozes Homens do Mar", e em (16), que ele foi "impelido pelos normandos". Em (15), há uma menção ao seu encontro com "o Marinheiro Ancião" durante suas navegações. Em (16), ele chega ao "porto na costa do sul" de Tol Eressëa e, em (17), ele "acorda em uma praia de areia" na maré baixa.

Chego agora à narrativa que finalmente emergiu. Notar-se-á, talvez com alívio, que Ing, Ingwë e os Ingwaiwar desapareceram por completo.

ÆLFWINE DA INGLATERRA

Existem três versões dessa breve obra. Uma é um esboço do enredo com menos de 500 palavras que por conveniência chamarei de *Ælfwine A*; mas a segunda é uma narrativa muito mais substancial, intitulada *Ælfwine da Inglaterra*. Ela foi escrita em 1920 ou depois: pode-se demonstrar que não foi antes disso porque meu pai usou para ela retalhos de papel presos com um alfinete, e alguns desses retalhos são de cartas endereçadas a ele, todas datadas de fevereiro de 1920.[18] O terceiro texto sem dúvida começou como uma cópia limpa a tinta do segundo texto, com o qual de fato se parece muito inicialmente, mas, conforme avançou, foi completamente reescrito em vários pontos, com a introdução de muito material novo, e ele ainda foi corrigido depois de ser completado. O manuscrito não tem título, mas devia obviamente se chamar, da mesma forma, *Ælfwine da Inglaterra*.

Por conveniência, farei referência à primeira versão completa como *Ælfwine I*, e chamarei a versão reescrita de *Ælfwine II*. A relação entre essas versões e *Ælfwine A* é difícil de determinar, já que ele concorda em alguns aspectos com uma e, em outros, com a outra. É óbvio que meu pai tinha *Ælfwine I* diante de si quando escreveu *Ælfwine II*, mas parece provável que tenha utilizado algo de *Ælfwine A* ao mesmo tempo.

Incluo aqui o texto completo de *Ælfwine II* na versão final, deixando nas notas todas as correções relevantes e todas as diferenças importantes em relação aos outros textos (diferenças entre os nomes e alterações a nomes são listadas separadamente).

Havia uma terra chamada Inglaterra, e era uma ilha do Oeste, e antes de ela ser arrebentada na guerra dos Deuses, era a mais ocidental de todas as terras do Norte, e olhava para o Grande Mar que Homens outrora chamavam de Garsecg;[19] mas aquela parte rompida foi chamada de Irlanda, e de muitos outros nomes além desse, e seus habitantes não entram nestes contos.

Toda aquela terra os Elfos chamaram de Lúthien[20] e ainda o fazem. Somente em Lúthien habitava ainda a maior parte das Companhias Desvanecentes, as Fadas Sagradas que ainda não tinham zarpado do mundo, para além do horizonte do conhecimento dos Homens, rumo à Ilha Solitária, ou mesmo para a

Colina de Tûn[21] sobre a Baía de Feéria que banha as costas ocidentais do reino dos Deuses. Portanto, Lúthien continua a ser uma terra sagrada, e assim também é uma magia que ainda repousa em muitos locais daquela ilha.

Ora, no centro daquela ilha ainda há uma cidade que é antiga entre os Homens, mas sua idade entre os Elfos é muito maior; e como este é um livro dos Contos Perdidos de Elfinesse, ela será nomeada na língua deles, Kortirion, a qual os Gnomos chamam de Mindon Gwar.[22] Sobre a colina de Gwar habitava um homem nos dias dos ingleses, e seu nome era Déor, e ele chegou até lá vindo de longe, do sul da ilha e das florestas e do Oeste encantado, onde viandara por longo tempo, ainda que fosse do povo inglês. Ora, naqueles dias o Príncipe de Gwar era amante de canções e de modo algum inimigo dos Elfos, e naquela ilha eles habitavam principalmente as regiões próximas a Kortirion (e tais locais chamavam de Alalminórë, a Terra dos Olmos), e até lá chegou Déor, o cantor, procurando pelo Príncipe de Gwar e pelas companhias dos Elfos Desvanecentes, pois era um Amigo-dos-Elfos. Embora Déor tivesse sangue inglês, conta-se que tomou por esposa uma donzela do Oeste, de Lionesse, como alguns desde então chamaram, ou Evadrien, "Costa de Ferro", como ainda dizem os Elfos. Déor a encontrou na terra perdida além de Belerion, donde por vezes os Elfos içam velas.

Júbilo teve Déor por longo tempo em Mindon Gwar, mas os Homens do Norte, a quem as fadas da ilha chamavam de Forodwaith, mas que os Homens chamavam por outros nomes, abateram-se contra Gwar naqueles dias, quando devastaram quase toda a terra de Lúthien. Suas muralhas de nada serviram e suas torres não puderam contê-los para sempre, por mais que o cerco tenha sido longo e amargo.

Ali Éadgifu (pois assim Déor chamava a donzela do Oeste, ainda que esse não fosse o seu nome outrora)[23] morreu, naqueles dias malignos e vorazes; mas Déor tombou diante das muralhas enquanto cantava uma canção de antiga bravura para elevar os corações dos homens. Aquela foi uma surtida desesperada, e o filho de Déor era Ælfwine, e na época ele não era senão um menino deixado sem pai. O saque àquela cidade depois foi mui cruel, e só rumores dos seus dias antigos permaneceram, e os Elfos que passaram a amar os ingleses da ilha fugiram ou se esconderam por um longo tempo, e não sobrou nenhum dos Elfos ou Homens nos antigos salões para lamentar a queda de Óswine, Príncipe de Gwar.

Então Ælfwine, ele mesmo a quem os Elfos não desvanecidos além das águas de Garsecg depois chamaram de Eldairon de Lúthien (que é Ælfwine da Inglaterra), foi feito escravo pelos ferozes senhores dos Forodwaith, e sua infância foi de dias cruéis. Mas vede esta maravilha, pois Ælfwine não conhecia e jamais vira o mar, mas ouviu sua grande voz a lhe falar nas profundas do coração, e seus coros murmurantes cantavam sempre em seu ouvido secreto, entre vigília e sono, de modo que se encheu de anseio. Isso era da magia de Éadgifu, donzela do Oeste, sua mãe, e esse anseio inextinguível ela experimentara todos os dias em que habitou nos lugares quietos do interior, em meio aos olmos de Mindon Gwar — e no ápice do seu anseio nasceu Ælfwine, seu filho, e os Ginetes D'Ondas, os Elfos da Margem-do-Mar, que ela conhecera outrora em Lionesse, mandaram enviados quando nasceu. Mas agora Éadgifu se fora para além da Borda da Terra, e seu vulto formoso jazeu sem honrarias em Mindon Gwar, e a harpa de Déor silenciou, mas Ælfwine trabalhou como escravo até quase se tornar homem adulto, sonhando sonhos e enchendo-se de anseio, e de raro conversando com os Elfos ocultos.

Por fim seu anseio pelo mar o mordeu de tal forma que ele planejou romper as amarras e, arriscando-se em grandes perigos e passando por muitas penas atrozes, fugiu para terras onde os Senhores dos Forodwaith não haviam chegado, longe dos locais da morada de Déor em Mindon Gwar. Rumava sempre para o sul e para oeste, pois nessa direção seus pés por vontade própria o impeliam. Ora, Ælfwine tinha em certa medida o dom da visão-élfica (que não era dado a todos os Homens naqueles dias do desvanecer dos Elfos, e menos ainda o é agora), e o povo de Lúthien também era menos desvanecido naqueles dias, de modo que muitas hostes de suas belas companhias ele viu em sua estrada errante. Umas ainda habitavam e dançavam nos arredores daquela terra, como outrora, mas muitas mais havia que vagavam lenta e tristemente para oeste; pois atrás delas, toda a terra estava cheia de queimadas e de guerra, e em suas moradas escorria lágrimas e sangue por causa do pequeno amor dos Homens pelos Homens — e nem foi aquela a última das conquistas de Lúthien dos Homens por Homens, as quais foram sete, e outras quiçá ainda haverá. Homens do Leste e do Oeste, e do Sul e do Norte cobiçaram aquela terra e despojaram os que a detinham antes deles, por causa da sua beleza e graça e do encanto das eras de esvanecer dos Elfos que permanecia em meio às árvores além das praias altas e brancas.[24]

E, no entanto, a cada tomada daquela ilha, um número muito maior dos mais antigos de todos os habitantes de lá, o povo de Lúthien, voltava-se para oeste, e embarcavam em navios em Belerion no Oeste e partiam de lá para sempre por sobre o horizonte do conhecimento dos Homens, deixando a ilha mais pobre com sua partida e as folhas, menos verdes; e, no entanto, segue sendo a mais rica entre os Homens na presença dos Elfos. E conta-se que, salvo apenas quando os ferozes pais dos Homens, inimigos dos Elfos, recém-submetidos ao jugo do Mal,[25] entraram pela primeira vez naquela terra, nunca antes tantos navios élficos e galeões de asas brancas navegaram rumo ao poente como naqueles dias quando os antigos Homens do Sul colocaram pela primeira vez seus magnos pés no solo de Lúthien — os Homens cujos senhores se assentavam na cidade de poder que Elfos e Homens chamaram de Rûm (mas que somente os Elfos conhecem como Magbar).[26]

Ora, foram os corações embotados dos dias posteriores, mais do que os rubros feitos de mãos cruéis, que incutiram nas mentes do pequeno povo a ideia de partir; e de quando em quando um pequeno barco[27] levanta âncora de Belerion à noitinha e sua doce canção triste se perde para sempre nas ondas. Mas mesmo nos dias de Ælfwine havia muitos navios carregados sob velas élficas que deixavam aquelas praias para sempre, e muitos camaradas ele tinha, visíveis ou semi-invisíveis, na sua estrada para oeste. E assim ele chegou por fim a Belerion, e ali lavou seus pés cansados nas águas cinzentas do Mar do Oeste, cujo grande rugido dominou seus ouvidos. Ali, os vultos escuros de barcos élficos[28] passavam por ele no ocaso, e muitos a bordo diziam-lhe adeus. Mas ele não podia embarcar nesses frágeis vasos, e eles recusaram seu rogo — pois não desejavam que mesmo alguém amado entre os Homens passasse com eles para lá da fronteira do Oeste, ou que descobrisse o que jaz no alto Garsecg, o mar grande e imensurável. Ora, os homens que viviam com pouco nos lugares próximos a Belerion eram pescadores, e Ælfwine morou por muito tempo entre eles e, ademais, sendo profundo por natureza, aprendeu tudo o que um homem pode aprender do ofício das embarcações e do mar. Cuidava pouco de sua vida, e traçou suas rotas oceânicas mais amplas do que a maioria daqueles homens, por melhores marujos que fossem; e no fim poucos atreveram-se a ir com ele, exceto por Ælfheah, o sem-pai, que estava com ele em todas as aventuras até sua última viagem.[29]

Ora, certa vez, singrando longe rumo ao mar alto, abonançado de início numa névoa espessa e depois impelido ao sabor de um vento poderoso do Leste, divisou umas ilhas jazendo na aurora, mas jamais as alcançou, pois, ao mudarem, os ventos o varreram de novo para longe, e somente seu poderoso fado o salvou para que visse uma vez mais as costas negras do seu lar. Pouco contente ficou com sua boa fortuna, e pretendia em seu coração içar vela novamente algum dia, mas entrando mais fundo no Oeste, achando que o que vira ao longe eram as Ilhas Mágicas de que falam as canções dos Homens. Poucos companheiros conseguiu para essa aventura. Nem todos os homens amam partir em demanda rumo ao sol vermelho ou tentar os mares perigosos, ávidos por coisas não descobertas. Destes ele encontrou sete, no fim, os maiores marinheiros que havia então na Inglaterra, e Ulmo, Senhor do Mar, depois os tomou para si e seus nomes agora estão esquecidos, salvo o de Ælfheah apenas.[30] Uma grande borrasca abateu-se sobre o navio justo quando avistaram as ilhas que Ælfwine desejava, e um grande mar o sobrepujou; mas Ælfwine se perdeu nas ondas e, voltando a si, não viu sinal do navio ou dos camaradas, e jazia num leito de areia numa cava de paredes fundas. Escura e mui vazia estava a ilha, e ele soube então que essas não eram as Ilhas Mágicas das quais amiúde ouvira falar.[31]

Conta-se que, vagando ali longamente, deparou-se com muitos cascos de navios naufragados apodrecendo nas praias lúgubres e compridas, e uns eram destroços de muitos magnos navios d'outrora, e uns estavam carregados de tesouro. Uma cabana solitária voltada para oeste ele encontrou por fim na praia mais remota, e fora feita com o casco virado de um pequeno navio. Um velho habitava ali, e Ælfwine teve medo dele, pois os olhos do homem eram profundos como o insondável mar, e sua barba longa era azul e cinzenta; era de grande estatura e seus sapatos eram de pedra,[32] mas estava todo trajado com trapos emaranhados, sentado ao pé de um fogo miúdo feito com madeira de destroços.

Naquela estranha choupana junto a um mar vazio Ælfwine morou por longo tempo, pois não tinha outro abrigo ou outro alvitre, pensando que seu navio estava perdido e seus camaradas, afogados. Mas o velho tornou-se gentil com ele, e questionou Ælfwine sobre suas idas e vindas e aonde pretendia ir quando a borrasca o acometeu. E muitas coisas antes desconhecidas Ælfwine ouviu dele ao pé do fogo fumacento à noitinha, e estranhos contos de navios destruídos pelos ventos e procelas sem angras nas águas proibidas. Assim Ælfwine descobriu que as Ilhas Mágicas ainda estavam a uma grande distância adiante, mantendo uma guarda sombria e secreta na borda da Terra, além da qual as águas de Garsecg ficam menos turbulentas e onde jaz o crepúsculo dos dias posteriores da Terra-das-Fadas. Nos confins das Sombras e além delas jaz a Ilha Solitária, voltada para o Leste, ao Arquipélago Mágico, e às terras de Homens além dele, e para o Oeste, para as Sombras além das quais ao longe se vislumbra a Terra de Fora, o reino dos Deuses — e mesmo a antiga Baía de Feéria, cuja glória se turvou. De lá o mundo mergulha íngreme para além da Borda das Coisas até Valinor, o Lar-divino, e até a Muralha e a beira do Nada onde estão semeadas as estrelas. Mas a Ilha Solitária não está nem nas Grandes Terras e nem na Terra de Fora, e não há ilhas perto dela.

Em seus contos, o velho chamava a si mesmo de Homem do Mar, e falava de sua última viagem antes de ser lançado em um naufrágio nessa ilha de fora, dizendo como vislumbrara, antes de o vento Oeste levá-lo, as lanternas bruxuleantes da Ilha Solitária encerradas nas profundezas. Então o coração de Ælfwine deu um salto, mas disse ao velho que não tinha mais esperança de conseguir um navio ou camaradas valentes. Mas o Homem do Mar falou: "Vê, esta é uma no círculo das Ilhas Sem Angras que atraem todos os navios para suas rochas ocultas e areais movediços, a fim de que os Homens não cheguem longe por sobre Garsecg e não vejam coisas que não devem ver. E essas ilhas foram aqui dispostas à Ocultação de Valinor, e pouca madeira para navio ou balsa cresce nelas, como se poderia esperar;[33] mas posso te ajudar em teu desejo de partir dessas praias vorazes."

Num dia depois disso, Ælfwine andava ao longo das praias do leste, fitando os numerosos destroços infelizes que ali jaziam. Procurava, como fizera amiúde antes, talvez algum sinal ou relíquia de seu bom navio de Belerion. Na noite anterior houve uma tempestade de grande violência e terror, e eis que chegara lá um novo destroço, e Ælfwine viu que tinha sido um navio grande e bem-feito, de linhas habilidosas como as que os Forodwaith então amavam. Jazia longe no alto das areias traiçoeiras, e seu grande esporão, entalhado à semelhança de uma cabeça de dragão, ainda encarava a terra intacto. Então o Homem do Mar saiu quando a maré começou a rastejar lenta e rasa pelos longos baixios. Tinha por cajado uma madeira grande como uma árvore jovem, e andava como se não precisasse temer maré ou areia movediça, e chegou a um ponto em que os ombros mal se projetavam das águas amarelas da maré que avançava, e foi até aquela proa entalhada, a única coisa visível agora por cima da água. Então Ælfwine maravilhou-se vendo-o de longe erguer, com a própria força, todo o grande navio das garras da areia puxante que prendia a popa afundada; e quando ele flutuou, lançou-o diante de si, e pôs-se então a nadar com poderosas braçadas na água que se aprofundava. Àquela visão, o temor de Ælfwine pelo velho se renovou, e perguntou-se que tipo de ser ele era; mas então o navio foi lançado nas areias mais firmes, e o nadador andou para terra firme, e sua magna barba estava cheia de fios de alga, e alga havia em seu cabelo.

Quando a maré se afastou de novo das Areias Vorazes, o Homem do Mar pediu que Ælfwine fosse olhar aqueles novos destroços e, indo até lá, viu que não estava danificado, mas dentro havia nove homens mortos que não muito antes estavam vivos. Jaziam no fundo, fitando o céu, e eis que havia um ali cujas vestes e semblante ainda revelavam um chefe dos Homens, mas, embora suas madeixas fossem brancas pela idade, e seu rosto, pálido de morte, aparentava ainda ser um homem soberbo e feroz. "Homens do Norte, Forodwaith, é o que são", disse o Homem do Mar, "mas fome e sede foram sua morte, e o navio foi atirado pela tempestade da noite passada no lugar em que encalhou nas Areias Vorazes, para ser lentamente engolfado, se não tivesse o fado desejado coisa diferente."

"É verdade o que dizes deles, ó Homem do Mar; e conheci bem este com cãs, pois matou meu pai; e por muito tempo fui seu escravo, e Orm os homens o chamavam, e pouco eu o amava."

"E há de ser o navio dele a te levar embora desta Ilha Sem Angra", disse; "e era um navio distinto de um homem valente, pois poucas pessoas têm agora tanta coragem para as aventuras do mar como têm esses Forodwaith, que penetram sempre as névoas do Oeste, embora poucos vivam para levar de volta os contos de tudo o que viram."

Foi assim que Ælfwine, já sem esperança, escapou daquela ilha, mas o Homem do Mar foi seu piloto e timoneiro, e assim chegaram após alguns dias a uma terra pouco conhecida.[34] E o povo que habitava lá era um povo estranho, e ninguém sabe como chegaram tão longe no Oeste e, ainda assim, são contados entre os clãs dos Homens, mesmo que sua terra fique nas fronteiras de fora das regiões da gente dos Homens, estando ainda mais para lá na direção do Sol Poente, além das Ilhas Sem Angras e ainda mais ao Norte do que a ilha em que Ælfwine naufragou. Maravilhosamente hábeis são essas pessoas na construção de navios e barcos de todo tipo, e na navegação com eles; mas de raro ou nunca vão às terras doutra gente, e pouco se ocupam de comércio ou guerra. Constroem seus navios porque amam esse labor e pela alegria que obtêm apenas ao singrar as ondas neles. E uma grande parte daquelas pessoas estava sempre a bordo dos navios, e toda a água em volta da ilha do seu lar é sempre branca por causa das velas, seja na bonança ou na borrasca. Seu deleite é competir uns com os outros em seus barcos de insuperável velocidade, impelidos pelos ventos ou pelas fileiras de remos de hastes longas. Outras competições eles têm com barcos muito capazes em alto-mar, pois nelas competem os que se dispõem a enfrentar as tempestades mais ferozes (e elas são mesmo ferozes ao redor daquela ilha, que tem as costas férreas, exceto por um ancoradouro sossegado no Norte). Aí se prova o engenho dos seus construtores de navios; e essas pessoas são chamadas pelos Homens de Ythlings,[35] os Filhos das Ondas, mas os Elfos chamam a ilha de Eneadur, e seu povo, de Marinheiros do Oeste.[36]

Eles receberam bem Ælfwine e seu piloto nos cais apinhados do ancoradouro no Norte, e pareceu a Ælfwine que o Homem do Mar não lhes era desconhecido, e que eles o tinham em grande admiração e reverência, atendendo aos seus pedidos como se fossem ordens de um rei. Mas maior ainda foi seu espanto quando encontrou em meio às multidões daquele lugar dois dos companheiros que ele pensava terem se perdido no mar; e descobriu que aqueles sete marinheiros da Inglaterra estavam vivos naquela terra, mas que o navio fora completamente destruído nas costas negras ao sul, não muito depois da noite em que o grande mar arrancou Ælfwine da embarcação.

Ora, ao comando do Homem do Mar, aqueles ilhéus com muita rapidez fazem um novo navio para Ælfwine e seus companheiros, visto que ele não se dispunha a seguir adiante no navio de Orm; e a madeira foi cortada, conforme pediu o antigo marujo, num bosque de carvalhos mágicos bem no interior da terra que crescia perto de um lugar elevado dos Deuses, consagrado a Ulmo, Senhor do Mar, e de raro qualquer um deles era derrubado. "Um navio feito desta madeira", disse o Homem do Mar, "pode se perder, mas os que navegarem nele não perderão a vida na viagem; mas talvez sejam lançados a um lugar onde pouco esperariam chegar."

Mas quando aquele navio foi aprontado, o antigo marujo lhes pediu que embarcassem, e isso fizeram, e com eles foram também Bior dos Ythlings, um homem de grande habilidade marítima, para auxiliá-los, e um outro que, mais do que todos daquele estranho povo, punha-se a navegar por vezes para longe da terra de Eneadur rumo ao Oeste ou Norte ou Sul. Muitos homens dos Ythlings estavam postados na costa ao lado daquela embarcação; pois a tinham construído numa caverna da costa escarpada que dava para Oeste, e uma barra de rochas com uma abertura estreita formava ali um remanso abrigado e um ancoradouro, e poucos assim se encontravam naquela ilha de falésias alcantiladas. Então o ancião pôs a mão na proa e falou palavras de magia, dando-lhe poder de fender águas não fendidas e adentrar atracadouros inviolados, e ancorar em praias não trilhadas. Lemes gêmeos, um de cada lado, ele tinha, à maneira dos Ythlings, e cada um ele abençoou, dando-lhes a habilidade de guiar quando as mãos que os conduziam faltassem, e de encontrar cursos perdidos, e de seguir estrelas escondidas. Então ele se afastou, e a multidão de homens se abriu diante dele, até que, subindo, chegou a um alto pináculo das falésias. Dali ele saltou para longe e, ao cair, desapareceu com uma grande agitação de espuma, bem onde os vagalhões se juntavam para arrebentar nas costas altaneiras.

Ælfwine não mais o viu, e disse com pesar e assombro: "Por que estava tão exausto da vida? Meu coração se entristece por ele estar morto", mas os Ythlings sorriam, e ele perguntou a alguns que estavam perto, dizendo: "Quem era aquele magno homem, pois parece-me que vós o conheceis bem", e eles nada lhe responderam. Então fizeram partir ao mar aquele navio de madeirame valente,[37] pois Ælfwine não queria mais esperar, embora o sol estivesse afundando nas Montanhas de Valinor, além das Muralhas do Oeste. Logo se viu ao longe sua vela branca enfunar-se com um vento vindo da terra, e envermelhecida com a luz do sol meio posto; e os que estavam a bordo cantaram velhas canções do povo inglês que se desvaneceram nas ondas sem velas dos Mares do Oeste, e agora já não chegava mais som nenhum aos que observavam na costa. Então a noite se fechou e ninguém em Eneadur voltou a ver aquele pujante navio.[38]

Assim aqueles marinheiros começaram a longa e estranha e perigosa viagem cuja história completa até agora nunca foi contada. De suas aventuras nos arquipélagos do Oeste, e das maravilhas e perigos que encontraram nas Ilhas Mágicas e em mares e estreitos desconhecidos nada será dito aqui, mas, sim, do final de sua viagem, de como após anos, exaustos do mar e com os corações desalentados, chegaram a um dia cinzento e melancólico. Pouco vento havia, e as nuvens estavam baixas acima deles, e uma chuva cinzenta caía, e nenhum deles conseguia divisar coisa alguma à frente do esporão do navio, que se movia agora lento e incerto sobre as longas ondas mortas. Concordaram que aquele dia seria o último antes de voltarem a embarcação rumo ao lar (se pudessem), salvo apenas se alguma maravilha viesse a passar ou algum sinal de esperança. Pois sua coragem havia chegado ao fim. Detrás deles jaziam as Ilhas Mágicas, onde três deles dormiam um sono como a morte em praias escuras, e suas cabeças repousavam em areia branca, e estavam trajados de espuma, envoltos nos feitiços eternos de Eglavain. Infrutíferas tinham sido todas as jornadas deles até então, pois os ventos sempre os lançavam de volta sem que vislumbrassem as costas da Ilha dos Elfos.[39] Então disse Ælfheah,[40] que detinha o leme: "Ó Ælfwine, agora é o momento acordado! Façamos o que os Deuses e seus ventos desejam há muito: que cessemos nossa demanda defesa rumo ao nada, uma fábula no vazio, e voltemos, se os Deuses quiserem, buscando as lareiras de nossas casas." E Ælfwine cedeu. Então o vento parou e sopro nenhum veio do Leste ou do Oeste, e a noite assomou lentamente sobre o mar.

Eis que, por fim, alçou-se uma brisa gentil, e ela vinha suave do Oeste; e justo quando eles iam se valer dela para enfunar as velas rumo ao lar, um daqueles marujos disse de repente: "Ora, mas este é um ar estranho, e cheio de memórias olorosas" e, parando, todos inspiraram fundo. As névoas cederam àquele vento suave, e uma lua fina puderam ver passando pelos fragmentos esfarrapados, até que detrás dela logo um milheiro de estrelas frias espiou da escuridão. "As flores da noite estão se abrindo em Feéria", disse Ælfwine. "E vede," disse Bior,[41] "os Elfos estão acendendo velas no ocaso prateado", e todos olharam para onde sua mão longa apontava, por cima da popa escura. E ninguém falou, por espanto e assombro, vendo no fundo do ocaso do Oeste uma sombra azul e, na sombra azul, muitas luzes cintilantes, e cada vez mais surgiam faiscando, até que dez mil pontos de radiância bruxuleante se estilhaçaram ao longe, como se uma poeira das joias de luz própria que Fëanor criara estivesse espalhada pelo regaço do Oceano.

"Então aquela é a Angra das Luzes de Muitos Tons", disse Ælfheah, "de que falam em nossos lares muitos contos aos quais se dá pouca atenção." Então, sem dizer mais nada, eles espicharam os remos e viraram o navio com pressa, impelindo-o rumo à costa sem-morte. Quase chegaram a abandoná-lo pela dificuldade. Pouca coisa conseguiram com esse grande esforço, conforme fendiam a água com força à sua volta, e a noite longa de Feéria continuava, e a lua crescente de Elfinesse galgava acima deles.

Então lá chegou música mui gentilmente por sobre as águas, e estava tão repleta de anseio inimaginável que Ælfwine e seus camaradas debruçaram-se nos remos e cada um deles chorou suavemente pelas feridas mal lembradas de seu coração, e pela memória de belas coisas há muito perdidas, e pela ânsia que jaz em todos os filhos dos Homens pela perfeição e graça que procuram e não encontram. E um deles disse: "São as harpas tangendo, e as canções que eles cantam de belas coisas; e as janelas que olham para o mar estão cheias de luz." E outro falou: "Seus violinos se queixam das antigas aflições do povo imortal da Terra, mas há júbilo aí." "Ai de mim", disse Ælfwine, "ouço as trompas das Fadas ressoarem em bosques mágicos — a mesma música em que pensei vagamente há muitos longos anos, debaixo dos olmos de Mindon Gwar."

E eis que, conforme falavam assim cismando, a lua se escondeu, e as estrelas se nublaram, e as névoas do tempo lançaram um véu na costa, e nada conseguiam ver e nada mais ouviam, exceto o som da arrebentação dos mares nos seixos distantes da Ilha Solitária; e logo o vento soprou até mesmo esse débil rumorejar para longe. Mas Ælfwine avançou de olhos arregalados, calado, e de súbito, com grande clamor, lançou-se no mar sombrio, e as águas que o envolveram eram cálidas, e uma morte gentil pareceu envelopá-lo. Então os outros tiveram a impressão de que acordaram à sua voz como que de um sonho; mas o vento, que subitamente se tornou feroz, enfunou todas as velas, e eles nunca mais o viram, sendo impelidos de volta com os corações todos partidos de arrependimento e anseio. Às vezes viam pálidos barcos élficos voltando para casa, talvez, para o Porto dos Muitos Tons, e eles os saudavam; mas só ecos débeis ao longe chegavam-lhes aos ouvidos, e nenhum jamais os conduziu à terra do seu desejo, eles que, depois de muito tempo, serpentearam de volta por todo o fio labiríntico das suas rotas longas e emaranhadas, até que lançaram âncora, por fim, no porto de Belerion, já homens idosos e abatidos. E as coisas que viram e ouviram pareciam-lhes, depois, uma miragem e uma fantasia, advindas da fome e dos feitiços-marinhos, salvo apenas para Bior de Eneadur do Povo-navegante do Oeste.

Mas entre os rebentos daqueles homens houve, depois, muitos espíritos irrequietos e saudosos desde que eles morreram e passaram para além da Borda da Terra sem necessidade de barco ou vela. Mas enquanto sua vida durou, nunca deixaram de se fazer ao mar, e seus corpos estão todos cobertos pelo mar.[42]

༄

A narrativa termina aqui. Não há vestígio de qualquer continuação, embora pareça provável que *Ælfwine da Inglaterra* seria o começo de uma reescrita completa dos *Contos Perdidos*. Seria interessante saber ao certo quando *Ælfwine II* foi escrito. A letra do manuscrito com certeza é diferente da do resto dos *Contos Perdidos*, mas inclino-me a pensar que ele sucedeu *Ælfwine I* não muito tempo depois, e é improvável que a primeira versão seja muito posterior a 1920 (ver p. 377).

Ao final de *Ælfwine II*, meu pai rabiscou duas sugestões: (1) que Ælfwine deveria se transformar em um "inglês pagão primitivo que fugiu para o Oeste"; e (2) que "a Ilha do Homem Velho" deveria ser removida, e todos naufragariam em Eneadur, a Ilha dos Ythlings. Essa última sugestão teria (surpreendentemente) levado ao abandono do episódio do navio afundado, com o Homem do Mar lançando-o à praia na cheia da maré, e dos Vikings mortos "no fundo, fitando o céu".

Nesta narrativa — em que a "magia" dos Elfos antigos é comunicada de maneira muito intensa na visão que os marujos tiveram da Ilha Solitária sob "a lua crescente de Elfinesse" — Ælfwine ainda está no contexto das figuras da antiga lenda inglesa: seu pai é Déor, o Menestrel. No grande manuscrito anglo-saxônico conhecido como "o Livro de Exeter", há um breve poema de 42 versos que hoje em dia recebe o título *Déor*. É uma fala do menestrel Déor que, como ele diz, perdeu seu lugar e foi substituído no favor do seu senhor por outro bardo, chamado Heorrenda. No decorrer do poema, Déor cita exemplos de grandes infortúnios relatados nas lendas heroicas, e nelas encontra conforto, concluindo cada uma das alusões com o refrão fixo *pæs ofereode; pisses swa mæg*, o qual foi traduzido de várias maneiras; meu pai afirmava que significava "O tempo passou desde então, isto também pode passar".[43]

Desse poema vieram tanto Déor quanto Heorrenda. Na "narrativa *Eriol*", Heorrenda era o filho de Eriol nascido em Tol Eressëa de sua esposa Naimi (p. 350), e estava associado a Hengest e Horsa na conquista da Ilha Solitária (p. 351); sua morada na Inglaterra ficava em Tavrobel (p. 352). Não penso que o Déor de meu pai, o Menestrel de Kortirion, e Heorrenda de Tavrobel possam ter uma relação mais próxima com o poema anglo-saxônico a não ser pelos nomes apenas, ainda que ele não tenha escolhido os nomes aleatoriamente. Ele se comovia com o conto ali vislumbrado (embora, nas palavras de um dos editores do poema, "o elemento autobiográfico seja puramente ficcional, servindo apenas de pretexto para a enumeração das histórias heroicas"); e, quando palestrava sobre *Beowulf* em Oxford, ele às vezes dava ao poeta desconhecido um nome, chamando-o de *Heorrenda*.

Acredito que também não se pode concluir nada mais dos outros nomes em inglês antigo na narrativa: Óswine, príncipe de Gwar, Éadgifu, Ælfheah (se bem que os nomes em si sejam, sem dúvida, "significativos": *Óswine* contém *ós* "deus" e *wine* "amigo", e *Éadgifu*, *éad* "bem-aventurança" e *gifu* "dom, dádiva"). Os Forodwaith são, evidentemente, invasores vikings da Noruega ou da Dinamarca; o nome do capitão morto do navio, Orm, é bem atestado em nórdico. Mas tudo isso é uma *mise-en-scène* que é histórica tão somente no suporte, não na estrutura.

A ideia das sete invasões a Lúthien (Luthany) permaneceu (p. 379), e também do desvanecer dos Elfos e sua fuga para oeste (que, de fato, nunca se perdeu por completo),[44] mas enquanto nos esboços a invasão dos Ingwaiwar (isto é, os Anglo-Saxões) foi a sétima (ver citações (20) e (22)), aqui as invasões vikings são retratadas como sendo contra os ingleses — "nem foi aquela a última das conquistas de Lúthien dos Homens por Homens" (p. 379), uma óbvia referência aos normandos.

As referências "geográficas" na história são muito interessantes. Bem no começo, há uma afirmação curiosa sobre a separação da Irlanda "na guerra dos Deuses". Visto que a "narrativa *Ælfwine*" não inclui a ideia de que Tol Eressëa foi arrastada de volta ao leste pelo mar, isso deve se referir a alguma coisa bem diferente da história em (5), p. 340, em que a Ilha de Íverin foi apartada quando Ossë tentou puxar Tol Eressëa de volta. Não sei que coisa seria essa, mas parece concebível que seja o primeiro indício ou pista do grande cataclisma no final dos Dias Antigos, quando Beleriand submergiu. (Não encontrei indício de qualquer conexão entre o porto de *Belerion* e a região de *Beleriand*).

No conto, Kortirion (Mindon Gwar) é evidentemente "Kortirion, a Velha", a habitação élfica original em Lúthien, em homenagem à qual a Kortirion de Tol Eressëa foi nomeada (ver pp. 371, 374); do mesmo modo, devemos supor que o nome Alalminórë (p. 378) dado à região no entorno ("Warwickshire") foi atribuído depois à região central de Tol Eressëa.

Quanto à questão das ilhas e arquipélagos no Grande Mar, o que se diz em *Ælfwine da Inglaterra* pode ser comparado, primeiramente, com os trechos de descrição geográfica em *A Vinda dos Valar* (I. 89) e *A Vinda dos Elfos* (I. 155–56), que são bem parecidos um com o outro. Desses trechos, descobrimos que há muitas terras e ilhas no Grande Mar antes de se chegar às Ilhas Mágicas. Para lá das Ilhas Mágicas está Tol Eressëa, e além de Tol Eressëa estão os Mares Sombrios, "onde flutuam as Ilhas do Crepúsculo", as primeiras das Terras de Fora. A própria Tol Eressëa "não é contada nem entre as Terras de Fora, nem entre as Grandes Terras" (I. 156); fica longe, no meio do oceano, "e terra alguma pode ser vista navegando-se por muitas léguas desde suas falésias" (I. 151). *Ælfwine da Inglaterra* concorda com esse relato, mas ali se acrescenta o arquipélago das Ilhas Sem Angras.

Como eu observei anteriormente (I. 170), essa progressão de Leste para Oeste — Ilhas Sem Angras, Ilhas Mágicas, a Ilha Solitária, e então os Mares Sombrios, onde ficavam as Ilhas do Crepúsculo — foi alterada posteriormente, e conta-se em *O Silmarillion* (pp. 148–49) que, na época da Ocultação de Valinor, as Ilhas Encantadas foram dispostas, e todos os mares à volta delas ficaram cheios de sombras e desconcerto. E essas ilhas estendiam-se como uma rede nos Mares Sombrios, do norte ao sul, antes que Tol Eressëa, a Ilha Solitária, fosse alcançada por quem navegava para o oeste. Dificilmente podia alguma nau passar entre elas, pois, nas enseadas perigosas, as ondas suspiravam para sempre sobre rochas escuras veladas em névoa. E, no crepúsculo, um grande cansaço e uma aversão ao mar vinham sobre os marinheiros; mas todos os que alguma vez pisavam nas ilhas ficavam ali apanhados e dormiam até a Mudança do Mundo.

> Como conceito, as Ilhas Encantadas derivam primariamente das antigas Ilhas Mágicas, dispostas na época da Ocultação de Valinor e descritas nesse Conto (I. 254): "Ossë as dispôs num grande anel em volta dos limites ocidentais do pujante mar, de sorte que guardavam a Baía de Feéria", e

todos os que ali pisavam, dali jamais saíam, pois, enredados nas tramas dos cabelos de Oinen, Senhora do Mar, e dominados pelo sono perpétuo que Lórien colocou ali, jaziam na orla das ondas como aqueles que, afogando-se, são espraiados novamente pelos movimentos do mar; e, no entanto, esses infelizes dormiam insondáveis e as águas sombrias lavavam-lhes os membros [...]

> Aqui, três dos companheiros de Ælfwine

dormiam um sono como a morte em praias escuras, e suas cabeças repousavam em areia branca, e estavam trajados de espuma, envoltos nos feitiços eternos de Eglavain. (p. 386)

> (Não sei o significado do nome *Eglavain*, mas como ele claramente contém *Egla* (gnômico, = *Elda*, ver I. 304), talvez signifique "Elfinesse"). Mas talvez as Ilhas Encantadas também derivem das Ilhas do Crepúsculo, pois as Ilhas Encantadas ficavam igualmente no crepúsculo e estavam dispostas nos Mares Sombrios (ver I. 269); e também das Ilhas Sem Angras, as quais, como o Homem do Mar contou a Ælfwine (p. 382), foram dispostas na época da Ocultação de Valinor — e, de fato, tinham o mesmo propósito das Ilhas Mágicas, embora ficassem muito mais longe no Leste.

Eneadur, a ilha dos Ythlings (inglês antigo *ýð* "onda"), cuja vida é descrita de modo tão completo em *Ælfwine da Inglaterra*, parece nunca ter sido mencionada de novo. Haveria, talvez, em Eneadur e nos Marinheiros do Oeste uma antecipação tênue dos antigos Númenóreanos na sua ilha cercada de falésias?

A seguinte passagem (p. 382) não é fácil de interpretar:

De lá [isto é, da Baía de Feéria] o mundo mergulha íngreme para além da Borda das Coisas até Valinor, o Lar-divino, e até a Muralha e a beira do Nada onde estão semeadas as estrelas.

No texto *Ambarkanta* ou "Forma do Mundo", dos anos de 1930, um mapa do mundo mostra a superfície da Terra de Fora caindo íngreme ao oeste, a partir das Montanhas de Valinor. É possível que seja a esse declive que meu pai estivesse se referindo aqui, e que a Borda das Coisas seja a grande muralha de montanhas, mas isso parece muito improvável. Em *Ælfwine da Inglaterra* há também referências à "Borda da Terra", pela qual passam os mortos (pp. 379, 388); e, em um esboço para o *Conto de Eärendel* (p. 313), o barco de Tuor "passa por sobre a borda do mundo". Penso ser mais provável que a expressão se refira à borda do horizonte (o "horizonte do conhecimento dos Homens", p. 377).

Não consigo explicar a expressão "o sol [estava] afundando nas Montanhas de Valinor, além das Muralhas do Oeste" (p. 385) de acordo com o que se diz nos *Contos Perdidos*. Uma interpretação possível, mas dificilmente convincente, é que o sol estava afundando na direção de Valinor *de onde ele iria passar* para "além das Muralhas do Oeste" (ou seja, pela Porta da Noite, ver I. 260).

Por fim, é notável a sugestão (p. 377) de que os Elfos viajando para oeste a partir de Lúthien poderiam ultrapassar a Ilha Solitária e chegar até mesmo de volta a Valinor. Sobre esse assunto, ver p. 337.

૭౩

Antes de encerrar, resta discutir brevemente um assunto de natureza geral que foi muitas vezes mencionado nos textos, e especialmente nesses últimos capítulos: a "pequenez" dos Elfos.

Afirma-se várias vezes nos *Contos Perdidos* que os Elfos dos dias antigos tinham maior estatura corporal do que vieram a ter depois.

Assim, em *A Queda de Gondolin* (p. 195): "os pais dos pais dos Homens eram de menor estatura do que a dos Homens de agora e que os filhos de Elfinesse eram de maior crescimento"; em um esboço para o conto abandonado de Gilfanon (I. 283), de maneira muito semelhante: "De início os Homens eram quase da mesma estatura dos Elfos, sendo as fadas muito maiores e os Homens menores que agora"; e na citação (4) do presente capítulo: "Homens e Elfos eram de igual estatura outrora, embora os Homens sempre fossem mais robustos". De todo modo, outras passagens sugerem que os Elfos antigos eram por natureza de compleição um tanto mais delgada (ver pp. 175, 265).

A diminuição na estatura dos Elfos de épocas posteriores é muito explicitamente relacionada à vinda dos Homens. Assim, na citação (4): "os Homens se espalham e prosperam, e os Elfos das Grandes Terras se desvanecem. Conforme a estatura dos Homens cresce, a deles diminui"; em (5): "conforme os Homens se tornam mais poderosos e numerosos, as fadas se desvanecem e diminuem e atenuam-se, tornando-se translúcidas e transparentes, mas os Homens se tornam maiores, mais robustos e mais grosseiros. Por fim, os Homens, ou quase todos, não mais conseguem ver as fadas". O retrato mais claro que sobrevive dos Elfos depois de eles "desvanecerem" completamente encontra-se no *Epílogo* (p. 348):

Como fios de vento, como semitransparências místicas, Gilfanon, Senhor de Tavrobel, cavalga esta noite em meio ao seu povo, e caça o cervo élfico sob o céu palescente. Uma música de pés esquecidos, um brilho de folhas, uma repentina ondulação da relva, e vozes melancólicas murmurando na ponte, e se vão.

Mas, de acordo com os trechos que dizem respeito à posterior versão "*Ælfwine*", os Elfos de Tol Eressëa que haviam deixado Luthany não desvaneceram, ou haviam parado de desvanecer. Assim, em (15): "Tol Eressëa, para onde a maioria dos Elfos não desvanecidos se retiraram, fugindo do ruído, guerra e clamor dos Homens"; e (16): "Tol Eressëa, para onde a maioria dos Elfos desvanecentes se retiraram do mundo, e lá não mais desvanecem agora". Além disso, em *Ælfwine da Inglaterra* (p. 379) menção é feita aos "Elfos não desvanecidos além das águas de Garsecg".

Por outro lado, quando Eriol chegou ao Chalé do Brincar Perdido, o guardião-das-portas lhe disse (I. 25):

Pequena é a morada, mas ainda menores são os que aqui moram — pois todos os que entram devem ser bem pequenos de fato, ou de boa vontade tornar-se gente pequenina assim que pisam na soleira.

Observei anteriormente (I. 46) como é estranha a ideia de que o Chalé e os seus habitantes eram peculiarmente pequenos em uma ilha inteiramente habitada por Elfos. Mas, caso tivesse reescrito *O Chalé do Brincar Perdido*, meu pai sem dúvidas a teria abandonado; e, de todo modo, pode bem ser que, na época de *Ælfwine II*, ele já estivesse se desvencilhando da ideia de que Elfos "desvanecidos" eram diminutos, como sugere a rejeição das palavras "pequeno" em "pequeno povo" e "pequeno barco" (ver nota 27).

No fim, é claro, os Elfos perderam todas as associações e qualidades que hoje em dia seriam comumente consideradas "feéricas", e os que permaneceram nas Grandes Terras nas Eras do mundo que ainda não tinha sido concebido na época cresceram muito em estatura e poder: não há nada translúcido ou transparente nos heroicos ou majestosos Eldar da Terceira Era da Terra-média. Muito tempo depois, num comentário irado a uma representação pictórica "fina" ou "feminina" de Legolas, meu pai escreveu:

Ele era alto como uma jovem árvore, ágil, imensamente forte, capaz de envergar ligeiro um grande arco de guerra e abater um Nazgûl, dotado com a tremenda vitalidade dos corpos élficos, tão robusto e resistente a ferimentos que andava somente com sapatos leves por sobre rochas ou através da neve, o mais incansável de todos da Sociedade.*

ఴ

Com isso chega ao fim minha interpretação e análise dos escritos iniciais que dizem respeito à história do marinheiro que chegou à Ilha Solitária e lá descobriu a verdadeira história dos Elfos. Eu mostrei, espero que de modo convincente, a maneira curiosa e complexa com que a visão de meu pai acerca da importância de Tol Eressëa se alterou. Quando ele rabiscou a sinopse (10), a

---

*Ver, a esse respeito, *A Natureza da Terra-média*, p. 223 e seguintes. [N. T.]

ideia da viagem do marinheiro à Ilha dos Elfos já estava presente, é claro; mas ele viajava do Leste e a Ilha Solitária que ele buscava era a Inglaterra (ainda que ela ainda não fosse a terra dos ingleses e não ficasse nos mares em que a Inglaterra está). Quando mais tarde toda a concepção foi alterada, a Inglaterra — chamada de "Luthany" ou "Lúthien" — continuou sendo preeminentemente a terra élfica; e Tol Eressëa, com seus prados e soutos, os ninhos de gralhas nos olmeiros de Alalmínórë, deu ao marinheiro inglês a impressão de ter sido refeita à semelhança de sua própria terra, que os Elfos haviam perdido quando os Homens chegaram: pois ela de fato era uma reencarnação da élfica Luthany de além-mar.

Posteriormente, tudo isso haveria de sair da mitologia que se desenvolvia, mas Ælfwine deixou muitas marcas nessas páginas até que ele também, por fim, desapareceu.

Muita coisa neste capítulo é necessariamente inconclusiva e incerta, mas acredito que essas notas e projeções muito antigas foram desenterradas corretamente, ainda que, como "enredos", abandonados e sem dúvida esquecidos, eles sejam testemunhas de verdades do coração e da mente de meu pai que ele nunca abandonou. Mas essas notas foram escritas em sua juventude, quando para ele a magia élfica "ainda permanecia forte nas matas e montes de Luthany"; na sua velhice, tudo se havia ido para Oeste-sobre-o-mar, e um fim de fato chegou para os Eldar em história e em canção.

NOTAS

[1] Sobre essa afirmação acerca da estatura de Elfos e Homens, ver pp. 392–93.
[2] Para a forma *Taimonto* (*Taimondo*), ver I. 322, verbete *Telimektar*.
[3] *Belaurin* é o equivalente gnômico de *Palúrien* (ver I. 318).
[4] Uma nota lateral aqui sugere que talvez o Pinheiro não deveria estar em Tol Eressëa. Para *Ilwë*, o ar do meio, que é "azul e claro, e flui em meio às estrelas", ver I. 86, 94.
[5] *Gil* = *Ingil*. Na primeira ocorrência de *Ingil* nesse trecho, o nome foi escrito *Ingil* (*Gil*), mas (*Gil*) foi riscado.
[6] A palavra *Nautar* ocorre em um esboço rejeitado do *Conto do Nauglafring* (p. 168), e ali é equivalente a *Nauglath* (Anãos).
[7] *Uin*: "a mais poderosa e mais antiga das baleias", a principal dentre as baleias e peixes que arrastaram a "ilha-carruagem" (posteriormente Tol Eressëa) na qual Ulmo atravessou os Elfos até Valinor (I. 147–50).
[8] *Gongues*: são seres malignos relacionados de maneira obscura aos Orques: ver I. 295, nota 10, e os esboços rejeitados para o *Conto do Nauglafring* incluídos em p. 168.

⁹ Um grande ponto de interrogação está escrito ao lado desse trecho.

¹⁰ A semelhança deste nome com *Dor Daedeloth* é impressionante, mas esse último é o nome do reino de Morgoth em *O Silmarillion*, ali interpretado como "Terra da Sombra do Horror". O nome antigo (cujos elementos são *dai* "céu" e *teloth* "telhado, teto") não tem nada em comum com o nome posterior além da forma.

¹¹ Ver *Kortirion entre as Árvores* (I. 48, 52, 57): *A relva undosa*.

¹² A origem de *Warwick*, de acordo com a etimologia convencional, é incerta. O elemento *wic*, extremamente comum em topônimos ingleses, significava essencialmente uma moradia, ou um conjunto de moradias. A forma atestada mais antiga do nome é *Wæring wic*, e conjectura-se que *Wæring* seja uma palavra em inglês antigo para uma barragem, derivado de *wer*, inglês moderno *weir* [barragem, represa]: portanto, "moradias junto à barragem".

¹³ Ver a folha de rosto na citação (11): *Heorrenda de Hægwudu*. Na realidade, nenhuma versão do nome desse vilarejo de Staffordshire é atestada antes da Conquista Normanda, mas a forma em inglês antigo era certamente *hæg-wudu* "mata cercada" (compare com a Sebe Alta, *High Hay*, a grande sebe que guardava a Terra-dos-Buques da Floresta Velha em *O Senhor dos Anéis*).

¹⁴ O nome Luthany, referindo-se a um país, ocorre cinco vezes no poema *The Mistress of Vision*, de Francis Thompson. Como observado anteriormente (I. 42), meu pai adquiriu os Poemas Completos de Francis Thompson em 1913–14; e nesse exemplar ele escreveu uma nota marginal ao lado de uma das estrofes que contêm o nome *Luthany* — porém, essa nota não diz respeito ao nome. Mas não faço ideia de onde Thompson tirou o nome *Luthany*. Ele mesmo descreveu o poema como "uma fantasia" (Everard Meynell, *The Life of Francis Thompson*, 1913, p. 237).

Isso explica somente a origem da sequência de sons do nome, assim como o nome *Kôr*, que vem do livro *Ela*, de Rider Haggard,* ou *Rohan* e *Moria*, mencionados em uma carta de 1967 que meu pai escreveu sobre o assunto (*As Cartas de J.R.R. Tolkien*, carta nº 297), na qual afirmou:

> Isso leva à questão da história "externa": o modo efetivo pelo qual vim a descobrir ou escolher certas sequências sonoras para usar como nomes, *antes* que recebessem um lugar dentro da história. Como eu disse, creio que isso não é importante: o trabalho envolvido na minha organização do que sei e lembro do processo, ou das suposições de outros, seria muito maior do que o valor dos resultados. As formas faladas simplesmente eram meras formas audíveis e, ao serem transferidas para a situação linguística preparada na minha história, receberam significado e importância de acordo com essa situação e com a natureza da história contada. Seria inteiramente delusório recorrer às fontes das combinações sonoras para descobrir quaisquer significados evidentes ou ocultos.

---

*Não há evidência externa para isso, mas é difícil duvidar. Neste caso, é possível pensar que, como a Kôr africana era uma cidade construída no topo de uma grande montanha isolada, a relação é maior do que puramente "fonética".

15 A posição complica-se pela existência de alguns esboços narrativos extremamente rudimentares e beirando a ilegibilidade, nos quais o marinheiro é chamado de Ælfwine e, no entanto, estão presentes elementos essenciais da "narrativa *Eriol*". Eu os tomo como um estágio intermediário. São esboços muito obscuros e exigiriam muito espaço para serem apresentados e discutidos e, portanto, deixo-os de lado.
16 Ver p. 317 (xiv).
17 *Caer Gwâr*: ver p. 352.
18 Pode-se mencionar aqui que, quando meu pai leu *A Queda de Gondolin* no Clube de Ensaios do Exeter College na primavera de 1920, o marinheiro ainda era *Eriol*, conforme aparece nas notas para suas observações preliminares naquela ocasião (ver *Contos Inacabados*, p. 17). Muito estranhamente, ele diz ali que "Eriol se depara acidentalmente com a Ilha Solitária".
19 *Garsecg* (pronunciado *Garsedge* e assim escrito em *Ælfwine A*), era um dos muitos nomes em inglês antigo para o mar.
20 Em *Ælfwine I*, aquela terra é igualmente chamada de *Lúthien*, e não *Luthany*. Em *Ælfwine A*, por outro lado, a mesma distinção dos esboços é feita: "Ælfwine da Inglaterra (a quem as fadas depois chamaram Lúthien (amigo) de Luthany (amizade))". Nessa primeira ocorrência (apenas) de *Lúthien* em *Ælfwine II*, a forma *Leithian* está escrita em cima, a lápis, mas *Lúthien* não foi riscado. *A Balada de Leithian* tornou-se depois o título do longo poema de Beren e Lúthien Tinúviel.
21 *A Colina de Tûn*, ou seja, a colina sobre a qual a cidade de Tûn foi construída: ver p. 352.
22 *Mindon Gwar*: ver p. 352.
23 *Éadgifu*: na "narrativa *Eriol*", esse nome em inglês antigo (ver p. 389) aparece como equivalente de Naimi, esposa de Eriol, com quem ele se casou em Tol Eressëa (p. 350).
24 Em *Ælfwine I*, o texto neste ponto diz: "em razão de sua beleza e graça, bem como disse aquele rei dos Francos que certa vez foi o mais poderoso entre os homens [...]" [sic]. Em *Ælfwine II*, o manuscrito a tinta é interrompido em "praias altas e brancas", mas, depois dessas palavras, meu pai escreveu a lápis: "bem como disse aquele rei dos Francos que naqueles dias era o mais poderoso dos reis terreais [...]" [sic]. A única pista em *Ælfwine da Inglaterra* quanto ao período de vida de Ælfwine é a invasão dos Forodwaith (Vikings); o rei poderoso dos Francos pode, portanto, ser Carlos Magno, mas não consegui descobrir qualquer referência nesse sentido.
25 *Mal* é uma emenda de *Melko*. A frase não consta em *Ælfwine I*.
26 *Ælfwine I* diz: "quando os antigos Homens do Sul, vindos de Micelgeard, a Cidade Sem Coração, colocaram seus magnos pés no solo de Lúthien". O texto não faz referência a Rûm e Magbar. O nome *Micelgeard* está riscado, mas *Mickleyard* está escrito no alto da página. *Micelgeard* é inglês antigo (e *Mickleyard*, uma modernização da grafia), embora o nome não ocorra nos escritos anglo-saxônicos remanescentes e tenha por modelo o nome *Mikligarðr* (Constantinopla) do nórdico antigo. A hostilidade peculiar dos Romanos em relação aos Elfos de Luthany é mencionada por implicação na citação (20), e a sua descrença na existência deles, na citação (22).

²⁷ O emprego, frequente em *Ælfwine I*, de "pequeno" para descrever as fadas (Elfos) de Lúthien e seus navios foi mantido em *Ælfwine II* quando escrito pela primeira vez, mas depois foi riscado. Aqui, a palavra foi mantida duas vezes, talvez inadvertidamente.

²⁸ *Élficos* é uma emenda posterior de *feéricos*.

²⁹ Essa frase, a partir de "exceto por Ælfheah [...]" foi acrescentada depois em *Ælfwine II*, e não consta em *Ælfwine I*. Todo o texto de *Ælfwine I* e *II* até esse ponto encontra-se resumido da seguinte forma em *Ælfwine A*:

> Ælfwine da Inglaterra (a quem as fadas depois chamaram Lúthien (amigo) de Luthany (amizade)), nascido de Déor e Éadgifu. A cidade deles incendiada e Déor assassinado e Éadgifu morre. Ælfwine escravo dos Elmos Alados. Foge para o Mar do Oeste e toma um navio de Belerion e parte em grandes navegações. Está procurando pelas ilhas do Oeste das quais Éadgifu lhe contou na infância.

³⁰ *Ælfwine I* diz, neste ponto: "Mas três homens ele conseguiu encontrar para serem seus companheiros; e Ossë os tomou para si." *Ossë* foi emendado para *Neorth*, e a frase foi riscada e reescrita: "Destes ele encontrou apenas três; e esses três Neorth depois tomou para si, e seus nomes não são conhecidos." Neorth = Ulmo. Ver nota 39.

³¹ *Ælfwine A* diz: "Ele divisa algumas ilhas jazendo na aurora, mas é varrido de lá por grandes ventos. Retorna a duras penas para Belerion. Reúne os sete maiores marinheiros da Inglaterra; eles partem na primavera. Naufragam nas ilhas que Ælfwine desejava e as encontram desertas e solitárias e repletas de árvores lúgubres e sussurrantes." Isso está em desacordo com *Ælfwine I* e *II*, em que Ælfwine é lançado sozinho na ilha, mas está de acordo com *II* considerando-se que dá a Ælfwine sete companheiros, e não três.

³² Uma pista de que este era Ulmo. Ver *A Queda de Gondolin* (p. 190): "e calçava grandes sapatos de pedra."

³³ Em *Ælfwine A*, elas estavam "repletas de árvores lúgubres e sussurrantes" (nota 31).

³⁴ A partir do ponto em que o Homem do Mar diz: "Vê, esta é uma no círculo das Ilhas Sem Angras [...]" (p. 382) até aqui (ou seja, todo o episódio do navio viking naufragado e seu capitão, Orm, assassino do pai de Ælfwine), não há trecho correspondente em *Ælfwine I*, que diz apenas: "mas aquele Homem do Mar ajudou-o a construir uma pequena embarcação e, juntos, guiados pelo marujo solitário, partiram e chegaram a uma terra pouco conhecida." Para a narrativa de *Ælfwine A*, ver nota 39.

³⁵ Em uma das ocorrências do nome *Ythlings* (inglês antigo *ýð* "onda") em *Ælfwine I* está escrito *Ythlingas*, com o sufixo de plural em inglês antigo.

³⁶ *Os Marinheiros do Oeste*: emenda de *Eneathrim*.

³⁷ Compare com a passagem de versos aliterantes no artigo de meu pai *On Translating Beowulf* (*The Monsters and the Critics and Other Essays*, 1983, p. 63): *then away thrust her to voyage gladly valiant-timbered* [então fizeram-no partir a viajar contente, com madeirame valente].

³⁸ Toda a seção da narrativa que fala da ilha dos Ythlings é contada mais brevemente em *Ælfwine I* (embora, até onde chega, quase nas mesmas palavras),

estando ausentes muitas características da história posterior (notavelmente a derrubada da madeira no bosque consagrado a Ulmo, e a benção do navio pelo Homem do Mar). A única diferença real na estrutura, contudo, é que, enquanto em *Ælfwine II* Ælfwine reencontra os sete companheiros na terra dos Ythlings e navega para oeste com eles, junto com Bior dos Ythlings, em *Ælfwine I* eles de fato se afogaram, e ele arranjou sete companheiros entre os próprios Ythlings (e Bior não é nomeado nesse grupo).

39 O esboço do enredo em *Ælfwine A* conta a história a partir do ponto em que Ælfwine e os seus sete companheiros foram lançados na Ilha do Homem do Mar (e, assim, difere de *Ælfwine I* e *II*, segundo os quais ele chegou sozinho). Diz o seguinte:

> Eles vagam pela ilha na qual foram lançados e se deparam com muitos destroços apodrecendo — frequentemente de grandes navios, alguns carregados de tesouro. Encontram uma cabana solitária ao lado de um mar isolado, construída de madeira náutica antiga, onde mora um velho marinheiro, sozinho e estranho, de aspecto medonho. Ele lhes conta que essas são as Ilhas Sem Angras, cujos rochedos encantados atraem todos os navios para lá, a fim de que os homens não cheguem longe em Garsedge [*ver nota 19*] — e elas foram criadas à Ocultação de Valinor. Aqui, diz ele, as árvores são mágicas. Por meio dele, descobrem muitas coisas estranhas do mundo ocidental, e seu desejo por aventura é aguçado. Ele os ajuda a cortar árvores sagradas nos bosques da ilha e a construir uma maravilhosa embarcação, e lhes mostra como se aprovisionar para uma longa viagem (aquela água que não seca salvo quando o coração falta etc.). Ele a abençoa com um feitiço de aventura e descoberta, e então mergulha saltando do cimo de uma falésia. Eles suspeitam que era Neorth, Senhor das Águas.
>
> Partem numa jornada de muitos anos em meio às estranhas ilhas do oeste, com frequência ouvindo muitos relatos estranhos — do cinturão de Ilhas Mágicas que poucos ultrapassaram; do mar além, sem rota, onde o vento sopra quase sempre do Oeste; da borda do crepúsculo e da ilha que ali se vislumbra ao longe, com seu porto cintilante. Alcançam a ilha mágica [*leia-se ilhas mágicas?*] e três caem sob encanto e adormecem na praia.
>
> Os outros percorrem as águas além e se desesperam — pois sempre que avançam para oeste, o vento muda e os leva de volta. Ao fim, concordam em retornar pela manhã se nada de novo acontecer. O dia amanhece frio e escuro, e eles são abonançados, fitando em vão através da chuva.

Essa narrativa difere de *Ælfwine I* e *II* pois não há menção aos Ythlings, e Ælfwine e seus sete companheiros partem para sua longa viagem rumo ao oeste da Ilha Sem Angra do marinheiro ancião. Ela concorda com *Ælfwine I* devido ao nome Neorth, mas antecipa *Ælfwine II* pelo corte de árvores sagradas usadas na construção de um navio.

40 Em *Ælfwine I*, Ælfheah não aparece, e suas duas falas nesse trecho são atribuídas a um tal de *Gelimer*. Gelimer (Geilamir) era o nome de um rei dos Vândalos do século VI.

41 Em *Ælfwine I*, a fala de Bior é atribuída a Gelimer (ver nota 40).

[42] *Ælfwine I* termina com quase exatamente as mesmas palavras de *Ælfwine II*, mas com uma diferença muito extraordinária: Ælfwine não salta do navio, mas retorna com seus companheiros a Belerion e, portanto, jamais chega a Tol Eressëa! "Mui vazios depois ficaram os lugares dos Homens para Ælfwine e seus marujos, e dos seus rebentos houve muitos espíritos irrequietos e saudosos desde que eles morreram [...]". Além disso, parece que meu pai claramente estava a ponto de dizer o mesmo em *Ælfwine II*, mas parou, riscou o que tinha escrito, e introduziu a frase em que Ælfwine salta no mar. Não sei como explicar isso de maneira alguma.

Ælfwine A termina bem parecido com *Ælfwine II*:

> Conforme a noite cai, uma pequena aragem sopra e as nuvens se erguem. Eles içam vela para retornar quando, de súbito, bem fundo no crepúsculo eles veem as muitas luzes do Porto de Muitos Tons irromperem cintilantes. Remam para lá e ouvem doce música. Então a névoa esconde tudo, e os outros, despertando, dizem que é uma miragem advinda da fome, e com corações pesados se preparam para voltar, mas Ælfwine mergulha e nada rumo à escuridão até ser dominado pelas águas, e parece-lhe que a morte o envelopa. Os outros navegam para casa e saem do conto.

[43] Literalmente, como ele afirmava: "Daquele (pesar) seguiu-se em frente; deste, da mesma forma, pode-se seguir em frente."

[44] Há raízes profundas sob as palavras em *A Sociedade do Anel* (I. 93, 95): "Elfos [...] agora podiam ser vistos passando pelas matas ao entardecer, rumo ao oeste, passando sem retornar; mas estavam deixando a Terra-média e não se importavam mais com seus infortúnios." "'Bem, isso não é novidade nenhuma, se você acreditar nas velhas histórias'", disse Ted Ruivão quando Sam Gamgi tocou no assunto.

Coloco em anexo aqui uma sinopse das diferenças estruturais entre as três versões de *Ælfwine da Inglaterra*.

A	I	II
Æ. navega de Belerion e vê "ilhas na aurora".	Como em A	Como em A, mas o seu companheiro Ælfheah é nomeado.
Æ. parte de novo com 7 marinheiros da Inglaterra. Naufragam na ilha do Homem do Mar, mas todos sobrevivem.	Æ. tem apenas 3 companheiros e só ele sobrevive ao naufrágio.	Æ. tem 7 companheiros, e está sozinho na ilha do Homem do Mar, acreditando que os outros se afogaram.
O Homem do Mar os ajuda a construir um navio, mas não parte com eles.	O Homem do Mar ajuda Æ. a construir um barco e parte com ele.	Æ. e o Homem do Mar encontram um navio viking encalhado e içam velas juntos nele.

O Homem do Mar salta no mar do cimo de uma falésia de sua ilha.	Eles chegam à Ilha dos Ythlings. O Homem do Mar mergulha do cimo de uma falésia. Æ. arranja 7 companheiros entre os Ythlings.	Como em I, mas Æ. reencontra seus 7 companheiros da Inglaterra, que não haviam se afogado; Bior dos Ythlings se junta a eles.
Durante suas viagens, 3 dos companheiros de Æ. caem sob um encanto nas Ilhas Mágicas.	Como em A, mas neste caso eles eram Ythlings.	Como em A
Eles são soprados para longe de Tol Eressëa depois de avistá-la; Æ. salta para fora, e os outros voltam para casa.	Eles são soprados para longe de Tol Eressëa e todos, incluindo Æ., voltam para casa.	Como em A

Alterações feitas a nomes e diferenças entre nomes nos textos de *Ælfwine da Inglaterra*

Lúthien O nome da terra em I e II; em A, *Luthany* (ver nota 20).

Déor Na primeira ocorrência apenas em I, *Déor* < *Heorrenda*, subsequentemente *Déor*; em A, *Déor*.

Evadrien Em I < *Erenol*. *Erenol* = "Falésia de Ferro"; ver I. 304–05, verbete *Eriol*.

Forodwaith Em II, *Forodwaith* < *Forwaith* < *Gwasgonin*; I possui *Gwasgonin ou os Elmos Alados*; A possui *os Elmos Alados*.

Terra de Fora < *Terras de Fora* em ambas as ocorrências em II (pp. 381–82).

Ælfheah I possui *Gelimer* (na primeira ocorrência apenas < *Helgor*).

Marinheiros do Oeste Em II < *Eneathrim*.

Apêndice

Nomes em *Os Contos Perdidos 2*

Este apêndice foi delineado apenas como adjunto e extensão àquele na Parte Um. Nomes que já foram estudados na Parte Um não recebem um verbete nas notas a seguir caso haja verbetes para tais nomes na Parte Um, por exemplo *Melko* e *Valinor*; porém, como acontece frequentemente, se a informação etimológica estiver contida no verbete de outro nome, ela será indicada p. ex. como "*Gilim* Ver I. 314 (*Melko*)".

Informações linguísticas da Lista de Nomes em *A Queda de Gondolin* (ver p. 182) incorporadas nessas notas são referidas pela sigla "NQG". "LG" e "LQ" referem-se aos dicionários gnômico e qenya (ver I. 297 e seguintes). *Qenya* é o termo usado nesses dois livros, e é estritamente o nome da língua falada em Tol Eressëa; o termo não aparece em outros lugares dos escritos antigos, nos quais a distinção se dá entre "gnômico", de um lado, e "élfico", "eldar" ou "eldarissa", do outro.

☙

Alqarámë Para o primeiro elemento em qenya *alqa* "cisne", ver I. 301 (*Alqaluntë*). Sob a raiz ʀᴀʜᴀ, o LQ atesta *râ* "braço", *rakta* "estender, alcançar", *ráma* "asa, ala", *rámavoitë* "alado, que tem asas"; o LG possui *ram* "asa, remígio" e há uma observação de que o qenya *ráma* é uma confusão entre essa palavra e *róma* "ombro".

Amon Gwareth Sob a raiz ᴀᴍ(ᴜ) "(para) cima", o LQ atesta *amu* "(para) cima", *amu-* "erguer", *amuntë* "nascer do sol", *amun(d)* "colina"; o LG possui *am* "(para) cima", *amon* "colina, monte", advérbio "para cima, morro acima".

O LG fornece o nome como *Amon 'Wareth* "Monte de Guarda", também *gwareth* "vigia, guarda", do radical *gwar-* "vigiar", visto também no nome de *Tinfang Trinado* (*Gwarbilin* "Guardião-dos-pássaros", I. 323). Ver *Glamhoth, Gwarestrin*.

Angorodin Ver I. 301 (*Angamandi*) e I. 310 (*Kalormë*).

Arlisgion O LG inclui *Garlisgion* (ver I. 320 (*Sirion*)), assim como a NQG, que diz "*Garlisgion* era nosso nome, diz Elfrith, para o Lugar dos Caniços, que é sua interpretação", e "*lisg* é um caniço (*liskë*)". O LG possui *lisg, lisc* "caniço, junça", e o LQ, *liskë* com o mesmo significado. Para *gar*, ver I. 303 (*Dor Faidwen*).

Artanor O LG possui *athra* "de través", *athron*, advérbio "para lá, além", *athrod* "cruzamento, vau" (alterado depois para *adr(a), adron, adros*). *Athra, adr(a)* é comparado ao qenya *arta*. Ver também o nome *Dor Athro* (p. 74). Fica claro que tanto *Artanor* quanto *Dor Athro* significam "a Terra Além". Ver *Sarnathrod*.

Asgon Um verbete na NQG diz: "*Asgon* Um lago na 'Terra das Sombras', Dor Lómin, pelos Elfos chamado de *Askan*."

Ausir O LG inclui *avos* "fortuna, riqueza, opulência, prosperidade", *avosir, Ausir* "idem (personificado)"; também *ausin* "rico", *aus(s)aith* ou *avosaith* "avareza". Sob a raiz AWA no LQ estão *autë* "prosperidade, riqueza; rico", *ausië* "riqueza".

Bablon Ver p. 258.

Bad Uthwen Gnômico *uthwen* "saída, escape", ver I. 303 (*Dor Faidwen*). O verbete na NQG diz: "*Bad Uthwen* [emendado de *Uswen*] não significa nada além de 'via de escape' e em eldarissa é *Uswevandë*." Para *vandë*, ver I. 264 (*Qalvanda*).

Balcmeg Na NQG afirma-se que Balcmeg "era um grande lutador entre os *Orclim* (*Orqui*, dizem os Elfos) que tombou pelo machado de Tuor — e em significado é 'coração de maldade'." (Para *-lim* em *Orclim*, ver *Gondothlim*). O verbete para *Balrog* na NQG diz: "*Bal* significa maldade, e *Balc*, mau, e *Balrog* significa demônio maligno." O LG possui *balc* "cruel": ver I. 302 (*Balrog*).

Bansil Para o verbete na NQG, em que o nome está traduzido como "Lindobrilho", ver p. 258; e para os elementos do nome, ver I. 328 (*Vána*) e I. 319 (*Sil*).

Belaurin Ver I. 318 (*Palúrien*).

Belcha Ver I. 314 (*Melko*). A NQG possui um verbete: "*Belca* Embora aqui [isto é, no Conto], por costume inelutável, Bronweg tenha empregado os nomes élficos, este era dantes o nome daquele Ainu maligno."

Beleg Ver I. 307 (*Haloisi Velikë*).

Belegost Para o primeiro elemento, ver *Beleg*. O LG fornece *ost* "cercado, pátio — cidade", também *oss* "muralha externa, muralha citadina", *osta-* "amuralhar, fortificar", *ostor* "cercado, circuito de muralhas". O LQ, sob a raiz OSO, possui *os(t)* "casa, chalé", *osta* "fazenda, propriedade", *ostar* "vilarejo", *ossa* "muralha e fosso".
bo- Um verbete tardio no LG: "*bo (bon)* (ver o qenya *vô, vondo* 'filho') como prefixo patronímico, *bo- bon-* 'filho de'"; como exemplo, há *Tuor bo-Beleg*. Há também uma palavra *bôr* "descendente". Ver *go-, Indorion*.
Bodruith Em associação com *bod-* "de volta, de novo", o LG possui as palavras *bodruith* "vingança", *bodruithol* "vingativo (por natureza)", *bodruithog* "com sede de vingança", mas essas foram riscadas. Há também *gruith* "feito de horror, ato violento, vingança". É possível que Bodruith, Senhor de Belegost, haveria de receber o nome a partir dos eventos no *Conto do Nauglafring*.

Cópas Alqalunten Ver I. 310 (*Kópas*) e I. 301 (*Alqaluntë*).
Cris Ilbranteloth O LG inclui o grupo *crisc* "afiado", *criss* "fenda, rasgo, ravina", *crist* "faca", *crista-* "talhar, cortar, fatiar"; NQG: "*Cris* significa o mesmo que *falc*, uma fenda, ravina, ou uma passagem estreita de águas com encostas altas". O LG, sob a raiz KIRI "cortar, fender", possui *kiris* "fenda, rachadura" e outras palavras.
  Para *ilbrant* "arco-íris", ver I. 309 (*Ilweran*). O elemento final é *teloth* "telhadura, dossel": ver I. 322 (*Teleri*).
Cristhorn Para *Cris*, ver *Cris Ilbranteloth*, e para *thorn* ver I. 320, (*Sorontur*). Na NQG há o verbete: "*Cris Thorn* é Fenda das Águias ou *Sornekiris*."
Cuilwarthon Para *cuil*, ver I. 310 (*Koivië-néni*); o segundo elemento não está explicado.
Cûm an-Idrisaith Para *cûm* "teso", ver I. 303 (*Cûm a Gumlaith*). *Idrisaith* está definido assim no LG: "compare com *avosaith*, mas aquilo significa avareza, cobiça por dinheiro, mas *idrisaith* = amor excessivo por ouro e gemas e coisas belas e caras" (para *avosaith*, ver *Ausir*). Palavras relacionadas são *idra* "caro, querido, precioso", *idra* "valorizar, estimar", *idri (íd)* "um tesouro, uma joia", *idril* (subs.) "amada" (ver *Idril*).
Curufin presumivelmente contém *curu* "magia"; ver I. 324 (*Tolli Kuruvar*).

Dairon O LG inclui esse nome, mas sem explicação etimológica: "*Dairon*, o flautista (qenya *Sairon*)." Ver *Mar Vanwa Tyaliéva* adiante.
Danigwiel No LG, a forma gnômica é *Danigwethil*; ver I. 321 (*Taniquetil*). A NQG possui um verbete: "*Danigwethil* os Gnomos chamam de

Taniquetil; mas nos contos a respeito dessa montanha, procure em vez disso pelo nome élfico."

(bo-)Dhrauthodavros "(Filho da) floresta exaurida". Gnômico *drauth* "exausto, cansado de trabalhar", *drauthos* "exaustão, cansaço", *drautha-* "estar exausto"; para o segundo elemento, *tavros*, ver I. 322 (*Tavari*).

Dor Athro Ver *Artanor, Sarnathrod*.

Dor-na-Dhaideloth Para o gnômico *dai* "céu", ver I. 322–23 (*Telimektar*), e para *teloth* "telhadura, dossel", ver *ibid*. (*Teleri*); ver *Cris Ilbranteloth*.

Dramborleg A NQG possui o seguinte verbete: "*Dramborleg* (ou, como se pode chamá-lo, *Drambor*) significa, na forma completa, Pancada-Afiada, e esse era o machado de Tuor, que era pesado e contundia como uma maça e rasgava como uma espada; e os Eldar dizem *Tarambor* ou *Tarambolaika*." O LQ inclui *Tarambor, Tarambolaike* "o machado de Tuor" sob a raiz TARA, TARAMA "bater, golpear", com *taran, tarambo* "bofetada" e *taru* "chifre" (incluído aqui com um ponto de interrogação: ver *Taruithorn*). Nenhum equivalente gnômico é citado no LG.

O segundo elemento é o gnômico *leg, lêg* "afiado, penetrante", qenya *laika*; ver *Legolast*, "olhar aguçado", I. 321 (*Tári-Laisi*).

Duilin A NQG possui o seguinte verbete: "*Duilin*, cujo nome significa Andorinha, era o senhor dessa casa dos Gondothlim cuja insígnia era a andorinha e o mais certeiro dos arqueiros dos Eldalië, mas tombou na queda de Gondolin. Ora, os nomes desses campeões só aparecem em noldorissa, visto que eram Gnomos, mas o nome dele seria, em eldarissa, *Tuilindo*, e o da sua casa (chamada pelos Gnomos de *Nos Duilin*), *Nossë Tuilinda*." *Tuilindo* "(cantor-da-primavera), andorinha" foi incluído no LQ, ver I. 324 (*Tuilérë*); o LG possui *duilin(g)* "andorinha", com *duil, duilir* "Primavera", mas esses últimos foram riscados e em outro lugar do caderno aparecem como *tuil, tuilir* "Primavera" (ver I. 324).

Para *nossë* "gente, povo", ver I. 328 (*Valinor*); o LG não fornece *nos* nesse sentido, mas possui *nosta-* "nascer", *nost* "nascimento; sangue, alto nascimento; dia do nascimento, aniversário" e *noss* (alterado para *nôs*) "aniversário". Ver *Nost-na-Lothion*, o "Nascimento das Flores", *Nos Galdon, Nos nan Alwen*.

Eärámë Para *ea* "águia", ver I. 303 (*Eärendel*), e para *rámë*, ver *Alqarámë*. O LG possui um verbete *Iorothram, -um* "= qenya *Eärámë* ou Ala-de-águia, nome de um dos barcos de Eärendel". Para o gnômico *ior, ioroth* "águia", ver I. 303 (*Eärendel*) e compare as formas *Earam, Earum* como nome do navio (pp. 313, 333).

Eärendel Ver pp. 320–21 e I. 303.

Eärendilyon Ver I. 303 (*Eärendel*) e *Indorion*.

Ecthelion Tanto o LG quanto a NQG derivam esse nome de *ecthel* "fonte", ao qual corresponde o qenya *ektelë*. (Esse último sobreviveu: ver o verbete *kel-* no Apêndice de *O Silmarillion*: "da combinação *et-kelē*, 'água brotando, nascente', derivou-se, com transposição das consoantes, o quenya *ehtelë*, sindarin *eithel*". Um verbete tardio no LG atesta *aithil* (< *ektl*) "uma nascente"). Uma forma *kektelë* também aparece em qenya, da raiz KELE, KELU: ver I. 310 (*Kelusindi*).

Egalmoth A NQG possui o seguinte verbete: "*Egalmoth* é um magno nome, mas ninguém sabe claramente seu significado — uns disseram que seu portador foi assim nomeado por que era tão valoroso quanto mil Elfos (mas Rúmil diz que não) e outros, que ele fazia referência aos poderosos ombros daquele Gnomo, e assim afirma Rúmil, mas talvez ele tenha sido urdido em uma língua secreta dos Gondothlim" (para o restante desse verbete, ver p. 260). Para o gnômico *moth* "1000", ver I. 326 (*Uin*).

O LG interpreta o nome como Rúmil o fez, derivando-o de *alm* (< *alðam-*), "a envergadura das costas de ombro a ombro, costas, ombros", donde *Egalmoth* = "Ombrolargo"; afirma-se que o nome em qenya é *Aikaldamor*, e um verbete no LQ da mesma época fornece *aika* "amplo, vasto", comparando o gnômico *eg*, *egrin*. Esses, por sua vez, são glosados no LG como "longe, amplo, distante" e "amplo, vasto, largo; longe" (como em *Egla*; ver I. 304 (*Eldar*)).

Eglamar Ver I. 304 (*Eldamar*). A NQG possui o seguinte verbete: "*Egla*, diz o filho de Bronweg, era o nome dos Gnomos para os Eldar (agora de raro usado) que moravam em Kôr, e eram chamados de *Eglothrim* [emendado de *Eglothlim*] (isto é, *Eldalië*), e a língua deles, *lam eglathon* ou *egladrin*. Rúmil disse que esses nomes, *Egla* e *Elda*, eram cognatos, mas Elfrith não dava grande atenção para tal saber, e eles não se parecem demasiadamente." Compare isso com I. 304 (*Eldar*). O LG atesta *lam* "língua" e *lambë* é encontrado no LQ: uma palavra que sobreviveu no quenya tardio. No LQ, ela aparece como derivado da raiz LAVA "lamber", e servia para definir a "língua (do corpo, mas também de terra, ou mesmo = 'fala')".

Eldarissa aparece no LQ ("a língua dos Eldar") mas sem explicação sobre o elemento final. Possivelmente derivava da raiz ISI: *ista* "saber", *issë* "conhecimento, saber", *iswa*, *isqa* "sábio" etc.

Elfrith Ver p. 289 e I. 309 (*Ilverin*).

Elmavoitë "Uma-Mão" (Beren). Ver *Ermabwed*.

Elwing O LG possui o seguinte verbete: "*Ailwing*, antiga grafia de *Elwing* = 'espuma do lago'. Como substantivo = 'nenúfar branco'. O nome da donzela amada por Ioringli" (*Ioringli* = *Eärendel*, ver I. 303). O primeiro elemento aparece nas palavras *ail* "lago, lagoa", *ailion* "lago", qenya *ailo, ailin* — ver o posterior *Aelin-uial*. O segundo elemento é *gwing* "espuma": ver I. 329 (*Wingilot*).

Erenol Ver I. 304–05 (*Eriol*).

Ermabwed "Uma-Mão" (Beren). O LG atesta *mab* "mão", *amabwed*, *mabwed* "que tem mãos", *mabwedri* "destreza", *mabul* "engenhoso", *mablios* "habilidoso", *mablad, mablod* "palma da mão", *mabrin(d)* "pulso". Afirma-se no LG que uma palavra relacionada em qenya é *mapa* (raiz MAPA) "agarrar", mas essa afirmação foi riscada. O LQ possui também uma raiz MAHA, como muitos derivados, notavelmente *mā* (= *maha*) "mão", *mavoitë* "que tem mãos" (ver *Elmavoitë*).

Faiglindra "De longas tranças" (Airin). Gnômico *faigli* "cabelos, longas tranças (especialmente usado para mulheres)"; *faiglion* "que tem cabelos longos", e *faiglim* de mesmo significado, "especialmente como nome próprio", *Faiglim, Aurfaiglim* "o Sol a pino". Junto com isso há a palavra *faiglin(d)ra* entre colchetes.

Failivrin Juntamente com *fail* "pálido, palescente", *failthi* "palor" e *Failin*, um nome da Lua, o LG fornece *Failivrin*: "(1) uma donzela amada por Silmo; (2) um nome entre os Gnomos para muitas donzelas de grande beleza, especialmente Failivrin dos Rothwarin, no Conto de Turumart." (No Conto, *Rothwarin* foi substituído por *Rodothlim*).

O segundo elemento é *brin*, qenya *vírin*, "uma substância vítrea e mágica de grande brilho usada na criação da Lua. Usado para coisas de grande e pura transparência". Para *vírin*, ver I. 231–32.

Falasquil Três verbetes na NQG se referem a esse nome (para *falas*, ver também I. 305–06 (*Falman*)):

"*Falas* significa (assim como *falas* ou *falassë* em eldar) praia."

"*Falas-a-Gwilb* a 'praia de paz' era *Falasquil* em élfico, onde Tuor morou incialmente numa cava abrigada junto ao Grande Mar." *-a-Gwilb* foi riscado e acima está escrito, aparentemente, '*Wilb ou Wilma*.

"*Gwilb* significa 'cheio de paz', o que é *gwilm*."

O LG atesta *gwîl, gwilm, gwilthi* "paz", e *gwilb* "quieto, pacífico".

Fangluin "Barbazul". Ver *Indrafang*. Para *luin* "azul", ver I. 316 (*Nielluin*).

Foalókë Sob a raiz FOHO "esconder, amontoar, estocar", o LQ inclui *foa* "monte de tesouro, tesouro", *foina* "oculto", *fôlë* "sigilo, um segredo", *fôlima* "sigiloso", e *foalókë* "nome de uma serpente que guardava um tesouro". *lókë* "cobra" é derivado da raiz LOKO "enrolar, torcer".

O LG originalmente possuía verbetes *fû, fûl, fûn* "monte de tesouro", *fûlug* "um dragão (que guarda tesouros)", e *ulug* "lobo". Após alterações posteriores, essa construção foi alterada para *fuis* "monte de tesouro", *fuithlug, -og* (a forma que aparece no texto p. 115), *ulug* "dragão" (ver qenya *lókë*). Um verbete na NQG diz: "*Lûg* é o *lókë* dos Eldar, e significa 'draco'."

Fôs'Almir (Nome antigo de *Faskala-númen*; traduzido no texto (p. 142) como "banho de flama"). Para *fôs* "banho", ver I. 253 (*Faskala-númen*). O LG atesta três nomes: "*Fôs Aura*, *Fôs'Almir* e *Fôs na Ngalmir*, isto é, banho do Sol = o Mar do Oeste". Para *Galmir*, *Aur*, nomes do Sol, ver I. 306 e I. 326 (*Ûr*).

Fuithlug Ver *Foalókë*.

Galdor Para o verbete na NQG a respeito de Galdor, ver p. 260; da maneira que foi escrito inicialmente, *galdon* significava ali "árvore", e o povo de Galdor chamava-se *Nos Galdon*. *Galdon* não consta no LG. Subsequentemente, *galdon* > *alwen*, e *alwen* de fato aparece no LG como uma palavra do vocabulário poético: *alwen* "= *orn*". Compare com o qenya *alda* "árvore" (ver I. 301 (*Aldaron*)), e a posterior relação entre o quenya *alda* e o sindarin *galadh*.

Gar Thurion A NQG possui a forma anterior *Gar Furion* (p. 243) e o LG possui *furn*, *furion* "secreto, oculto", também *fûr* "mentira" (qenya *furu*) e *fur-* "esconder, omitir; mentir". O LQ possui *furin* e *hurin* "oculto, escondido" (raiz FURU ou HURU). Compare *Thurion* com *Thuringwethil* "Mulher da Sombra Secreta", e com *Thurin* "o Secreto", nome que Finduilas deu a Túrin (*Contos Inacabados*, pp. 218, 221).

Gil Ver I. 309 (*Ingil*).

Gilim Ver I. 314 (*Melko*).

Gimli O LG possui *Gimli* "(sentido da) audição", com *gim-* "ouvir", *gimriol* "atento" (alterado para "audível"), *gimri* "concentração, atenção". A audição de Gimli, o Gnomo cativo nas masmorras de Tevildo, "era a mais aguçada que houve no mundo" (p. 42).

Glamhoth O LG define isso como o "nome dado pelos Goldothrim aos Orcin: Povo do Ódio Horrendo" (ver "povo do ódio horrendo", p. 196). Para *Goldothrim*, ver I. 316 (*Noldoli*). O primeiro elemento é *glâm* "ódio, desprezo"; outras palavras são *glamri* "contenda amarga", *glamog* "desprezível". Um verbete na NQG diz: "*Glam* significa 'ódio feroz' e, assim como *Gwar*, não tem palavras correlatas em eldar."

Para *hoth* "gente, povo", ver I. 318 (*orchoth* no verbete *Orc*), e ver *Goldothrim*, *Gondothlim*, *Rúmhoth*, *Thornhoth*. Sob a raiz HOSO, o LQ fornece *hos* "gente, povo", *hossë* "exército, bando, tropa", *hostar* "tribo", *harma* "horda, hoste"; também *Sankossi* "os Gobelins", equivalente ao gnômico *Glamhoth*, e evidentemente um composto de *sankë* "odioso" (raiz SN̥KN̥ "lacerar, rasgar") e *hossë*.

Glend Talvez relacionado ao gnômico *glenn* "fino, esguio", *glendrin* "delgado", *glendrinios* "delgadeza", *glent*, *glentweth* "finura"; raiz qenya LENE "longo", que desenvolveu o significado em diferentes direções: "moroso, tedioso, rastejante", e "esticar, afinar": *lenka* "lento", *lenwa* "longo e fino, reto, estreito", *lenu-* "esticar" etc.

Glingol Para o verbete na NQG, em que o nome está traduzido como "ouro-cantante", ver p. 260; e ver I. 312 (*Lindelos*). O segundo elemento é *culu* "ouro", para o qual ver I. 308 (*Ilsaluntë*); outro verbete na NQG diz: "*Culu* ou *Culon* é um nome que temos em poesia para *Glor* (e Rúmil diz que é como o élfico *Kulu*, e *-gol* em nosso *Glingol*)."

Glorfalc Para *glor*, ver I. 311 (*Laurelin*). A NQG possui um verbete: "*Glor* é ouro e é a palavra *laurë* que aparece na poesia dos Kôr-Eldar (assim diz Rúmil)."

Falc está glosado no LG "(1) fenda, rasgo; (2) fenda, ravina, despenhadeiro" (aparece também *falcon* "espada grande de gume duplo", o que foi alterado para *falchon* e, assim, aproxima-se do inglês *falchion* "espada larga"). A NQG possui: "*Falc* é fenda e parecido com *Cris*; sendo o élfico *Falqa*"; e, sob a raiz FĮKĮ, no LQ há *falqa* "fenda, passo montanhês, ravina" e *falqan* "espada grande". O LG possui outro verbete: *Glorfalc* "uma grande ravina que leva para fora de Garioth". *Garioth* é aqui usado para Hisilómë; ver I. 305 (*Eruman*). Ver o posterior *Orfalch Echor*.

Glorfindel Para o verbete na NQG, em que o nome é traduzido como "Mecha-d'ouro", ver p. 216. Para *glor*, ver I. 311 (*Laurelin*) e *Glorfalc*. O LG possui um verbete *findel* "mecha de cabelo", junto com *fith* (*fidhin*) "um único fio de cabelo", *fidhra* "cabeludo", mas *findel* foi riscado; verbetes posteriores são *finn* "mecha de cabelo" (ver *fin-* no Apêndice de *O Silmarillion*) e *fingl* ou *finnil* "trança, mecha". NQG: "*Findel* é 'trança' ou 'mecha', e equivale ao élfico *Findil*." Sob a raiz FIRI, o LQ inclui *findl* "mecha de cabelo" e *firin* "raio de sol".

Em outro lugar do LG, o nome *Glorfindel* foi incluído e traduzido como "Cachos-d'ouro", mas isso foi alterado depois para *Glorfinn*, com uma variante *Glorfingl*.

Glorund Para *glor*, ver I. 311 (*Laurelin*) e *Glorfalc*. O LG inclui *Glorunn* "o grande draco morto por Turumart". Nenhuma das duas formas em qenya, *Laurundo* e *Undolaurë* (p. 107) aparece no LQ, que fornece um nome antigo para "a grande serpe", *Fentor*, junto com *fent* "serpente", *fenumë* "dragão". Conforme escrita inicialmente, esse verbete dizia "a grande serpe morta por Ingilmo" ao que se acrescentou depois "ou Turambar".

Golosbrindi (Nome antigo de Hirilorn, traduzido no texto (p. 67) como "Rainha da Floresta"). Uma palavra *goloth* "floresta" consta no LG, derivada de **gwōloth*, ela mesma composta de *aloth* (*alos*), uma palavra poética que significa "floresta" (= *taur*), e o prefixo **ngua > gwa*, na forma átona *go*, "junto, em um só", "com frequência usada simplesmente para fins de intensidade". Afirma-se que a palavra correspondente em qenya é *málos*, que não aparece no LQ.

Gondobar Ver *Gondolin* e, para *-bar*, ver I. 304 (*Eldamar*). No LG, a forma *Gondobar* foi posteriormente alterada para *Gonthobar*.

Gondolin Aos verbetes citados em I. 307 pode-se acrescentar o da NQG: "*Gond* significa pedra, assim como o élfico *on* e *ondo*." Para a afirmação sobre Gondolin na NQG (em que o nome é traduzido como "pedra da canção"), ver p. 260; e para a última formulação da etimologia de *Gondolin*, ver o Apêndice de *O Silmarillion*, verbete *gond*.

Gondothlim O LG possui o seguinte verbete a respeito da palavra *lim* "muitos", qenya *limbë* (não consta no LQ): "É frequentemente sufixado e, portanto, torna-se uma segunda flexão de plural. No singular, equivale ao inglês 'many a' [muitos], como *golda-lim*. No entanto, é com mais frequência sufixado ao plural nos substantivos cujo plural é formado com *-th*. Então é alterado para *-rim* depois de *-l*. Daí a grande confusão entre *grim* 'hoste' e *thlim* 'raça', como em *Goldothrim* ('o povo dos Gnomos')." A NQG possui um verbete: "*Gondothlim* significa 'povo da pedra' e (diz Rúmil), é *Gond* 'pedra', ao qual se acresce *Hoth* 'povo' e o *-lim* que nós Gnomos acrescemos depois, querendo dizer 'a maioria'." Ver *Lothlim*, *Rodothlim* e *Orclim* no verbete *Balcmeg*; para *hoth*, ver *Glamhoth*.

Gondothlimbar Ver *Gondolin*, *Gondothlim* e, para *-bar*, ver I. 304 (*Eldamar*). No LG, a forma *Gondothlimbar* foi alterada depois para "*Gonthoflimar* ou *Gonnothlimar*".

go- Um verbete original do LG, riscado posteriormente, dizia: *gon- go-* "filho de, prefixo patronímico (ver o sufixo *ios/ion/io* e o qenya *yô*, *yondo*)". A substituição disso foi descrita anteriormente em *bo-*. Ver *Indorion*.

Gon Indor Ver *go-*, *Indorion*.

Gothmog Ver pp. 88, 260, e I. 311 (*Kosomot*). O LG possui *mog-* "detestar, odiar", *mogri* "aversão", *mogrin* "odioso"; a raiz qenya MOKO "odiar". Além de *goth* "guerra, contenda" (raiz qenya KOSO, "contender") pode-se notar *gothwen* "batalha", *gothweg* "guerreiro", *gothwin* "Amazona", *gothriol* "bélico", *gothfeng* "flecha-de-guerra", *gothwilm* "armistício".

Gurtholfin LG: *Gurtholfin* "Urdolwen, uma espada de Turambar, Vara da Morte". Também aparece *gurthu* "morte" (qenya *urdu*; não consta no LQ). O segundo elemento do nome é *olfin*(*g*) (também *olf*) "galho, vara, pau" (qenya *olwen*(*n*)).

Pode-se notar que no LQ a espada de Turambar aparece como *Sangahyando* "cortadora de multidões", das raízes SANGA "embrulhar firme, pressionar" (*sanga* "multidão") e HYARA "arar" (*hyar* "arado", *hyanda* "lâmina, relha"). *Sangahyando* "Corta-multidão" sobreviveu como nome de um homem em Gondor (ver o Apêndice de *O Silmarillion*, verbete *thang*).

Gwar Ver I. 310-11 (*Kôr, korin*).
Gwarestrin Traduzido no Conto (p. 193) como "Torre de Guarda", assim como na NQG; o LG glosa a palavra como "torre de vigia (especialmente como nome de Gondolin)". Um verbete tardio no LG fornece *estirin, estirion, estrin* "pináculo", além de *esc* "ponta aguda, borda afiada". O segundo elemento dessa palavra é *tiri(o)n*; ver I. 311 (*Kortirion*). Para *gwar*, ver *Amon Gwareth*.
Gwedheling Ver I. 329 (*Wendelin*).

Heborodin "Os Montes Circundantes". Preposição gnômica *heb* "em torno, em volta"; *hebrim* "fronteira, limite", *hebwirol* "circunspecto". Para *orod*, ver I. 310 (*Kalormë*).
Hirilorn O LG fornece *hiril* "rainha (um uso poético), princesa; feminino de *bridhon*". Para *bridhon* ver *Tevildo*. O segundo elemento é *orn* "árvore". (Pode-se mencionar aqui que a palavra *neldor* "faia", encontra-se no LQ; ver o Apêndice de *O Silmarillion*, verbete *neldor*).

Idril Para o gnômico *idril* "amada", ver *Cûm-an-Idrisaith*. Há outro verbete no LG assim: *Idhril* "um nome feminino frequentemente confundido com *Idril. Idril* = 'amada', mas *Idhril* = 'donzela mortal'. Ambos parecem ter sido os nomes da filha de Turgon — ou aparentemente *Idril* era o mais antigo e os Kor-eldar a chamavam de *Irildë* (= *Idhril*) pois ela desposou Tuor." Em outro lugar do LG consta *idhrin* "homem, habitantes-da-terra; especialmente como nome do povo em contraste com *Eglath* etc.; ver qenya *indi*", e *Idhru, Idhrubar* "o mundo, todas as regiões habitadas por Homens; ver qenya *irmin*". No LQ, essas palavras *indi* e *irmin* aparecem sob a raiz IRI "habitar?", com *irin* "cidade", *indo* "casa", *indor* "mestre da casa" (ver *Indor*) etc.; mas *Irildë* não aparece. Palavras semelhantes encontram-se em gnômico: *ind, indos* "casa, salão", *indor* "mestre (da casa), senhor".

Após o verbete na NQG que já foi citado (p. 261), outra nota foi acrescida: "e seu nome significa 'Amada', mas amiúde dizem os Elfos *Idhril*, que com mais justeza seria comparável a *Irildë*, e isso significa 'donzela mortal', e quiçá diga respeito ao seu casamento com Tuor filho de Homens". Uma nota isolada (na verdade escrita em uma página do *Conto do Nauglafring*) diz: "Alterar o nome de *Idril* para *Idhril*. Os dois foram confundidos: *Idril* = 'amada', *Idhril* = 'donzela dos mortais'. Os Elfos achavam que esse era seu nome e a chamavam de *Irildë* (pois se casou com Tuor Pelecthon)."
Ilbranteloth Ver *Cris Ilbranteloth*.
Ilfiniol, Ilfrith Ver I. 309 (*Ilverin*).
Ilúvatar Um verbete na NQG pode ser notado aqui: "Os provérbios místicos dos Noldoli também chamam *En* de *Ilathon* [emendado de

Âd Ilon], que é Ilúvatar — e isso semelha o eldar *Enu.*" O LQ inclui *Enu,* o Criador Todo-poderoso que habita fora do mundo. Para *Ilathon,* ver I. 309 (*Ilwë*).

Indor (Pai de Peleg, pai de Tuor). Essa talvez seja a palavra *indor* "mestre (da casa), senhor" (ver *Idril*) usada como nome próprio.

Indorion Ver *go-.* O LQ inclui *yô, yond-* como palavras poéticas para "filho", acrescentando: "mas muito comumente *-ion* em patronímicos (e, portanto, praticamente = 'descendente')"; também *yondo* "descendente homem, geralmente (bis) neto" (ver o nome de Eärendel, *Gon Indor*). Ver *Eärendilyon.*

Indrafang O LG possui *indra* "longo (também usado para tempo)" *indraluin* "muito tempo atrás"; e também *indravang* "um nome especial dos Nauglath ou Anãos", sobre o qual ver p. 296. Essas formas foram posteriormente alteradas para *in(d)ra, in(d)rafang, in(d)raluin/idhraluin.*

Um verbete original do LG era *bang* "barba" = qenya *vanga,* mas isso foi riscado; e outra palavra com o mesmo significado de *Indravang* foi originalmente inserida como *Bangasur,* mas alterada para *Fangasur.* O segundo elemento é *sûr* "longo, que se arrasta", qenya *sóra,* e um acréscimo posterior aqui é *Surfang* "um barba-longa, um *naugla* ou *inrafang*". Ver *Fangluin* e o posterior *Fangorn* "Barbárvore".

Irildë Ver *Idril.*

Isfin A NQG possui o seguinte verbete: "*Isfin* era irmã de Turgon, Senhor de Gondolin, que Eöl desposou afinal; e isso significa tanto 'cachos-de-neve' quanto 'deveras-habilidoso'." Muito tempo depois, meu pai, ao notar que *Isfin* derivava "da mais antiga versão (1916) de *A Queda de Gondolin*", disse que o nome "não tinha significado"; mas compare o segundo elemento com *finn* "mecha de cabelo" (ver *Glorfindel*) ou *fim* "esperto", *finthi* "ideia, noção" etc. (ver I. 306 (*Finwë*)).

Ivárë O LG inclui *Ior* "o famoso 'flautista do mar'", qenya *Ivárë.*"

Íverin Um verbete tardio no LG inclui *Aivrin ou Aivrien* "uma ilha afastada da costa oeste de Tol Eressëa, qenya *Íwerin* ou *Iverindor*". O LQ tem *Íverind-* "Irlanda".

Karkaras No LG, esse nome está mencionado como sendo a forma qenya; o nome gnômico do "grande lobo-guardião da porta de Belca" era *Carcaloth* ou *Carcamoth,* alterado para *Carchaloth, Carchamoth.* O primeiro elemento é *carc* "dente, ponta, canino"; o LQ, sob a raiz ḲR̥ḲR̥, possui *karka* "canino, dente, presa", *karkassë, karkaras* "fileira de pontas ou dentes".

Kosmoko Ver *Gothmog.*

Kurûki Ver I. 324 (*Tolli Kuruvar*).

Ladwen-na-Dhaideloth "Charneca do Teto-do-Céu". Ver *Dor-na--Dhaideloth*. O LG inclui *ladwen* "(1) nivelamento, achatamento; (2) uma planície, charneca; (3) um plano [área sem relevo]; (4) superfície". Outras palavras são *ladin* "plano, liso; justo, equânime" (cf. *Tumladin*), *lad* "um plano" (ver *mablad* "palma da mão" mencionado em *Ermabwed*), *lada-* "alisar, afagar, suavizar, fascinar" e *ladwinios* "equidade". Há também as palavras *bladwen* "uma planície" (ver I. 318 (*Palúrien*)), e *fladwen* "prado" (com *flad* "relvado" e *Fladweth Amrod* (*Amrog*) "Gramado do Nômade", "um local em *Tol Erethrin* onde Eriol morou por um tempo, perto de Tavrobel". *Amrog, amrod* = "viandante", "andança", derivado de *amra-* "ir para cima e para baixo, viver nas montanhas, errar"; ver *Amon Gwareth*).
Laiqalassë Ver I. 321 (*Tári-laisi*), I. 307 (*Gar Lossion*).
Laurundo Ver *Glorund*.
Legolas Ver *Laiqalassë*.
Lindeloktë Ver I. 312 (*Lindelos*).
Linwë Tinto Ver I. 323–24 (*Tinwë Linto*).
Lókë Ver *Foalókë*.
Lôs Ver I. 307 (*Gar Lossion*). A forma posterior *loth* não aparece no LG (que possui, contudo, *lothwing* "flor-de-espuma"). A NQG possui "*Lôs* é uma flor e, em eldarissa, *lossë*, que é uma rosa" (depois da palavra "flor", tudo foi riscado).
Lósengriol Assim como *lôs*, a forma posterior *lothengriol* não aparece no LG. *Losengriol* está traduzido como "lírio do vale" no LG, que inclui as palavras gnômicas *eng* "liso, plano", *enga* "planície, vale", *engri* "um plano", *engriol* "semelhante a um vale; do vale". A NQG diz "*Eng* é uma planície ou vale e *Engriol* é aquilo que vive ou habita ali", e traduz *Lósengriol* como "flor do vale ou lírio do vale".
Los 'lóriol (alterado de *Los Glóriol*; a Flor Dourada de Gondolin). Ver I. 307 (*Gar Lossion*) e, para *glóriol* "dourado", ver I. 311 (*Laurelin*).
Loth, Lothengriol Ver *Lôs, Lósengriol*.
Lothlim Ver *Lôs* e *Gondothlim*. O verbete na NQG diz: "*Lothlim*, que equivale a *Loslim*, significa povo da flor, e foi o nome assumido pelos Exilados de Gondolin (cidade que outrora chamaram de *Lôs*)."

Mablung Para *mab* "mão", ver *Ermabwed*. O segundo elemento é *lung* "pesado; grave, sério"; palavras relacionadas são *lungra-* "pesar, pender de modo pesado", *luntha* "contrapeso, peso", *lunthang* "balança".
Malkarauki Ver I. 302 (*Balrog*).
Mar Vanwa Tyaliéva Ver I. 313 e este adendo: um verbete tardio no LG fornece o nome gnômico *Bara Dhair Haithin*, o Chalé do Brincar Perdido; também *daira-* "brincar" (com *dairwen* "júbilo" etc.) e *haim*

ou haithin "passado, partido, perdido" (com *haitha-* "ir, andar" etc.). Ver *Dairon*.

Mathusdor (Aryador, Hisilómë). O LG inclui *math* "ocaso, crepúsculo", *mathrin* "crepuscular", *mathusgi* "crepúsculo", *mathwen* "tardezinha". Ver *Umboth-muilin*.

Mavwin Um substantivo *mavwin* "desejo" no LG foi riscado, mas palavras relacionadas foram mantidas: *mav-* "gostar", *mavra* "ávido por", *mavri* "apetite", *mavrin* "deleitoso, desejável", *mavros* "desejo", *maus* "prazer; prazeroso". O nome de Mavwin em qenya, *Mavoinë*, não consta no LQ, a menos que deva ser igualado a *maivoinë* "grande anseio".

Meleth Um substantivo *meleth* "amor" consta no LG; ver I. 315–16 (*Nessa*).

Melian, Melinon, Melinir Nenhum desses nomes ocorre nos glossários, mas provavelmente todos são derivados do radical *mel-* "amar"; ver I. 315–16 (*Nessa*). Na etimologia posterior, o nome *Melian* deriva de *mel-* "amar" (*Melyanna* "dádiva querida").

Meoita, Miaugion, Miaulë Ver *Tevildo*.

Mindon-Gwar Para *mindon* "torre", ver I. 314 (*Minethlos*); e para *Gwar*, ver p. 352 e I. 310–11 (*Kôr, korin*).

Morgoth Ver pp. 87–88 e *Gothmog*. Para o elemento *mor-*, ver I. 314 (*Mornië*).

Mormagli, Mormakil Ver I. 314 (*Mornië*) e I. 313 (*Makar*).

Nan Dumgorthin Ver p. 81. Para *nan*, ver I. 315 (*Nandini*).

Nantathrin Esse nome não ocorre nos *Contos Perdidos*, em que a Terra dos Salgueiros é chamada de *Tasarinan*, mas ele consta no LG (ver I. 320 (*Sirion*)) e a NQG possui um verbete: "*Dor-tathrin* era a Terra dos Salgueiros da qual este e muitos contos falam". O LG possui *tathrin* "salgueiro" e o LQ, *tasarin*, de mesmo significado.

Nauglafring O LG possui o seguinte verbete: "*Nauglafring = Fring na Nauglithon*, o Colar dos Anãos. Feito para Ellu pelos Anãos a partir do ouro de Glorund que Mîm, o sem-pai, amaldiçoou e que trouxe ruína a Beren Ermabwed e Damrod, seu filho, e que não foi apaziguada até ele afundar com Elwing, amada de Eärendel, ao fundo do mar". Para Damrod (Daimord), filho de Beren, ver pp. 208, 311, e para a perda de Elwing e do Nauglafring, ver pp. 306, 318. Essa é a única referência ao "apaziguamento" da maldição de Mîm. O gnômico *fring* significa "corrente, colar" (qenya *firinga*).

Níniel Ver o gnômico *nîn* "lágrima", *ninios* "lamentação", *ninna-* "chorar"; ver I. 316 (*Nienna*).

Nínin-Udathriol ("Lágrimas Inumeráveis"). Ver *Níniel*. O LG inclui *tathn* "número", *tathra-* "numerar, contar", *udathnarol, udathriol* "inumerável". *Û-* é um "prefixo negativo com qualquer segmento de fala". (O LQ não joga luz em *Nieriltasinwa*, p. 107, além do elemento inicial *nie* "lágrima", ver I. 316 (*Nienna*)).

Noldorissa Ver *Eldarissa*.
Nos Galdon, Nos nan Alwen Ver *Duilin, Galdor*.
Nost-na-Lothion Ver *Duilin*.

Parma Kuluinen O Livro Dourado, ver p. 374. Esse verbete aparece no LQ sob a raiz PARA: *parma* "pele, casca; pergaminho; livro, escritos". A palavra sobreviveu no quina posterior (*O Senhor dos Anéis*, III, p. 1599). Para *Kuluinen*, ver *Glingol*.

Peleg (Pai de Tuor). O LG possui um substantivo comum *peleg* "machado", verbo *pelectha-* "cortar, talhar" (LQ *pelekko* "machado", *pelekta-* "cortar, talhar"). Ver o nome de Tuor, *Pelecthon*, na nota citada em *Idril*.

Ramandur Ver I. 313 (*Makar*).

Rog O LG inclui um adjetivo *rôg, rog* "valente, forte". Mas compare o nome "Rog, o Ágil" que os Orques deram a Egnor, pai de Beren, com *arog* "célere, precipitado" e *raug*, de mesmo significado; qenya *arauka*.

Rôs O LG inclui ainda outro significado para esse nome: "o Mar" (qenya *Rása*).

Rodothlim Ver *Rothwarin* (nome antigo substituído por *Rodothlim*).

Rothwarin O LG inclui esse nome nas formas *Rothbarin, Rosbarin*: "(literalmente) 'habitantes-de-caverna') nome de um povo de Gnomos secretos e das regiões próximas aos seus lares cavernosos nas margens do rio". Palavras gnômicas que derivaram da raiz ROTO "cavo, oco" são *rod* "tubo, caule", *ross* "cachimbo", *roth* "caverna, gruta", *rothrin* "cavo, oco", *rodos* "caverna"; o LQ fornece *rotsë* "cachimbo", *róta* "tubo", *ronta, rotwa* "cavo, oco", *rotelë* "caverna".

Rúmhoth Ver *Glamhoth*.

Rúsitaurion O LG fornece um substantivo *rûs* (*rôs*) "resistência, longanimidade, paciência", junto com o adjetivo *rô* "resistente, longânime; manso, quieto, gentil" e o verbo *rô-* "permanecer, ficar; resistir". Para *taurion*, ver I. 322 (*Tavari*).

Sarnathrod Gnômico *sarn* "uma pedra"; para *athrod* "vau", ver *Artanor*.

Sarqindi ("Ogros-canibais"). Deve derivar da raiz ṢṚḲ que consta no LQ, com derivados *sarko* "carne", *sarqa* "carnudo", *sarkuva* "corpóreo, corporal".

Silpion Um verbete na NQG (p. 259) traduz o nome como "Lua-de--Cerejeira". No LQ há uma palavra *pio* "ameixa, cereja" (com *piukka* "amora", *piosenna* "azevinho" etc.), e também *Valpio* "a cereja sacra de Valinor". O LG inclui *Piosil* e *Silpios*, sem tradução, como nomes da Árvore de Prata, e também uma palavra *piog* "baga".

Taimonto Ver I. 322-23 (*Telimektar*).

Talceleb, Taltelepta (Nome de *Idril/Irildë*, "dos Pés de Prata"). O primeiro elemento é o gnômico *tâl* "pé (de pessoas e animais)"; palavras relacionadas são *taltha* "pé (de coisas), base, pedestal, pedimento", *talrind, taldrin* "tornozelo", *taleg, taloth* "via, caminho" — outro nome para a Via de Escape a Gondolin era *Taleg Uthwen* (ver *Bad Uthwen*). O LQ, sob a raiz TALA "apoio", inclui *tala* "pé", *talwi* (dual) "os pés", *talas* "sola" etc. Para o segundo elemento, ver I. 323 (*Telimpë*). O LQ inclui a forma *telepta*, mas sem tradução.

Tarnin Austa Para *tarn* "portão", ver I. 314 (*Moritarnon*). O LG inclui *aust* "verão"; ver *Aur* "Sol", I. 326 (*Ûr*).

Taruithorn, Taruktarna (Oxford). O LG inclui *târ* "chifre" e *tarog* "boi" (qenya *taruku*-), *Taruithron*, anteriormente *Taruitharn* "Oxford".* Imediatamente após essas palavras estão *tarn* "portão" e *taru* "(1) cruz (2) cruzamento". O LQ possui *taru* "chifre" (ver *Dramborleg*), *tarukka* "com chifres", *tarukko, tarunko* "touro", *Taruktarna* "Oxford" e, sob a raiz TARA, *tara*- "cruzar, atravessar", *tarna* "cruzamento, passagem".

Tasarinan Ver *Nantathrin*.

Taurfuin Ver I. 322 (*Tavari*) e I. 306 (*Fui*).

Teld Quing Ilon A NQG possui um verbete: "*Cris a Teld Quing Ilon* significa Garganta do Teto de Arco-Íris e é, na fala eldar, *Kiris Iluqingatelda*"; *a Teld Quing Ilon* foi riscado e substituído por *Ilbranteloth*. Outro verbete diz: "*Ilon* é o céu"; no LG *Ilon* (= qenya *Ilu*) é o nome de *Ilúvatar* (ver I. 309 (*Ilwë*)). *Teld* não aparece no LG, mas palavras relacionadas são incluídas, como *telm* "telhado" (ver I. 322 (*Teleri*)); e *cwing* = "um arco". O LQ possui *iluqinga* "arco-íris" (ver I. 309 (*Ilweran*)) e *telda* "que tem um telhado" (ver I. 322-23 (*Telimektar*)). Para *Cris, Kiris*, ver *Cris Ilbranteloth*.

Tevildo, Tifil Para a etimologia, ver I. 323, ao que se pode acrescentar que a forma gnômica anterior, *Tifil* (posterior *Tiberth*) está associada no LG com um substantivo *tif* "ressentimento, hostilidade, amargura".

Vardo Meoita "Príncipe dos Gatos": para *Vardo*, ver I. 328 (*Varda*). O LQ inclui *meoi* "gato".

Bridhon Miaugion "Príncipe dos Gatos": *bridhon* "rei, príncipe", ver *Bridhil*, nome gnômico de Varda (I. 328). Os substantivos *miaug, miog* "gato (macho)" e *miauli* "gata" (alterado para *miaulin*) constam no LG, em que o Príncipe dos Gatos é chamado de *Tifil Miothon* ou *Miaugion*. *Miaulë* era o nome do cozinheiro de Tevildo (p. 55).

Thorndor Ver I. 320 (*Sorontur*).

---

*O nome "Oxford" significa, literalmente, "vau dos bois". [N.T.]

Thornhoth Ver *Glamhoth*.
Thorn Sir Ver I. 320 (*Sirion*).
Tifanto Esse nome deve ser claramente associado às palavras gnômicas *tif-*, *tifin* incluídas em I. 323 (*Tinfang*).
Tifil Ver *Tevildo*.
Tirin Ver I. 311 (*Kortirion*)
Tôn a Gwedrin *Tôn* é uma palavra gnômica que significa "fogo (em uma lareira)", relacionada a *tan* e outras palavras incluídas em *Tanyasalpë* (I. 321); *Tôn a Gwedrin* "o Fogo-do-Conto" em *Mar Vanwa Tyaliéva*. Ver *Tôn Sovriel* "o lago de fogo de Valinor" (*sovriel* "purificação", *sovri* "limpeza"; *sôn* "puro, limpo", *soth* "banho", *sô-* "lavar, limpar, banhar").

Gwedrin relaciona-se com *cwed-* (pretérito *cwenthi*) "dizer, contar", *cweth* "palavra", *cwent* "conto, dito", *cwess* "ditado, provérbio", *cwedri* "contar (de contos)", *ugwedriol* "inenarrável, inefável". No LQ, sob a raiz QETE estão *qet-* (*qentë*) "falar, conversar", *quent* "palavra", *qentelë* "sentença", *eldaqet* = *eldarissa* etc. Ver o Apêndice de *O Silmarillion*, verbete *quen-* (*quet-*).
Tumladin Para o primeiro elemento, o gnômico *tûm* "vale", ver I. 324 (*Tombo*), e para o segundo, *ladin* "plano, liso", ver *Ladwen na Dhaideloth*.
Turambar Para o primeiro elemento, ver I. 314 (*Meril-i-Turinqi*). O LQ inclui *amarto*, *ambar* "Destino, Fado" e também (raiz MṚṬ) *mart* "um quinhão de sorte", *marto* "fortuna, fado, sina", *mart-* "(isso) acontece" (impessoal). O LG possui *mart* "fado", *martion* "fadado, condenado, fadado à morte"; também *umrod* e *umbart* "fado".
Turumart Ver *Turambar*.

Ufedhin Conexões possíveis desse nome são com o gnômico *uf* "para fora de, para além de", ou *fedhin* "atado por um acordo, aliado, amigo".
Ulbandi Ver I. 314 (*Melko*).
Ulmonan O nome gnômico era *Ingulma*(*n*) (*Gulma* = *Ulmo*), com o prefixo *in-* (*ind-*, *im-*) "casa de" (*ind* "casa", ver *Idril*). Outros exemplos dessa formação são *Imbelca*, *Imbelcon* "Inferno (casa de Melko)", *inthorn* "ninho [de águia]", *Intavros* "floresta" (mais corretamente "o palácio florestal de Tavros").
Umboth-muilin O gnômico *umboth*, *umbath* "cair da noite"; *Umbathor* é um nome de Garioth (ver I. 305 (*Eruman*)). Essa palavra deriva de **mbap-*, relacionada a **map-*, visto em *math* "ocaso, crepúsculo": ver *Mathusdor*. O segundo elemento é *muil* "lago de montanha", qenya *moilë*.
Undolaurë Ver *Glorund*.

Valar A NQG possui o seguinte verbete: "*Banin* [emendado de *Banion*] ou *Bandrim* [emendado de *Banlim*]. Ora, estes moram, dizem os Noldoli, em *Gwalien* [emendado de *Banien*], mas Elfrith e os outros, com seus nomes élficos, também falam sempre deles como os *Valar* (ou *Vali*), e aquela região gloriosa de sua morada é *Valinor*." Ver I. 327–28 (*Valar*).

Pequeno Glossário de Palavras Obsoletas, Arcaicas e Raras

Palavras que foram incluídas no glossário da Parte I (tais como *an* "se", *fain, lief, meed, rede, ruth*) não são, como regra, repetidas aqui. Algumas palavras do inglês contemporâneo usadas com sentidos obsoletos estão incluídas.

acquaint antigo particípio passado suplantado por *acquainted* [familiarizado, conhecedor], 287
ardour ardor, calor ardente 38, 170 (no sentido moderno [isto é *ardor* com o sentido de *fervor, avidez*] 194)
bested cercado, 193
bravely esplendidamente, suntuosamente, 75
broidure bordado, 163. A palavra não é atestada, mas em inglês médio, *broid-* estava em variação com *broud-* etc., e *broudure*, "bordado", é atestada.
burg cidade murada e fortificada, 175
byrnie couraça, corselete, cota-de-malha, 163
carcanet corrente ou colar ornamental, 227–8, 235, 238
carle (provavelmente) serviçal homem, 85; **house-carle** 190
chain medida linear, sessenta e seis pés [*c*. 20 metros], 192
champain terreno aberto e plano, campanha, campina, 295, 298
clue fio, 322
cot cabana, tugúrio 95, 141
damasked 224, **damascened** 173, 227, incrustado de maneira ornamental com decorações em ouro e prata.
diapered coberto com padrões pequenos, 173
dight adornado, equipado, 173
drake draco, dragão, 41, 46, 85–7 etc. (*Drake* é a palavra inglesa original, inglês antigo *draca*, derivada do latim; *dragon* chegou por via francesa).
drolleries brincadeiras cômicas ou entreténs, 190
enow o bastante, 241–2
enthralled escravizado 97, 163, 196, 198
entreat tratar 26, 77, 87, 236 (sentido moderno [ou seja, *implorar*] 38)
errant errante, vagante 42
estate situação 97
ewer jarro para água, cântaro 226
eyot ilha pequena, ilhota, 7
fathom braça, unidade de medida linear (seis pés [183 centímetros]), antigamente usada não apenas para se medir profundidades aquáticas, 78
fell into dread desesperaram-se, 106
force queda d'água, 105 (inglês do norte, de origem escandinava)
fordone sobrepujado, 233

PEQUENO GLOSSÁRIO DE PALAVRAS OBSOLETAS, ARCAICAS E RARAS

fosses fossos, 288
fretted adornado com entalhes elaborados, 297
glamour encanto, feitiço, 314
greaves peças da armadura para a parte inferior da perna, grevas, 163
guestkindliness hospitalidade, 288. Palavra aparentemente não atestada; empregada em I. 175.
haply talvez, quem sabe 13, 94, 99
hie apressar-se; **hie thee**, apressa-te, 75
high-tide festival, 231
house-carle 190, ver **carle**.
inly íntimo, profundo, 315
jacinth azul, 274
kempt penteado, 75; **unkempt**, desgrenhado, despenteado, 159
kirtle manto ou túnica longa, 154
knave menino, garoto, 96 (que é o sentido original da palavra, há muito perdido).
lair em **the dragon's lair** [o covil do dragão], 105, o local onde o dragão estava repousando (ou seja, em que por acaso ele estava repousando naquele momento).
lambent (sobre fogo) que toca levemente uma superfície sem queimar, tênue 297
league légua, cerca de três milhas [*c.* 5 quilômetros], 171, 189, 201
lealty lealdade, 185
let desistir, 166; permitir, 181; **had let fashion**, mandara fazer, 174, **let seize**, mandou capturar, 225; **let kill**, mandou matar, 235.
like agradar, 41; **good liking** boa vontade, disposição amigável, 169
list querer, desejar, 85, 101; gostar, 236
or ever antes de, 5–6, 38, 80, 110, 233–4, 240
or... or ou... ou, 226
pale limite, fronteira, 269
ports portais, pórticos, 299
prate tagarelar, falar sem propósito, 75
puissance poderio, 168
repair partir, ir, 162

runagate desertor, fugitivo, 15, 44 (a mesma palavra, na origem, que **renegade** [renegado], 15, 44, 224, 232).
scathe ferimento 99, 153, 233
scatterlings vagantes, remanescentes, retardatários, 182
sconces suportes presos na parede para apoiar vela ou tocha, tocheira, 226
scullion ajudante de cozinha que faz trabalho servil, criado, 17, 45
shallop 274. Ver I. 275; mas aqui se diz que o barco não tem remos.
silvern prateado, argênteo, 270 (que era o adjetivo original em inglês antigo).
slot rastro de um animal, 38, 96 (= **spoor** 38)
stead fazenda, 89
stricken em **the Stricken Anvil**, batido, golpeado, 174, 179
swinge golpe, 194
thews força, poder corporal, 33
tilth terra cultivada (lavrada), lavoura, 4, 88, 101
tithe a décima parte, décimo, 188, 223, 227
travail sofrimento, dificuldade, 77, 82, 239; faina, 168; **travailed**, labutava, 163; **travailing**, suportando sofrimentos, 75
trencher prato grande ou travessa, 226
uncouth 85 talvez tenha o sentido antigo de "estranho", mas em outros lugares (13, 75, 115) tem o sentido moderno [ou seja, *grosseiro, rude, sem refinamento*].
vambrace parte da armadura para o antebraço, avambraço, 163
weird destino, sorte, fado, 85–6, 111, 115, 239
whin tojo, 287
whortle mirtilo; **whortlebush**, 287
withe vime, ramo flexível do vimeiro, 229
worm serpe, serpente, dragão, 85–8 etc.
wrack queda, ruína, 116, 253, 283, 285

ÍNDICE REMISSIVO

Este índice remissivo foi feito com as mesmas bases do índice remissivo da Parte I, mas referências selecionadas são fornecidas em um número significativamente maior de casos, e os *Contos Perdidos* individuais não estão incluídos. Devido ao grande número de nomes que aparecem na Parte II, são fornecidas referências cruzadas bastante completas a nomes associados (formas iniciais e tardias, equivalentes em idiomas diferentes etc.). Assim como no índice remissivo da Parte I, os nomes mais importantes que constam em *O Silmarillion* não são explicados, e as referências às vezes incluem trechos em que a pessoa ou local não é nomeado de fato.

Ælfhâm (inglês antigo) "Lardelfos". 364-5. Ver *Eldaros*.
Ælfheah (inglês antigo) Companheiro de Ælfwine; chamado de "o sem-pai". 381, 386, 387, 389, 398-401. (Substituiu *Gelimer*).
Ælfred *de Wessex* (língua de) 364
Ælfwine (inglês antigo) "Amigo-dos-Elfos". 334, 362-6, 368, 371-95, 397-401. "A narrativa Ælfwine" 363, 366, 368, 374, 376, 390. See *Eldairon*, *Lúthien* (1).
Abelha Azul Ver *Abelha Azurina*.
Abelha Azurina A estrela Sírio; *Abelha Azul* 339. Ver *Nielluin*.
Adormecido na Torre de Pérola 308, 317, 330. Ver *Torre de Pérola*.
Aelin-uial "Alagados do Crepúsculo". 262, 299. (Substituiu *Umbothmuilin*, as Lagoas do Crepúsculo).
Afros Rio em Tol Eressëa que se juntava ao Gruir na ponte de Tavrobel (ver 346). 341, 345

Agarwaen "Manchado de Sangue", nome dado a si mesmo por Túrin em Nargothrond. 157
Águas do Despertar 84, 238, 264, 343
Águias 77, 212, 253; Rei das Águias, ver *Ramandur*, *Sorontur*, *Thorndor*; Povo das Águias, ver *Thornhoth*; Torrente-das-Águias, ver *Thorn Sir*; a Águia como emblema, 212, 301.
Ailios Nome antigo de Gilfanon. 90-1, 178, 267-8, 274, 290-1, 308, 342, 355
Ainulindalë 264. Ver *Música dos Ainur*.
Ainur Singular *Ainu* 79, 179-80, 285, 200-1, 211, 238, 242, 245, 252, 263-4; *Ainu Melko* 26, 27, 29, 46; *Ainu do Mal* 34. Plural *Ainu* 239, 242. Ver *Gar Ainion*, *Música dos Ainur*, *Valar*.
Airin Esposa de Brodda; chamada *Faiglindra*, *Firilanda*, "dos longos cabelos" (114, 117). 113-5, 117, 155-7. Forma posterior *Aerin* 155-6

ÍNDICE REMISSIVO

Ala-de-cisne Navio de Tuor. 303, 305-6, 312, 316, 320. Ver *Alqarámë*.
Ala-do-mar Ver Éärrámë.
Alagados do Crepúsculo Ver *Aelin-uial*.
Alalminórë "Terra dos Olmos", região da Inglaterra (Warwickshire) e de Tol Eressëa. 353, 378, 395.
Albion Usado uma vez para Luthany (Inglaterra). 367
Alqarámë "Ala-de-cisne", navio de Tuor. 305, 320. Ver *Eärrámë*, *Ala-de-cisne*.
Altos Faroth Planaltos acima de Nargothrond. 151
Aman 84, 321
Ambarkanta "Forma do Mundo" (obra cosmológica). 392
Amigo-dos-Elfos 174 (sobre Úrin), 378 (sobre Déor, pai de Ælfwine)
Amillo O mais jovem dos grandes Valar, também chamado Ómar. 335
Amnon "o profeta". 223. Ver I. 172.
Amon Darthir Um pico na cadeia das Ered Wethrin. 154
Amon Ethir "Monte dos Espiões", a leste de Nargothrond. 157, 166. Ver *Monte dos Espiões*.
Amon Gwareth "Monte de Vigia" sobre o qual Gondolin foi construída. 194-5, 199, 203, 205, 209, 213-4, 216, 219, 228, 237, 249, 256. Ver *Monte de Vigia*.
Amon Obel Um monte na Floresta de Brethil. 166
Amras Filho de Fëanor. 300. (Substituiu *Díriel*).
Amrod Filho de Fëanor. 300. (Substituiu *Damrod*).
Anach Passo que descia de Taur-nu-Fuin. 254
Anais de Valinor 362
Anãos (incluindo *povo anânico, gente dos Anãos*) 55, 89, 167-9, 177, 267-8, 270-80, 282-9, 291, 293-302, 341, 395; adjetivo *anânico(a)* 273-4, 295. Ver *Indrafangs*, *Nauglath, Nauglafring*.
Andorinha, A Nome de uma das gentes dos Gondothlim. 210, 214, 216, 218-20, 233. Ver *Duilin* (2).
Anel do Destino Expressão antiga substituída por *Colar dos Anões*. 167
Anfauglith 75, 81. Ver *Dor-nu-Fauglith*.
Angainu A grande corrente com a qual Melko foi preso. 31, 62; *Angaino* 89
Angali Anglos. 370
Angamandi "Infernos de Ferro". 25-6, 29-30, 33, 35, 42, 44-5, 48-9, 58, 67, 73-4, 76-7, 81, 89, 110, 118-9, 170, 270, 318, 336. Ver *Angband, Infernos de Ferro*.
Angband 49, 58-9, 61, 67, 75, 80-1, 85, 97, 89, 94, 99, 101, 152, 173, 176, 248, 251, 254, 256-7, 286, 289; *Cerco de Angband* 251. Ver *Angamandi, Infernos de Ferro*.
Angeln 355
Anglo-saxão (-Saxões) 320, 389
Anglos 350-1. Ver *Angali*.
Angol "Falésias de Ferro", nome gnômico de Eriol e de sua terra natal. 350-1, 353, 355
Angolcynn (inglês antigo) o povo inglês. 351; *Angelcynn* 362. Ver *Engle, Inglês (povo e língua)*.
Angorodin As Montanhas de Ferro. 99, 173. Ver *Montanhas de Ferro*.
Angra das Luzes de Muitos Tons Em Tol Eressëa. 387; *Porto dos Muitos Tons* 388
Angrist A faca de Curufin, feita por Telchar de Nogrod. 76
Annael Elfo-cinzento de Mithrim, pai adotivo de Tuor. 246
Ano da Lamentação 147
Arco Celestial, O Nome de uma das gentes dos Gondothlim; também *o Arco do Céu, o Arco, o Arco-Íris*. 210, 218-9, 260. Ver *Egalmoth*.

Arco de Inwë Entrada ocidental ao Lugar do Poço em Gondolin. 220
Arco do Céu, o Arco Ver *Arco Celestial*.
Arco-Íris, O 218. Ver *Arco Celestial*.
Ard-galen 81
Aredhel Irmã de Turgon, mãe de Maeglin. 255. (Substituiu *Isfin*).
Areias Vorazes Na costa da Ilha do Marinheiro Ancião. 383
Arlisgion "Lugar dos Caniços", acima das fozes do Sirion. 188, 243, 262. Ver *Lisgardh*.
Arminas Elfo noldorin que, juntamente com Gelmir, guiou Tuor pelo Portão dos Noldor e depois levou o aviso de Ulmo a Nargothrond. 150, 153, 245.
Aros O rio que se vadeava em Sarnathrod. 283-6, 301; identificado como o rio que passava pelas cavernas dos Rodothlim, 283-4 (ver 290, nota 15).
Artanor "A Terra Além", região posteriormente chamada de Doriath. 20, 24, 33, 43, 48, 51, 56-8, 63, 66, 69, 71, 74, 77, 79-83, 85-6, 147-50, 156-7, 159, 174-5, 269, 277-81, 283, 288, 292, 294-5, 297, 299-301, 304, 333. Ver especialmente 81-2, e ver *Doriath, Terra(s) Além*. Referências à proteção de Artanor pela magia da Rainha: 20, 56, 69, 79-80, 147-9, 280-1
Arval Um nome antigo de Eöl. 265
Arvalin 344
Árvore, A Nome de uma das gentes dos Gondothlim. 211-2, 214, 260. Ver *Galdor, Nos Galdon*.
Árvores de Gondolin Ver *Gondolin*.
Aryador "Terra das Sombras", nome de Hisilómë entre os Homens. 26, 57, 59, 67, 80, 91, 242, 298. Ver *Dor Lómin, Hisilómë, Hithlum, Terra da(s) Sombra(s), de Sombra(s), Mathusdor*.

Asa, A Emblema de Tuor, ver *Cisne*;
Asa Alva 210; homens, povo, guarda da Asa em Gondolin 200, 210, 212-3, 215-6, 219-20, 229, 232, 234, 333
Asgon Nome antigo do (Lago) Mithrim. 91, 112, 242, 244-5, 316-7. Ver *Mithrim*.
Aulë 31, 62, 211, 263, 324, 328
Auredhir Filho de Dior. 289, 300
Ausir (1) "O Opulento", nome de Dior. 288, 292, 300. (2) Um menino de Mar Vanwa Tyaliéva. 16, 18-9, 54-6, 66-7, 78, 376
Avari 84
Avon, Rio 356-7

Bablon Forma gnômica de *Babilônia*. 237, 244, 258; *Babilônia* 244, 258
Bacia de Prata, Catarata da 126, 130-1, 136-8, 142, 159, 162-3, 165-6, 173
Bad Uthwen A Via de Escape para a planície de Gondolin. 228-9, 243; anteriormente *Bad Uswen, Bad Usbran* 243. Ver *Via de Escape*.
Baía de Feéria Ver *Feéria*.
Balada de Leithian 68-9, 71, 75, 88, 397
Balada dos Filhos de Húrin 81
Balar, Ilha de 251
Balcmeg Orque morto por Tuor em Gondolin. 219
Balrog(s) 26, 47, 59, 88, 108, 191, 206-7, 211-4, 216-23, 226, 228, 233-5, 255-6, 260, 264. Ver *Malkarauki*.
Bansil "Lindo-brilho", a Árvore de Gondolin com flores prateadas. 196, 223, 226, 243, 250, 258; forma posterior *Banthil* 243. Ver *Belthil*.
Barad-dûr 88
Baragund Pai de Morwen. 171
Barahir Pai de Beren. 58, 68. (Substituiu *Egnor*).

Barbárvore 172
Barbas-longas Ver *Indrafangs*.
Batalha das Lágrimas Inumeráveis
  Também chamada de *a Batalha das Lágrimas, das Lágrimas Incontáveis, da Lamentação* e *a grande batalha*. 20-1, 29, 57, 59, 86-7, 95, 106, 115, 126, 146-8, 172, 175, 192, 238, 240, 250, 252, 261-2. Ver *Nieriltasinwa, Nínin-Udathriol*.
Beco das Rosas Rua em Gondolin. 222
Belaurin Forma gnômica de *Palúrien*. 338, 395; *Belawryn* 374-5
Belcha Nome gnômico de Melko. *Belcha Morgoth* 59, 87
Beleg 33, 63, 78, 82, 94, 98, 100-3, 105-6, 127, 144, 147, 149-52, 174-5. Chamado de "caminheiro-da-floresta", "caçador" 98, 100, 150; um Noldo 101, 150; sobrenome posterior *Cúthalion* "Arcoforte" 78, 82, 150
Belegost Cidade dos Anãos Indrafangs. 278, 282-3, 293-8; *Ost Belegost* 293
Beleriand 84, 158, 246, 261, 294, 390; Submersão de Beleriand 301, 390
Belerion Porto no oeste da Grã-Bretanha. 378-80, 383, 388, 390, 398, 400
Belthil A Árvore de Gondolin com flores de prata, feita por Turgon. 249. Ver *Bansil*.
Belthronding O arco de Beleg. 150
Beorn Tio de Ottor Wǽfre (Eriol). 349, 351, 356. Ver *Hasen de Isenóra*.
Beowulf 359, 389; J.R.R. Tolkien, *On Translating Beowulf*, 398
Beren 22-31, 33-5, 37-9, 41-9, 51-5, 58-60, 64-6, 68-81, 83, 85-9, 93-4, 143, 151, 168, 171-2, 177-8, 259, 270, 278, 281-92, 295, 297-301, 312, 397. Chamado *o Uma-Mão*, *da Uma Mão* (ver *Ermabwed, Elmavoitë*); *Beren dos Morros* 66; *caçador dos Noldoli, das matas* 25,

284. Para Beren como Homem ou Elfo, ver 72, 77
Bethos Chefe dos Homens-da-Floresta. 126-7, 132, 137, 160, 175; Esposa de Bethos (uma Noldo) 126, 160
Bigorna Martelada, A Emblema do povo do Martelo da Ira em Gondolin. 211, 217
Bior Homem dos Ythlings que acompanhou Ælfwine. 385, 387-8, 399, 401
bo-Dhuilin, bo-Dhrauthodavros, bo-Rimion "filho de" Duilin etc; ver os nomes. (*bo-* substituiu *go-*).
Bodruith Senhor de Belegost. 277-8, 282-3, 295-6
Borda da Terra (também *Borda do Mundo, Borda das Coisas, Beira do Mundo, (barra na) Margem do Mundo*) 186, 323, 379, 382, 388, 392
Brandir 160-6. (Substituiu *Tamar*).
Bretanha 343, 355, 363, 368, 373
Brethil, Floresta de 153, 159, 163, 166, 173
Brithonin Invasores de Tol Eressëa. 355
Brodda Senhor dos homens em Hisilómë. 113-5, 117, 155-7
Bronweg Forma gnômica de *Voronwë*. 177-8, 182-3, 191-2, 195, 237-8, 274, 308. Ver *Voronwë*.

Cabed-en-Aras "O Salto do Cervo", ravina no Teiglin. 165
Caergwâr, Caer Gwâr Nome de Kortirion em galês. 352
Caminho dos Sonhos 18, 56. Ver *Olórë Mallë, Trilha dos Sonhos*.
Canção de Eriol, A (poema) 360-1
Carcaras Ver *Karkaras*.
Carcharoth 76, 78, 89; "a Goela Vermelha" 89
Carlos Magno 397
Carpenter, Humphrey 91; *J.R.R. Tolkien: Uma Biografia* 180, 322, 326, 329, 361-2

Cartas de J.R.R. Tolkien 319, 396
Casa de (das) Cem Chaminés A casa de Gilfanon em Tavrobel. 374-5
Casa do Rei, Real Dos Gondothlim. 210, 222, 226, 249, 256
Celebros Riacho em Brethil, afluente do Teiglin. 160, 162, 163, 166, 173
Celegorm Filho de Fëanor. 72, 74-5, 289-90, 300
Chalé do Brincar Perdido (não inclui referências ao Conto) 18, 146, 179, 238, 265, 308-9, 317. Ver *Mar Vanwa Tyaliéva*.
Charneca Alta, Batalha da Ver *Charneca do Teto-do-Céu*.
Charneca do Teto-do-Céu, Batalha da 343, 345, 354-5; Batalha da Charneca Alta, do Teto do Firmamento 346. Ver *Dor-na-Dhaideloth, Ladwen-na-Dhaideloth, Charneca Seca*.
Charneca Seca Charneca próxima a Tavrobel, depois da Batalha da Charneca do Teto-do-Céu. 341, 345
Cidade de Pedra (Gondobar), Gondolin. 99, 192-3, 196.
Cidade dos Habitantes da Pedra (Gondothlimbar), Gondolin. 193
Cidade de Sete Nomes Gondolin. 193
Cidade do Pesar Presente, A (poema) 356, 358-9
Cidade Pesarosa, A (poema) 356, 359
Cirith Ninniach "Fenda do Arco-Íris". 245. Ver *Cris Ilbranteloth, Glorfalc, Teld Quing Ilon*.
Cirith Thoronath "Fenda das Águias". 257. Ver *Cristhorn*.
Cisne Como emblema de Tuor e seus homens em Gondolin (asas de cisne no elmo e escudo) 186, 200, 234, 245, 303, 305-6, 317, 326, 333; casa do Cisne 195. Ver *Alqarámë, Ala-de-cisne, Asa*.
Colar dos Anãos Ver *Nauglafring*.
Colinas de Ferro Ver *Montanhas de Ferro*.

Constantinopla 397. Ver *Mikligarðr*.
Conto dos Anos 250
Contos Inacabados 146, 150, 179, 180, 244, 249, 264, 397. Ver *Narn i Hîn Húrin, Tuor*.
Cópas Alqalunten "Porto dos Navios-cisnes". 105. Ver *Kópas, Porto-cisne*.
Coração Escarlate, O Emblema da Casa do Rei em Gondolin. 210, 240
Coração-Pequeno Filho de Bronweg (Voronwë), chamado "o Guardião-do-Gongo" (de Mar Vanwa Tyaliéva). 177-9, 182-3, 237, 242, 267, 274, 292, 303, 305, 308, 317, 333. Para seus nomes élficos, ver 241.
Coroa de Ferro Ver *Melko*.
Costas de Feéria Ver *Feéria*.
Cranthor Filho de Fëanor (posteriormente *Cranthir*). 289-90, 300
Crianças (do Chalé do Brincar Perdido) 241
Cris Ilbranteloth "Garganta do Teto de Arco-íris", pela qual Tuor chegou ao Mar (posteriormente *Cirith Ninniach*). 184, 242; *Ilbranteloth* 316. Ver *Glorfalc, Fenda Dourada, Teld Quing Ilon*.
Cristhorn, Cris Thorn "Fenda das Águias", nas Montanhas Circundantes ao redor de Gondolin. 212, 228-9, 231-3, 241, 243, 257-8, 260, 321. Ver *Cirith Thoronath, Fenda das Águias*.
Cuilwarthon Ver *I·Cuilwarthon*.
Cûm an-Idrisaith "O Morro da Avareza" em Artanor. 269, 301
Curufin Filho de Fëanor; chamado de "o Matreiro". 74-6, 151, 289-90, 300
Cúthalion Ver *Beleg*.
Cwén Esposa de Ottor Wǽfre (Eriol). 349, 351

Dagor Bragollach "A Batalha da Chama Repentina". 251

Daimord Filho de Beren e Tinúviel (= Dior). 172, 312. Ver *Damrod* (1)
Dairon Menestrel de Artanor, irmão de Tinúviel. 21-4, 29-33, 43, 50, 58, 61-2, 65, 67, 69, 77-8, 81, 85. Forma posterior *Daeron* 68-9. Ver *Kapalen*, *Tifanto*.
Damrod (1) Filho de Beren e Tinúviel (= Dior). 93, 172. (2) *Damrod, o Gnomo*, aparentemente um nome do pai de Beren (= Egnor). 142, 172. (3) Filho de Fëanor (posteriormente *Amrod*). 289-90, 300
Danigwiel Uma forma do nome gnômico de Taniquetil. 243
Danos do Leste 368-9; *East-Denum* (inglês antigo, caso dativo) 368
Danos Ver *Danos do Leste*; *Dani* 369
Déor (1) Pai de Ælfwine. 378-9, 389, 398, 401. (2) O poema anglo-saxão *Déor* e Déor, o Menestrel. 389
Deuses Ver *Valar*.
Dhrauthodavros Em *bo-Dhrauthodavros* (alterado de *go-Dhrauthodauros*), "filho da floresta exaurida", nome que Túrin deu a si mesmo. 112. Ver *Rúsitaurion*.
Dhuilin = *Duilin* (1) em formas prefixadas (patronímicas).
Dias Antigos 390
Dimbar 258
Dimrost As cascatas do Celebros em Brethil. 159-60
Dinamarca 389; *península dinamarquesa* 355
Dinithel (?*Durithel*) Filho de Fëanor. 289, 292-3, 300. (Substituiu ?*Mailweg* 289, 292-3). Ver *Díriel*.
Dior Filho de Beren e Tinúviel, pai de Elwing; chamado "o Belo". 172, 258-9, 288-90, 292, 295, 298, 300-1. Ver *Ausir* (1), *Daimor*, *Damrod* (1).
Díriel Filho de Fëanor. 300. (Substituiu *Dinithel/Durithel*; posteriormente *Amras*).

Dor Athro "A Terra Além". 56, 80. Ver *Artanor*, *Doriath*, *Terra(s) Além*.
Dor Daedeloth A terra de Morgoth. 396
Dor Lómin, Dor-lómin 22, 58, 67, 69, 80, 85-6, 93, 111, 146-7, 183, 186, 188-9, 242, 245, 259, 265, 300, 307. Ver *Aryador*, *Hisilómë*, *Hithlum*, *Terra da(s) Sombra(s)*, *Mathusdor*.
Dor-na-Dhaideloth (Batalha de) 346; para o nome, ver 345-6. Ver *Ladwen-na-Dhaideloth*, *Charneca do Teto-do-Céu*.
Dor-nu-Fauglith 81. Ver *Anfauglith*.
Doriath 56, 69-70, 75, 77, 80, 84, 149, 155-7, 159, 169, 295, 298-301; *Doriath além do Sirion* (*Nivrim*) 299. Ver *Artanor*, *Dor Athro*, *Terra(s) Além*.
Dorlas Companheiro de Turambar no ataque a Glaurung. 162-5
Dorthonion "Terra de Pinheiros". 81. Ver *Floresta da Noite*, *Taurfuin*, *Taur-nu-Fuin*.
Dragões Referências selecionadas (incluindo *dracos*, *serpes*): sobre dragões 99, 121, 153, 176; os "dragões" que se abateram sobre Gondolin (chamados também de *monstros, serpentes, cobras*) 210, 214, 218-20, 222, 226, 228, 256, 264, 329. Ver *Foalókë*, *Glorund*.
Dramborleg O machado de Tuor. 200, 219, 243, 256; forma rejeitada *Drambor* 243
Draugluin 72-6, 89
Duas Árvores (incluindo referências a *as Árvores*) 20, 196, 209, 260, 327-8, 344; Árvore de Ouro 46. Árvores de Gondolin, ver *Gondolin*.
Duilin (1) Pai de Flinding. 101, 145; com o patronímico *go-* > *bo-Dhuilin* "filho de Duilin" 101, 105, 145. (2) Senhor do povo da Andorinha em Gondolin. 210,

212, 216, 243; forma rejeitada *Duliglin* 243

Éadgifu (inglês antigo) (1) Esposa de Ælfwine, Elfa de Tol Eressëa. 350. Ver *Naimi*. (2) Esposa de Déor, mãe de Ælfwine. 378-9, 389, 397-8.

Éalá Éarendel engla beorhtast (poema) 321-2, 326

Eärámë "Ala-de-águia", o primeiro navio de Eärendel. 303, 305, 314, 320-1. *Earum* 313-4, 353, *Earam* 333. Ver *Earnhama, Eärrámë*.

Eärendel 160, 177, 179, 183, 201, 203, 204, 206-8, 212, 215-6, 224, 227-32, 234, 237, 240-1, 257, 259-61, 264, 267-8, 290, 302-22, 325, 330. Ver especialmente 318-20. *Balada de Eärendel* 325. Forma posterior *Eärendil* 255-6, 318-9; *Earendl* 321

Eärendilyon "Filho de Eärendel", marinheiro. 318

Earnhama (inglês antigo) "Veste-de-águia", ver 333

Eärrámë "Ala-do-mar", navio de Tuor. 320. Ver *Alqarámë, Eärámë*.

Ecthelion (1) Senhor do povo da Fonte em Gondolin; chamado *Ecthelion da Fonte, Senhor da(s) Fonte(s)*. 211-2, 218-23, 231, 240, 254-6, 259-60. Nome de dois Regentes de Gondor. 255

Edain 321

Edda (nórdico antigo) 153

Egalmoth (1) Senhor do povo do Arco Celestial em Gondolin. 211-2, 221-2, 232, 255, 260, 310, 335-6. (2) Regente de Gondor. 255

Eglamar = *Eldamar*. 315, 319, 327-8

Eglavain Elfinesse (?). 386, 391

Egnor Pai de Beren; chamado de "o couteiro", "o caçador dos Elfos, dos Gnomos", "Elfo da verdemata". 22, 26, 34-5, 41, 58-60, 65, 67-9, 80,

85-6, 93, 142-3, 171-2, 290. *Egnor bo-Rimion* (> *go-Rimion*) "filho de Rimion" 34, 67. Ver *Rog* (1).

Eithel Ivrin 151; *Ivrin* 152

Elbenil Coração-Pequeno. 242. (Substituído por *Elwenil*).

Eldairon Nome élfico de Ælfwine: *Eldairon de Lúthien*, substituindo *Lúthien de Luthany*. 379

Eldalië 20, 56-7, 142, 160, 167, 201, 204, 219, 240, 259, 264, 271, 289, 319

Eldamar "Lardelfos". 315-6, 328, 346. Ver *Eglamar*.

Eldar Referências selecionadas: usado para todos os Elfos, incluindo Elfos Escuros 19, 84, 105; em referência aos Noldoli 119, 183; distintos dos Noldoli 186, 202, 216, 259, 263. Referências à língua dos Eldar (em oposição ao gnômico) 18, 92, 109, 182-3, 206, 232, 240, 259-60 (ver *Eldarissa*, Élfico); *Eldar* como adjetivo, a respeito da língua 182-3. Ver *Elfos*.

Eldarissa A língua dos Eldar, em oposição a *noldorissa*. 182-3, 337

Eldaros = Ælfhâm, Lardelfos. 364.

Eldos 365

Elenwë Esposa de Turgon. 252

Élfico Referências apenas ao emprego da palavra como nome da língua dos "Eldar" (em oposição ao gnômico). 56, 65, 178-9, 242, 321; provavelmente usado em sentido geral 321. Ver *Eldar, Eldarissa*.

Elfinesse 33, 52, 57, 62, 77, 160, 195, 200, 259, 289; *filhos de Elfinesse* 195, 393, *filha de Elfinesse* 200, 259

Elfos Referências selecionadas (ver também *Eldar, Fadas*). Abrangendo os Gnomos 34, 38, 48, 51 etc.; diferentes dos Gnomos 18, 60, 65. Fado dos Elfos 79, 250; estatura de Elfos e Homens 95, 174-5, 182; referências ao

"desvanecer" ou "minguar" 290, 300, 347, 379, 389, 393; união com mortais, ver *Homens*; faida com os Anãos 277, 283; línguas 182, 199; caracteres escritos 199; e inglês antigo 363-4, 336-7, 372-3.
Elfos Selvagens, Silvestres 99, 119, 174. Ver *Elfos Pardos, Escuros, Verdes, -cinzentos, Ilhéus, Perdidos*; para *Elfos Ocultos* e *Secretos*, ver *Elfos da(s) Floresta(s)*.
Elfos da(s) Floresta(s) Elfos de Artanor. 24-5, 49, 51, 61, 83, 85, 87, 90, 95-6, 116, 174, 268-9, 275, 290-1, 294; *fadas do bosque, da floresta* 35, 49; *Elfos ocultos* 379; *Elfos secretos* 22, 94, 150
Elfos Escuros 84, 174
Elfos Ilhéus Elfos de Tol Eressëa. 341, 343
Elfos Pardos Ver *Elfos Verdes*.
Elfos Perdidos Elfos das Grandes Terras. 20 (de Artanor), 63, 83-4, 298, 341, 343, 353, 365; língua dos 34, 63. *Elfos Perdidos de Hisilómë* 84
Elfos Verdes 282, 298; *os Elfos pardos e os verdes* 285, 288, 290, 298; (povo élfico) "trajado todo de verde e pardo" 281, 298. Ver *Laiquendi*.
Elfos-cinzentos de Doriath 84; de Beleriand 84, 158; de Hithlum 245; de Mithrim 246
Elfriniel Coração-Pequeno. 182, 242, 259-61. (Substituído por *Elfrith*).
Elfriniol 66, 242. (Substituído por *Ilfiniol*). Ver *Ilfiniol, Ilfrin*.
Elfrith Coração-Pequeno. 182, 242, 260-1. (Substituiu *Elfriniel*). Ver *Ilfrith*.
Ellon Um nome (gnômico) de Tinwelint. 90, 142. Ver *Tinto'ellon, Tinthellon*.
Ellu (1) Nome de Tinwelint em eldarissa. 65-7, 90. (2) Senhor dos Solosimpi no lugar de Tinwelint (posteriormente Olwë). 66

Elmavoitë "Uma-Mão", nome de Beren "na língua da Ilha Solitária". 48. Ver *Ermabwed*.
Elmir Um dos dois primeiros Homens (junto com Ermon). 368
Elmos Alados Os Forodwaith. 398, 401. Ver *Gwasgonin*.
Eltas Narrador do *Conto de Turambar*. 90-1, 138, 142, 144, 146, 166, 168-9, 177, 178, 284, 290-1; ver especialmente 146.
Elu Thingol 66
Elwë Singollo Thingol. 66
Elwenil Coração-Pequeno. 242. (Substituiu *Elbenil*).
Elwenildo Coração-Pequeno. 242. (Substituído por *Ilverin*).
Elwing 172, 258, 260, 289-90, 300, 302-7, 310-4, 317-20, 333, 336, 365-6, 370, 372
Encanto do pavor insondável Ver *Melko*.
Eneadur A ilha dos Ythlings. 384-6, 388, 392
Eneathrim Os Ythlings. 398, 401. Ver *Marinheiros do Oeste*.
Engle (inglês antigo) O povo inglês. 378. Ver *Angolcynn, Inglês*.
Eoh Pai de Ottor Wǽfre (Eriol). 349, 351, 356. (Substituído por *Déor* (1)).
Eöl Pai de Meglin (Maeglin). 201, 205, 240, 265-6, 297
Ephel Brandir 166
Ered Gorgoroth As Montanhas de Terror. 82
Ered Wethrin As Montanhas de Sombra. 81, 163, 262
Erenol "Falésias de Ferro", "Costa de Ferro", Lionesse. 401. (Substituído por *Evadrien*).
Eriol 35, 13-8, 20, 33, 54-6, 65, 178, 182-3, 252, 309-10, 317, 334-5, 340, 342, 344-6, 349-56, 359-63, 365-6, 374-6, 389, 393, 397, 401. "A narrativa *Eriol*" 354-5, 362, 365-6, 374, 376, 397. *Canção*

de Eriol (poema) 359-61. Ver *Melinon*.
Ermabwed "de Uma-Mão", nome (gnômico) de Beren. 48-9, 93, 143, 168, 177-8, 290. Ver *Elmavoitë*.
Ermon Um dos dois primeiros Homens (junto com Elmir). 368
Eruman 88 (o gigante de Eruman).
Erumáni 318; *Batalha de Erumáni* 344-5
Escuridão de Fora 329
Esgalduin 83
Espada Negra Nome de Túrin entre os Rodothlim (posteriormente em Nargothrond). 152, 156. Ver *Mormagli, Mormakil, Mormegil*.
Estrada das Pompas Em Gondolin. 225
Estrada dos Arcos Em Gondolin. 221
Estrela Vespertina, Véspero 322
Estrela-d'alva 320
Estrelas Referências selecionadas: 320-1, 323, 329-32, 338-9, 382, 385-7, 392, 395
Europa 314
Euti Jutos. 370
Evadrien "Costa de Ferro", Lionesse. 378, 401. (Substituiu *Erenol*).
Evranin A ama de Elwing. 290
Exeter College, Oxford 180-1, 240, 329, 397

Fadas Sinônimo de *Elfos*. 38, 41, 139, 377, 382, 387 e com muita frequência no Capítulo VI; distinção com Gnomos 139.
Faelivrin Nome dado a Finduilas, filha de Orodreth de Nargothrond. 152. Ver *Failivrin, Finduilas*.
Fafnir O dragão morto por Sigurd. 153
Faiglindra Ver *Airin*.
Failivrin Filha de Galweg dos Rodothlim. 105-11, 127, 152-4, 170. Ver *Faelivrin*.
Falasquil Habitação de Tuor em uma cava na costa do mar. 186-7, 243, 245-6, 261, 303, 305-7, 312, 314, 316-8
Falmaríni Espíritos da espuma do mar. 333
Fangluin "Barbazul", Anão de Nogrod. 277
Faskalan, Faskala-númen "Banho do Sol Poente". 169. Ver *Fauri, Fôs'Almir, Tanyasalpë*.
Fata(s) 20, 21, 25, 41, 46, 57-8, 71, 82-3, 93, 99, 120, 133, 185, 244, 280, 317, 330
Fauri Nome antigo de *Fôs'Almir*. 169.
Fëanor 25, 59, 65, 158, 168, 261, 265, 275, 289-90, 293, 300, 301, 311-2, 320; *Lâmpada de Fëanor* (a Silmaril) 287. Ver *Filhos de Fëanor*.
Fëanorianos 295, 300-1, 320
Feéria 387; *Baía de Feéria* 313, 378, 382, 391-2; *Lâmpada de Feéria* (a Silmaril) 286; *costas de Feéria* 315, 319; *As Costas de Feéria* (poema) 326-9, prefácio em prosa 319, 326
Felagund 70-4, 151, 154; "Senhor de Cavernas" 151. Ver *Finrod*.
Felizes Marinheiros, Os (poema) 329-32
Fenda das Águias Nas Montanhas Circundantes ao redor de Gondolin. 203, 212, 229, 231, 237, 241, 253, 257-8. Ver *Cristhorn*.
Fenda Dourada 184-5, 187, 264. Ver *Glorfalc*.
Fero Inverno, O 155, 246, 250
Filhos de Fëanor 59, 85, 265, 289-90, 297, 300-1, 312
Filhos dos Deuses 19 (*filha dos Deuses* 21, 58); *Filhos dos Valar* 261
Finarfin 151
Finduilas 152-3; *Teso de Finduilas* 156, 159. Ver *Faelivrin, Haudh-en-Elleth*.
Fingolma Nome de Finwë Nólemë. 265
Fingon 261
Finrod 294; *Finrod Felagund* 151. Ver *Felagund*.

Finwë Nólemë 240, 265; *Nólemë* 250. Ver *Fingolma*.
Fionwë, Fionwë-Úrion Filho de Manwë e Varda. 142, 338, 340
Fiorde da Sereia 305, 307, 317
Firilanda Ver *Airin*.
Firisandi Frísios 370
Flautistas das Terras Costeiras 56; *flautistas da costa* 19; *Elfos das terras costeiras* 366. Ver *Solosimpi*.
Flinding Gnomo dos Rodothlim, companheiro de Túrin (posteriormente Gwindor de Nargothrond). 82, 101-5, 108, 143-5, 150, 152, 174-5. Ver *Duilin* (1), *Gwindor*.
Flor da Planície Gondolin. 223. Ver *Lothengriol*.
Flor Dourada, A Nome de uma das gentes dos Gondothlim, liderada por Glorfindel. 211, 221, 225, 235, 254, 260. Ver *Los'lóriol*.
Floresta da Noite Taurfuin, a grande floresta de pinheiros nas Montanhas da Noite (posteriormente Dorthonion, Taur-nu-Fuin). 33, 63, 81, 100. Ver *Taurfuin*.
Floresta Velha 396
Fluithuin Uma ogra, mãe de Gothmog, filho de Melko. 260. Ver *Ulbandi*.
Foalókë O dragão Glorund. 901, 115, 119-24, 128-9, 131, 133-4, 159, 161, 170; *lókë* 109. Ver *Fuithlug*.
Fogo-do-Conto Em Mar Vanwa Tyaliéva. 178, 238, 303, 360. Ver *Sala das Lenhas, Tôn a Gwedrin*.
Fonte, A Nome de uma das gentes dos Gondothlim (*Fonte do Sul* 219). 220, 231, 254. Ver *Ecthelion*.
Fonte, palácio, praça, salão, torre do Rei em Gondolin. Ver *Praça do Palácio*.
Fontes do Sul Em Gondolin. 225. A fonte do rei em Gondolin: ver *Praça do Palácio*.
Forasteiros Lestenses. 155

Forodwaith Os Homens do Norte (Vikings). 378-9, 383, 397, 401. (Substituiu *Forwaith*). Ver *Gwasgonin, Homens do Norte, Homens do Mar, Elmos Alados*.
Forwaith Forma antiga de *Forodwaith*. 401
Fôs'Almir O Banho de Flama. 142, 169. (Substituiu *Fauri*). Ver *Faskalan, Tanyasalpë*.
Francos 397
Fratricídio em Porto-cisne 310
Frísios 370. Ver *Firisandi*.
Fui Deusa-da-Morte (Nienna). 142
Fuithlug Forma gnômica de *Foalókë*. 91, 145; formas antigas *Fothlug, Fothlog* 145

Galdor Senhor do povo da Árvore em Gondolin; chamado *Galdor da Árvore*. 211-2, 214, 220, 224, 228, 231-4, 260, 310, 335-6. Ver *Nos Galdon*.
Galweg Gnomo dos Rodothlim, pai de Failivrin. 105, 108, 140, 152
Gamgi, Sam 400
Gamil Zirak Artífice anânico, mestre de Telchar de Nogrod. 158
Gar Ainion "O Lugar dos Deuses" em Gondolin. 193, 201, 225, 240, 243, 263; forma rejeitada *Gar Ainon* 243. Ver *Lugar dos Deuses*.
Gar Furion Forma antiga de *Gar Thurion*. 243
Gar Thurion "O Lugar Secreto", um dos Sete Nomes de Gondolin. 193, 243. (Substituiu *Gar Furion*).
Garganta do Teto de Arco-íris Ver *Cris Ilbranteloth, Teld Quing Ilon*.
Garsecg (inglês antigo) O Grande Mar. 377, 379-80, 382, 393, 397; *Garsedge* 397, 399
Gelimer Nome antigo de Ælfheah. 399, 401. (Substituiu *Helgor*).
Gelion 298
Gelmir Ver *Arminas*. 150, 153, 245

Gereth Gnomo que ajudou na fuga de Elwing de Artanor. 290

Gil = *Ingil.* 339-40, 395

Gilfanon de Tavrobel (não inclui referências ao Conto dele) 80, 178, 338, 340-2, 345, 347-8, 353, 355, 368, 393. (Substituiu *Ailios*).

Gilim Um gigante ("Inverno"?) 31, 62, 88

Gimli Um Gnomo cativo no castelo de Tevildo. 42, 73, 257

Ginetes D'Ondas "Elfos da Margem-do-Mar". 379

Ginetes-de-lobos Ver *Orques.*

Glamhoth "Povo do ódio horrendo", nome gnômico para os Orques. 195, 264

Glaurung 89, 154, 158-9, 161, 163, 165-6, 176, 256. Ver *Glorund.*

Glend A espada do gigante Nan. 88

Glingol "Ouro-cantante", a Árvore de Gondolin com flores douradas. 196, 223-4, 226, 250, 260. Forma posterior *Glingal* (Árvore de Gondolin feita de ouro por Turgon) 249

Glorfalc "Fenda Dourada", pela qual Tuor chegou ao mar. 184, 242. Ver *Cris Ilbranteloth, Fenda Dourada, Teld Quing Ilon.*

Glorfindel Senhor do povo da Flor Dourada em Gondolin; chamado *Glorfindel dos cabelos dourados, dourado Glorfindel, Mecha-d'ouro* (260). 211-2, 221, 225, 232-7, 254-5, 260, 291, 313

Glorund O Dragão, precursor de Glaurung. Referências incluem trechos em que ele é chamado de *o draco* etc.; ver também *Foalókë*. 19-21, 55, 62, 89, 107, 109, 119, 123, 128, 133-5, 137-8, 140-1, 143-4, 151, 153, 157-9, 161-2, 167-9, 173, 176-7, 268, 277-8, 283-4, 286-7, 295; *Glorunt* 107. Ver *Laurundo, Undolaurë.*

Gnomos Referências selecionadas (incluindo *Noldoli*). Escravos de Melko 86, 100, 239; Noldoli livres 105, 215, 239, 270, 297, 343; em Artanor 149, 150, 304, 333; em Dor Lómin 22, 58, 69, 85, 245; entre os Anãos 270-1, 293-4; confusão com Orques 195; idioma dos 103; arte dos 271; lanternas dos 100-1, 103; aço, cota de malha 108, 212; mineiros 265; libertação e retorno para o Oeste 238, 335, 336, 367

go-Dhuilin, go-Dhrauthodauros, go-Rimion "filho de" Duilin etc; ver os nomes. (*go-* substituído por *bo-*).

Gobelins Frequentemente usado como alternativa para o termo Orques (ver "gobelins de Melko, os Orques dos montes" 195, mas ocasionalmente parecem ser diferentes, 44, 278). 25, 44, 88, 100, 102-3, 189, 191, 193, 195, 214-5, 218-20, 278, 295, 335. Ver *Orques.*

Golosbrindi Nome antigo de Hirilorn. 67

Gon Indor Nome de Eärendel como bisneto de Indor. 261. Ver *Indor, Indorildo.*

Gondobar "Cidade de Pedra", um dos Sete Nomes de Gondolin. 193, 210; com outra aplicação 331-2. Ver *Cidade de Pedra.*

Gondolin "Pedra da Canção". 57, 59, 85, 88, 91, 99, 146-7, 160, 177-9, 182-3, 193-203, 205-9, 213-4, 223-5, 227, 229, 231, 233, 235-7, 239-42, 244, 246-67, 288-90, 297, 301-10, 312-3, 317-9, 321, 332, 334-6, 348, 393, 397-8; as Árvores de Gondolin 196, 223, 226, 243, 250, 258, 260 (ver *Bansil, Glingol*); as aves que voaram de Gondolin para Kôr 304, 308; ruínas de Gondolin 229, 260, 304, 306,

310, 318; época da fundação de Gondolin 147.
Gondolindrim O povo de Gondolin. 251
Gondor, Regentes de 255
Gondothlim "Habitantes da Pedra", o povo de Gondolin. 190-3, 195-201, 203, 205, 207-12, 214, 218-20, 223-4, 226, 230, 233-4, 237, 239-40, 248, 251, 254, 256-60, 322; fala dos, língua secreta dos 201, 322; estatura dos 195
Gondothlimbar "Cidade dos Habitantes da Pedra", um dos Sete Nomes de Gondolin. 193
Gongo de Coração-Pequeno 63-5, 308, 317; *o Guardião-do-Gongo* 177, 179, 183
Gongues Seres malignos, relacionados aos Orques de maneira obscura. 167-8, 341, 347, 395
Gorgumoth O mastim de Mandos. 335
Gorlim, o Infeliz 69
Gothmog (1) "Contenda-e-ódio", senhor de Balrogs, filho de Melko e capitão de suas hostes. 88, 214, 217, 222-3, 255, 257, 259-61. Ver *Kosmoko*. (2) Lugar-tenente de Minas Morgul. 261
Grã-Bretanha 355, 363, 368
Grande Fim 79, 207, 338-40, 344. Ver *Grande Vindita*.
Grande Jornada (dos Elfos desde as Águas do Despertar) 84, 370
Grande Mar (não inclui muitas referências a *o Mar, o Oceano*) 185, 191, 197, 229, 235, 237, 321, 377, 381, 384, 390. Ver *Garsecg, Mar(es) do Oeste*.
Grande Mercado, O Em Gondolin. 221
Grande Povo do Oeste Nome dos Deuses entre os Ilkorins. 174
Grande Vindita 142, 340; *Ruína das Coisas* 340; *Ruína dos Deuses* 344. Ver *Grande Fim*.
Grandes Planícies 80

Grandes Terras As terras a leste do Grande Mar. 415, 17, 79, 84-5, 89, 173-4, 248, 251, 298, 300, 308-11, 318, 335, 337-8, 341, 343, 348, 353, 360-1, 364-6, 370-2, 383, 390, 393-4. Ver *Terra(s) de Fora*.
Great Haywood Vilarejo em Staffordshire (Tavrobel). 180, 352, 354; (inglês antigo) *Hægwudu* 350, 352, 396
Grithnir O mais velho dos guardiões de Túrin na jornada até Doriath. 156. Ver *Gumlin*.
Groenlândia 314
Gruir Rio em Tol Eressëa que se juntava ao Afros na ponte de Tavrobel (ver 288). 341, 345-6
Guiðlin Invasores de Tol Eressëa. 355
Guilwarthon Ver *I·Guilwarthon*.
Gumlin O mais velho dos guardiões de Túrin na jornada até Artanor. 96, 98, 116-7, 156. Ver *Grithnir*.
Gumniow Aparentemente um nome alternativo para o porteiro de Tevildo (ver *Umuiyan*). 36
Gurtholfin "Vara da Morte", espada de Túrin (posteriormente *Gurthang*). 107-8, 114, 133-4, 138, 145; forma antiga *Gortholfin* 145
Gwar, Gwâr = Mindon Gwar (Kortirion). 378, 389; *colina de Gwar* 378; *Príncipe de Gwar* 378-9, 389. *Gwarthyryn* 371. Ver *Caergwâr*.
Gwarestrin "Torre de Guarda", um dos Sete Nomes de Gondolin. 193
Gwasgonin "Elmos Alados", nome antigo para os Forodwaith. 401
Gwedheling Rainha de Artanor; nome que substitui *Gwendeling* no *Conto de Turambar*. 95, 99, 118, 120, 145, 292; *Gwedhiling* (substitui *Gwendeling* no dicionário gnômico) 67, 145, 293. Ver *Artanor*.
Gwendelin Rainha de Artanor; nome substituído por *Gwenniel* no *Conto*

do Nauglafring. 275, 278-82, 287-8, 291-2, 295, 299. Ver *Artanor.*
Gwendeling Rainha de Artanor; nome que substitui *Wendelin* no *Conto de Tinúviel.* 18-21, 24-5, 27, 29, 31, 35, 43, 49-51, 65, 67-8, 82-3, 86, 145, 291-3. Ver *Artanor.*
Gwenethlin Rainha de Artanor; nome substituído por *Melian* no texto datilografado do *Conto de Tinúviel.* 67-8, 292, 312
Gwenniel Rainha de Artanor; nome que substitui *Gwendelin* no *Conto do Nauglafring.* 269-72, 274, 277, 291-2, 299. Ver *Artanor.*
Gwindor Elfo de Nargothrond, companheiro de Túrin (anteriormente *Flinding*). 82, 151-2. Ver *Flinding.*

Hador, Casa de 146, 155
Hægwudu Ver *Great Haywood, Heorrenda.*
Harpa, A Nome de uma das gentes dos Gondothlim. 211, 221. Ver *Salgant.*
Hasen de Isenóra Tio de Ottor Wǽfre (Eriol); nome alternativo de Beorn 351.
Haudh-en-Elleth O Teso de Finduilas. 159. Ver *Finduilas.*
Heborodin Os Montes Circundantes ao redor da planície de Gondolin. 203. Ver *Montanhas Circundantes.*
Helcaraxë 252
Helgor Nome antigo de Ælfheah. 401. (Substituído por *Gelimer*).
Heligolândia 349, 351, 353
Hendor Serviçal de Idril que carregou Eärendel de Gondolin. 230, 261
Hengest Filho de Ottor Wǽfre (Eriol), conquistador de Tol Eressëa junto com seu irmão Horsa. 349, 351-2, 354-5, 367, 389
Heorrenda (1) Filho de Eriol, nascido em Tol Eressëa. 178, 238,

250-4, 389, 396, 401; *Heorrenda de Hægwudu* 350, 396; *o Livro Dourado de Heorrenda* 350. (2) No poema anglo-saxão *Déor* 389
Hirilorn "Rainha das Árvores" em Artanor. 30-1, 62, 67, 71. (Substituiu *Golosbrindi*).
Hisilómë 21-2, 24, 29, 33, 35, 45, 52, 58, 61, 63, 67, 80-6, 91, 111-2, 116, 127-8, 142-3, 146, 154, 170, 172-3, 245, 259, 268, 288, 291, 298, 300-1, 336-7. Ver *Aryador, Dor Lómin, Hithlum, Terra da(s) Sombra(s), Mathusdor.*
Hithlum 80, 93-9, 111, 146-9, 154-6, 161, 175, 245-6, 262, 286, 288-90, 298-302. Ver *Hisilómë.*
Homens Referências selecionadas: confinamento dos Homens em Hisilómë 21-2, 91-2, 96, 146-7, 197, 259, 262; Tuor como o primeiro Homem a alcançar o Mar 186, 245; escolha de um Homem por Ulmo 202, 262; línguas dos Homens 91; contos dos 91; fado dos 79; estatura dos, ver *Elfos*; conhecimento acerca de Ilúvatar 199; união de Homens e Elfos 127, 160, 200, 240, 259, 265, 310; em relação a Melko 202, 262, 339; em Tol Eressëa 340-1
Homem do Mar O "velho marujo" (Ulmo) que morava nas Ilhas Sem Angras. 218, 382-5, 388, 391, 398-401; outras referências a ele 16-8, 375-6
Homens do Mar Forodwaith, Vikings. 366, 376
Homens do Norte (1) O povo de Tuor. 195. (2) *Forodwaith*, Vikings. 378-9, 383. Ver *Forodwaith, Gwasgonin.*
Homens do Sul Romanos. 380, 397. Ver *Romanos, Rúmhoth.*
Homens Lestenses, Lestenses 146-7, 155, 245. Ver *Forasteiros.*
Homens-árvores 305, 314

Homens-da-floresta (posteriormente *homens de Brethil*) Também *povo da floresta, caminheiros-da-floresta*. 128-30, 132, 134, 139, 156, 159-62, 165-6, 173-5
Horsa Ver *Hengest*. 349, 351-5, 367
Huan Chamado "senhor dos Cães de Hisilómë" (63), "Capitão dos Cães" (34, 279), "Huan dos Cães". 34-5, 39-44, 48-50, 52-3, 55, 63-4, 70-8, 81, 89, 278-9, 281, 287, 291-2
Hunthor Companheiro de Turambar no ataque a Glaurung. 164
Huor 258
Húrin 69, 81. Ver *Úrin*.

i·Guilwarthon Os mortos que vivem de novo. 67, 281, 288, 293; *os Guilwarthon* 293 (substituído por *i·Cuilwarthon*).
Idril Esposa de Tuor, mãe de Eärendel. 160, 200-1, 204-8, 212, 215-6, 224-32, 234, 239-41, 252-9, 261, 264, 266, 304-8, 313, 316-7, 319-22, 333; *Idril Talceleb*, *Idril dos Pés de Prata* 201, 239, 252, 261. Ver *Irildë*.
il·Cuilwarthon Os mortos que vivem de novo. 55, 67, 293, 299. (Substituiu *i·Guilwarthon*).
Ilbranteloth Ver *Cris Ilbranteloth*.
Ilfiniol Coração-Pequeno. 16, 66, 177-8, 242, 268, 292. (Substituiu *Elfriniol*, substituído por *Ilfrin*).
Ilfrin Coração-Pequeno. 18, 66, 242. (Substituiu *Ilfiniol*).
Ilfrith Coração-Pequeno. 333
Ilha das Aves Marinhas 303-4, 306-7, 311, 313, 315, 318; torre na 318
Ilha dos Lobisomens 70. Ver *Tol-in-Gaurhoth*.
Ilha Solitária 414, 48, 182, 304, 348, 351, 360, 363, 370, 377, 382, 387-9, 391-2, 394-5, 397 *a ilha sagrada* 351; *Ilha dos Elfos* 386, 395; inglês antigo *se uncúþa holm* 349,

seo unwemmede Íeg 351, 363; língua da 48; poema *A Ilha Solitária* 351. Ver *Tol Eressëa*.
Ilha(s) Sem Angras 382, 384, 398; *Ilha do Homem Velho* 388; outras referências às Ilhas 16, 17, 205, 308, 390-1
Ilhas do Crepúsculo 308, 329, 390-1; *Ilha do Crepúsculo* 305
Ilhas do Oeste, Ocidentais 398, 399; *Vala das Ilhas do Oeste* 119, 174
Ilhas Encantadas 391
Ilhas Mágicas 16, 17, 305, 313, 381-2, 386, 390-1, 399, 401; *Arquipélago Mágico* 382
Ilhas Reluzentes Habitação dos Deuses e dos Eldar de Valinor conforme imaginada pelos Ilkorins. 174
Ilinsor Espírito dos Súruli, timoneiro da Lua. 311
Ilkorindi Elfos que "não são de Kôr" (ver especialmente 84). 84, 91; *Ilkorin(s)* 84-5, 149, 343
Ilúvatar 19, 57, 200, 252, 264, 270, 296, 341-2, 346; *o Senhor para Sempre* 200, 252
Ilverin Coração-Pequeno. 242. (Substituiu *Elwenildo*).
Ilwë O ar intermediário que flui em meio às estrelas. 338, 395
Indor Pai de Peleg, pai de Tuor. 195, 261. Ver *Gon Indor*, *Indorildo*.
Indorildo, Indorion Nome de Eärendel, bisneto de Indor. 261. Ver *Gon Indor*.
Indrafangs Os Anãos Barbas-longas de Belegost. 62, 89, 270, 277-80, 282-3, 291; *Indrafangin* 281, *Indravangs* 31, 89. Ver especialmente 296-7.
Inferno Angamandi. 287
Infernos de Ferro Angamandi. 61, 80, 99, 102, 194, 197, 236, 248; *Infernos de Melko* 226. Ver *Angamandi*, *Angband*.
Ing (1) *Ing, Ingwë* Rei de Luthany; muitas referências são à sua gente,

filhos ou descendentes. 366-76;
sobre a relação de *Ing* e *Ingwë*, ver
368. (2) Nome antigo de Inwë.
368. (3) *Ing* na lenda inglesa antiga.
368
Ingil Filho de Inwë. 15-6, 30, 337-40,
353, 368, 395. Ver *Gil*.
Inglaterra 343, 351-5, 363, 366,
371-3, 376-7, 379, 381, 384,
388-90, 392-3, 395, 397-8, 400-1;
Englaland (inglês antigo) 351,
363-4. Ver *Luthany*, *Lúthien* (3),
Leithian.
Inglês (*povo e língua*) 321-2, 326,
333, 349-53, 356, 363, 366, 368,
373, 378, 386, 388-9, 392, 395-
8; *Englisc* 352. Ver *Anglo-saxão*
(*-Saxões*), *Inglês antigo*.
Inglês antigo (incluindo citações,
palavras, títulos de poemas) 238,
240, 321-2, 326, 333, 349-53,
356, 366, 368, 373, 389, 396-8.
Inglês antigo falado pelos Elfos de
Tol Eressëa 363-4, 367, 373
Inguaeones Ver 367-8.
Ingwaiwar Povos cuja origem deriva de
Ing(wë), seu fundador-governante,
Anglo-Saxões. 367-70, 373, 376,
389
Ingwë (1) Ver *Ing* (1). (2) Senhor dos
Vanyar. 368. Ver *Inwë*.
Ingwine Ver 367.
Inwë Rei dos Eldar de Kôr
(posteriormente Ingwë, Senhor dos
Vanyar). 250, 304, 310, 337, 339,
348, 353, 368; *o Arco de Inwë* em
Gondolin 220
Inwir O clã real dos Teleri (= os
posteriores Vanyar), gente de Inwë.
14, 304, 306, 334, 338, 340
Inwithiel Nome gnômico de Inwë. 310
Íras (inglês antigo) Os irlandeses. 350
Irildë Nome de Idril em eldarissa.
240, 252, 261, 304, 333; *Irildë
Taltelepta*, *Irildë dos Pés de Prata*
261. Ver *Idril*.

Irlanda 343, 353, 377, 390. Ver *Íverin*.
Isfin Irmã de Turgon, mãe de Meglin.
201, 205, 240, 265-6, 297. Ver
Aredhel.
Islândia 314
Ivárë Menestrel dos Elfos "que toca
junto ao mar". 21, 77
Íverin, *Ilha de* Irlanda. 341, 343, 345,
353, 390. Ver *Irlanda*.
Ivrin Ver *Eithel Ivrin*.
Jutos 370. Ver *Euti*.

Kapalen Nome que precedeu Tifanto
(Dairon). 65, 67
Karkaras "Presa-de-Punhal", "pai dos
lobos". 31, 33, 44, 47, 50, 52-3,
73-4, 76, 78, 89, 274, 278, 287;
Carcaras 62, 89; *Lobo-infernal* 52.
Ver *Presa-de-Punhal*; *Carcharoth*.
Kópas Porto (dos Navios-cisnes). 307.
Ver *Cópas Alqalunten*.
Kôr Cidade dos Elfos em Eldamar e a
colina sobre a qual foi construída.
19-20, 56, 84, 92, 99, 142, 146,
174, 179, 182-3, 197, 238, 243,
250-1, 259, 265, 303-5, 307-11,
313-20, 328, 334, 337, 343-4,
348, 352-3, 365-8, 370, 372, 396;
ver especialmente 352, e ver *Tûn*,
Túna, *Tirion*.
Koreldar Elfos de Kôr. 333
Korin Cercado formado por olmeiros
onde morava Meril-i-Turinqi. 178,
238
Koromas A cidade de Kortirion. 337,
353
Kortirion Principal cidade de
Alalminórë em Tol Eressëa. 14, 18,
333, 337, 339-40, 348-9, 352-4,
360, 362, 364-5, 371-2, 375, 378,
389-90, 396. Poema *Kortirion entre
as Árvores* 333, 396, prefácio em
prosa 348, 371
Kosmoko, *Kosmok(o)* Nome de
Gothmog em eldarissa. 260;
Kosomot 261

Kurúki Um feiticeiro maligno em um rascunho preliminar do *Conto de Turambar*. 170-1

Ladwen-na-Dahideloth 345; *Ladwen Daideloth* 346. Ver *Dor-na-Dhaideloth*, *Charneca do Teto-do-Céu*.

Lagoas do Crepúsculo Região no baixo curso do Sirion, posteriormente chamadas *Aelin-uial*, os Alagados do Crepúsculo. 236, 262, 265, 271, 297, 336. Ver *Lagoas Silentes*, *Umboth-muilin*.

Lagoas Silentes, Batalha das 335-6. Ver *Lagoas do Crepúsculo*, *Umboth-muilin*.

Laiqalassë Nome de Legolas Verdefolha de Gondolin em eldarissa. 261

Laiquendi Os Elfos-verdes de Ossiriand. 298

Laurelin 260, 344

Laurundo, Laurunto Formas do nome de Glorund em eldarissa. 107. Ver *Undolaurë*.

Legolas Verdefolha (1) Elfo de Gondolin. 229, 231, 233, 257, 261. Ver I. 267 e *Laiqalassë*. (2) Elfo de Trevamata, membro da Sociedade do Anel. 394

Leithian = *Lúthien* (3) (Inglaterra). 397; *Leithien* 362

Limpë A bebida dos Eldar. 336, 340, 342, 350, 353, 369-70, 372, 374; *com o equivalente em inglês antigo "líþ"* 350

Lindelaurë, Lindeloktë Nomes de Laurelin. 260

Lindo Elfo de Tol Eressëa, mestre de Mar Vanwa Tyaliéva. 13, 91, 177-8, 259, 265, 267, 309, 335, 342, 364-5

Linwë (*Tinto*) Nome antigo de Tinwë (Linto), Tinwelint. 65-6, 99, 117, 143-4, 167-8, 170

Lionesse Terra lendária, agora submersa, entre a Cornualha e as Ilhas Scilly. 378-9. Ver *Evadrien, Erenol*.

Lisgardh Terra de juncos nas Fozes do Sirion. 262. Ver *Arlisgion*.

Livro de Exeter (códice contendo poesia em inglês antigo) 389

Livro Dourado, O 340, 343, 350-1, 354, 374-5. Ver *Parma Kuluinen*.

Lobo-Sauron 72

Lókë Nome em eldarissa para os dragões de Melko. 109. Ver *Foalókë, Fuithlug*.

Lórien 19-20, 46, 56, 58, 288, 391

Lôs Forma antiga do nome *Loth* de Gondolin. 243

Los'lóriol Nome em noldorissa da Flor Dourada (gente dos Gondothlim); anteriormente *Los Glóriol*. 260

Lósengriol Forma antiga do nome *Lothengriol* de Gondolin. 243

Loth "A Flor", um dos Sete Nomes de Gondolin. 193, 243. (Substituiu *Lôs*).

Lothengriol "Flor da Planície", um dos Sete Nomes de Gondolin. 223, 243. Ver I. 172 e *Flor da Planície*.

Lothlim "Povo da Flor", nome adotado pelos sobreviventes de Gondolin na foz do Sirion. 237, 241, 302, 312

Lua, A Referências selecionadas: o marinheiro ou timoneiro da Lua persegue Eärendel 315, 318-9, 324, 329, 338, 344-5, 347; navio da 324; porto da 324; portão da 327-8; reconvocação da 344; aprisionamento da 344; Melko procura ferir a Lua 338; além da Lua 197, atrás da Lua 330, a Leste da Lua 327; um emblema da Casa do Rei em Gondolin 210

Lug Orque morto por Tuor em Gondolin. 219

Lugar das Bodas O mesmo que o Lugar dos Deuses (ver 164). 225, 241

Lugar do Poço Em Gondolin. Ver *Praça do Poço*.
Lugar dos Deuses Em Gondolin. 201, 225-6, 240-1, 263. Ver *Gar Ainion*, *Lugar das Bodas*.
Lumbi Um lugar onde Melko morou depois de sua derrocada. 335-6
Lúsion = *Lúthien* (2). 364
Luthany Inglaterra. 363-75, 389, 393, 395-8. Ver *Lúthien* (1) e (3), *Leithian*.
Lúthien (1) "Homem de Luthany", nome dado a Ælfwine pelos Elfos de Tol Eressëa. 363, 373; com o significado de "Viandante" 364. (2) Filho de Telumektar 364. (3) = *Luthany* (Inglaterra). 363-75, 389, 393, 395-8. (4) Tinúviel. 68, 73, 364, 379, 397

Mablung "O Mão-pesada", chefe dos capitães de Tinwelint. 52-5, 66-7, 74, 77-8, 149, 157, 159, 165, 278, 281, 292
Maeglin Nome posterior de Meglin. 252-6, 297
Magbar Nome élfico de Roma. 380, 397. Ver *Rûm*.
Maglor Filho de Fëanor. 289-90, 300
Maia 134, 214, 221, 294
Maidros Filho de Fëanor. 289-90, 300
Malkarauki Nome dos Balrogs em eldarissa. 206
Mandos (tanto o Vala quanto sua habitação) 53-4, 70, 74, 78-9, 110, 116, 137, 139, 142, 154, 288, 300, 303, 305-7, 312, 317-8, 335, 344, 363, 376, 390. Ver *Vefántur*.
Manwë, *Manwë Súlimo* 99, 142, 174, 199, 202, 233, 240, 270, 308, 310, 319, 337, 339, 346; *Súlimo* 240; *Senhor de Deuses e Elfos* 199; *Manweg* = *Wóden*, *Óðinn* 350
Mar do Norte 349, 351, 366, 370, 373-4
Mar Interior O Mediterrâneo. 356

Mar Vanwa Tyaliéva O Chalé do Brincar Perdido. 14, 55, 177-9, 183, 242, 252, 335, 344; *Vanwa Tyaliéva* 178
Mar(es) do Oeste 15-7, 321, 356, 361, 375, 380, 398. Ver *Grande Mar*.
Marcha dos Elfos A expedição dos Elfos de Kôr para resgatar os Gnomos nas Grandes Terras. 178, 267, 303, 309, 334-7, 365-6, 370, 372, *Marcha dos Inwir e Teleri* 306, 334, *Marcha da Libertação* 336. Ver *Partida Afora*.
Mares Divisores 318
Mares Gélidos 305
Mares Sombrios Região do Grande Mar a oeste de Tol Eressëa. 308, 344, 390-1; *a(s) grande(s) sombra(s)* 313, 327;*as Sombras* 382
Marinheiro Ancião Ver *Homem do Mar*.
Marinheiros, Povo-navegante, do Oeste Os Ythlings. 384, 392, 398, 401. Ver *Eneathrim*, *Ythlings*.
Martelo da Ira Nome de uma das gentes dos Gondothlim. 211, 217-8, 222, 263. Ver *Rog* (2), *Bigorna Martelada*.
Mathusdor Nome que substitui *Aryador* no manuscrito A de *A Queda de Gondolin*. 242
Mavoinë Nome de Mavwin em eldarissa. 92
Mavwin Esposa de Úrin, mãe de Túrin e Nienóri; posteriormente chamada Morwen. 92-7, 101, 111-3, 115-23, 135, 139, 141-3, 146-8, 154-9, 167-8, 171, 174, 175, 177. (Substituiu *Tirannë*).
Mediterrâneo 314, 356. Ver *Wendelsæ*.
Meglin Filho de Eöl e Isfin, traidor de Gondolin; posteriormente chamado Maeglin. 201-2, 204-8, 210-6, 229, 230, 248, 252-3, 257, 266; *senhor da casa da Toupeira* 213
Meio-dia, Fruto do 327
Meio-Elfo 160, 259, 353

Meleth Ama de Eärendel. 212
Melian Rainha de Doriath. 56-7, 60-1, 64, 67-8, 92, 86, 292, 299; *o Cinturão de Melian*. 82, 299. Para nomes antigos de Melian, ver 292 e os verbetes *Gwedheling* e seguintes; ver também *Artanor*.
Melinir Nome dado a Vëannë por Eriol. 15, 17
Melinon Nome dado a Eriol por Vëannë. 15, 17, 55
Melko Referências selecionadas: sua maldição sobre Úrin e sua gente 93, 98, 109, 127; em relação à origem dos Orques 234; falcões e cobras como criaturas de Melko 202, 253; incapaz de voar 233; em relação aos Homens 202, 254, 339; *Minas de Melko* 86; *Encanto do pavor insondável*, feitiço de horror/terror sem fundo, 248; a Coroa de Ferro, 25, 46, 70, 73, 76; seu trono 27, 206; o mito de sua derrocada 337; ataque ao Sol 338, 344. Chamado *Ainu Melko, o Príncipe Maligno, o Príncipe de Coração Maligno, Vala de Ferro, Senhor de Ferro, o Maligno, o Adversário*.
Melkor 96, 264
Menegroth As Mil Cavernas em Doriath. 83, 158, 294. Ver *Mil Cavernas*.
Meoita Ver *Tevildo*.
Mercado Menor, Praça do Em Gondolin. 221
Meril-i-Turinqi A Senhora de Tol Eressëa; também *Meril, Turinqi*. 238, 310, 337, 340, 342, 354; *Senhora da Ilha* 178, 340-1
Miaugion Ver *Tiberth, Tifil*.
Miaulë Cozinheiro de Tevildo. 41, 71
Micelgeard, Mickleyard (inglês antigo, "a grande cidade") Roma, "a Cidade Sem Coração". 397. Ver *Rûm*.
Mikligarðr (nórdico antigo) Constantinopla. 397

Mil Cavernas 294, 297. Ver *Menegroth*.
Mîm, o Anão Chamado "o sem-pai". 128, 140, 144, 150, 164, 169, 268-9, 275, 277-8, 280, 295; maldição, feitiço de Mîm 269, 278, 280, 283, 286, 288-9, 294-5
Minas Morgul 261
Minas Tirith Fortaleza em Tol Sirion 72, 151
Mindon Gwar Nome gnômico de Kortirion 378-9, 387, 390, 397. Ver *Gwar*.
Mithrim Lago e (184, 186) o rio que flui a partir dele. 184-7, 242, 245-6; *Elfos-cinzentos de Mithrim* 246. (Substituiu *Asgon*).
Montanha do Mundo Ver *Taniquetil*.
Montanhas Circundantes, Montes Circundantes As montanhas ao redor da planície de Gondolin. 199, 203, 206, 208, 209, 213-4, 228, 233, 249, 257. Ver especialmente 213-4, e ver *Heborodin*.
Montanhas da Noite As montanhas sobre as quais crescia Taurfuin, a Floresta da Noite. 33, 62, 81
Montanhas de Escuridão = *Montanhas de Ferro*. 197
Montanhas de Ferro 22, 24-5, 58, 80-1, 91, 99, 173, 188-9, 191, 205, 259, 261-2, 265, 335; *Colinas de Ferro* 110, 197; *Morros Amargos* 23, 34, 42, 80. Ver *Angorodin*.
Montanhas de Sombra 81, 149, 246, 262. Ver *Ered Wethrin*.
Montanhas de Terror Ver *Ered Gorgoroth*.
Montanhas de Valinor 197, 208, 385, 392
Montanhas do Leste 17, 356, 362, 376
Monte de Vigia 194; *monte de vigilância* 181, 251. Ver *Amon Gwareth*.
Monte dos Espiões 157, 159. Ver *Amon Ethir*.
Morgoth 59, 76, 82, 87-9, 146, 152, 165, 169, 175-6, 229, 245, 253-4,

256, 396; ver especialmente 88, e ver *Belcha, Melko(r)*.
Moria 396
Moriquendi "Elfos da Escuridão". 84
Mormagli "Espada Negra", Túrin (gnômico). 107, 153. Ver *Mormakil, Mormegil*.
Mormakil "Espada Negra", Túrin, que se afirma (107) ser uma das formas do nome entre os Gnomos, embora *makil* seja uma forma "eldar" (I. 259). 81-7, 109-10, 119, 138, 142, 144, 153, 157. Ver *Mormagli, Mormegil*.
Mormegil "Espada Negra", Túrin (forma posterior do nome). 153, 157
Morro da Avareza Ver *Cûm-an-Idrisaith*.
Morros Amargos Ver *Montanhas de Ferro*.
Móru A "Noite Primeva", personificada na Grande Aranha. 345
Morwen 146-7, 155-7. (Substituiu *Mavwin*).
Muralha das Coisas 311; *a Muralha* 382, 392; *Muralhas do Oeste* 385, 392; *Muro do espaço* 331
Música dos Ainur (não inclui referências ao Conto) 179-80, 200, 242, 252. Ver *Ainulindalë*.

Naimi Esposa de Ælfwine, Elfa de Tol Eressëa. 350-1, 389, 397. Ver *Éadgifu* (1).
Nan Dumgorthin "A Terra dos Ídolos Sombrios". 31, 48, 81-2, 89; *Nan Dungorthin* 82
Nan Dungortheb "O Vale da Morte Horrenda". 82
Nan Elmoth 297
Nan Um Gigante. 31, 48, 62, 81-2, 88-9
Nan-tathren 172, 258. Ver *Terra dos Salgueiros, Tasarinan*.
Nandorin 149

Nargothrond 70-2, 74, 80, 151-3, 156-7, 159, 162, 166, 173, 246, 250, 293-4, 301; ver especialmente 153
Narn i Hîn Húrin 146
Narog 151, 163, 166, 173, 292. Ver *Aros*.
Narthseg O Elfo que traiu Artanor aos Anãos. 278, 291
Naugladur Senhor dos Anãos de Nogrod. 272, 277-9, 280-6, 291, 294-6 (chamado *rei* 296)
Nauglafring O Colar dos Anãos (referências a ambos os nomes). 78, 89, 93, 167-9, 172, 177-8, 238, 259, 267-8, 274-5, 278, 282, 285-95, 299-300, 302-8, 311, 318, 342, 395; ver especialmente 268
Nauglath Os Anãos de Nogrod. 89, 168, 270, 272-3, 276, 281, 291, 295-6, 395; ver especialmente 276
Nautar Aparentemente = *Nauglath*. 168, 295, 341, 343, 395
Nazgûl 394
Necromante, O 70-2
Nellas Elfa de Doriath que foi testemunha no julgamento de Túrin. 148
Nen Girith "Água do Estremecer", nome dado às cataratas do Celebros na Floresta de Brethil. 160, 163, 165, 173
Nen Lalaith Riacho que se erguia abaixo de Amon Darthir nas Ered Wethrin. 154
Neorth "Senhor das Águas", Ulmo. 398-9. (Compare com o deus escandinavo *Njörð*, especialmente associado com navios e com o mar).
Nessa 21, 263, 288
Nevrast 245, 250, 262
Nielluin A Estrela Sírio. 339. Ver *Abelha Azurina*.
Nielthi Aia de Gwendelin, Rainha de Artanor. 279
Nienor Forma posterior de *Nienóri* (ver 145). 145-7, 157-9, 165-6

Nienóri Filha de Úrin e Mavwin. 93, 95-6, 111, 113, 115-24, 126, 128, 135-9, 141-5, 147-8, 157, 159, 161, 164-5, 169, 171, 175, 177. (Substituiu *Vainóni*). Ver *Níniel*.
Nieriltasinwa A Batalha das Lágrimas Inumeráveis. 107. Ver *Nínin-Udathriol*.
Nineveh, Nínive Ver *Ninwë*.
Níniel "Filha das Lágrimas", o nome de Turambar para Nienóri. 125-34, 136-8, 144, 159-66, 174-5
Nínin-Udathriol A Batalha das Lágrimas Inumeráveis. 107. Ver *Nieriltasinwa*.
Ninwë, Ninwi Nínive. 237, 244; *Nínive* 244
Nirnaeth Arnoediad A Batalha das Lágrimas Inumeráveis. 250, 255
Nivrim Doriath além do Sirion. 299
Nogrod Cidade dos Nauglath. 270-3, 276-7, 280, 283-4, 286, 293, 296-9
Noldoli Ver *Gnomos*; *Noldor*.
Noldor 146, 150, 189, 241, 245, 248, 265, 294, 334-7; adjetivo *noldorin* 245. (Substituiu *Noldoli*). Ver *Portão dos Noldor*.
Noldorin Nome de Salmar. 189, 241, 265, 334-7
Noldorissa Língua dos Noldoli. 183, 260, 337
Nólemë Ver *Finwë Nólemë*.
Nórdico, nórdico antigo 389, 397
Normandos 376, 390
Nornorë Arauto dos Deuses. 79
Northern Venture, A (Antologia contendo poemas de J.R.R. Tolkien) 329
Noruega 389
Nos Galdon Povo de Galdor de Gondolin que vivia em Tol Eressëa. 260. (Substituído por *Nos nan Alwen*).
Nos nan Alwen 260. (Substituiu *Nos Galdon*).

Nost-na-Lothion O festival de primavera do "Nascimento das Flores" em Gondolin. 209, 243; forma rejeitada *Nost-na-Lossion* 243
Númenóreanos 392; *Númenóreano Negro* 88

Oarni Espíritos do Mar (identificados como "sereias" 312, identidade negada 317). 303, 305, 312, 316-7, 333. Ver *Sereias*.
Oceano Atlântico 314
Oceanos de Fora, Mar(es) de Fora 189, 195, 332. Ver *Vai*.
Ocultação de Valinor 382, 390-1, 399
Óðinn 350. Ver *Wóden*.
Oikeroi Um gato, capitão de Tevildo, morto por Huan. 40, 43-5, 72-6
Oinen Ver *Uinen*.
Olórë Mallë "A Trilha dos Sonhos". 65, 91, 146, 309. Ver *Caminho dos Sonhos*.
Olwë Senhor dos Solosimpi no lugar de Thingol. 66. Ver *Ellu* (2).
Ómar O mais jovem dos grandes Valar, também chamado *Amillo*. 335
Ónen Nome antigo de Uinen. 67
Orcobal Campeão dos Orques, morto por Ecthelion em Gondolin. 219
Orfalch Echor A grande fenda nas Montanhas Circundantes pela qual se chegava a Gondolin. 249, 254
Orgof Elfo de Artanor morto por Túrin. 96-8, 149-50, 175
Órion 338-9, 364. Ver *Telimektar*.
Orlin Homem de Hisilómë, morto no salão de Brodda por Turambar. 114
Orm Capitão dos Forodwaith, assassino de Déor, pai de Ælfwine. 383, 385, 389, 398
Orodreth Senhor dos Rodothlim. 105-8, 123, 151-2
Oromë 19, 56-7, 288, 336
Orques Referências selecionadas: origem dos 25-7, 195, 279-80; crias de Melko 234; descritos 124, 195;

visão e audição dos 202; ginetes-de-lobos 230, 236; sangue de Orques em Meglin 201; *filhos dos Orques* 202; mercenários dos Anãos 295. Singular *Ork* 243, plural *Orqui* 168, 243, 264. Ver *Gobelins*.

Orqui Plural antigo de *Orque* (*Ork*). Ver *Orques*.

Ossë 185, 238, 305, 307, 316-7, 341, 343, 353, 367, 369-70, 373, 390-1, 398

Ossiriand 298

Ost Belegost Ver *Belegost*.

Óswine Príncipe de Gwar (Kortirion). 379, 389

Othrod Um senhor dos Orques, morto por Tuor em Gondolin. 219

Ottor Wǽfre Eriol. 349, 353; *Wǽfre* 350

Oxford 180, 325, 329, 352; (inglês antigo) *Oxenaford* 352; poema *A Cidade do Pesar Presente* 356, 358-9. Ver *Taruithorn, Taruktarna*.

Oxford English Dictionary 91, 180

Palisor Região das Grandes Terras onde os Elfos despertaram. 819-20, 33, 56, 33, 56, 62, 65, 84-5, 142, 167, 174, 247, 370

Palúrien Yavanna. 338, 395. Ver *Belaurin*.

Parma Kuluinen 375. Ver *Livro Dourado*.

Partida Afora (1) A Marcha dos Elfos de Kôr. 341-6, 365-72. (2) A expedição desde Tol Eressëa. 260-1, 304, 306, 343

Pedido ao Menestrel, O (poema) 314, 316, 319, 325; esboço associado a ele 325

Peleg Pai de Tuor. 112, 195, 220, 244

Penlod Chamado "o Alto"; senhor das gentes do Pilar e da Torre de Neve em Gondolin. 211, 212, 218

Pereldar "Meio-Elfos". 321. Ver *Meio-Elfo*.

Pictures by J.R.R. Tolkien 150, 258

Pigmeus 305

Pilar, O Nome de uma das gentes dos Gondothlim. 211, 218. Ver *Penlod*.

Pinheiro de Belaurin, Pinheiro de Tavrobel 338, 374-5

Planície Protegida de Nargothrond Ver *Talath Dirnen*.

Porta da Noite 306, 311, 320, 328-9, 392; *portas dracônicas, dracônico batente* 330-1; *boca da noite* 332

Portão da Lua 327-8

Portão dos Noldor 150, 245

Porto do Sol 324

Porto dos Cisnes Ver *Porto-cisne*.

Porto-cisne 310; *Porto dos Cisnes* 22, 85. Ver *Cópas Alqalunten, Kópas*.

Portões do Verão Grande festival em Gondolin. 209, 241, 254. Ver *Tarnin Austa*.

Portos do Sirion Ver *Sirion*.

Povo da Sombra de Hisilómë 83, 259, 298

Povo-élfico, gentes-élficas 297, 308. *Terra-élfica* 328

Praça da Fonte Em Gondolin. 249

Praça do Palácio Em Gondolin; também chamada de *Praça do Rei*. 218, 220-2, 225, 260. Salão(ões), casa ou palácio do rei 196, 200, 240, 279; a torre do rei 224, 226; a fonte do rei 198, 214, 223, 229, 259

Praça do Poço Em Gondolin. 220; *Lugar do Poço* 218, 220

Presa-de-Punhal 33, 44, 47, 89, 274. Ver *Karkaras*.

Primeira Era 87, 250, 252

Qenya Com referência aos verbetes no "dicionário" primitivo de qenya. 261, 318, 343, 352, 375

Quendi 264

Quenya 66, 172

Ramandur Nome antigo de Sorontur. 243

Reino(s) Abençoado(s) 47, 321
Riacho de Vidro Próximo a Tavrobel. 346
Rider Haggard, Henry 396
Rimion Pai de Egnor; *Egnor bo-Rimion* 34, 67
Rio Seco A entrada para Gondolin. 249
Rodothlim Noldoli das Cavernas com quem Túrin morou (precursores dos Noldor de Nargothrond). 104-7, 115-6, 118-21, 123, 133, 138, 140, 143-5, 151-2, 156-7, 166, 168, 173-5, 268, 270, 273, 275, 284, 294. (Substituiu *Rothwarin*).
Rog (1) Nome que os Orques davam a Egnor, pai de Beren (*Rog, o Ágil*) 60. (2) Senhor do povo do Martelo da Ira em Gondolin. 211-2, 214, 217-8, 243, 255
Rohan 396
Roma Ver *Rûm*.
Romanos 367, 373, 397. Ver *Rúmhoth, Homens do Sul*.
Rôs (1) Promontório das Grandes Terras; Batalha de Rôs. 341, 343, 345. (2) Capital de Tol Eressëa. 365. (3) Nome de Tol Eressëa? 365. (4) Ver o Apêndice de Nomes, p. 416.
Rothwarin Nome antigo para os *Rodothlim*. 143, 145, 166, 168
Ruivão, Ted 400
Rûm Roma. 237, 244, 380, 397; *Roma* 244. (A forma do nome com *u* é atestada em inglês antigo; ver 380). Ver *Magbar, Micelgeard*.
Rúmhoth Romanos. 355, 367, 369, 373. Ver *Romanos, Homens do Sul*.
Rúmil 183, 252; *Alfabeto de Rúmil* 91; livro de *Rúmil* 261
Rúsitaurion "Filho da floresta exaurida" (eldarissa), nome que Turambar deu a si mesmo. 112. Ver *Dhrauthodavros*.

Saeros 148-9, 175
Saksani Saxões. 370

Sala das Lenhas Em Mar Vanwa Tyaliéva. 237, 267; *Sala do Fogo-do-Conto* 360. Ver *Fogo-do-Conto*.
Salão do Brincar Recuperado Em Mar Vanwa Tyaliéva. 15
Salão(ões) de Ferro Angamandi. 202, 318; *salões da escuridão* 207
Salgant Senhor do povo da Harpa em Gondolin. 211-3, 215, 221, 230
Salmar Companheiro de Ulmo, também chamado *Noldorin*. 265, 335
Sarnathrod "Vau Pedregoso". 284. Forma posterior *Sarn Athrad* 298. Ver *Vau Pedregoso*.
Sarqindi "Ogros-canibais". 305
Sauron 70-3, 75; *Lobo-Sauron* 72; *Boca de Sauron* 88
Saxões 370. Ver *Saksani*.
Sebe Alta 396
Senhor dos Anéis, O 255, 296, 321, 396; *A Sociedade do Anel* 400; *As Duas Torres* 172; *O Retorno do Rei* 88, 261
Senhor dos Lobos Thû (o Necromante). 71
Senhores do Oeste Os Valar. 247
Sereias 312-3, 316-7; *donzelas-do-mar* 313. Ver *Fiorde da Sereia, Oarni*.
Shippey, T.A. The Road to Middle-earth, 75
Sigurd Fafnisbane 153
Silmaril(s) 24, 43, 46-7, 49, 51-4, 74-6, 119, 168, 270-1, 274-5, 286-9, 293-5, 311-2, 319-20; Lâmpada de Feéria, *Lâmpada de Fëanor* 286-7
Silmarillion, O 66, 68-78, 80-6, 89, 146-8, 151-7, 159-60, 164, 166, 169, 171-3, 175, 179, 246, 248-58, 261-2, 264, 293-4, 296-301, 308-11, 314-5, 318-9, 320, 352, 363, 368, 390, 396
Silpion A árvore prateada de Valinor. 46, 259, 344
Sindarin 66

Singoldo Substituiu *Tinwë Linto*. 56, 67. Forma posterior *Singollo* 66
Sirion 55, 63, 72, 81-2, 99, 104, 115, 151, 168, 173, 188, 192, 197-8, 236-7, 239, 241, 246-8, 250-1, 254-5, 258, 260-2, 299; *Doriath além do Sirion* 299. Referências à(s) Foz(es) do Sirion e às habitações ali (*Sirion* frequentemente = "as habitações na Foz do Sirion") 237, 260, 302, 304, 310, 312-3, 316, 336; *Ilha(s) do Sirion* 316,
Sirius 339. Ver *Abelha Azurina, Nielluin.*
Sociedade do Anel, A 257, 400. Ver também *Senhor dos Anéis.*
Sol Mágico 318, 338, 340, 343-5, 348, 365; ver especialmente 343-5
Sol, O Referências selecionadas. Primeiro nascer do 52, 85, 87, 142; relatos do pôr-do-sol 125, 185, 231, 281, 246; navio do 339, 345; porto(s) do 324; reconvocação do 344; aprisionamento do 344-5; ataque de Melko ao 338, 344; morada do 306, 333; Habitantes do sol 314; além do Sol 198, a Oeste do Sol 327-8; um emblema da Casa do Rei em Gondolin 210. Ver *Sol Mágico, Urwendi.*
Solosimpi 19, 56-7, 66, 304, 306, 310, 334, 338, 365; *Solosimpë* 315. Ver *Flautistas das Terras Costeiras.*
Sornontur A casa de Tuor na Foz do Sirion. 241
Sorontur Rei das Águias. 232, 243. (Substituiu *Ramandur*). Ver *Thorndor.*
Staffordshire 352, 396
Stapeldon Magazine 329
Súlimo Ver *Manwë.*

Taimonto = *Telimektar*. 338, 395; *Taimondo* 395
Talath Dirnen A Planície Protegida de Nargothrond. 80

Talceleb Ver *Idril.*
Taltelepta Ver *Irildë.*
Tamar Pé-coxo Filho de Bethos dos Homens-da-Floresta. 126, 128, 134. (Substituído por *Brandir*).
Tâmisa 356, 358
Taniquetil 99, 174, 197, 199, 208, 243, 308, 315, 319, 327; *Montanha do Mundo* 99
Tanyasalpë "Malga de Fogo". 169. Ver *Fauri, Faskalan, Fôs 'Almir.*
Tarnin Austa 209. Ver *Portões do Verão.*
Taruithorn, Taruktarna Nomes de Oxford em gnômico e eldarissa. 352, 354
Tasarinan A Terra dos Salgueiros. 172, 265, 271, 297, 335; *a Batalha de Tasarinan* 91, 172, 265. Ver *Terra dos Salgueiros, Nan-tathren.*
Taurfuin A Floresta da Noite. 48, 63, 81, 100. Forma posterior *Taur-nu-Fuin* 81, 150. Ver *Floresta da Noite.*
Taurossë, Tavaros(së) Formas de *Tavrobel* em eldarissa. 352
Tavrobel 178, 338, 340-3, 345-8, 350, 352-4, 371, 374-5, 389, 393; *Tavrobel, a Velha* 374-5, *a Nova* 375; torre de 346; ponte e rios que se juntam em 288-9; *Livro Dourado* 343, 374; *Contos de* 350. Ver *Gilfanon, Great Haywood, Pinheiro de Belaurin.*
Tavrost = *Tavrobel*. 352
Tecelã-de-Treva A Grande Aranha. 314. Ver *Wirilómë, Ungweliant(ë).*
Teiglin 156, 160, 162-3, 165-6, 173, 299; *Travessias do Teiglin* 156, 160; ravinas do 163
Telchar Artífice anânico de Nogrod. 76, 158
Teld Quing Ilon "Teto de Arco-íris", nome antigo para (*Cris*) *Ilbranteloth*. 242
Teleri O primeiro clã dos Elfos (posteriormente chamados de Vanyar). 14, 304, 306-7, 334, 371

Telimektar Filho de Tulkas; Órion. 338-40; *Telumektar* 364, *Telumaith* 364. Ver *Taimonto*.
Terceira Era 261, 394
Terra das Sombras 80, 112, 183, 196-7, 202, 259, 262. Ver *Aryador, Dor Lómin, Hisilómë, Hithlum, Mathusdor*.
Terra dos Mortos que Vivem 298. Ver *I·Cuilwarthon, I·Guilwarthon*.
Terra dos Salgueiros 188-9, 236-7, 246-7, 258, 262, 265, 334-6. Ver *Nan-tathren, Tasarinan*.
Terra-das-Fadas 382
Terra-dos-Buques 396
Terra-média 84, 321, 394, 400
Terra(s) *de Fora* (1) As Grandes Terras (Terra-média). 280, 305, 319. (2) As terras a Oeste do Grande Mar 390, 401
Terras(s) *Além* Artanor 922, 33, 80-1, 99, 115-6, 143, 154, 173. Ver *Artanor, Doriath*.
Teto do Firmamento, Batalha do Ver *Charneca do Teto-do-Céu*.
Tevildo, Príncipe dos Gatos 27-9, 33-46, 48, 60, 65, 67, 70-3, 76, 338; *Tevildo Vardo Meoita* 27, *Meoita* 71. Ver *Tiberth, Tifil*.
Thingol 56-8, 61-2, 66-9, 83, 85, 90, 156-9, 293-4, 301; *Elu Thingol* 66; *Thingol das Florestas* 57, 301. (Substituiu *Tinwelint*).
Thompson, Francis 396
Thorn Sir Curso d'água com uma queda abaixo do Christhorn. 232, 234-5; *Torrente-das-Águias* 235
Thorndor Nome gnômico de Sorontur, Rei das Águias. 232-3, 235. Forma posterior, *Thorondor* 301
Thornhoth "Povo das Águias". 232, 234
Thû O Necromante. 71
Þórr 350. Ver *Þunor*.
Þunor Nome em inglês antigo do deus germânico cujo nome em nórdico antigo é Þorr; identificado como Tulkas por Eriol. 350
Thuringwethil Mensageira-morcego de Sauron de Tol-in-Gaurhoth. 75
Tiberth Nome gnômico de Tevildo, Príncipe dos Gatos. (Substituiu *Tifil*). 60, 63-5, 67; *Tiberth Bridhon Miaugion* 60, *Miaugion* 71
Tifanto Nome antigo de Dairon 65-67, 77-8. (Substituiu *Kapalen*).
Tifil Nome gnômico de Tevildo, Príncipe dos Gatos. (Substituído por *Tiberth*). 27, 60, 67; *Tifil Bridhon Miaugion* 27
Timpinen Nome de Tinfang em eldarissa. 14, 77
Tindriel Nome mais antigo de Melian. 67, 292
Tinfang Nome gnômico de Timpinen; chamado *Tinfang Trinado* (gnômico *Gwarbilin* "Guardião-dos-pássaros", I. 268). 21, 77
Tinthellon Nome (gnômico) antigo de Tinwelint. 67, 90, 142, 144-5
Tinto Ellu Nome (eldarissa) antigo de Tinwë Linto. 66, 90
Tinto'ellon Ver *Tinthellon*. 66-7
Tintoglin Nome (gnômico) antigo de Tinwelint. 90, 93, 142-5, 167-8
Tinúviel 13-4, 16, 18, 21-6, 29-51, 54-6, 58, 61-83, 85-90, 93, 143, 145, 149-51, 153, 171-2, 174, 179, 242, 247, 257, 281-2, 286-93, 295-6, 298-301, 312, 356, 361. Ver *Lúthien* (4).
Tinwë (*Linto*) Nome de Tinwelint em eldarissa. 18, 66-7, 83, 143. (Substituído por *Singoldo*).
Tinwelint Rei de Artanor (posteriormente Thingol); chamado de "o rei oculto". 20-1, 23-6, 29-32, 45, 48-9, 51-3, 55, 66-70, 74, 77, 80, 82-7, 89, 90, 93-6, 98-9, 101, 116-20, 127-8, 139-42, 145, 147-8, 156-9, 162, 167-9, 173-4, 177, 268-82, 284-7, 291,

293-4, 298-301, 312. Outros nomes gnômicos: *Ellon, Tinthellon, Tinto'ellon, Tintoglin*.
Tirannë Nome mais antigo de Mavwin (Morwen). 170-1
Tirin "Torre"; *Tirin de Ingil* 15-6
Tirion 249-50, 294, 308, 320, 352
Tiw Nome em inglês antigo do deus germânico cujo nome em nórdico antigo é *Týr*. 350
Tol Eressëa 14, 16, 18-9, 57, 70, 72, 74-5, 151, 260-1, 304, 306, 310-11, 317-8, 334, 336-8, 340-3, 345, 349-55, 362-7, 369-76, 389-91, 393-5, 397, 400-1. Ver *Ilha Solitária*.
Tol Sirion 72, 151
Tol-in-Gaurhoth "Ilha dos Lobisomens". 70, 72, 74-5
Tôn a Gwedrin O Fogo-do-Conto em Mar Vanwa Tyaliéva. 178, 238. Ver *Fogo-do-Conto*.
Torre de Neve Nome de uma das gentes dos Gondothlim. 211, 218. Ver *Penlod*.
Torre de Pérola 305, 308, 313, 317, 329-30. Ver *Adormecido na Torre de Pérola*.
Toupeira, A Nome de uma das gentes dos Gondothlim (*Casa da Toupeira, gente da Toupeira, povo da Toupeira, guerreiros da Toupeira*). 201, 209-10, 213, 215-6, 265-6; emblema da Toupeira 266; o povo de Meglin não portava emblema 201. Ver *Meglin*.
Travessias do Teiglin 156, 160
Trilha dos Sonhos 146. Ver *Olórë Mallë, Caminho dos Sonhos*.
Trols 341
Trui Troia. 237, 244; *Troia* 244
Tulkas 31, 62, 89, 170, 236, 241, 265, 335-6, 338-40, 350
Tumhalad Batalha na qual a hoste de Nargothrond foi derrotada. 166
Tumladin "Vale da lisura" (199), a planície ou vale de Gondolin. 199, 201, 203, 205, 209-10, 212, 217, 235, 241, 254, 258, 261
Tûn Nome posterior de Kôr (ver 352). 243, 316, 352; *Colina de Tûn* 378, 397
Túna 250, 352
Tuor 112, 150, 160, 177, 179-210, 212-3, 215-6, 219-33, 235-59, 261-5, 267, 289, 302-7, 309, 312-4, 316, 318-21, 333, 335, 392. Ver *Tûr*. "O *Tuor* tardio", nos *Contos Inacabados*, 244-9, 254, 262, 264
Tûr Forma do nome de Tuor. 182, 239, 242-3, 313-4
Turambar "Conquistador do Destino" (111-3). 55, 65, 80, 87-91, 110-6, 125-39, 142-8, 153-4, 156-7, 159-66, 169-76, 178-9, 244, 248, 259, 262, 265, 294-5, 299, 340. Ver *Turumart, Túrin*.
Turgon 57, 9, 85, 92, 95, 106, 146, 196-8, 200-8, 211-3, 218, 221, 223-4, 226, 239-40, 245-55, 262-3, 301, 309, 317. Ver *Turondo, Praça do Palácio, Casa do Rei*.
Túrin 33, 55, 63, 81, 92-110, 115-20, 123, 136, 138-9, 141-4, 146-59, 161, 164-71, 174-5, 177, 246, 268, 302. Ver *Turambar*.
Turinqi Ver *Meril-i-Turinqi*.
Turondo Nome de Turgon em eldarissa. 92
Turuhalmë O "Trazer das Lenhas" para Mar Vanwa Tyaliéva. 90-1
Turumart Forma gnômica de *Turambar*. 91, 110, 112, 146. Ver *Turambar*.
Tynwfiel Grafia original de *Tinúviel* no texto datilografado do *Conto de Tinúviel*. 56, 67
Týr 350. Ver *Tiw*.

Ufedhin Um Gnomo, aliado aos Anãos, que enganou Tinwelint. 270-7, 279-80, 282-3, 287, 291, 293-7

Uin A grande baleia. 341, 345, 395
Uinen 31, 67; *Oinen* 391; Ónen 67
Ulbandi Mãe de Kosomot (Gothmog). 261. Ver *Fluithuin*.
Ulmo Chamado "Senhor das Águas" (184, 246), "Senhor do Mar" (381, 385). 18, 99-100, 153, 184, 186, 188-92, 194-8, 200, 202, 203,m 223, 235-8, 244-7, 251, 262-3, 265, 303-5, 307, 309, 312, 317-8, 324, 335, 341, 371, 376, 381, 395, 398; descrito 189-90. Ver *Homem do Mar, Neorth*.
Ulmonan Salões de Ulmo no Oceano de Fora. 189
Última Batalha 340
Úmanyar Eldar "que não eram de Aman". 84
Umboth-muilin Os Alagados do Crepúsculo. 271, 297. Ver *Lagoas do Crepúsculo*; *Lagoas Silentes*; *Aelin-uial*.
Umuiyan Porteiro de Tevildo. 36-7. Ver *Gumniow*.
Undolaurë Nome de Glorund em eldarissa. 107. Ver *Laurundo*.
Ungweliant(ë) 22, 305, 307, 314, 345; a Aranha 314. Ver *Tecelã-de-Treva, Wirilómë*.
Úrin Pai de Túrin e Nienóri; chamado de "o Resoluto". 59-60, 69, 91-6, 99, 101, 105, 110, 113-21, 135-47, 157, 166-72, 174, 177, 268, 273, 277, 290, 293, 295, 299; Úrin das Matas 138. (Substituído por *Húrin*).
Urwendi Donzela do Sol. 142, 338-40, 344-5
Úvanimor Ver 168, 295-6

Vai O Oceano de Fora. 329
Vainóni Nome mais antigo de Nienor(i). 170-1
Vairë Esposa de Lindo. 18-9, 178, 309, 344, 350, 364-5
Valar (também *Vali*, 291). Referências selecionadas (incluindo *Deuses*).

Trechos a respeito das relações entre os Valar (Deuses, Ainur) com Elfos e com Homens. 26-7, 31, 48, 51, 60, 63, 78, 89, 92, 94-5, 99-100, 102, 108, 126, 137, 142-3, 154, 174, 197-8, 201-2, 227, 238, 251, 261-4, 308-9, 320-1, 330, 335-7, 350, 390. Guerra dos Deuses 377, 390; *Ruína dos Deuses* 344; afastamento dos assuntos dos Homens 341, 344; reverência aos (em Gondolin) 229, 251, 263. *Vala das Ilhas do Oeste* 119, 174. Túrin e Nienóri "como Valar luzentes" 142.
Ver *Grande Povo do Oeste, Senhores do Oeste, Filhos dos Deuses*.
Vale Seco Onde Tevildo encontrou Huan. 64, 73
Valinor 313-4, 19-21, 26, 47, 54, 57, 71, 76, 78-80, 85, 99-100, 105, 110, 141, 154, 158, 173, 196-8, 208, 250-2, 259-60, 262-3, 268-70, 275, 279-80, 287-8, 294, 298, 300, 304, 306-10, 312, 315-9, 324, 326-8, 330-1, 335-8, 340-1, 344-6, 348, 353, 362, 365, 370-2, 382, 385, 390-2, 395, 399; *Lar-divino* 382, 392. Ver *Montanhas de Valinor, Ocultação de Valinor*.
Valmar 79, 304, 309; *Valimar* 308
Valwë Pai de Lindo. 265, 334-5
Vána 263, 288
Vanyar 368
Varda 338-9
Vau Pedregoso 284-6, 299. Ver *Sarnathrod*.
Vëannë Uma menina de Mar Vanwa Tyaliéva, narradora do *Conto de Tinúviel*. 15-9, 54-6, 66-7, 70, 87, 89, 355, 362-3. Ver *Melinir*.
Vefántur "Fantur da Morte", o Vala Mandos. 142
Vento Norte 314
Vento Oeste 244-5
Ventos Tumultuosos, Caverna dos Onde o rio Sirion entrava para o subterrâneo. 236, 262

Vênus 320
Vettar Caminheiros-da-floresta (?). 126
Via das Águas Correntes Em Gondolin. 225
Via de Escape 193, 199, 203-4, 215, 228, 236, 253, 257-8. Ver especialmente 257-8, e ver *Bad Uthwen*.
Vikings 388-9, 397-8, 400. Ver *Forodwaith, Gwasgonin, Elmos Alados*.
Vila dos Sonhos, A (poema) 356-7, 359 (*A Vila dos Dias Mortos* 359).
Vingelot Ver *Wingilot*.
Vinyamar A morada de Turgon em Nevrast. 246, 262
Voronwë Forma do nome Bronweg em eldarissa. Chamado "o fiel" (156). 179, 183, 191-5, 198, 203, 216, 225, 227-8, 236, 238-9, 241, 246-9, 252, 259, 305-8, 310, 312, 316, 318-9, 344. Ver *Bronweg*.
Voz de Goth Gothmog. 88

Wǽfre Ver *Ottor Wǽfre*.
Warwick 352, 354, 356, 361-2, 371-2, 375, 390, 396; *Warwickshire* 390;
poema *A Vila dos Sonhos* 356-7, 359
Wéalas (inglês antigo) Os galeses. 350; adjetivo *Wíelisc* 352
Wendelin Nome antigo de Melian. 19, 65, 67, 83, 292
Wendelsæ (inglês antigo) o Mar Mediterrâneo. 356.
Wessex 364
Wíelisc Ver *Wéalas*.
Wingildi Espíritos da espuma-do-mar. 333
Wingilot "Flor-de-espuma", o navio de Eärendel. 179, 304-5, 307-8, 312-13, 317; *Wingelot* 313, 315, 327-8; *Vingelot* 315, 328
Wirilómë "Tecelã-de-Treva". 313-4. Ver *Ungweliant*(ë).
Wóden Nome em inglês antigo do deus germânico cujo nome em nórdico antigo é *Óðinn*; identificado como Manwë por Eriol. 350
Yavanna 344. Ver *Belaurin, Palúrien*.
Ythlings "Filhos das Ondas" 384-5, 388, 392, 398-9, 401; *Ythlingas* 398; descritos, 384. Ver *Eneathrim, Marinheiros do Oeste*.

Poemas originais

1. O Conto de Tinúvel

[A] p. 80: There the twain enfolded   phantom twilight
 and dim mazes   dark, unholy,
 in Nan Dungorthin   where nameless gods
 have shrouded shrines   in shadows secret,
 more old than Morgoth   or the ancient lords
 the golden Gods   of the guarded West.
 But the ghostly dwellers   of that grey valley
 hindered nor hurt them,   and they held their course
 with creeping flesh   and quaking limb.
 Yet laughter at whiles   with lingering echo,
 as distant mockery   of demon voices
 there harsh and hollow   in the hushed twilight
 Flinding fancied,   fell, unwholesome ...

5. O Conto de Eärendel

[A] pp. 320–21: Earendel arose where the shadow flows
     At Ocean's silent brim;
 Through the mouth of night as a ray of light
     Where the shores are sheer and dim
 He launched his bark like a silver spark
     From the last and lonely sand;
 Then on sunlit breath of day's fiery death
     He sailed from Westerland.

 He threaded his path o'er the aftermath
     Of the splendour of the Sun,
 And wandered far past many a star
     In his gleaming galleon.
 On the gathering tide of darkness ride
     The argosies of the sky,
 And spangle the night with their sails of light
     As the streaming star goes by.

 Unheeding he dips past these twinkling ships,
     By his wayward spirit whirled

On an endless quest through the darkling West
    O'er the margin of the world;
And he fares in haste o'er the jewelled waste
    And the dusk from whence he came
With his heart afire with bright desire
    And his face in silver flame.

The Ship of the Moon from the East comes soon
    From the Haven of the Sun,
Whose white gates gleam in the coming beam
    Of the mighty silver one.
Lo! with bellying clouds as his vessel's shrouds
    He weighs anchor down the dark,
And on shimmering oars leaves the blazing shores
    In his argent-timbered bark.

Then Eärendel fled from that Shipman dread
    Beyond the dark earth's pale,
Back under the rim of the Ocean dim,
    And behind the world set sail; 36
And he heard the mirth of the folk of earth
    And the falling of their tears,
As the world dropped back in a cloudy wrack
    On its journey down the years.

Then he glimmering passed to the starless vast
    As an isled lamp at sea,
And beyond the ken of mortal men
    Set his lonely errantry,
Tracking the Sun in his galleon
    Through the pathless firmament,
Till his light grew old in abysses cold
    And his eager flame was spent.

[B] pp. 323–24: 'Sing us yet more of Eärendel the wandering,
    Chant us a lay of his white-oared ship,
    More marvellous-cunning than mortal man's pondering,
    Foamily musical out on the deep.
    Sing us a talc of immortal sea-yearning
    The Eldar once made ere the change of the light,
    Weaving a winelikc spell, and a burning
    Wonder of spray and the odours of night;
    Of murmurous gloamings out on far oceans;
    Of his tossing at anchor off islets forlorn
    To the unslccping waves' never-ending sea-motions;
    Of bellying sails when a wind was born,
    And the gurgling bubble of tropical water
    Tinkled from under the ringed stem,

                    And thousands of miles was his ship from those wrought her
                    A petrel, a sea-bird, a white-winged gem,
                    Gallantly bent on measureless faring
                    Ere she came homing in sea-laden flight,
                    Circuitous, lingering, restlessly daring,
                    Coming to haven unlookcd for, at night.'

                    'But the music is broken, the words half-forgotten,
                    The sunlight has faded, the moon is grown old,
                    The Elvcn ships foundered or weed-swathed and rotten,
                    The fire and the wonder of hearts is acold.
                    Who now can tell, and what harp can accompany
                    With melodies strange enough, rich enough tunes,
                    Pale with the magic of cavernous harmony,
                    Loud with shore-music of beaches and dunes,
                    How slender his boat; of what glimmering timber;
                    How her sails were all silvern and taper her mast,
                    And silver her throat with foam and her limber
                    Flanks as she swanlike floated past!
                    The song I can sing is but shreds one remembers
                    Of golden imaginings fashioned in sleep,
                    A whispered talc told by the withering embers
                    Of old things far off that but few hearts keep.'

[C] pp. 324–25: *East of the Moon, west of the Sun*
                    There stands a lonely hill;
                    Its feet arc in the pale green sea,
                    Its towers arc white and still,
                    Beyond Taniquctil
                    In Valinor.
                    Comes never there but one lone star
                    That fled before the moon;
                    And there the Two Trees naked arc
                    That bore Night's si lvcr bloom,
                    That bore the globed fruit of Noon
                    In Valinor.
                    There arc the shores of Faery
                    With their moonlit pebbled strand
                    Whose foam is silver music
                    On the opalescent floor
                    Beyond the great sea-shadows
                    On the marches of the sand
                    That stretches on for ever
                    To the dragon headed door,
                    The gateway of the Moon,
                    Beyond Taniquetil
                    In Valinor.
                    West of the Sun, east of the Moon

> Lies the haven of the star,
> The white town of the Wanderer
> And the rocks of Eglamar.
> There Wingelot is harboured,
> While Eiirendellooks afar
> O'er the darkness of the waters
> Between here and Eglamar Out,
> out, beyond Taniquetil
> In Valinor afar.

[D] pp. 327–28: (1)

> I know a window in a western tower
> That opens on celestial seas,
> And wind that has been blowing round the stars
> Comes to nestle in its tossing draperies.
> It is a white tower builded in the Twilight Isles,
> Where Evening sits for ever in the shade;
> It glimmers like a spike of lonely pearl
> That mirrors beams forlorn and lights that fade;
> And sea goes washing round the dark rock where it stands,
> And fairy boats go by to gloaming lands
> All piled and twinkling in the gloom
> With hoarded sparks of orient fire
> That divers won in waters of the unknown Sun –
> And, maybe, 'tis a throbbing silver lyre,
> Or voices of grey sailors echo up
> Afloat among the shadows of the world
> In oarless shallop and with canvas furled;
> For often seems there ring of feet and song
> Or twilit twinkle of a trembling gong.
>
> O! happy mariners upon a journey long
> To those great portals on the Western shores
> Where far away constellate fountains leap,
> And dashed against Night's dragon-headed doors,
> In foam of stars fall sparkling in the deep.
> While I alone look out behind the Moon
> From in my white and windy tower,
> Ye bide no moment and await no hour,
> But chanting snatches of a mystic tunc
> Go through the shadows and the dangerous seas
> Past sunless lands to fairy leas
> Where stars upon the jacinth wall of space
> Do tangle burst and interlace.
> Ye follow Earendel through the West,
> The shining mariner, to Islands blest;
> While only from beyond that sombre rim
> A wind returns to stir these crystal panes

      And murmur magically of golden rains
      That fall for ever in those spaces dim.

[E] pp. 329–30:   (2)

      I know a window in a Western tower
      that opens on celestial seas,
      and there from wells of dark behind the stars
      blows ever cold a keen unearthly breeze.
      It is a white tower buildcd on the Twilit Isles,
      and springing from their everlasting shade
      it glimmers like a house of lonely pearl,
      where lights forlorn take harbour ere they fade.

      Its feet arc washed by waves that never rest.
      There silent boats go by into the West
      all piled and twinkling in the dark
      with orient fire in many a hoarded spark
      that divers won
      in waters of the rumoured Sun.
      There sometimes throbs below a silver harp,
      touching the heart with sudden music sharp;
      or far beneath the mountains high and sheer
      the voices of grey sailors echo clear,
      afloat among the shadows of the world
      in oarlcss ships and with their canvas furled,
      chanting a farewell and a solemn song:
      for wide the sea is, and the journey long.

      O happy mariners upon a journey far,
      beyond the grey islands and past Gondobar,
      to those great portals on the final shores
      where far away constellate fountains leap,
      and dashed against Night's dragon-headed doors
      in foam of stars fall sparkling in the deep!
      While I, alone, look out behind the moon
      from in my white and windy tower,
      yc bide no moment and await no hour,
      but go with solemn song and harpers' tunc
      through the dark shadows and the shadowy seas
      to the last land of the Two Trees,
      whose fruit and flower are moon and sun,
      where light of earth is ended and begun.

      Ye follow Eärendel without rest,
      the shining mariner, beyond the West,
      who passed the mouth of night and launched his bark
      upon the outer seas of everlasting dark.
      Here only comes at whiles a wind to blow

returning darkly down the way ye go,
with perfume laden of unearthly trees.
Here only long afar through window-pane
I glimpse the flicker of the golden rain
that falls for ever on the outer seas.

6. A História de Eriol ou Ælfwine e o Fim dos Contos

[A] pp. 354–57:

Prelude

In unknown days my fathers' sires
Came, and from son to son took root
Among the orchards and the river-meads
And the long grasses of the fragrant plain:
Many a summer saw they kindle yellow fires
Of iris in the bowing reeds,
And many a sea of blossom turn to golden fruit
In walled gardens of the great champain.

*

There daffodils among the ordered trees
Did nod in spring, and men laughed deep and long
Singing as they laboured happy lays
And lighting even with a drinking-song.
There sleep came easy for the drone of bees
Thronging about cottage gardens heaped with flowers;
In love of sunlit goodliness of days
There richly flowed their lives in settled hours –
But that was long ago,
And now no more they sing, nor reap, nor sow,
And I perforce in many a town about this isle
Unsettled wanderer have dwelt awhile.

*

The Town of Dreams

Here many days once gently past me crept
In this dear town of old forgetfulness;
Here all entwined in dreams once long I slept
And heard no echo of the world's distress
Come through the rustle of the elms' rich leaves,
While Avon gurgling over shallows wove
Unending melody, and morns and eves
Slipped down her waters till the Autumn came,
(Like the gold leaves that drip and flutter then,
Till the dark river gleams with jets of flame
That slowly float far down beyond our ken.)

*

For here the castle and the mighty tower,
More lofty than the tiered elms,
More grey than long November rain,
Sleep, and nor sunlit moment nor triumphal hour,
Nor passing of the seasons or the Sun
Wakes their old lords too long in sh,1mber lain.

*

No watchfulness disturbs their splendid dream,
Though laughing radiance dance down the stream;
And be they clad in snow or lashed by windy rains,
Or may March whirl the dust about the winding lanes,
The Elm robe and disrobe her of a million leaves
Like moments clustered in a crowded year,
Still their old heart unmoved nor weeps nor grieves,
Uncomprehending of this evil tide,
Today's great sadness, or Tomorrow's fear:
Faint echoes fade within their drowsy halls
Like ghosts; the daylight creeps across their walls.

*

The City of Present Son-ow

There is a city that far distant lies
And a vale outcarven in forgotten days-
There wider was the grass, and lofty elms more rare ;
The river-sense was heavy in the lowland air.
There many willows changed the aspect of the earth and skies
Where feeding brooks wound in by sluggish ways,
And down the margin of the sailing Thames
Around his broad old bosom their old stems
Were bowed, and subtle shades lay on his streams
Where their grey leaves adroop o'er silver pools
Did knit a coverlet like shimmering jewels
Of blue and misty green and filtering gleams.

*

O aged city of an all too brief sojourn,
I see thy clustered windows each one burn
With lamps and candles of departed men.
The misty stars thy crown, the night thy dress,
Most peerless-magical thou dost possess
My heart, and old days come to life again;
Old mornings dawn, or darkened evenings bring
The same old twilight noises from the town.
Thou hast the very core of longing and delight,
To thee my spirit dances oft in sleep
Along thy great grey streets, or down
A little lamplit alley-way at night-

Thinking no more of other cities it has known,
Forgetting for a while the tree-girt keep,
And town of dreams, where men no longer sing.
For thy heart knows, and thou shedst many tears
For all the sorrow of these evil years.
Thy thousand pinnacles and fretted spires
Are lit with echoes and the lambent fires
Of many companies of bells that ring
Rousing pale visions of majestic days
The windy years have strewn down distant ways;
And in thy halls still doth thy spirit sing
Songs of old memory amid thy present tears,
Or hope of days to come half-sad with many fears.
Lo! though along thy paths no laughter runs
While war untimely takes thy many sons,
No tide of evil can thy glory drown
Robed in sad majesty, the stars thy crown.

*

[B] p. 357:
Forgetting for a while that all men weep
It strays there happy and to thee it sings
'No tide of evil can thy glory drown,
Robed in sad majesty, the stars thy crown!'

[C] pp. 358–59:

The Song of Eriol

1

In unknown days my fathers' sires
Came, and from son to son took root
Among the orchards and the river-meads
And the long grasses of the fragrant plain:
Many a summer saw they kindle yellow fires
Of flaglilies among the bowing reeds,
And many a sea of blossom turn to golden fruit
In walled gardens of the great cham pain.
There daffodils among the ordered trees
Did nod in spring, and men laughed deep and long
Singing as they laboured happy lays
And lighting even with a drinking-song.

There sleep came easy for the drone of bees
Thronging about cottage gardens heaped with flowers;
In love of sunlit goodliness of days
There richly flowed their lives in settled hours-
     But that was long ago,
     And now no more they sing, nor reap, nor sow;
     And I perforce in many a town about this isle
     Unsettled wanderer have dwelt awhile.

2

Wars of great kings and clash of armouries,
Whose swords no man could tell, whose spears
Were numerous as a wheatfield's ears,
Rolled over all the Great Lands; and the Seas

Were loud with navies; their devouring fires
Behind the armies burned both fields and towns;
And sacked and crumbled or to flaming pyres
Were cities made, where treasuries and crowns,

Kings and their folk, their wives and tender maids
Were all consumed. Now silent are those courts,
Ruined the towers, whose old shape slowly fades,
And no feet pass beneath their broken ports.

*

There fell my father on a field of blood,
And in a hungry siege my mother died,
And I, a captive, heard the great seas' flood
Calling and calling, that my spirit cried

For the dark western shores whence long ago had come
Sires of my mother, and I broke my bonds,
Faring o'er wasted valleys and dead lands
Until my feet were moistened by the western sea,
Until my ears were deafened by the hum,
The splash, and roaring of the western sea—
   But that was long ago
   And now the dark bays and unknown waves I know,
   The twilight capes, the misty archipelago,
   And all the perilous sounds and salt wastes 'tween this isle
Of magic and the coasts I knew awhile.

*

Este livro foi impresso pela Ipsis, em 2023, para
a HarperCollins Brasil. O papel do miolo é pólen
natural 70g/m², e o da capa é couchê 150g/m².

62
8
"Now hear ye" said Galdor "we must at no less hour toward the Encircling Mountains ere dawn come upon us and that given us great need of time albeit it is winter." Then arose a dissension for a member said that it were better to make for Cristhorn as Tuor supposed. "The Sun" say they "will be up long ere we win the foothills and we shall be caught in the plain those Orkor and those demons ~~no way a host we wield as we have in winter time out~~ ~~that makes against these yet even here for making for~~ ~~Bad Uthwen the way of Escape now far too~~ Let us gain the Bad Uthwen the Way of Escape for now is but half the journeying, and our weary and our wounded may have yet won so far ~~that~~ no further."

63d But Legolas, the ~~Grove~~ Legolas Greenleaf of the house of the Tree who knew all that plain by day or by dark, and was night-sighted made ~~his aid~~ for all their ~~great~~ weariness over the vale, and halted only after a great march. Then was all the Earth spread with the grey light of that sad dawn which and that was a marvel for ~~that of~~ Gondolin. But the plain was full of mists his perch nor had to do with the doings ~~as~~ come there ever before, and the ~~rose~~ and covered by the vapours arriv'd long past of dawn its misty airs from the hill or ~~the~~ from the ruined walls. escape them in here very, till they were already here in for any the Now the Mountains were on that side Seven leagues save a mile from Gondolin and Cristhorn the Cleft of Eagles, another league of upward going from the beginning of the mountains gained. They were now yet two leagues and part of a third from the pass and very weary too.

~~They made the Sun~~ By now the Sun being well above a saddle in the Eastward hills, and she was very red and great; and the mists with their weapons of Gondolin were utterly hidden as in a cloud. Behold ~~then~~ as he turned Glorfindel saw, but half a league away, a knot of men that fled on foot and these were pursued by a horse cavalry, for our great wolves rode Orcs, as they thought, brandishing spears. Then "Tuor! Lo! there is Earendel my son and my men of the wing and he is in sore strait—!" Forth with he chose fifty, six men that were least weary, and leaving the main company to follow, he